中国古典文学名著丛书

官场现形记

下

[清] 李宝嘉 著

第三十一回

改营规观察上条陈　说洋话哨官遭殴打

话说冒得官回家之后，嘱咐太太把女儿扎扮停当，又收拾了一间房屋，将家中上下人等统通交代清楚。他自己一路出来，先送信给统领的小戈什，托他务必将此事拉拢成功，感德匪浅。自己却躲在一个朋友家去过夜。

却说统领向例：每天这顿晚饭是从不在家吃的，托名在外面应酬，其实是天天在秦淮河里鬼混。这天到了下午，仍旧坐轿出门，先在船上打牌，又到钓鱼巷里吃酒。约摸应酬到十一点多钟，毕竟心上有事，便先吩咐打轿回去。小戈什的心上明白，预先叮嘱轿夫，叫他把轿子一直抬到冒得官的公馆跟前，打门进去。羊统领假充酒醉，跟了进来。此时冒家上下都是串通好的，当把他一领领到小姐房中，众人一哄而出。统领等房中无人，才上前同小姐勾搭。听说这一夜总共问了冒小姐不少的话，冒小姐只是不答，赛同哑子一样。羊统领以为她是害羞，所以并不在意。

良宵易过，便是天明。羊统领正在好睡的时候，忽听得大门外有人敲门，打得震天价响。随后接着有人出来开门。这进来的人分明是个男人声气。羊统领虽然是个偷花的老手，到了此时，不禁心中害怕起来，生恐是小戈什误听人言，以致落了他们的圈套。连忙一骨碌从床上爬起，察看动静；听了听，只听得房间外面有人低低地说话。于是羊统领格外疑心，正想穿起长衣，轻轻拔去门闩，拿在手中，预备当作兵器，可以夺门而出。说时迟，那时快，羊统领在里面各事停当，走到门前，又侧着耳朵听了一听，谁知反无动静，于是心上更为惊疑不定。想要开门，一时又不敢去开，只得呆呆站立在门内，约摸站了有两刻钟之久。冒小姐业亦披衣下床。此时冒小姐棠睡初醒，花容愈媚。羊统领越看越爱，不禁看出了神，忘其所以，轻轻说得一句道："天还早得很，为什么不再睡一会儿?"冒小姐亦不理他。却不料这一问早被门外一个人听见，用手指头轻轻把门叩了两下，亦说道："天还早得很，统领为什么不再睡一会儿?"羊统领一听门外有男人说话,这一吓非同小可!但是说话的声音很熟,一时想不起是谁,怔在那里半天喘不出气来。还是冒小姐爽快,连忙迈步走近门前,伸手将两扇门豁琅一声拉了开来,说了声"有话让你们当面讲"。羊统领起初还当是小姐过来拉他的,却不料有此一番举动。房门开处,朝外一望,只见一个男人直僵僵地朝着房门跪着不动,那人低着头,亦看不出面貌。羊统领满腹狐疑,更是摸不着头脑。正在两难的时候,幸亏门外跪的人先开口道:"沐恩在这里伺候老帅。难得老帅赏脸,沐恩感恩匪浅!"说完这两句,抬起头来听统领吩咐话。羊统领仔细一看,认得他是冒得官,直弄得毫无主意。只听得冒得官又说道:"丫头还不过来帮着我求求统领!"一言未了,他女儿亦跪下了。

羊统领至此方才恍然大悟。见他们跪着不起,知道没有歹意,急忙地一手去拉冒得官,一手去拉小姐,嘴里说道:"你们这番好意我都晓得。此刻我要回去,彼此心照就是了。"冒得官起来之后,又请一个安,说道:"全仗老帅栽培!"其时脸水早点心都已齐备。羊统领只揩了一把脸,立刻要走。冒得官父女两个拉着,抵死不放,定要统领吃过点心再去。羊统领无奈,只得每样夹了一点吃了方才走的。冒得官又赶出门外,站过出班,方才进来。

自此以后,羊统领便天天到他家走动。又过了两日,却把冒得官传了去问过仔细,见了制台,替他竭力地洗刷。制台一心修道还来不及,哪里有工夫管这闲事,便也不去追问。统领回来,便借了一桩事,把朱得贵的差使撤掉还不算,又要斥革他的功名,办他的递解。朱得贵急了,到处托人替他求情。冒得官便挺身而出,说:"我去替你求情。"见了统领鬼混了一阵,统领非但不革他的功名,并且还赏他一封信,叫他到四川良大人标下去当差。一个好人全做在冒得官身上。这朱得贵非但不恨他,而且还感激他,这便是狡猾人的作用。

话分两头。且说羊统领在江南久了,认识的人亦就渐渐的多了。而且他南京有买卖,上海有买卖,都是同人家合股开的。便有他现在南京一爿字号里做挡手的一个人,其人姓田,号子密,是徽州人。生的又矮又胖,但是头发不多,只拖了一根极细极短的辫子;因此众人就送他一个表号叫"田小辫子"。这田小辫子做了十几年的挡手,手里着实有钱。近来忽然官兴发作,羊统领便劝他道:"如要做官,捐个同、通到江南来,有我的面子，无论哪个道台跟前托托，差使是一定有的。”无奈田小辫子在南京住久了，磕来碰去的官，道台居多，他便有心爬高，官小了不要做，一定要捐道台。他自己拿钱捐官，朋友是不好止住他的，只好听其所为。等到上兑之后，便把店中之事料理清楚，又替东家找了一个人接手，他便起身进京引见。

他东家往来的人都是官场，他在官场登久了，而且一心一意又酷慕的是官，官场的规矩应该是在行的了，谁知大谬不然。不要说别的，单说他进京引见的时候，有人请他上馆子吃饭，他到的晚了，大伙儿已入了座，还有叫的条子亦在那里，他进门之后，见了人就作揖，见了相公亦是作揖。后来人家问他：“怎么你见了相公要如此恭敬？”他说：“我看见他们穿着靴子，我想起我在南京的时候，那些局子里当差的老爷们都是天天穿着靴子的，我见了他们，疑心他们是部里的司官老爷才从衙门里下来。他们做京官的是不好得罪的。横竖‘礼多人不怪’，多作两个揖算得什么！”自己做错了事，人家说说他，他还不服。诸如此类的笑话，也不知闹出多少。

等他到省之后，齐巧这江南的藩司、粮道、盐道统通换了新人，他一个也不认得。这天大早，头一个上制台衙门，到了司、道官厅上。人家是晓得制台脾气的，总要打过九点钟才上衙门。他一进官厅，就在炕上头一位坐下。后来等等大家不来，他便不耐烦，独自一人坐在炕上打盹，穿着簇新的蟒袍补褂，身子一歪就睡着了。睡了一会，各位候补道也有有差使的，也有没有差使的，霎时间陆陆续续来了五六十位。号房看见别位大人来到，方才把他推醒。他一只手揉眼睛，却拿一只手满身地乱抓，说是炕上有臭虫，把他咬着了。说话间定睛一看，一见来了许多人，把他吓了一跳。幸亏全是候补道，其中也有认得的，也有不认得的。连忙下炕，一一招呼。招呼之后，正待归座，却见一个人走了进来，也是红顶花翎，朝珠补褂。他却不认得这人是谁，见了面，一揖之后，忙问：“贵姓？”那人说：“姓齐。”接下来又问：“台甫？”旁边走上来一位候补道，是羊统领的熟人，曾经托过他招呼田小辫子的。这位候补道忙把田小辫子一拉，说了声“这是方伯”。田小辫子连忙应声道：“原来是方翁先生，失敬失敬！”藩台也不理他，径自坐下。

这个挡口，外面又进来一个人，大家都认得是两淮运使，新从扬州上省禀见的。众人见了，一齐都招呼过。独有田小辫子又顶住问“贵姓、台甫”,运司说了。接着又问“贵班”,运司亦看出他是外行,便回了声“兄弟是两淮运司”。谁知田小辫子不听则已,及至听了“运司”二字,那副又惊又喜的情形,真正描画不出。陡然把大拇指头一伸,说道:“啊哟!还了得!财神爷来了!”大众听了他的话都为诧异,就是那位运司亦愣住了。只听得田小辫子说道:“你们想想看:两淮运司的缺有名的是‘一个钟头进来一个元宝’。一个元宝五十两;一天一夜二十四个钟头,就是二十四个元宝,二十四个元宝就是一千二百两。十天一万二千两;一个月三十天,便是三万六千两;十个月三十六万,再加两个月七万二,一共是四十三万二。啊唷唷!还了得!这么一个缺,只要给我做上一年就尽够了!”他正说得高兴,忽然旁边有他一个同寅插嘴道:“有如此的好缺,怎么给人家做人家还不肯要呢?”众人忙问:“给谁谁不要?”那人说道:“就是那个唐什么先生,不是有旨意放他这个缺,他一定要辞不做吗?”又一个人说道:“唐某人呢,本来是个大名士。做名士的人不免就把银钱看轻些,任你是什么好缺也都不在他心上。而且现在的这个运司缺亦比前差了许多。”田小辫子道:“任他缺分如何坏,做官的利息总比做生意的好。”众人见他说的穷形尽致,也不理他。

停了一刻,约摸已有十点打过,制台在老祖前应做的功课一一停当,方才出外见客。头一班司、道进见。田小辫子是初次禀到的人,于是随着一同进去,见了制台。一切礼节全是隔夜操练好的,居然还没有大错。不过一件毛病不好,是爱抢说话,无论制台问到他不问到他,他都要抢着说。幸亏这位制台是位好好先生,倒也并不动气。见过一面之后,第二天藩司上院就说他的坏话,说他是生意人出身,官场上的规矩都不懂得。制台道:“还好,尚不失他的本色。这种人倒是老实人,是不会说假话的。而且他在南京年代多了,有些外头的事情我们不晓得,倒好问问他。究竟他还没有沾染官场习气,谅来不敢蒙蔽我们。”藩台见制台如此,亦没有别的说话。等到公事回完,只好退了下来。

第三天又一同上院。凑巧同见的有营务处上的一位道台。制台朝着这位道台说道:“现在营制太不讲究。就以羊某人所带的几营而论:有一营一半是德国操,一半是英国操;又一营全是德国操,忽然当中又掺了些长苗子。这长苗子是我们中国原有的,如今搀在这德国操内,中又不中,外又不外,倒成了一个中外合璧。我兄弟年纪大了,有些事情怕心烦,总要诸位费心帮帮忙。羊某人也是马马虎虎的,你们总得说说他才好。还有此一件习气最不好:我每逢出门,看见街上有些兵都把洋枪倒掮在肩膀上,那一头也有拴一把雨伞的,也有挂一双钉鞋的,真正难看!"制台说到这里,那个营务处道台还没有答腔,田小辫子抢着说道:"不瞒大帅说:职道在敝居停羊某人营里看得多了,德国操的洋枪都是倒掮的。大帅倒不必怪他。"

制台听了,也不去理他,只同那个营务处上的道台说话。一会又说道:"新近有个大挑知县①上了一个条陈,其中有些话都是窒碍难行,毕竟书生之见,全是纸上谈兵。这些营务事情,如非亲身阅历,决不能言之中肯。"田小辫子又插嘴道:"职道跟敝居停羊某人相处久了,有年职道同敝居停谈起这件事,职道拟过几条条陈,很蒙敝居停说好。明天倒要抄出来送给大帅瞧瞧。"制台道:"你有什么见解,尽管写出来。"田小辫子又答应了"是"。等到院上下来,便把从前在店里专管写信的一位朋友请了来,同他商议。他自己拿嘴说,那个朋友拿笔写。写了又写,改了又改,足足弄了十六个钟头,好容易写了一个手折,其中又打了几个补丁。

到了次日上院,齐巧这日制台感冒,止辕不见客。田小辫子扑了一个空,心中甚是怏怏,便同巡捕官说道:"我是来递条陈的,与别位司、道不同。老帅既不出来见客,可以带我到签押房里独见的。"巡捕官道:"老帅今天连老祖跟前的功课都没有做,此刻刚正吃过药,蒙着两条棉被在那里出汗。早有过吩咐,统通不见,请大人明天再过来罢。"田小辫子无奈,只得闷闷而回。谁知制台一连病了五天,就一连止了三天辕门。田小辫子要见不能见,真把他急得要死。

到了第六天,制台的病稍为好些。因为江南地方大,事情多,不好不出来理事,于是由两三个跟班的架着,勉强出来会客。田小辫子跟了一班司、道进见。自然是藩台同着盐、粮二道说话,问:"老帅今天可大安了?"制台道:"病是好了,不过觉着没有气力。到了我这样的年纪,算算不大,怎么一病之后,竟其如此无用?"别人尚未开口,田小辫子先抢着说道:"老帅白天忙,晚上忙,早晨有早晨的公事,夜里有夜里的公事,人有多少

---

① 大挑知县——举人三科以上会试不中,挑取其中一等的任用为知县,二等的以教职,六年举行一次,以使举人有较宽的出路。

精神，禁得起如此的磨呢！老帅总要保养保养才好！”他说的原是真话。不料这位制台上房里一共有十一个姨太太，听了他话，一时误会了意，沉吟了半天，忽然说道：“老兄的话很不错。但是兄弟姬妾虽多，这两年因为常常在老祖跟前当差，一直是斋戒的，怎么还会生病？”田小辫子连忙接口道：“职道说的公事是老帅天天办的公事，并不是……”说到这里，也咽住了。

制台见他说话莽撞，心上好不自在，半天不响。正想端茶送客，忽然田小辫子站起来，从袖筒管里掏出一个手折，双手奉上制台，说道：“这是上回老帅吩咐拟的条陈，职道已经写好了五六天了，带来请老帅过目。”制台说了半天的话，早已力倦神疲，恨不得他们即刻出去，好到上房歇息。偏偏田小辫子要他看条陈。他要待不看，无奈他是好好先生做惯的了，一时又放不下脸来。只好打起精神，把手折接了过来，挣扎着大略看了一遍；两手拿着手折，禁不住瑟瑟地乱抖。藩台怕他劳神，便说：“大帅新病之后，不可劳神，条陈上的事情过天再斟酌罢。”

谁知田小辫子拉了藩台袖子一把，道：“兄弟这个条陈，是大帅五六天前头吩咐的。”一面说，一面又跑到制台面前，拿手指着条陈，说道：“大帅，条陈不多，只有四条。大帅请看这第一条。”此时制台正被他弄得头昏眼花，又见他自己离位指点，毫无官体，本来就要端茶送客的，如今见他这个样子，倒要看看他的条陈如何再讲。但是头里发晕，虽然带了眼镜，也是看不清楚，便道：“你说给我听罢。”田小辫子一听大喜，忙把手折接了过来，双手高捧，站在地当中，高声朗诵。未曾念满三行，已经念了好些破句：原来替他做手折的人，其中略为掉了几句文，所以田小辫子念不断句。制台听了不懂，便问大众：“诸公懂他的话不懂？”各位司、道都不言语。

制台道：“你老实讲给我听罢，不要念了。”田小辫子便解说道：“职道的第一条条陈是出兵打仗，所有的队伍都不准他们吃饱。”制台道：“还是要克扣军饷不是？俗语说的好，‘皇帝不差饿兵’，怎么叫他们饿着肚皮打仗呢？”田小辫子道：“大帅不知道，这里头有个比方：职道家里养了个猫，每天只给他一顿饭吃，到了晚上就不给他吃了，等他饿着肚皮。他要找食吃，就得捉耗子。倘或那天晚上给他东西吃了，他吃饱了肚皮就去睡觉，便不肯出力了。现在拿猫比我们的兵，拿耗子比外国人。要我们的兵去打外国,断断乎不可给他吃得个全饱,只好叫他吃个半饱。等到走了一截的路,他们饿了,自然要拼命赶到外国人营盘里抢东西吃。抢东西事小,那外国人的队伍,可被我们就吵乱了。”制台道:“不错,不错。外国人想是死的,随你到他营盘里抢东西吃。他们的炮火哪里去了?我看倒是一个兵不养,等到有起事来,备角文书给阎王爷,请他把‘枉死城’里的饿鬼放出来打仗,岂不更为省事?”说完,哈哈一笑。田小辫子虽然听不出制台是奚落他的话,但见制台的笑,料想其中必有缘故;于是脸上一红,说道:“这个道理,是职道想了好几天悟出来的。”

制台听他说的话开味,便也不觉劳乏,反催他说,道:“第一条我已懂得了。你说第二条。”田小辫子见制台要听他条陈,更把他喜得了不得,连忙说道:“前头第一条讲的是陆师。这第二条讲的是炮台。现在我们江南顶吃重的是江防,要紧口子上都有炮台。这炮台上的大炮是专门打江里的船的。职道有一个好法子,是教这炮台的兵天天拿了大千里镜把这江里的路看清。譬如外国人的船是朝着西面来的,我们就架上大炮朝着东面打去;倘若是朝着东面来的,我们就朝着西面打去。这叫做‘迎头痛剿’,万无一失。至于或南或北,都是如此。”制台道:“炮台上的炮不打江里的敌船打哪一个?难道拨转来打自己的人不成?至于炮台上的人,原该应懂得点测量的。等到看见了敌船,东西南北,对准水线,亦要算准时刻,约摸船还未到的前头一秒钟或两秒钟、三秒钟,就得把炮放出。等到炮子到那里,却好船亦走到那里,刚刚碰上,自然是百发百中,万无一失。天下哪里有但辨方向,不论远近,向海阔天空的地方乱开炮的道理?况且放一个炮要多少钱,你也仔细算算没有?”田小辫子见制台正言厉色地驳他,又当着各位司、道面上,一时脸上落不下,只好强辩道:“职道所说的‘迎头痛剿’,原说的是对准了船头才好开炮。”制台道:“等到船头对准炮门已来不及了;等到炮子到跟前,那船早已走过,岂不又是落了空?总之:不懂得情形还是不要假充内行的好!”田小辫子被制台驳的无话可说,于是脸上红一阵,白一阵,一声也不敢响。

此时制台同他驳了半天,虚火上来,也有了精神了。索性叫他再把后头两条逐一解说出来。田小辫子只得又吞吞吐吐地说道:“第三条是为整顿营规起见,怕的是临阵退缩,私自逃走,或者在外头闹乱子闯祸。照职道这个法子,就不怕他们了。”制台道:“有什么高明法子?倒要请教请教。”田小辫子道：“职道也不过如此想，可行不可行，还求大帅的示下。”制台道：“快讲！不要说这些费话了！”田小辫子道：“凡是我们的兵，一概叫他们剃去一条眉毛。职道想这眉毛最是无用之物，剃了也不疼的。每个人只有一条眉毛，无论他走到哪里，都容易辨认。倘若是逃走以及闹了乱子，随时拿到就可正法，是断乎不会冤枉的。”制台道：“从前汉朝有个‘赤眉贼’，如今本朝倒有了‘无眉兵’了，真正奇闻！你快一齐说了罢！”

田小辫子只得又说道：“这第四条是每逢出兵打仗的时候，或是出去打盐枭，拿强盗，所有我们的兵，一齐画了花脸出去。”制台道：“画了花脸，可是去唱戏？”田小辫子道：“兵的脸上画的花花绿绿的，好叫强盗看着害怕。他们老远的瞧着，一定当是天神天将来了，不要说是打强盗，就是去打外国人，外国人从来没有见过，见了也是害怕的。”制台道：“你的法子很好，倒又是一个义和团了！”田小辫子把脸一红道：“职道虽然没有见过义和团，常常听北边下来的朋友谈起团里的打扮，有些都学黄天霸的模样。职道现在乃是又换一个样儿，是照着戏台上打英雄的那些花脸去画，无论什么人见了都要害怕的。”

田小辫子只图自己说得高兴，不提防制台听了他的条陈，竟其大动肝火，顿时唾了一口道：“呸！这样放屁的话，也要当作条陈来上！你们诸公听听，传出去岂非笑谈！江南的道台都是如此，将来候补的一定还要多哩！”田小辫子还当制台有心说笑话，同他呕着玩耍，便亦笑嘻嘻地凑趣说道：“江南本来有个口号，是：‘婊子多，驴子多，候补道多。’”制台不等他说完，便接口道：“像你这样的候补道，本来只好比比驴子！婊子！再稍微上等点的人，你就比不上！”其时藩台等人见制台说话说得长远了，恐怕他累着又要犯毛病，上了年纪的人是经不起的。况且这位制台是忠厚惯的，今忽一旦动了真火，田小辫子又是个市井无赖，不晓得什么轻重的，生恐他两个人把话说抢，将来不好收场。于是不等端茶碗，便一齐站立告辞。制台一面送他们，还一面数说田小辫子。此时田小辫子要强辨也不敢强辨了，于是跟着大众一块儿出去。

走到外面，将要上轿，便有他的相好埋怨他这个条陈今天是不该应上的，劝他的人，就是他的同寅赵元常。他便拉了赵元常袖子，自己分辨道：“我哪里有工夫上这劳什子！这原来是大帅他自己问我要的。他问我要，我怎么好说不给他？而且条陈上不上在我，用不用由他，他也犯不着生这么大气,拿人不当人!人家的官小虽小,到底也是个道台,银子一万多两呢!"赵元常见他的为人呆头呆脑,说的话不伦不类,又想到制台刚才待他的情形,恐怕事情不妙。赵元常本是羊统领的知交,田小辫子到省,羊统领曾托过他,说:"田小辫子是个生意人,一切规矩都不懂得,总得你老哥随时指点指点他才好。"所以这赵元常才肯埋怨他,劝他不要多讲话。后来他不服赵元常的话,赵元常也生气,便趁空回了羊统领,说:"田某人太不懂事,总得统领自己把他叫来开导开导才好。"羊统领本来同他很关切的,当时一口应允,说:"等我马上关照他。"

齐巧这日阴天很有雨意,羊统领没有事情做,便叫差官拿了片子把一向同在一起的几个道台,什么孙大胡子、余荩臣、藩金士、糖葫芦、乌额拉布、田小辫子一共六位,又面约了赵元常,通统宾主八位,同到钓鱼巷大乔家打牌吃酒。赵元常因另有事情,说明白去去再来。羊统领却自己坐了轿子先去吃烟。这大乔同羊统领也有三年多的交情了,见面之后,另有副肉麻情形,难描难画。一霎时亲热完了,所请的七位大人也陆续来了。当下先打牌,后吃酒。

却不料那田小辫子田大人新叫的一个姑娘,名字叫翠喜,是乌额拉布乌大人的旧交。乌额拉布同田小辫子今天是第一次相会,看见田小辫子同翠喜要好,心上着实吃醋。起初田小辫子还不觉得,后来乌大人的脸色渐渐的紫里发青,青里变白。他是旗下人,又是阔少出身,是有点脾气的。手里打的是麻雀牌,心上想的却是他二人。这一副牌齐巧是他坐庄,一个不留神,发出一个中风,底家拍了下来。上家跟手发了一张白板,对面也拍出。其时田小辫子正坐对面,翠喜歪在他怀里替他发牌,一会劝田小辫子发这张牌,一会又说发那张牌。田小辫子听她说话,发出来一张八万,底家一摊就出。仔细看时,原来是北风暗克,二三四万一搭,三张七万,一张八万等张。如今翠喜发出八万,底家数了数:中风四副,北风暗克八副,三张七万四副,八万吊头不算,连着和下来十副头,已有二十六副;一翻五十二,两翻一百零四,万字一色,三翻二百零八。乌额拉布坐庄,打的是五百块洋钱一底的么二架,庄家单输这一副牌已经二百多块。乌额拉布输倒输得起,只因这张牌是翠喜发的,再加以醋意,不由得怒从心上起,恶向胆边生,顿时拿牌往前一推,涨红了脸,说道:"我们打牌四个人,如今倒多出一个人来了!看了两家的牌,发给人家和,原来你们是串通好了来做我一个的!"翠喜忙分辩道:"我又不晓得下家等的是八万。你庄家固然要输,田大人也要陪着你输。"乌额拉布道:"自然要输!你可晓得你们田大人不是庄,输的总要比我少些?"翠喜道:"一个老爷不是做一个姑娘,一个姑娘不是做一个老爷,什么我的田大人!你们诸位大人听听,这话好笑不好笑!"

田小辫子看见乌额拉布同翠喜倒蛋,心上已经不愿意。他本是个草包,毫无知识的人,听了翠喜的话,便也发话道:"'中正街的驴子,谁有钱谁骑!'乌大人,你不要这个样子!"乌额拉布见田小辫子说出这样的话来,便也恼羞成怒,伸手拿田小辫子兜胸一把,那一只手就想去拉他的辫子。幸亏糖葫芦眼睛快,说道:"别的好拉,他的辫子是拉不得的!共总只剩了这两根毛,拉了去就要当和尚了!"乌额拉布果然放手。说时迟,那时快,田小辫子也拉住乌额拉布的领口不放。只听得田小辫子骂乌额拉布"乌龟";乌额拉布亦骂田小辫子"田鸡"。田小辫子说:"我做田鸡总比你当乌龟的好些!"当下你一句,我一句,两人对骂的话,记也记不清。这日打牌的人共是两桌,大众见他二人扭在一处,只得一齐住手,过来相劝。其时外边正下倾盆大雨,天井里雨声哗啦哗啦,闹的说话都听不清楚。大家劝了半天,无奈他二人总是揪着不放。乌额拉布脸上又被田小辫子拿手指甲挖破了好两处,虽然没有出血,早已一条条都发了红了。羊统领虽然是武官,无奈平时酒色过度,气力是一点没有的,上前拉了半天,丝毫拉不动二人。又想:"倘或被他二人一个不留神,误碰一下子,恐怕吃不住。"便自己度德量力,退了下来。后来好容易被孙大胡子、赵元常一干人将他俩劝住的。乌额拉布坐定之后,方觉得脸上火辣辣地发疼。及至立起走到穿衣镜跟前一看,才晓得被田小辫子挖伤了好几处,明天上不得衙门,见不得客。心上格外生气。一面告诉别人,一面立起身来想找田小辫子报复。其时田小辫子已被赵元常等拖到别的屋里去坐。乌额拉布见找他不到,于是又跺着脚骂个不了。羊统领道:"乌大哥脸上的伤,可惜是田小辫子挖的,倘或换在相好身上,是相好拿他弄到这个样儿,乌大哥非但不骂她,而且还要得意呢。"说得大家嗤的一笑。

其时天已不早。外面雨势虽小了些,依旧淅淅沥沥下个不了。羊统领便吩咐摆席。正要叫人去请田、赵二位大人,只见赵元常独自一个进来,说田小辫子不肯吃酒,一个人溜回去了。羊统领只好随他。于是大家入座，商议着明天上院，叫人替乌额拉布请三天感冒假，好在钓鱼巷养伤。

席面上正说着话，忽见外面走进四五个人来。为首的浑身拖泥带水，用一块白手巾扎着头，手巾上还有许多鲜血。走进门来，一见统领，便拍托一声，双膝跪地，口称："军门救标下的命！"羊统领一见之下，不觉大惊失色，心上想："刚才他们打架的时候，并不见有他在内，怎么他的头会打破？"正在疑疑惑惑，又听那个人说道："标下伺候军门这多少年，从来没有误过差事，就是误了差事，军门要责罚标下，或打或骂，标下都是愿意的。如今凭空里添了个外国上司，靠着洋势，他都打起人来，这还了得！标下是天朝人，虽说都司不值钱，也是皇上家的官，怎么好被鬼子打！标下今年活到毛六十岁的人了，以后这个脸往哪里摆！总得求求军门替标下做主！"说罢，又碰了几个头，跪着不起来。羊统领还不明白他的说话，便问："你到底是做什么的？你说在我这里当差，怎么我不认得你？你好好一个人，怎么会叫外国人打？总是你自己不好，得罪了他了。"那人道："标下在新军左营当了十八年的差。军门有时出门或者回来，标下跟着本营的营官接差送差，军门的面貌早已看熟的了，平时没有事，标下又够不上常到军门跟前伺候你老人家，军门哪里会认得标下呢？至于外国人那里，标下算得忍耐的了。他说外国话，标下也学着说外国话对答他，并没有说错什么，他抢过马棒就是一顿。现在头上已打破了两个大窟窿，淌了半碗的血。军门不替标下做主，标下拼着这条老命不要，一定同那鬼子拼一拼！"

其时台面上的人算孙大胡子公事顶明白，听了那人的话，没头没脑，心上气闷得很，急忙插嘴问道："你到底是谁？叫个什么名字？怎么会同外国人在一块儿？说明白了好叫你军门大人替你做主。"羊统领到此，亦被孙大胡子一言提醒，帮着催他快说。又见那个人回道："标下叫龙占元，是两江尽先补用都司，现在新军左营当哨官。五天头里，标下奉了营官的差遣，同了本营的翻译到下关迎接本营的洋教习。哪知一等等了五天，连个影子都没有。偏偏今天下大雨，标下以为下雨那外国人总不会来的了，正因等得不耐烦，就跑到一个朋友家去躲雨。哪晓得正是下大雨的时候，轮船正拢码头。标下听见轮船上放气，赶紧跑到趸船[1]上去看。只见外国人站在那里生气，说天下雨把他行李弄潮了。诸位大人想想看，是天下雨湿了他的行李，又不是人家弄潮他的。标下因为他是外国人，制台大人尚且另眼看待，标下算得什么东西。当时就赶紧上前周旋他。他一连问了几句话，标下又赶紧的答应他。不料标下周旋他倒周旋坏了。他咭唎呱啦说的是些什么话，标下还一句不懂，他已经动了气，拿起腿来朝着标下就是两脚。标下说：'有话好说，你犯不着踢人。'他也不听见，顺手就把标下手里的马棒抢了过去，一连拿标下打了十几下子，以致把头打破。标下说的句句真言。诸位大人不相信，现今翻译同了标下同来，他就是个见证。"

说到这里，跟他来的人当中，便有一个衣服穿得略为齐全的，走上来朝着羊统领打了一个千，自称他是营里的翻译："一向少来替军门请安。今天是被龙占元龙都司拉了来替他做见证的。"羊统领见他打千，也只把身子略欠了一欠，仍旧坐下，问他道："怎么好端端的会叫洋教习打他？洋教习说些什么？他是怎么回答的？"那翻译便凑前一步，道："回统领的话，龙都司实实在在被洋人打得可不轻，头都打破。他说的话，一字儿不假。至于他为了什么捱打，却要怪他自己不会说话。"羊统领道："是啊，外国人断乎不会凭空打他的，总是他自己不好。"此时龙占元跪在地下，听见翻译说他不是，统领怪他不好，直把他气的脸红筋胀，昂着头，撅着嘴，一个人赌咒。

羊统领也不理他，便催翻译快说。翻译回道："千不是，万不是，总是老天爷今天下雨的不是。如果不下雨，洋人的行李不会弄潮，就没有这场事了。偏偏轮船拢码头，偏偏下大雨。那洋人的行李从轮船上搬到趸船上，虽然一跨就过，搬行李的人又没有拿伞，不免弄潮了些。洋人的脾气亦实在难说话，到了趸船上，就跳着脚骂人。等他骂过一会子，没有人在他跟前，他也只好罢手。齐巧龙都司要去讨好，上去同他拉手，周旋他。那洋人的脾气是越扶越醉的。不理他倒也罢了，理了他，他倒跳上架子了。龙都司同他拉手，他不同他拉，却把他的手一推，瞪着眼睛打着外国

---

① 趸(dǔn)船——一种无动力装置的平底船，固定在码头岸边，供船舶停靠、上下旅客和装卸货物。

话问他。你不会外国话,不理他也就罢了,偏偏这位龙总爷又要充内行,不晓得从哪里学会的,别的话一句不会说,单单会说'亦司'①一句。洋人打着外国话问他:'你可是来接我的不是?'龙都司接了一声'亦司'。洋人又问:'既然派你来接我,为什么不早来?你可是偷懒不来?'龙都司又答应了一声'亦司'。洋人听了他'亦司亦司',心上愈觉不高兴。又问他道:'你不来接我,如今天下雨,你可是有心要弄坏我的行李不是?'这时候,我们懂得外国话,都在旁边替他发急。谁知他不慌不忙又答应了一声'亦司'。洋人可就不答应了。他手里本来有根棍子的,举起棍子兜头就打,谁知用力过猛,棍子一碰就断。彼时洋人气不过,一面嘴里骂他,一面就伸手把他手里的马棒夺了过来,没头没脸就是一顿。等到头已打破,他嘴里还在那里'亦司亦司'。真正把我们旁边人气昏了!后来好容易把洋人劝开。等到雨下小些,叫了马车,连人连行李一齐替他送回家去。我们这里大家都怪龙都司说:'你同洋人说话,怎么只管说'亦司亦司'一句?'如今为这'亦司'上可就吃了苦了。我们说话,他还不服,说:'我们官场上向来是上头吩咐话,我们做下属的人总得'是是是','着着着',如今我拿待上司的规矩待他,他还心上不高兴,伸出手来打人,真正是岂有此理!'现在洋人已经回家去了。龙都司因为捱了洋人的打,而且头亦打伤,心上不甘,特地奔到军门公馆里喊冤。到了公馆里,晓得军门在这里,所以又赶了来的。"

羊统领听完了一席话,不禁紧锁双眉,把头摇了两摇,说道:"我就晓得你们这些人不安本分,专门替我惹乱子!好端端的,外国人那里,你又去得罪他做什么?"龙占元道:"标下怎敢得罪外国人。他打标下却是打得不在理。"羊统领道:"你要怎样?"龙占元道:"求大人伸冤。"羊统领尚未答言,毕竟孙大胡子老奸巨猾,忙替羊统领出主意道:"人已经被外国人打了,你有什么法子想,你去替他伸冤?终究是我们自己人不好。他不去躲雨,轮船一到,他就把外国人接了下来,自然没得话说。如今是他自己误了公事,反说外国人不讲情理,这场官司就怕打到制台跟前,非但打不赢,而且还要弄出交涉重案。我们现在是'今朝有酒今朝醉','做一天和尚撞一天钟'。人已打了,外国人不来问你的信,总算有你的脸了。如

① 亦司——英语"是"的译音。

今反要生出是非来,我看很可不必!"一席话提醒了羊统领,立刻把脸一沉,朝着龙占元发落道:"本营营官派你去接洋教习,没有叫你去躲雨。你偷着去躲雨,以致外国人的行李没人照应,自然要弄潮的了。这要怪你自己不好,外国人打你是应该的。以后当差使都这样的误事还了得!"一面说,一面回头吩咐同来的翻译,叫他回去同营官说:"叫他另外派人。这龙哨官,我非但撤去他的差使,而且还要重办,以为妄言生事者戒!"翻译听了羊统领的吩咐,只好答应着。可把龙占元急死了,跪在地下磕头如捣蒜,口称:"军门开恩!标下以后不敢生事了,如今也不求伸冤了。"羊统领道:"你们众位请听,他到如今还说他自己冤枉。'不到黄河心不死',我一定不能饶他!明天我还要把外国人请了来,叫他看我发落!"龙占元一听不妙,又连忙磕头,连忙改口,又求"诸位大人可怜标下,替标下好言一声罢!"羊统领又问他:"冤枉不冤枉?"龙占元回称:"不冤枉。"又问:"该打下该打?"回称:"实在该打。"羊统领见他自己认了不是,还不肯放他,叫同来的翻译把他带回去,交代给营官:"倘或三天之内,外国人不来说话便罢,倘有一言半语,我是问他要人的!"龙占元至此方才无话可辨,又磕了一个头起来,含着眼泪,抱头而去。欲知后事如何,且听下回分解。

第三十二回

写保折筵前亲起草　谋厘局枕畔代求差

却说羊统领虽然喝退了龙占元，只因他凭空多事，得罪了洋教习，深怕洋教习前来理论，因此心上很不自在。又加以田小辫子同乌额拉布两个人吃醋打架，弄得合席大众，兴致索然。于是无精打采，草草吃完，各自回去。

第二天羊统领特地把田小辫子请来，先埋怨他不该到制台面前上条陈，弄得制台不高兴，又怪他不该同乌某人翻脸："过天我替你俩和和事。不然，天天同在一个官厅子上，彼此见面不说话，算个什么呢！"田小辫子毕竟是做过他的伙计，吃过他的饭的，听了他的话，心上虽然不服，嘴里不便说什么，只好答应着。

又过了两天，羊统领见洋教习不来找他说什么，于是才把心上一块石头放下。后来龙占元是本营营官又上来回过羊统领，求统领免其看管，并且不要撤他差使。当时又被羊统领着实说了他许多不好，看他本营营官面上，暂免撤差，只记大过三次，以儆将来。龙占元又亲自上来叩谢。羊统领吩咐他道："现在的英文学堂满街都是，你既然有志学洋话，为什么不去拜一个先生，好好地学上两年？一个月只消化上一两块洋钱的束脩①，等到洋话学好了，你也好去充当翻译；再不然，到上海洋行里做个'康白度'，一年赚上几千银子，可比在我这里当哨官强得多哩。要照现在的样子，只学得一言半语，不零不落，反招人家的笑话，这是何苦来呢！"龙占元道："回军门的话，标下从前总共读有三个月的洋书。通学堂里只有标下天分高强，一本'泼辣买'②，只剩得八页没有读。后来有了生意就不读了。过了两年，如今只有'亦司'这一句话没有忘记，满打算借此应酬应酬外国人，不提防倒捱了一顿打。这一下子可把标下打苦了！

---

① 束脩（xiū）——送给教师的报酬。

② 泼辣买——英文识字课本的译音。

到如今头上还没有好。以后标下再不敢说洋话了。倘若再学会两句，标下有几个脑袋，又是马棒，又是拳头，这不是性命相关吗！"羊统领听了，点点头道："不会也罢了。完完全全做个中国人，总比那些做汉奸的好。"龙占元于是又答应了几声"是"，然后退了出来。

这里羊统领便想仍到钓鱼巷相好家摆一台酒，以便好替乌、田两个人和事。两天头里写了知单，叫差官分头去请。所请的无非仍旧是前天打牌吃酒的几个，其中却添了两位：一位是赵大人，号尧庄，乃广西人氏，说是制台衙门的幕府。还有人说，制台凡遇要做折子奏皇上，都得同他商量，制台自己不起稿，都是他代笔。合省的官员，文自藩司以下，武自提、镇以下，都愿意同他拉拢。然而他面子上极其不肯同人家来往，坐在那里总不肯同人说话。不晓得是架子大呢，亦不晓得是关防严密的缘故，望上去很像有脾气似的。他的官虽是知府，只有道台以上的官请他吃饭，他或者还肯赏光，就是道台，亦得要当红差使的。倘或是黑道台以及他同寅以下的官，都不在他心上。人家同他说话，他只是仰着头，脸朝天，眼睛望着别处。别人问三句，回答一句，有时候还冷笑笑，一声儿也不言语，因此大众都称他为"赵大架子"。这回羊统领请他，他晓得羊统领上头的声光极好，而且广有钱财，爱交朋友，所以请帖送去，答应肯来。又一个姓胡，号筱峰，行二，也是捐的道台班子。有人说他父亲曾经当过"长毛"，后来投降的，官亦做到镇台。胡筱峰一直在老人家手里当少爷。脾气亦并非不好，不过他的为人，一天到晚，坐亦不是，站亦不是。人家要静，他偏要动。说起话来，没头没脑。到人家顶住问他，他又说到别处去了。知道他底细的人，都叫他"小长毛"。后来人家同他相处久了，摸着他的脾气，又送他一个表号，叫他为"胡二捣乱"。

且说胡二捣乱这天因为羊统领请他在钓鱼巷吃花酒，直把他乐得了不得。头天晚上就叫管家开箱子把衣服拿好。其时是四月天气，因为气节早，已经很热，拿出来的衣服是春纱长衫，单纱马褂。当天晚上忽下了两点雨，清晨起来，微微觉得有点凉飕飕的，他又叫管家替他拿夹纱袍子，夹纱马褂。扎扮停当，专等羊统领来催请。羊统领请的是晚饭，他忘记看帖子，以为请的是早饭，所以一早就把衣服穿好了。等了一回，不见来催，又把他急得了不得，动问管家："羊统领请客可是今天不是？不要你们记错了！"管家回："不错，是今天。"隔夜虽然下了几点雨，第二天仍旧很好的太阳。胡二捣乱在公馆里前院后院，前厅后厅跑了十几趟，一来心上烦躁，二来天气毕竟热，跑得他头上出汗，夹纱袍子，夹纱马褂穿不住了，于是又穿了件熟罗长衫，单纱马褂，里面又穿了件夹纱背心。此时已有晌午，还不见羊统领来催。又问管家："到底是什么时候？"当中有一个记得的，回了声："请的是晚饭。"胡二捣乱骂了声："王八蛋！为什么不早说！"于是仍在自己家里吃中饭。

好容易捱到三点半钟，到这时候，熟罗长衫也有些不合景了，只得仍旧换了春纱长衫，单纱马褂。刚要出门，忽然又想起一件事来，于是仍旧回转上房，在抽屉里翻了半天，翻出一个鼻烟壶来，说道："街上驴马粪把人熏的实在难受，有了这个就不怕了。"等到坐上轿子，谁知鼻烟壶是空的，又叫管家回去拿烟。管家拿不到，好容易自己下轿方才找到。走到半路上，又想起未曾带扇子，不及回家去取，幸亏街上有个扇子铺，就下轿买了一把。一回又想到早晚天气是凉的，晚上回去要添衣服，于是又吩咐管家回家去把小夹袄拿了来，预备晚上好穿。如此者往返耽搁，及至到钓鱼巷已经有五点多钟了。幸亏止到得一个主人，其余之客一个未到。胡二捣乱到处捣乱，人家同他没有什么谈头的。同羊统领见面之后，略为寒暄了两句，便也无话可说。羊统领自去躺下吃烟。胡二捣乱便趁空找着姑娘捣乱，也不顾羊统领吃醋，只是捣乱他的。捣乱了半天，恨的那些姑娘们都骂他为"断命胡二"。胡二捣乱只得嘻着嘴笑。后来端上点心来，请他吃点心，方才住手。

又歇了一回，请的客人陆陆续续地来了。羊统领见田小辫子、乌额拉布二人到了，便拉了他俩的手，说了许多的话，又给他二人一家作了两个揖，说："你二位千万不要闹了。大家都是好朋友，独有你二位见面不说话，好像有心病似的，叫人家瞧着算什么呢！"其时田小辫子颇有愿和之意，无奈乌额拉布因为脸上挖的伤还没有好，一定不肯讲和。禁不起羊统领再三朝着他打拱作揖，后来又请了一个安，旁观那些客人亦帮着着实说，乌额拉布方才气平。大家都派田小辫子不是。羊统领叫他替乌大人送了一碗茶，两个人又彼此作了一个揖，各道歉意，方才了事。

其时已有七点半钟了，羊统领数了数所请的人却已到齐，只有制台幕府赵尧庄赵大架子没有到。后来想叫差官去请，又怕他正陪着制台说话，恐有不便，只好静等。谁知一直等到九点钟才见他来。他是制台衙门里的阔幕，人人都要巴结他的。大概的人，他不过略为把手拱了一拱，便一手拉了余荩臣到烟铺上说话,连主人都不在眼睛里。后来摆好席面,主人就来让坐,他方同主人谦了一谦。主人手执酒壶,又等了好半天,一直等他把话讲完,方才起身入座。主人连忙敬他第一位。他又让了一句道:“还有别位没有?”余荩臣道:“这里并没有第二个人僭你尧翁的。”赵大架子也不答言,昂然据首座而坐。其余的人亦就依次入座。

通台面上只有余荩臣当的差使顶阔,而且钱亦很多。新近制台又委了他学堂总办,常常提起某人很能办事。余荩臣便趁这个机会托人关说,求大帅赏他一个明保,送部引见。制台虽然应允,但是折子尚未上去。余荩臣又打听得制台凡有折奏,都是这赵大架子拿权,因此余荩臣就极意的拉拢他。赵大架子的架子虽大,等到见了钱,架子亦就会小的。当初也不晓得余荩臣私底下馈送他若干,弄得这赵大架子竟同余荩臣非常知己。这时候到了台面上,赵大架子还只是同余荩臣扳谈,下来再同主人对答两句,余下的人,他既不屑理人,人家亦不敢仰攀他同他说话。在钓鱼巷吃酒是要叫局的,赵大架子恐怕有碍关防,一定不肯破例,主人只得随他。其他宾主每人只叫得一个,亦为着赵大架子在座,怕他说话的缘故。因此这一席酒人虽不少,颇觉冷清得很。

赵大架子吃了两样菜,仍旧离座躺在炕上吃烟。余荩臣是同他有密切关系的,便亦离座相陪。后来主人让他归位吃菜,他始终未再入席。摇摇头,对余荩臣说:“这般人兄弟同他们谈不来的。”余荩臣得了这个风声,便偷偷地关照过主人,叫他们只管吃,不要等了。赵大架子吃烟,自己不会装。余荩臣虽然不吃烟,打烟倒是在行的,当下幸亏他替赵大架子连打了十几口,吃得满屋之中烟雾腾腾。霎时菜已上齐,主人又过来请吃稀饭。赵大架子又摇头,说:“心上怪腻的慌,不能吃了。”余荩臣也陪着不吃。主人深抱不安。席散之后,又走过来道歉。又说:“另外替赵大人、余大人留了饭。”赵大架子回称:“谢谢。”说完这句,立起身来想要穿了马褂就走。余荩臣晓得他不愿久留,便让他同到自己相好王小五子那里去坐,赵大架子点头应允。两人一同出门。其时主人早已穿好了马褂,候着送了。

一时别过主人,同到王小五子屋里。王小五子接着,自然另有一副场面。余荩臣立刻脱去马褂,横了下来,又赶着替赵大架子打烟。王小五子赶过来替他代打,余荩臣还不要。一连等赵大架子又抽过七八口,渐渐地有了精神，两手抱着水烟袋，坐在炕沿上想要吃烟，余荩臣忙叫王小五子过来替他装烟。此时余荩臣一见房内无人，便把身子凑前一步，想要同赵大架子说话。赵大架子忽然先问道："荩翁，托你安置的两个人怎么样了？"余荩臣道："兄弟早同藩台说过，一有调动，就委他两人前去。"赵大架子道："还要等几个月？"余荩臣道："现在正在这里替他俩对付着看。有两处就在这几天里头期满，不过几天就要委他们的，哪里用着几个月。你老先生委的事，岂有尽着耽搁的道理！"余荩臣这时候本来想请赵大架子过来商量自己事情的，不料赵大架子先同他说安置人的话，自己的事倒弄得一时不好开口，只得权时隐忍着，仍旧竭力地敷衍。又叫王小五子备了稀饭，留赵大架子吃。赵大架子推头有公事，还要到衙门里去，余荩臣不好挽留，自己的事始终未曾能够向他开口。临到出来上轿，便邀他明天晚上到这里吃晚饭。赵大架子道："看罢咧，如果没有公事，准来。"

赵大架子去后，余荩臣当夜便住在王小五子家。王小五子见余荩臣很巴结赵大架子，就问赵大架子的履历。余荩臣便告诉他说："赵大人是制台衙门的师爷，见了制台是并起并坐的。通南京城里没有再阔过他的。"王小五子便问："余大人，你当的什么差使？一年有多少钱进款？"余荩臣便说自己"当的是通省牙厘局总办。所有那些外府州、县，大小镇、市上的厘局，都是归我管的。这些局里的委员老爷，我要用就用，我不要用就换掉，他们不敢不依我的。"王小五子道："他们那些官都归你管，你的官有多么大？"余荩臣道："我的官是道台，所以才能够当这牙厘局总办。"王小五子鼻子里嗤的一笑，道："道台是什么东西，就这么阔！"说到这里，又自言自语道："噢，原来如此！"忽然又问道："余大人，我问你：我听说现在的官拿钱都好买得来的，你这个官从前花过几个钱？"余荩臣起初听他骂道台"什么东西"，心上老大不高兴。后来又见他问自己的官从前花过几个钱，便正言厉色道："我是正途两榜出身，是用不着花钱的。花钱的另是一起人，名字叫'捐班'。我们是瞧他不起的。"王小五子道："余大人，官好捐，你们的差事想亦是捐来的了？"余荩臣道："呀呀呼！差事哪里好捐！私下花了钱买差使的固然亦有，然而我得这个差使是本事换来的，一个钱没有花。就是人家在我手里当差使，我也是一文不要的，那是再要公正没有。"王小五子道："照此说来，你余大人是一个钱不要的了？"余荩臣道："这个自然。"

王小五子道："我倒想起一件事来了，前个月里，有天春大人请你吃酒，我看见他当面送给你一张银票，说是六千两银子。春大人还再三的替你请安，求你把个什么厘局给他。不是你接了他的银票，满口答应他的吗？不到十天，果然有人说起春大人升了厘局总办，上任去了。"余荩臣见王小五子揭出他的短处，只得支吾其词道："他的差使本来要委的了。银子是他该我的，如今他还我，并不是花了钱买差使的。这种话你以后少说。"王小五子道："照这样说起来，没有银子的人也可以得差使了？"余荩臣道："怎么不得。老实对你说，只要上头有照应，或者有人嘱托，看朋友面上，亦总要委他差使的。"王小五子道："原来派差使也要看交情的。余大人，咱俩的交情怎么样？我要荐个人给你，你得好好地派他一桩事情。"余荩臣当他说笑话，并不在意，只答应了一声道："这个自然。你荐给我的人，我总拿头一分的好差使给他。"王小五子默默无语的歇了半晌，起身收拾安寝。

一宵易过，又是天明。到了次日，余荩臣惦记着自己的事情，上院下来，随又写信给赵大架子，约他今天晚上同到王小五子家吃酒。赵大架子回说："公事忙，不得脱身，等到事完出衙门，八点钟在自己相好贵宝那里吃晚饭，可以面谈一切。"余荩臣只得遵命。才打七点钟，便饿着肚皮先赶到贵宝房间里伺候。一等等到九点钟，赵大架子才从衙门里出来，余荩臣接着，赛如捧凤凰似的把他迎了进来。一进门先抽烟。堂子里晓得他的脾气的，早已替他预备下打好的烟二十来口，一齐都打在烟扦子上，赛如排枪一样，一排排的都放在烟盘里。只等赵大架子一到，便有三四根枪，两三个人替他轮流上烟对火门。此时赵大架子来不及同余荩臣说话，只见他躺在炕上，呼呼的拼性命的只管抽个不了，有时贵宝来不及，余荩臣还帮着替他对火，足足抽了一点钟。其时已有十点钟了，赵大架子要吃饭。饭菜是早已预备下的。当下只有他同余荩臣两个人对面吃。贵宝打横，伺候上菜添饭。赵大架子叫他同吃，他不肯吃。赵大架子还生气，说道："陪我吃顿饭有什么要紧的，就这样的不好意思起来？你们当窑姐的人，只怕不好意思的事情尽多着哩！"说罢，便把面孔板起，做出一副生气的样子。余荩臣搭讪着替他们解和。

等到把饭吃完，赵大架子一面漱口，余荩臣又顺手点了一根纸吹给他。慢慢地谈了几句公事，然后趁势问他："这两天大帅背后于兄弟有什么话说？”赵大架子道：“不是荩翁提起，兄弟早在这里打算主意了。无奈兄弟公事实在忙，一天到晚，竟其没有动笔的时候。”余荩臣忙问：“什么事一定要尧翁亲自动笔？”赵大架子道：“就是荩翁得明保的那句话了。”余荩臣一听“明保”二字，正是他心上最为关切之事，不禁眉飞色舞。仔细一想，又怕赵大架子拿他看轻，立刻又做出一副谨慎小心的样子，柔声下气地说道：“这都是大帅的恩典，尧翁的栽培！”赵大架子道：“岂敢！不过制军既有这个意思，我们做朋友的人，哪里不替朋友帮句忙。说也好笑，前几天是兄弟催制军，这两天反了过来，倒是他催兄弟。”余荩臣道：“催什么？”赵大架子道：“起先是制军虽然有了保举荩翁的意思，一直没有定规。是兄弟天天追着他问，同他说道：‘像余某人这样人，真要算是江南第一个出色人员，大帅既有恩典给他，折子可以早些进去，将来朝廷或者有什么恩典，也好叫他及早自效。’制军听了兄弟的话，果然答应了，就立逼着兄弟替他起稿子。这两天兄弟一来因为事情忙，没有工夫动笔，二来，怎么保举法子，下个什么考语，也得商量商量。”

余荩臣道：“正为这件事，兄弟要过来求教。承尧翁的吹嘘，又承尧翁替兄弟上劲，真正感激得很！但是还望你尧翁成全到底，考语下得体面些，那就是感之不尽！”说罢，特地离位，深深一揖，又说得一句道：“全仗大力！”赵大架子两手捧着水烟袋，赶忙拱手还礼，却一面说道：“自家兄弟，说哪里话来！今天既是荩翁提起，我们都是自己人，荩翁爱怎么说就怎么说，兄弟无不遵办。照样写了上去，制军看了，也不好挑剔什么。”余荩臣道：“这是尧翁的格外成全，兄弟何敢妄参末议。而且又是自己的事，天下断无自称自赞的道理，只得仍请尧翁先生主裁。”赵大架子听了他这一路恭维，心上着实高兴。原想立刻就替他起稿，可以卖弄他的权力，无奈吃过了饭没有过瘾，霎时烟瘾上来，坐立不安，十分难过。便道：“你我不是外人，你来，我念你写，写了出来，彼此商议。”其时余荩臣还不肯写。后来又被赵大架子再三地相催，说：“你我自家人，有什么怕人的。不是说句大话，现在南京城里，除了你我，余人都不在咱眼里！我念你写，这不同我写的一样吗？”

其实是余荩臣心上巴不得这个折子自己竭力地恭维自己，今见赵大架子一再让他自己写，遂也不便过于推辞，便向贵宝要了一副笔砚一张纸，让赵大架子炕上吃烟，他却自己坐在桌子边起稿。嫌挂的保险灯不亮，又叫人特地点了一支洋烛。贵宝晓得他要写字，忙着来替他磨墨。余荩臣不要，叫他到炕上替赵大架子装烟。贵宝去后，余荩臣便提笔在手，拿眼瞧着赵大架子，看他说什么，好依着他写。足足等了七八袋大烟的时候，约摸赵大架子烟瘾已过得一半，随见赵大架子一骨碌从炕上爬起，却先歪着身子，提起茶壶，就着茶壶嘴抽了两口，方才坐起来说道："兄弟的意思，折子上没有多少话说，还是夹片罢。"余荩臣道："似乎折子郑重些，叫上头看得起些。"赵大架子道："这倒不在乎。横竖保了上去，上头没有不准的，总还你一个'着照所请'。依兄弟看来，其实是一样的。"余荩臣见他如此说，也不敢过于计较，只得跟着他说道："既然如此，就是夹片亦好。"赵大架子见余荩臣擎笔在手只是不写，便道："你写啊。"余荩臣道："等尧翁念了好写。"赵大架子笑道："荩翁的大才，还有什么不晓得的。你别同我客气，你尽管写罢，写出来一定合式的。我要过瘾，你费点心罢。"说完，仍旧躺下，呼呼抽他的烟去了。

余荩臣至此，面子上只得勉强着自己起稿，心上却是十二分高兴，嘴里却不住地说道："姑且等兄弟拟了出来再呈政。"此时赵大架子只顾抽烟，一声不响。幸喜余荩臣是正途出身，又在江南历练了这几多年，公事文理也还办得来。于是提笔在手，想了想，一口气便写了好几行。后来填到自己的考语，心上想："还是空着十六个字的地步等赵某人去填。"既而一想："又怕赵某人填的字眼不能如意，不如自己写好了同他去斟酌。他同我这样交情，谅来不致改我的。"主意打定，又斟酌了半天，结结实实自己下了十六个字的考语，后头带着叙他办厘金、办学堂如何成效，说得天花乱坠，又足足的写了几行。一霎写完，便自己离位，拿着底子踱到烟炕前请赵大架子过目。赵大架子接在手中，就在烟灯上看了一回，一声不言语，又心上盘算了一回。余荩臣忍耐不住，急忙问他道："尧翁看了，还好用不好用？兄弟于这上头不在行，总求尧翁的指教！"赵大架子道："格式倒还不错，就是考语还得……"余荩臣不等他说完，接嘴问道："考语怎么样？"赵大架子道："若照荩翁的大才，这几句考语着实当之无愧。不过写到折子上，语气似乎总还要软些，叫上头看着也受用。如果说的过于好了，一来不像上司考核下属的口气，二来也不像折子上的话头。兄弟妄谈，荩翁高见以为何如？"说罢，仍把底稿递在余荩臣手里。

余荩臣一听他话，不禁面孔涨得绯红，半天说不出话来。愣了一会，仍旧踅到桌子跟前坐下，提起笔来想改。谁知改来改去，不是怕赵大架子说话，就是自己嫌不好，捱了半天，仍旧未曾改定。只得老着脸皮朝赵大架子说道："这个考语还是请你尧翁代拟了罢。'不是撑船手，休来弄竹竿'，兄弟实实在在有点来不得了。"赵大架子道："我们知己之说，这考语虽只有几个字，轻了也不好，重了也不好。我兄弟拟了出来，还得送制军阅过。一向制军却没有改过兄弟的笔墨，如今倘若未能弄好，被他改上一两句，兄弟却坍台不下。所以要替你荩翁斟酌尽善，就是这个缘故。荩翁自己人，我兄弟不妨直说。"余荩臣听了愈为感激。当下便亲自蘸饱了笔，送到炕床边，请赵大架子动手。赵大架子道："这个兄弟也得思量思量看。"于是亦不接他的笔，仍把身体横了下来，一声不言语，一口气又吃了五六口烟。吃完了烟，趿着鞋皮，走下炕来，把原稿略为改换了几句，却把十六个字考语统通换掉。余荩臣看了，似乎觉得还不能满意，但是恐怕赵大架子动气，只得连称"好极好极"。

赵大架子改好之后，便往衣裳袋中一塞。因为堂子里的烟吃得不爽快，要回到公馆里过瘾。余荩臣只得穿了马褂，陪着一同出门。临上轿时，余荩臣又打了一拱，说了许多感激的话。又道："大帅前深荷一力成全，明天过来叩谢。"说完，两人分手。

余荩臣仍往王小五子家而来。其时已有夜半十二点钟。余荩臣尚未走进王小五子家的大门，黑影里望见有个人先从他家里出来。灯光之下，虽不十分明白，然而神气还看得出，很像是个熟人似的。后来彼此又擦肩而过。这人没有看见余荩臣，余荩臣却看清这人，原来是认得的。但是官职比他差了几级，大人卑职，名分攸关。余荩臣怕他看出，不好意思，连忙拿头别了过去。等到这人去远，方一步步踱进了大门，霎时走到王小五子房中。他俩本是老相好，又兼余荩臣明保到手，心上便也十分高兴，见面之后，说不尽那副肉麻的情形，两个人鬼混了一阵。

王小五子忽然想起昨夜的话来，连忙说道："余大人，我托你一桩事情，你可得答应我！"余荩臣道："好答应的我自然答应。"王小五子道："你别同我调脾。好答应也要你答应，不好答应也要你答应，你先答应了我才说。"余荩臣道："到底什么事要我答应？"王小五子道："不是你昨儿说的，在你手下当差的人统通不用钱买，只要上头有面子，或者是朋友相好的交情荐来的都可以派得。这个话可有没有？"余荩臣道："自然派差使一个钱不要。但是面子也得看什么面子，就是相好也要看什么相好，不能执一而论的。”王小五子道：“我不同你说这些。你但看咱俩的交情怎么样?”余荩臣道：“用不着提到咱俩的交情。难道你有什么人荐给我不成？咱俩交情虽厚，你要荐人我却不收。”王小五子见他说不收，登时把脸一沉，拿头睡在余荩臣的怀里，却拿两只粉嫩雪白的手抱住余荩臣的黑油津津的胖脸，撒娇撒痴地说道：“你不答应我，我定见不成功!”此时余荩臣穿了一件簇新的外国缎夹袍子，被王小五子拿头在他怀里腻了两腻，登时绉了一大片。余荩臣向来是吝啬惯的，见了肉痛，为的是相好面上，有些说不出口，只好往肚皮里咽。两个人揪了半天，毕竟余荩臣可惜那件衣服，连连说道：“有话起来说，不要这个样子。被别人看了要笑话的。”王小五子又把脸一板道：“谁不晓得我是余大人的相好？将来我还要嫁你哩！我嫁了你，我便是厘金局总办的太太，谁敢不巴结我，谁敢来笑我！”余荩臣又只得顺着他说道：“不错，你嫁了我，你就是我的太太。我有了你这位好太太，从此以后，钓鱼巷也不来了。”王小五子又把眼一眇，道：“这些话谁相信你！谁不晓得余大人的相好多！这些话快别同我客气！倒是我托你的事情怎么样?”

说话间，余荩臣接连打了几个呵欠，伸手摸出夹金表来一看，短针已过一点，长针却指在六点钟上。余荩臣道：“啊唷！不早了！我们快睡了，明天还要早起上院哩。”一面说，一面自己宽去衣服，躺在床上去了。王小五子道：“你不答应，我不许你睡觉。”于是也不及卸装，赶到床上同他缠个不了。余荩臣被他闹急了，便道：“你先把人头说给我，等我好替你对付着看。”王小五子见他已有允意，便不同他吵了，和衣歪着，拿头靠在枕头上，低声说道：“我说的不是别人，你们同在一处做官，还有什么不认得的。”余荩臣道：“到底是谁?”王小五子道：“就是候补同知黄大老爷，他托我的。”余荩臣道：“姓黄的天底下多得很。没头没脑，叫我去找哪一个?”王小五子道：“真个我记性不好，他有个条子在这里。”说着，便伸手从衣服小襟袋里把个名条摸了出来，跟手又叫房间里奶奶点了一支洋烛。余荩臣睡眼矇眬地拿起名条靠近烛光一看，只见上面写的是“知府用、试用同知黄在新，叩求宪恩赏委厘捐差事”两行小字。余荩臣不看则已，看了之时，不觉心上毕拍一跳，半天不言语。王小五子忙问：“看清楚了没有？这人可是认得的?”余荩臣还不响。又停了一大会，方问得一句道：

"这人是几时来嫖你起的？这条子可是方才给你的？"王小五子见问，也不由得脸上一红，愣了半天，回答不出话来。

列位看官，你道此人是谁？原来方才余荩臣在王小五子大门口碰见的那个人就是黄在新。这黄在新虽是江南的官，同余荩臣比起来，一个道台，一个同知，两人官阶不同，不在一个官厅子上，余荩臣如何偏会认识他？只因这黄在新最会钻营，凡在红点的道台，他没有一个不巴结，因此都同他认得。他此时身上虽有几个差使，无奈薪水不多，无济于事。因见余荩臣正当厘金局的老总，便想谋个厘局差事，托了几个人递了几张条子，余荩臣尚未给他下落。他心上着急。幸喜他平日也常到钓鱼巷走走，与余荩臣有同靴之谊。王小五子见他脸蛋儿长得标致，便同他十分要好，余荩臣反退后一步。黄在新在王小五子家走动，余荩臣却一字儿不知，余荩臣在王小五子家玩耍，黄在新却尽知底里。即此一端，已可见王小五子待他二人的厚薄。

此时余荩臣看了名条，想起刚才齐巧碰见他在这里出去，不免心上一动。又接着问王小五子的话，王小五子又对答不出，自然格外疑心。疑心过重，便是吃醋的根苗。此时余荩臣看了王小五子的情形，心上早已懂得八九。接连哼哼冷笑两声，说道："他的条子没有人替他递了，居然会想着了你，托你替他求差使！他这人真会钻！倒是你俩是几时认识起来的，你却同他如此关切？"王小五子见余荩臣生了疑心，毕竟他自己贼人胆虚，亦不敢撒娇撒痴，立刻拿两只手扳着余荩臣的脑袋，同他脸对脸的笑着说道："这里头有个讲究，你不晓得，等我来告诉你，我是江西人，七岁上就卖在档子班[①]里学唱戏。等到十五岁上才到的南京。这黄大老爷他也是江西人，同我是嫡亲同乡。他是我自己家里的人，有什么不认得的。我替他求差使，也无非照应同乡的意思，有什么动疑的。"余荩臣连连摇头，道："算了罢！你们江西人我也请教过的了，做官的、读书的，于这乡谊上很有限。不信你一个做窑姐的倒比他们做官的、读书的有义气！这话不要来骗我！况且你七岁上就卖在档子班里，东飘西荡，这姓黄的果然是你的同乡，你也不会认得他的。这话越说越不对！倒是你俩有了多少时候的交情？你老实对我说罢。他不同你有交情，你为什么要替他求差

---

① 档子班——一种女子卖唱的组织。

使呢？我晓得我们花了钱，无非做个大冤桶，替人家垫腰！如今竟其公然替恩客说人情求差使！我又不是三岁小孩子，被你们弄着玩！"

此时余荩臣越说越气，也不睡觉了，一骨碌从床上坐起，吩咐叫轿夫打轿子。又自己立誓道："从今以后，再不到这里来了！倘若以后再到这里，你们看我左脚迈到这屋里来，你们拿刀砍我的左脚，右脚迈到这屋里来，你们拿刀砍我的右脚！"一面说，一面卷卷袖子，直把两个袖子卷到手弯子上头，两只眼睛睁得像铜铃似的，又拿两只手去盘辫子。辫子盘好，人家总以为他这个样子一定要打人了，谁知并不打人，却叉着两只臂膊，握紧了两个拳头，坐在床沿上生气。

再说王小五子起先听见余荩臣拿他数落，不禁脸上一阵阵地红上来，心头止不住必必地跳。后来又见他爬起，连忙和着身子去按捺他。无奈气力太小，当不住余荩臣的蛮力，按了半天按他不下，只得随他起来。后来见他盘好辫子，并不打人，方才把心放下。连忙和颜悦色的自己分辨道："同乡有什么好假冒的。天生同乡是同乡，我不能拿他当外人看待。至于问我如何认得他，苏州来的洪大人，清江来的陆大人，每逢吃酒都有他在座，慢慢的我就认得了他。怎么没有交情我就不作兴认得他的？"余荩臣也不理他，只是坐在床沿上生气。闹得大了，连着房间里的奶奶都上来劝和。余荩臣只是不言语。一迸迸到五更鸡叫之后，天色微微的有点亮了，余荩臣也不等轿子了，要了长衣裳，扎扮停当，一直径去。王小五子抵死留他不住，只得听其自然。

余荩臣走到街上，尚是冷冷清清的一无所有。此时心上又气又闷，不知不觉忘记了东南西北，又走错了一大段。后来好容易雇了一部东洋车子，才把他拉到公馆。打门进去，一路骂轿夫，骂跟班的，骂老妈，骂丫头，一直骂进了上房。惊动了上下人等，晓得大人在外头住夜回来，于是重新打洗脸水，拿漱口水、茂生肥皂、引见胰子①，又叫厨子做点心，真正忙个不了。

齐巧这日是辕期，照例上院。点心未曾吃完，轿子已伺候好。等到走到院上，已有靠九点钟了。余荩臣还是气吁吁的。头一个会见了孙大胡子，便把黄在新托王小五子求差使的话统通告诉他，又说："黄在新的品

---

① 引见胰子——肥皂名，因有香味，专供引见人员用的。

行太觉不堪,什么人不好托,单单会托到婊子,真正笑话!”孙大胡子笑道:“这也难怪他,实在是你荩翁同王小五子的交情非他可比。朋友说的话不及贵相知说的灵,所以黄某人才走的这条路。出来做官为的是赚钱,只要有钱赚,也顾不得这些了。”余荩臣听了孙大胡子奚落他的话,不由的把脸一红,拿话分辨道:“我们逛窑子也不过行云流水罢了,算得什么交情!”孙大胡子忙接嘴道:“又行云,又流水,还算不得交情?不晓得要弄到什么份上才算得交情呢?”余荩臣发急道:“人家同你说正经话,你偏拿人来取笑,真正岂有此理!老实对你讲罢,王小五子同黄某人都是江西人,她替他求差使,乃是照应同乡的意思。”孙大胡子道:“一个当妓女的,居然肯照应同乡,贤于士大夫远矣!荩翁,你应该立刻委他一个上等的厘差,一来顾全贵相好的面子,二来也可以愧励①愧励那般不顾乡情的士大夫。你们众位听听,我兄弟说的可是不是?”此时官厅子上的人已经来得不少了,天天在一起的几个熟人听了他言,都说“应得如此”。无奈余荩臣决计不答应,一定还要回制台撤去他的差使,拿他参办,以为卑鄙无耻,巧于钻营者戒。当时又被孙大胡子指驳了一句,余荩臣方始顿口无言。欲知孙大胡子说的何话,且听下回分解。

---

① 愧励——使有所愧而自勉之。

第三十三回

查账目奉札谒银行　借名头敛钱开书局

话说孙大胡子听见余荩臣一定要禀揭黄在新托妓谋差的事，一再劝他都不肯听。孙大胡子哼哼冷笑道："他托妓谋差虽然是他的坏处，然而你做监司大员的人，你不到窑子里去，怎么会晓得他托妓谋差呢？这桩事还怪你不是。"余荩臣被他这一驳，顿时闭口无言。歇了半天，才勉强说道："我们嫖婊子不过是好玩罢了。他钻营差使竟走婊子的门路，这品行上总说不过去！我就是不到上头去说他坏话，这种人要在我手里得意，叫他一辈子不用想了！"说完，面子上虽把此事丢开，后来又着实到王小五子家发了几回脾气。经王小五子千赔不是，万赔不是，后来又把这话通知了黄在新，吓得黄在新有许多时不敢公然到钓鱼巷王小五子家住夜。余荩臣拿不到破绽，方才罢手。

又过了两月，余荩臣的保折批了回来，所保送部引见，业已奉旨允准。等到奉到饬知，立刻上院叩谢。接着便是同寅前来道喜，下僚纷纷禀贺。余荩臣少不得置办酒席请这班同寅。同寅当中多半都是好玩的，家里请酒不算数，一定要在钓鱼巷摆酒请他们。余荩臣也乐得借花献佛，一来趁他们的心愿，二来又应酬了相好。回回吃酒都推赵大架子为首座，赵大架子便亦居之不疑。接连又是你一台，我一台，替他贺喜。如此者轮流吃过，足足有半个多月光景。

真正是光阴似箭，日月如梭。余荩臣便想请咨入都引见。制台答应，所有他的差事，一齐都委了别人暂行代管，为他不久就要回来的。一连几天，白天忙着料理交代，晚上又有一班相好轮流摆酒替他饯行。有天夜里，正在钓鱼巷吃得有点醉醺醺了，他忽然发议论道："回想兄弟才到省头一天的光景，再想不到今日是这个样子。我还记得我到省头一天，其时正是黄制军第二次到江南来。我头一天上院，没有传见。其实上司见不见并不是什么大不了的事，倒是那时候脸上总觉得搁不下去，从官厅子上走出去上轿，赛如对了跟班、轿夫都像没有脸见他们似的。此时得差得缺的心还没有，心上总想：'我连上司都见不着，我还出来做什么官呢！'到了第二次上院还没有见。因为别人见不着的很多，并不光我一个，那时心上便坦然了许多，见了轿夫、跟班也不难为情了。以至顶到如今，偏偏碰着这位制军是不轻容易见客的，他见也好，不见也好，便也漠然无动于中了。我还记得从前没有得事的时候，只指望能够得一个长差使，便已心满意足了。实因江南道台太多，得缺本非易事。谁料后来接二连三的竟其弄了好几个长差使在身上，一天到晚忙个不了。此时不以为乐，反以为苦，屡次三番想辞掉两个，无奈上头一定不放。现在凭空的又得了这个明保，索性不叫我过安安稳稳的日子，拿我送部引见。想是我命里注定的，今年流年犯了'驿马星'①，所以要叫我出这一趟远门。"众人道："'能者多劳'，像你荩翁的这样大才，怎么上头肯放你呢。至于这回明保乃是放缺的先声。光当当差使也显不出荩翁大才，所以制军一定要有此一举。从此简在帝心，陈臬开藩，都是意中之事，放个把实缺，小焉者也，算不得什么。"余荩臣道："承诸位老哥厚爱。放个把缺做做，兄弟也无庸多让。至于将来还有什么好处，兄弟却不敢妄想。"说罢，那副得意洋洋之色早流露于不自知了。霎时席散。

又过了两天，上院禀辞。刚刚走到院上，齐巧昨日制台接到军机大臣上的字寄，说是一连有三个都老爷奏参江南吏治，大大小小共有二十几个官：什么孙大胡子、田小辫子、乌额拉布、余荩臣，还有督幕赵大架子、统领羊紫辰等一干人统通在内。其中所参的劣迹，以余荩臣、赵大架子顶利害。说余荩臣总办厘金，非但出卖厘差，并且以剔除中饱为名，私向属员需索陋规。等到属员和盘托出，他又并不将此款归入公家，一律饱其私囊。某人馈送若干，某局缴进若干，那位参他的都老爷查得清清楚楚，折子上都声叙明白。还说他出卖厘差，并不在南京过付。上海有一爿钱庄，内中有他一个把弟挡手，专门替他经手。人家要送他银子，只要送到这爿钱庄上，由他把弟出封信给他，或者打个电报，南京这边马上就把差使委了出来，真正是再要灵验没有。折子上又说他所有赚来的银子，足有五十多万两，很在上海置买了些地皮产业，剩下的一齐存在一爿银行里。至于参赵大架子顶重的头一款，是说他霸持招摇，甚至某月某日，收某人贿赂

① 驿马星——驿马，驿站供传递公文、来往官员使用的马，比喻自己出门奔波。

若干,亦查得明明白白。又说两江总督保举道员余某一折,系赵某及余某在秦淮河妓女贵宝房中拟定折稿。折子后头归结到两江总督身上,说他年老多病,昏聩糊涂,日唯以扶鸾求仙为事,置吏治民生于不顾。此外孙大胡子、田小辫子、乌额拉布、羊紫辰不过都是带笔。在初入仕途的人见了,难免担惊受怕,至于历练惯的人,却也毫不在意。

闲话休题,言归正传。且说这日余荩臣刚把手本递了上去,制台一见是他,虽说是自己保举的人,究竟事关钦派查办之案,便也不敢回护,忙叫巡捕官传话给他,叫他不必动身,在省候信。巡捕出来说完这句,各自走开,也不说制台请见,也不说制台道乏。余荩臣摸不着头脑,在官厅子上呆了半天。有些不知底里的人还过来敷衍他,问他几时荣行,他也只好含含糊糊地回答。后来坐了一回,看见各位司、道上去,又见各位司、道下来。其时藩台、粮道都已得信,见了制台出来,朝着他都淡淡的,似招呼不招呼的,各自上轿而去。他甚为没趣,也只好搭讪着出来。这时候,他的差使都已交付别人替代,他已无公事可办。院上下来,一直径回公馆,一天未曾出门,却也无人前来拜他。

头天晚上,赵大架子还面约今日下午在贵宝房中摆酒送行,谁知等到天黑还不见来催请。自己却又为了早晨之事,好生委决不下,派了师爷、管家出去打听,独自无精打采地在家静等。谁知等到起更,一个管家从院上回来禀报说:"赵大架子赵大人不知为了什么事情,行李铺盖统通从院上搬了出来。后来小的又打听到孙大胡子孙大人门口,才晓得京城里有几位都老爷说了闲话,连制台都落了不是,总算仍旧派了制台查办,还算给还他的面子。"余荩臣急忙问道:"这位都老爷是谁?但不知有几个人参在里头?孙大人在内不在内?"管家道:"听说虽然在内,并不十二分要紧。赵大人参的却很不轻。"余荩臣又急忙说道:"我呢?"家人不言语。余荩臣连连摇头,连连跺脚,道:"完了!完了!怪不得赵大人他说今儿请我吃饭的,原来他自己遭了事,所以没有来催请。但是我自己被参,为的是哪一件,连我自己也不明白,怎么好呢!"一回又想到自己平时所作所为,简直没有一件妥当的,一霎时万虑千愁,坐立不定。

正踌躇间,派出去打听消息的一位师爷也从外面回来了,手里还抄了制台新出的一张谕帖。余荩臣见面就问:"打听的事怎么样了?"那位师爷有心在东家面前讨好,不肯直谈,只听他吞吞吐吐地说道:"听说京城里有什么消息，大约在省城候补的统通在内。这一定是都老爷想好处，我们不要理他！观察这样的宪眷，还怕什么呢。”余荩臣道：“不是怕什么，为的是到底参的是哪几件事。你手里拿的什么？”那位师爷见问，索性把他所抄的那张谕帖往袖筒管里一藏，说：“没有什么。”余荩臣道：“明明白白地看见有张纸写的字，你瞒我做什么呢？”师爷到此无奈，方把一张谕帖拿了出来。余荩臣取过看时，只见上面写的无非劝戒属员嗣后不准再到秦淮河吃酒住夜，倘若阳奉阴违，定行参办不贷各等语。这张谕帖是写了贴在官厅子上的，如今被这位师爷抄了回来。余荩臣看过后，就往旁边一搁，说道：“这种东西，哪一任制台没有？我也看惯了。他下他的谕帖，我住我的夜，管他妈的事！这也值得遮遮掩掩的！”那师爷被东家抢白了两句，面孔涨得绯绯红，一声也不言语。余荩臣又问道：“我叫你打听的事，有什么瞒我的？你快老实说罢！”那师爷只是咳嗽了两声，一句话还是没有。余荩臣知道他是无能之辈，便跺着脚，说道：“真正是什么材料！——这从哪儿说起！”说完了这句，便背着手一个人在厅上踱来踱去。他不理师爷，师爷亦吓得不敢出气。

搁下余荩臣在家里候信不题。且说制台自接奉廷寄之后，却也不敢怠慢，立刻就派了藩司、粮道两个人，按照所参各款，逐一查办。因为幕友赵大架子被参在内，留住衙门恐怕不便，就叫自己兄弟二大人通信给他，叫他暂时搬出衙门，好遮人耳目。赵大架子无奈，只得依从。所以头天虽在相好贵宝家中定了酒席，并未前去请客。到了第二天，贵宝派了男女班子到石坝街赵大人公馆里请安，听见门上说起，才晓得大人出了岔子，如今在家里养病，生人一概不见。男女班子无奈，只得怅怅而回。

此时省城里面一齐晓得制台委了藩台、粮道查办此案。幸喜都是同寅，彼此大半认识，一个个便想打点人情，希图开脱。其中粮道为人却很爽快，有人来嘱托他，他便同人家说道：“制台虽然拿这件事委了兄弟，其实也不过敷衍了账而已。现在的事情，哪一桩哪一件，不是上瞒下就是下瞒上？几时见查办参案，有坏掉一大票的？非但兄弟不肯做这个恶人，就是制台也不肯失他自己的面子。他手下的这些人虽然不好，难道他平时是聋子、瞎子，全无闻见，必要等到都老爷说了话，他才一个个的掀了出来？岂不愈显得他平时毫无觉察么？不过其中也总得有一两个当灾的人，好遮掩人家耳目。总算都老爷的话并非全假，等他平平气，以后也免得再开口了。兄弟说的句句真言,所以诸公尽管放心罢了。”众人听了他言,俱各把心放下。不料藩台自从奉到委札的那一天起,却是凡有客来,一概挡驾。今天调卷,明天提人,颇觉雷厉风行。大家都不免提心吊胆。然而想起粮道的话,晓得制台将来一定要顾自己的面子,决不会参掉多少人的,不过彼此难为几吊银子,没有什么大不了事,便亦听其自然。

藩台见人家不来打点,他便有心公事公办,先从余荩臣下手,同制台说:“原参余道出卖厘差,银子放在上海。别的虽然没有凭据,然而银子存在银行里是有簿子可查的,只要查明白了簿子上是余荩臣的花户,便一定是他的赃款了。现在是什么时候!库款如此空虚,他们还要如此作弊,真正没有良心了!司里同余道虽是同寅,然而为大局起见,决计不敢回护的。”制台道:“别的还好办,银行是外国人的,恐怕他不由你去查哩。”藩台道:“银行虽是外国人开的,然而做的是中国人生意。既然做我们中国人生意,一年到头赚我们中国人的钱也不少了,难道这点交情还没有?我又不向他捐钱,看看账簿子有什么不可的。”制台道:“既然老哥说可以,料想没有什么不可以的。本省的官虽多,能够办事的人究竟很少,还是老哥诸事谙练,这件事情就借重老哥辛苦一趟罢。早些去早些回来,也好早点复奏进去,免得再生枝节。”藩台一想:“话虽如此说,究竟自己做了这几年的官,从来未同外国人打过交道。外国人抠眼睛,高鼻子,虽然见过几个,但是上海地方,听说一共总有十几国的人,我是一省的藩台,到了那里总得一家家的都去拜望拜望。彼此言语不通,这个十几国的翻译倒不好找。一个弄得不得法,被翻译瞒着我做了手脚!”左思右想,总觉不好,只得回复制台道:“司里的公事,承上宣下,一来忙的实在走不脱身,二来司里亦不会说外国话,不认得外国字,将来到了银行里查起外国帐来,一个字不认得,还不是白去。这桩事关系很大,请大人委了别人罢。”制台道:“好在总要带着翻译去的,只要带个明白点的翻译就是了。就是兄弟亦不会说外国话,不认得外国字,怎么也在这里办交涉呢?”藩台被制台顶的无话可说,只得又禀请了一位洋务局里的提调,乃是本省候补知府,姓杨,名达仁,因为他从小在水师学堂里出身,认得鬼子多,而且也会说两句外国应酬话,同了他去,便借他做个靠山。他本任之事,当由制台札委盐道暂行兼理。

藩台无奈,只得回家部署行装。因系钦派案件,不敢耽误,次日有下水轮船，遂即携带随员、幕友径赴上海。一路上，两手很捏着一把汗，深悔自己多嘴，惹出这件事来。次日轮船到了上海，上海县接着迎入公馆。跟手进城去拜上海道。见面之后，叙及要到银行查账之事。上海道道："但不知余某人的银子是放在哪一爿银行里的？"藩台大惊道："难道银行还有两家吗？"上海道道："但只英国就有麦加利、汇丰两爿银行。此外俄国有道胜银行，日本有正金银行，以及荷兰国、法兰西统通有银行，共有十几家呢。"藩台听说，愣了半天，又说道："我们在省里只晓得有汇丰银行汇丰洋票，几年头里，兄弟在上海的时候也曾使过几张，却不晓得有许多的银行。依兄弟想来，只有汇丰同我们中国人来往，余某人的这银子大约是放在汇丰，我们只消到汇丰去查就是了。"上海道道："外国人银行开在上海的，原是为着做中国人生意来的，哪一爿不好存银子，并不光汇丰一家是如此。但是汇丰两个字，人家说起来似乎熟些，或者余某人的银子就放在他家也未可知。方伯就先到他家去查查也不妨。"藩台听说称"是"。于是端茶告辞。

回到公馆，过了一夜。第二天一早，就想到汇丰家去查账。起身梳洗之后，便吩咐套马车。穿好行装，带了翻译，两个人同上了马车，一直往黄浦滩而来。未曾上车的时候，车夫就问："到哪里去？"藩台说："汇丰银行。"马夫说："今天礼拜，银行是不开门的。"那翻译因是省里带来的，在内地久了，也忘记礼拜不礼拜。被马夫一句话提醒，他亦恍然道："不错，礼拜日外国人是不办公事的，去了也是白去。不如大人到别处拜客，明天一早再去不迟。"藩台道："管他妈的礼拜不礼拜！我到他门口飞张片子，我总算到过的了。就是他不办公事，料想客人总好见的。我昨天就到此地，今天还不去拜他，被外国人瞧着也不好。况且我今天见了他，先把大概情形告诉了他，明天再去查账也就容易些。"翻译道："礼拜关门，连客也是不见的，不如明儿一块去的好。"藩台道："你们这些人，多走一步路都是怕的！横竖坐马车，又不要你跑了去，多走一趟也不难！"翻译也不敢说别的，只好跟了他走。

一霎时走到汇丰银行门口，果见两扇大门紧紧闭着。投帖的人叫唤了半天，亦没有一个人答应。投帖的无奈，只得走到马车跟前，据实回复。藩台道："既然没有人，留张片子就是了。"投帖的又跑回去，拿张片子塞了半天亦没有塞进，只好蘸了点唾沫，拿片子贴在门上走的。藩台自己觉着无趣,又怕翻译笑他,说他不懂外国规矩,同到公馆,坐定之后,便对手下的人说道:“外国人礼拜不办事、不会客,我有什么不晓得的。不过上头委了我这件事,照例文章总得做到。将来查账查得到,固然是有面子,即使查不到,我们这里到底来过两趟,总算是尽心的了。”他如此说,手下的人只好连连答应称“是”。

到了第二天,便是礼拜一,银行里开了门。他老人家仍旧坐了马车赶去。未曾到银行门口,投帖的已经老早的拿着名片想由前门闯进去,上了台阶,就挺着嗓子喊“接帖”。幸亏没有被外国人碰见,撞见一个细崽,连忙挥手叫他出去,又指引他叫他走后门到后头去。等到投帖的下了台阶,藩台也下了马车了。投帖的上前禀明原由。藩台心上很不高兴,自想:“我是客,我来拜他,怎么叫我走后门?”原来这汇丰银行做中国人的买卖,什么取洋钱,兑汇票,账房、柜台统通都设在后面,所以那细崽指引他到后边去。当下藩台无奈,只得跟了投帖的号房走到后面。大众见他戴着大红顶子,都以为诧异,说他倘然是来兑银子的,用不着穿衣帽;如果是拜买办的,很可以穿便衣,也用不着如此恭敬。

其时柜台上收付洋钱,查对支票,正在忙个不了,也没人去招呼他。号房①拿了名片,叫唤了几声“接帖”,没有人理他,便拉住一个人,问:“外国人在哪间屋里住?”那人道:“我是来支洋钱的,我不晓得。你去问他们柜上罢。”号房无奈,站在柜台边望了一望,都是忙碌碌的,不好插嘴。急得藩台骂:“没中用的王八蛋!连帖子都不会投,还当什么号房!”号房急了,随检了柜台上一个鼻架铜丝眼镜的小伙子先生,问他:“外国人在哪里?我们大人要拜他。”小伙子先生望了他一眼,并不理他,仍旧低下头,手摸算盘,跌跌挞挞算他的账去了。号房没法,只得又检了一个嘴上两撇鼠须的老头子先生,照前问了一句。毕竟老头子先生古道可风,回问了声:“你们是哪里来的?要找外国人做什么?”号房还没有回答他来的是藩台大人,那老头子先生手里早拿了一管笔,一叠支票,一张张的往簿子上自己去誊清,再问他话也听不见了。号房急得要死,藩台瞧着生气。

正在走投无路的时候,忽见里面走出一个中国人来,也不晓得是行里

---

① 号房——旧时指传达室或担任传达的人。

的什么人。藩台便亲自上前向他询问，自称是江南藩司，奉了制台大人的差使，要找外国人说一句话，看一笔账。那人听说他是藩台，便把两只眼拿他上下估量了一番，回报了一声："外国人忙着，在楼上，你要找他，他也没工夫会你的。"此时翻译跟在后头，便说："不看洋人，先会会你们买办先生也好。"那人道："买办也忙着哩。你有什么事情？"藩台道："有个姓余的道台在你们贵行里存了一笔银子，我要查查看到底是有没有。"那人道："我们这里没有什么姓余的道台，不晓得。我要到街上有事情去，你问别人罢。"扬长的竟出后门去了。

其时来支洋钱取银子的人越聚越多。看洋钱的叮呤当啷，都灌到藩台耳朵里去。洋钱都用大筐箩盛着，豁琅一掼，不晓得几千几万似的。整包的钞票，一叠一叠的数给人看，花花绿绿，都耀到藩台眼睛里去。此时藩台心上着实羡慕，想："我官居藩司，综理一省财政，也算得有钱了，然而总不敌人家的多。"

正想着，忽听翻译说道："啊唷，已经十二点半钟了！"藩台道："十二点半钟便怎样？"翻译道："一到十二点半，他们就要走了。"藩台道："很好，我们就在这里候他。他总得出来的，等他们出来的时候，我们赶上去问他们一声，不就结了吗？"正说着，只见许多人一哄而出，纷纷都向后门出去，也分不出哪个是买办，哪个是账房，哪个是跑街，哪个是跑楼。一干人出去之后，却并不见一个外国人。你道为何？原来外国人都是从前门走的，所以藩台等了半天还是白等。直等到大众去净之后，静悄悄地鸦雀无声。

翻译明知就里，也不敢说别的，只好说："请大人暂回公馆吃饭。过天托人找到他的买办，问他一声，或者就托他代查。大人犯不着亵尊，自己一趟趟往这里来。"藩台看此情形，也觉无味，只得搭讪着说道："我同余某人并不是冤家，一定要来查他的账。不过我不来两趟，上头总说我不肯尽心。如今外国人不见我，这事便不与我相干，我回省也有得交代了。至于买办那里，你们明天顺便去问一声也好。我们的事情，凡是力量可以做到的，无不样样做到。他不理你，那却无法了。至于当差使，也说不到'亵尊'二字。外国人瞧不起我们中国的官，也不自今日为始了。这件事我碰着了，倒还是心平气和。"说罢，拉起衣裳一直出来上马车赶回公馆。

翻译当天果去托人找着了买办，提起前情。买办道："不要说难查，就是容易查,他有银子尽着他存,他爱存哪里就哪里,总不能当他是赃款办。幸而你们大人没有来见外国人,倘若见了外国人,被外国人说笑上两句,那却难为情呢!”翻译听了无话,回来回了藩台。于是藩台才打断了查账的念头,只想拿话搪塞制台。不敢说洋人不见,他造了一篇谣言,说问过洋人,簿子上没有余某人的花户,所以无从查起。一面先行电禀,一面预备自行回省。

这日正想夜里趁招商局轮船动身。早晨还在栈房里默默自想:“深悔自己多事,凭空的要捉人家的错处。如今人家错处捉不着,自己倒弄了一场没趣。”越想越没味。正在出神的时候,忽然门上传进一个手本,又拎着好几部书,又有一个黄纸簿子,上面题着“万善同归”四个大字。藩台见了诧异。忙取手本看时,只见上面写着“总办上海善书局候选知县王慕善”。又看那几部书:一部是《太上感应篇详解》,一部是《圣谕广训图释》,一部是《阴骘文制艺》,一部是《戒淫宝鉴》,一部是《雷祖劝孝真言》。藩台看了,心上寻思道:“原来都是些善书。刻善书固是好事,但他忽然要来找我,却为何事?”心上正想回复不见。那个拿手本的二爷说道:“这位王老爷,据他自己说起,真正是个好人。自从他开了这个书局之后,所有的淫书已经被他搜寻着七百八十三种,现在一齐存在局中,预备大人调查。有些书外头都没有板子,只有他那里一部。他随身带个手折,都开得明明白白,预备当面呈上来的。”藩台一听这话,心上便想:“姑且叫他进来问问再说。我生平淫书亦算看得多了,哪里会有七百八十几种?他既然有,姑且调来看看。等到看过,再出示禁止不迟。”主意打定,便吩咐了一声“请”。

少停王慕善进来,磕头请安,自不必说。归座之后,藩台先问他:“这个局子是几时开的?一共刻了多少书?”王慕善道:“回大人的话,从卑职曾祖手里以至传到如今,一直以行善为念。到卑职父亲晚年,就想创个‘善书会’;苦于力量不足,没有办得起来。卑职仰承先志,现在虽然粗具规模,然而经费总还不够,所刻的书亦有限得很,刚才呈上来的几部都是的。卑职此来,一来想求大人提倡提倡;二来还有一篇淫书目录,等大人寓目之后,求大人赏张告示,严行禁止,免得扰乱人心。”一面说,一面又站起来把呈上来的书检出二部,指着说道:“凡事以尊主为本,所以卑职特地注了这部《圣谕广训图释》,是专门预备将来进呈用的。这一部《太上感应篇详解》，是卑职仰体制台大人的意思做的。听说制台大人极信奉的是道教，这《太上感应篇》便是道教老祖李老子先生亲手著的救世真言，卑职足足费了三年零六个月工夫，方才解释得完。意思想要再求大人赏张告示，禁止书贾翻刻，只准卑局一家专利。如此卑局方能持久，以后有什么善书，便可多刻几部。就是大人有什么著作，卑局亦可效劳。”

藩台道：“能够多刻几部原是极好的事；不过专利一层，我们做大宪的人，只能禁人为非，哪能禁人向善。至于提倡一节，亦是我们应尽之责。什么《圣谕广训图释》、《太上感应篇详解》，你明天可送几百部来，等我下个公事，派给各府、州、县去看。”王慕善道：“卑局里的书能得大人如此提倡，将来一定可以畅销。卑职回去，就在每部书的面上加上‘奉宪鉴定’四个大字。明天每样先缴进两百部来。”藩台道：“很好。”王慕善道：“请大人的示，这笔书价，卑职还是具个领字由大人这里来领呢？还是等到大人回省之后再到大人库上来领呢？”藩台初意，以为他这些善书虽然卖钱，至于这一二百部一定是捐送给各府、州、县看的。今见他论到书价，心上便有点不高兴。愣了半天，说道：“既然想要劝人为善，最好把这些书捐送与人家，如果要人家拿钱，恐怕来买的就少了。”王慕善不禁一惊道：“回大人的话：三部、五部，卑职还捐送得起；再多，不要说是卑职捐不起，就是卑局里也难支持得住！”

藩台道：“这开书局的经费是哪里来的？”王慕善道：“都是捐得来的。”说着，又把那本“万善同归”的簿子翻了出来，查给藩台瞧。一头指着，一头说道：“这是某军门捐银五十两，这是某中丞捐洋五十元，这是某方伯捐银三十两，这是某太守捐洋四十元。”随后又特地翻出一条指给藩台看，道：“只是家兄王子密部郎，就是现在做小军机的，他也帮过二十四两。”藩台道：“原来老兄是子翁的令弟！兄弟同令兄很要好；兄弟去年陛见进京，我们两个很说得来。但是这些钱都是众人捐凑的，更不应该拿他卖钱。兄弟既同令兄相好，将来回省之后，替老兄想个法子，弄一笔永远经费。外府州、县有肯为善的，也等他们捐两个。”王慕善听了，特地离位请了一个安，又说了声“谢大人栽培”。藩台道：“这书同簿子你先带回去。我这里有什么捐款随手就送来给你，不消得写簿子的。”王慕善于是感激涕零而去。

藩台送客回来，对着同来的幕友相公说道：“现在的时势，拿着王法吓唬人，叫人做好人还没人听你的话，如今忽然拿着善书去劝化人，你送给他瞧他还不要瞧，还要叫人家拿钱，岂非是做梦！说句老实话，这些书我就不要瞧。倒是把他那七百多种淫书调来看看，一定有些新鲜东西在内。”藩台说到这里，便有个幕友插嘴道：“方伯既然晓得他这些书没用，为什么还劝他捐给人家看呢？”藩台道：“劝人为善，一来名气好听，二来他是小军机王子密的令弟，把他敷衍过去就完了。我哪里有这许多工夫去替他派书，替他敛钱呢。”众人听了，方才明白。到得晚上，便即搭了轮船回省销差。

次日，王慕善还痴心妄想，当他未走，把善书装了两板箱，叫人抬着，自己跟着送到行辕里来。到门一问，才晓得藩台大人昨儿夜里已经离了上海。王慕善至此，还不觉得藩台昨儿同他说的一番话是敷衍他的，还疑心有了什么要紧公事，急于回省。仍旧把书箱抬了回来，同人商量，把书箱交轮船寄上去。自己又另外打了一个禀帖，随着书箱同寄南京。

藩台回省查的参案，预先请过制台的示，无非是“事出有因，查无实据”，大概的洗刷一个干干净净，再把官小的坏上一两个，什么羊紫辰、孙大胡子、赵大架子一干人统通无事。禀复上去，制台据详奏了出去。凡是被参的人，又私底下托人到京里打点，省得都老爷再说别的闲话。一天大事，竟如此瓦解冰消。这是中国官场办事一向大头小尾惯的，并不是做书的人先详后略，有始无终也。

闲话慢表。且说王慕善自经藩宪一番奖励，他果然于次日刻了一块戳记，凡他所刻的善书，每部之上都加了“奉宪鉴定”四个大字。又特地上了几家新闻纸的告白。又把自己书局门口原有的招牌重新写过，是“奉宪设立善书总局”。招牌之旁添了两扇虎头牌，写的是“书局重地，闲人免入”。一面又挂着一条军棍。据他自己说：“现在我这爿书局既然改了由官经办，我应得按照总办体制；伙计们就是司事。”又吩咐手下的人：“以后都得称我为总办。”看了日子，开局悬挂招牌。预先由账房在九华楼定了几桌酒，发了一张知单。凡认识的官绅两途，请了好几十位。单子上也有写“知”字的，也有写“代知”的，还有写“谢谢”的。有些不晓得他的根底的，还当他的确是小军机王某人的令弟，同藩台有多大的交情，一齐凑了份子来送礼。吉期既到，书局门前悬灯结彩；堂屋正中桌围椅披，铺设一新，又点了一对大蜡烛。王慕善穿了行装，挂着一副忠孝带①，先在堂中关圣帝君神像面前拈香行礼，磕头起来，手下的司事又一齐向他叩头贺喜。然后人来客往，足足闹了半日。

王慕善生怕正经官绅来的不多，扫他的面子，预先托了人走了门路，处处说好。居然到了那日，大老绅衿也到得两位。王慕善便殷殷勤勤留住吃饭。当下居中一席，宾主六位，王慕善自己奉陪。五个客人统通都是道台：第一位姓宋，号子仁，广东人氏。官居分省试用道。乃是这里有名的绅董，常常要同上海道见面的。第二位姓申，号义甫，苏州人氏。乃是一爿善局里的总董。自从他爷爷手里创办善举，无论哪一省有什么赈捐，都是他家起头。有名的申大善人，没有一个不晓的。到这申义甫手里，也着实有几文了。申义甫每办一次赈捐，连捐带保，不到五六年，居然由知县也升到道台，指省浙江。因为近年光景甚好，过的日子很舒服，也就不去到省了。第三位新从京里引见出来，路过上海，尚未到省的一位湖南试用道，姓朱，号礼斋，山西人氏。王慕善因为他也是观察，借他来装场面的。偏偏这位朱礼斋最欢喜摆自己的观察架子，有人问他"贵姓、台甫"，他对答之后，一定要赘上一句"兄弟是湖南候补道"。无论湖南人员，别省人员，也不论候选、候补，只要官比他小的，见了他面，无论在张园里，或者戏馆里，番菜馆里，尊他一声"大人"，他马上就替人家惠茶东，惠戏价，惠酒账。上海有爿票号，都说有他的本钱在内。手笔亦着实开阔，有人拿了手本到他公馆里请安，同他叙大人、卑职，他一定请见；倘或告帮，少则十块、八块，多则三十、二十，亦常常的给人家。王慕善晓得他这个脾气，便有心交结他，无论哪里碰着，老远的就是一个安，高高朗朗叫一声"大人"。请起安来，眼睛望着鼻子，低下了头，拿两只手往屁股后头一瘪。倘或朱观察问长问短，他满嘴的"是是是，者者者"。因此朱观察很赏识他，肯同他来往。第四位是一位江西候补道，姓蔡，号智庵，乃浙江人氏。是聪明刁刻一路的人。曾经代理过三个月盐道。自以为拿过印把子的人，觉得比众不同，眼眶子里只有督、抚、藩、臬，别人都不在他心上了。因与王慕善稍微沾点亲戚，王慕善特地央他来陪客。他初意想要不来的，后来听说宋子仁、申义甫一干人统通在彼，晓得场面还好，所以赶得来的。

① 忠孝带——清时官员穿行装时佩带的一种短而阔的带子。

还有一位姓翁,号信人,山东人氏。身上只捐了一个候选道,在上海做做生意。不知如何被王慕善请得来的,便把他屈坐了第五位。幸亏他为人颟颟顸顸①,于这些上头倒也并不在意。

当下坐定之后,王慕善先开口问宋子仁、申义甫二位道:"宋老伯,申老伯,这两天的公事一定忙得很?"宋子仁皱着眉头,说道:"不要说别的,单是两江制台、苏州抚台托查的事件就有七八桩在身上。还有上海道托我出来调处的事情,还有地方官办不了的事情,亦一齐来找我。真是天天吃了人参,精神亦来不及!刚刚上海道还在兄弟那边。上海道前脚走,上海县跟着又来。并不是欺他官小,对不住他,只好挡驾,见面之后,有得同你缠,只怕到此刻还不得来。义翁,你这两天接到山东的电报没有?黄河怎么样了?"申义甫立刻摆出一副忧国忧民的面孔,道:"利津口子还没合龙,齐河的大堤又冲开了。山东抚台昨儿一天共总有九个电报给兄弟,托兄弟立刻替他汇十万银子去。子翁,现在市面银根如此之紧,一时哪里提得到许多!后来又来一个电报,说叫二小儿到工上去当差,年终合龙,两个过班可得道员。因此面情难却,汇了五万银子给他。二小儿亦就这两天动身前去。子翁可有什么信带?"宋子仁道:"恭喜,恭喜!二世兄不日也同义翁一样,真正是凤毛济美!兄弟有什么信,回来写好再送过来。"

正谈论间,代理过江西盐道的蔡智庵因与朱礼斋、翁信人扳谈,彼此问起"贵姓、台甫"。朱礼斋回答之后,又从靴页子里掏出一张"申报",上面刻着分发人员名单,便指着一行说道:"上月引见分发的这湖南道朱仪孙就是兄弟。"蔡智庵自以为曾经拿过印把子的人,自然目空一切。谁知翁信人也只是不理他。只有王慕善替他乱吹说:"这位朱大人,学问经济,名重一时。这回晋京引见,上头圣眷极好,不日就要放缺的。"蔡智庵不等他说完,急于替自己表扬道:"现在皇上很留心吏治,所以我们敝省抚宪陆大中丞委派兄弟代理盐道的折子上头特地还加了四个字的考语。诸位要晓得,代理的时候虽短,有得代理就会署事,有得署事就会补缺。同是一样候补道,尽有候补了几十年,一回印把子拿不到的多着哩。"王慕善听了,不胜倾倒。这时候,朱礼斋已经问过翁信人的"贵班",翁信人说是"候选道"。蔡智庵道:"信翁要做事情,何不分发到省?不要说补

---

① 颟颟顸顸(mān mān hān hān)——糊涂而马虎。

缺,就是像兄弟代理过一次,到底多了一副官衔牌,说起来名气也好听些。”翁信人道:“我不过在这里做做生意,本来算不得什么,不过常常要同你们诸位在一块儿,所以不得不捐个道台装装场面。我这道台,名字叫做‘上场道台’:见了你们诸位道台在这里,我也是道台;如果见起生意人来,我还做我的一品大百姓。”翁信人一面说,一面端起酒杯来一连喝了五大盅,也微微的有了点酒意。蔡智庵被他说的顿口无言,朱礼斋也做声不得。

申义甫大善士便提起:“刷印善书一节,真是关系人心风俗的一件事情。明天小儿到北边,可以叫他带几十部去,顺便送送人,也算得一桩善举。”王慕善道:“小侄这爿书局所出的书,有诸位老伯、诸位宪台提倡,不愁没有销路。但是吃本厉害,小侄自己一个钱的薪水不支,以及天天到局里办公事,什么马车钱,包车夫,还有吃的香烟、茶叶,都是小侄自己贴的。真正是涓滴归公,一丝一毫不敢乱用。如此谨慎,每月还要垫得五六百块。什么朋友薪水,刻板刷印的工钱,以及纸张等类,没有一项少得来的。上回南京藩台到这里,小侄前去叩见,承他老人家美意,允许各项善书每种要一千部,札派各府、州、县代为分销。将来这笔书价,就在他们养廉银子①里扣回,却是再好没有。不过目下要垫本印书,至少非四五千金不办。所以小侄要求诸位老伯、诸位宪台替小侄想个法儿,支持过去。将来少则三月,多则五月,各府、州、县书价领到之后,一定本利同归。小侄是决不食言的。”

当下各位道台听了他的话,你望望我,我望望你,一句话也没有。到底朱礼斋慷慨,首先创议,助银五百两。王慕善立刻请安,“谢大人提倡”。跟手宋子仁说了声:“兄弟只好勉竭绵力,捐一百银子,附附骥的了。”蔡智庵是向来吝啬的,不肯自己拿钱,却替王慕善出主意,说道:“这件事情,我们尽力帮一千,帮八百,在我们已经出了一身大汗,然而缺少还多,于事仍属无济。兄弟有个愚见,不知申义翁以为如何?”申大善士忙要请教。蔡智庵道:“所有各省赈捐银子都在义翁手里,无非是存在庄上生息。现在兄弟做个中人,求义翁拨借王大哥五千,利钱或照庄拆,就是

---

① 养廉银子——清代雍正以后,于正俸之外,另发给官员一些津贴,叫做养廉银。

多点也不妨。将来书价领到,本利双还。一则成全了善举,二来义翁又可多收几个利钱,岂不公私两便?”宋子仁也帮着劝说,连称“智翁所言极是……”。王慕善听得心花都开。只见申大善士连连摇头道:“使不得!使不得!这笔赈捐银子,自从先曾祖存到如今,已有八十多年,是从来没有人提过。如今五千金虽然为数不多,王大哥非荒唐之人,兄弟亦没有什么不放心。但是此例一开,人人都好来借。借的多了,都像王大哥这样谨慎的人是不打紧,设有差池,这笔款子谁来归还?所以兄弟这个不能出借的苦衷,还求诸公原谅!”

正说话间,忽见外面来了一个人,急匆匆走到申义甫耳朵旁边说了两句话。登时申大善士面孔失色。大家正要问信,又见走进两个堂子里的娘姨、大姐直至筵前,朝着王慕善说道:“恭喜耐王大少!倪先来,倪先生也来哉。”一句话,又把个王慕善弄得置身无地。欲知后事如何,且听下回分解。

第三十四回

办义赈善人是富　盗虚声廉吏难为

话说王慕善这日正在局里请客吃酒，忽然走进来两个堂子里的娘姨、大姐，笑嘻嘻地朝着他说："我们先生就来。"王慕善一看，来的不是别人，正是他相好西荟芳花媛媛的一个大姐，名叫阿金，一个娘姨，名唤阿巧的。便是前个月里过节，王慕善短欠这花媛媛十二台酒钱，九十六个局钱，节边正因转运不灵，没有送去。花媛媛的母亲平时因见这位王大少来往的很有几个大人老爷，谅非安心漂账的人，一时掉头不转，也是有的，因此并未叫娘姨、大姐上门来讨，以为过节之后，只要王大少仍旧前来照应，这钱终究要还的。谁料自从节前顶到如今，王大少一趟未曾光降。到局里问问，总说在家里，到公馆里问问，又说在局里，打定主意，总不叫你见面。后来又听他同走的朋友讲起，说王某人节后又做了百花底的周宝宝，两人十分要好，不到一月，已经吃过三个双台，碰过八场和。花媛媛的娘心上恨极了，几次三番的要去候他，总被他预先得信，不是从后门逃走便是赖在周宝宝房间迸住不出来。因此，花媛媛的娘一连候了几日未曾候到，只得天天仍旧到书局里来跑。

后来碰到过一次，花媛媛的娘本来要同他拼命的，禁不起他花言巧语，下气柔声，一味地软缠，央告花媛媛的娘道："姆妈不要动气。实因前账未付，没脸登门，并非不放在心上。"又道："姆妈，我的事情你是晓得的。目下我这爿书局，新马路宋子仁宋大人，铁马路做善举的申义甫申大人，都肯帮我银子，把局面着实还要撑大。目下他们几位都已答应，但是银子还未到手。等到他们把钱一送来，头一注就先拿来还你。非但酒钱、菜钱两三百块算不得什么，并且我从前许过媛媛送她一副金钏臂，如今也要了此心愿。请你今天先回去，我少则十天，多则半月，一定不会误你事的。"花媛媛的娘道："大少，人心是肉做的！你春天来做我们媛媛的时候，还是个小先生；如今……"王慕善不等他说完，便道："你不要说了，我有什么不晓得的。将来银子下来的多，我还要讨媛媛做姨太太哩。你就是我的丈母娘。我讨了媛媛，接你丈母娘一块同住。”花媛媛的娘道：“大少，你只要把局钱、菜钱算还给我就够了！别的好处我亦不敢想了！”王慕善道：“事情将来定规要如此办，你放心罢了。”花媛媛的娘只得权时隐忍而去，连他跳槽的事亦未揭穿。

谁知过了半个多月，仍无消息。花媛媛的娘一连又叫人来过两三趟，无奈总不见面。他这爿书局乃开在靶子路北面，来一趟非轻容易。花媛媛的娘急了，乃买通王慕善的车夫。车夫便告诉他：“几时几日开局，我们东家一定在这里的，你们尽管来就是了。”花媛媛的娘记在肚里。谁知到了开局的那一天，王慕善早已防备，预先托了宋子仁替他到营里借了四名亲兵，穿着号褂子站在局门口，弹压闲人，又请巡捕房派了两个华捕，帮同禁阻，一切闲杂人等毋许擅入。

却说花媛媛的娘这日有事在心，一早便唤女儿起身。收拾停当，已有十一点半钟，及至走到，不差亦有半点钟了。只见人来客往，马车包车，着实不少。花媛媛母女两个晓得此时不便，又在外面茶馆里等了点半钟，看看来的人已去大半，方同了阿金、阿巧趸至门前。亲兵、巡捕拦阻不准进去。媛媛母女二人面孔究竟还嫩，禁不起呼喝，便退了出来。毕竟阿巧心机灵巧，便道：“既到此间，哪有不见之理！”便让媛媛母女仍到茶馆里去坐，她就拉了阿金硬闯进去。巡捕喝问何人。阿巧便说是王老爷自己公馆的人。巡捕不便阻拦，任其扬长进去。王慕善一见，果然大吃一惊。台面上正是一班贵客，倘若闹穿，诸多不便。急能生巧，便道：“你们来得极好。我家大老爷本来有封信在这里，我因为有事，所以还没送来。如此，就托你二人带了去，省得我走一趟。”说罢，趁着到房取信为由，把阿金、阿巧一直领到账房。先埋怨他“不该当着大众坍我的台”，又说：“上下不过几天，怎的就急到这步田地？”阿巧道：“事情并不与我相干。她娘儿两个一定要来，同在茶馆里。大少，你自己同她去说罢。”王慕善皱皱眉头，道：“我正在这里有事，她们偏偏要来同我胡缠！”阿巧道：“这是你自己不好，说话不当话，也怪不得别人。洋钱一时来不及，多少给她们几个，陆陆续续地开销点，她们也不来找你了。”王慕善晓得今天的事非钱不能了结，硬硬头皮，从账房柜子里取出昨儿新借来的一封洋钱，数了数，除用之外，只剩得六十多块了。于是把零头留下，先拿五十块钱给媛媛。又拿十块给阿金、阿巧平分，求她二人快快劝她母女回去，有话过天再说。阿巧、阿金见钱眼开,乐得做好人,拿着洋钱,倒反千恩万谢而去。

王慕善见她二人走出大门,方把一块石头放下。重新赶到客堂入席,连说:"对不住!……"又道:"刚才来的两个人,说也好笑,她先生就是普庆里的洪如意。还是家兄去年路过上海的时候照应过他几十个局,碰过几场和,吃过两台酒。等到家兄进京之后,她俩常常通信,还带过东西,都是小侄替他们传递。"宋子仁道:"令兄大人真要算个风流才子了!洪如意是由苏州来的,一切气派到底两样。"当下你一句,我一句,竟把花媛媛一段故事,丝毫未曾揭穿。

王慕善于是把心放下。举箸让菜,忽然才觉得不见了上面第二位申大善士,忙问众人:"申老伯哪里去了?"宋子仁对他说:"申义翁听说为着庄上存的一笔款子,也不晓得怎样,管家来送了个信给他,他就急忙忙地去了。不及关照你,托我们关照你。一打岔就忘记了。"王慕善听了,甚为气闷。只因蔡智庵有劝他代借五千银子的一句话,虽未答应,在王慕善却不能不痴心妄想。当下席散,众人告辞。

次日朱礼斋果然送到五百银子。王慕善千恩万谢,自不必说。但是上节过节拖欠太多,五百银子换了六百几十块钱,还还局账,还还店账。大老官有了钱,腰把子就硬起来了,不免又要多摆几个双台以及吃大菜,叉麻雀,坐马车,看戏,制行头,都是跟着来的,不到十天,五百雪花银早花得干干净净。等到钱花完了,又想到:"宋子仁还答应过我一百银子,不免向他要来应用。"偏偏碰着这位老先生极其啰嗦,又是极其小心,见面之后,问长问短;问:"局里一个月有多少开销?现在已刻了多少书?每年可趁几个钱?"王慕善于是随嘴乱编,只求搪塞过去,好拿他的银子。后来宋子仁又说了许多勉励他的话,然后拿出来一张月底的期票。王慕善钱既到手,如获至宝,便也不肯久坐,随意敷衍了几句,一溜烟辞了出来。回到局里,一看是张期票,远水救不得近火,于欢喜之中不免稍为失望。踌躇了半天,只得托本局账房朋友,化了几块洋钱,到小钱庄上去贴现,贴了回来,又被账房扣下五十多块,说是工匠薪工,厨房伙食,再不付,人家都要散工了。王慕善因到手只有八十来块钱,急得朝着账房跺脚;心上虽不愿意,而又奈何他不得。八十来块钱禁不得大用,不到三天又完了。

没得钱用,只得另觅别法;又想:"钱少了,实在不够挥霍。现在不如去找蔡智庵。前天承他美意,肯替我向申义甫设法。”主意打定,便去找蔡智庵。蔡智庵听出前天申义甫的口气,晓得他一定不肯挪借,恐怕自己去说不成功,要坍台的,便道:“这话须得你老哥自己去找他,我们旁边人只能敲敲边鼓。他同老哥交情厚,自然会替老哥想法子的。”王慕善不知他用意,便道:“卑职遵大人的示。且等卑职去过之后,看是如何说法,再来禀复大人,求大人替卑职想个法儿。”蔡智庵道:“就是如此。”王慕善从蔡智庵那里出来,果然去找申大善士。进门之后,托门上人通报。门上人说:“我们大人正接着山西电报,听说山西今年闹荒年,抚台有电报来托这里汇银子去。正请了阎二老爷来,在厅上商量呢。你老还是此刻见,还是停刻见?”王慕善一想:“我这趟来的真不凑巧!偏偏来找他,偏偏碰着他有事。但既来到此间,断无不见佛面之理。”便道:“不管是谁,你替我回就是了。”

门上人递上名片。申义甫一见是他,肚皮里就有点不愿意,心上想道:“那天蔡某人一开口就劝我借给他五千银子,好容易被我借端逃走。他今日又缠上门来,真正讨厌!”欲待不见,不料王慕善已到廊檐底下等请了。申大善士无法,只得叫“请”。见面之后,寒暄过去,申义甫不等他说话,先问他道:“你晓得了没有?”王慕善回称不知;又问:“老伯有什么事情?”申义甫道:“山西荒年,草根树皮没得吃了,现在吃人肉。抚台有电报来托我替他捐一百万银子的款,立等散放。老兄,你是晓得我的光景的,不要说是一百、八十万,就是十万、八万,三千、五千,我也得一个个的在人头上捐下来,哪里有这笔闲款来垫哩。”王慕善道:“‘救人一命,胜造七级浮屠’。老伯做的是好事,如果有钱垫,自然早解去一天可以把人早救活一天。”申义甫道:“呀呀乎!兄弟若不是办的顶真,都像这样东挪西借起来,哪里还能撑得起这个局面。”阎二先生也帮着申义甫,说申大先生如何勤恳,如何为难,“现在赈捐已成强弩之末,哪里能像从前来的容易”。滔滔汩汩,说个不了。

王慕善到此,方请教他姓字。申义甫道:“你连阎二先生阎大善人还不认得?也难为你这个老上海了!他姓阎,他的号叫阎佐之,新近由知州保举了直隶州。已经三次奉旨嘉奖,有两回上谕高头,兄弟名字底下一个总是他。”阎二先生听了,满面孔义形于色。便亦请教王慕善的名号,王慕善说了。申义甫道:“这位王大哥,就是我同你说过开办善书局的那一位。”阎二先生道:“我们中国人认得字的有限,要做善事,靠着善书教化人终究事倍功半。倘若拿善书送给人家,人家不看,这书岂不白丢?依兄弟愚见,总不如实事求是,做些眼前功德,到底实在些。申大先生以为何如?”申义甫未及开口,王慕善道:“兄弟力量不足,所以只好刻刻书,劝化劝化人。如果本钱大,力量足,像申老伯做的这些事我都要做的。”

阎二先生冷笑道:“做善事要本钱,任凭你一辈子都做不成!兄弟资格浅,说不着。即以我们这申大先生而论,当初他家太太老伯手里,何尝有钱。他家太太老伯起初处个小馆,一年不过十来吊钱。后来本乡里因他年高望重,就推他做了一位乡董。他老人家从此到处募捐,广行善事。俗语说:‘和尚吃八方。’他家太太老伯连着师姑庵里的钱都会募了来做好事,也总算神通广大了。他家太太老伯不在的时候,已经积聚下几百吊钱。到他太老伯,以至他老伯手里,齐巧那两年山东、河南接连决口,京、津一带,赤地千里。地方上晓得他家肯做善事,就把他推戴起来,凡有赈捐,一概由他家经手。所以等到他家老伯去世,庄上的银子已经存了好几十万了。申老伯去世的前头几年,记得那时候我只有十三岁。有天到申府上替申老伯请安,申老伯拉着我的手,说道:‘你们小孩子家,第一总要做好人,做了好人,终究有返本的。你想,我公公手里是什么光景?连顿粗茶淡饭也吃不饱。自从做了善事,到我手里,如今房子也有了,田地也有了,官也有了,家里老婆孩子也有了,伺候的人也有了。哪一桩不是做善事来的?‘皇天不负苦心人’,这句话是一点不错的。’后来申老伯去世,就传到我们这位申大先生手里。申大先生更与众不同,非但场面比前头来的大,如今他老人家的顶子已经亮蓝,指日就要红了。你不听见说他们世兄即日也要保道台?真正是凤毛济美,可钦,可敬!”

王慕善听了,不胜艳羡。随向阎二先生说道:“你佐翁先生虽然不及申老伯,照此下去,发财亦是意中之事。”阎二先生道:“说哪里话!我哪里比得上他!‘大学’上说的‘心诚求之,虽不中,不远矣’。我现在正在这里求着哩。”申义甫道:“不用你求,山西这一趟,你亦跑不掉。现在算来算去,与其我们捐了银子汇上去叫他们去做现成好人,何如我们自己去,也乐得叫他们地方上供应供应。我们吃辛吃苦,卖了许多面子,捐了许多银子,还不应该好好地巴结巴结我们吗?而且还可以多带几个人去,将来义赈出力,保案当中也乐得多提拔几个人。”阎二先生一迭连声的答应“是……”;又问:“大约几时可以动身?”申义甫道:“至少亦得十来天。现在顶要紧的是刻捐册;刻好了,好托报馆里替我们一家家去分送。稿子我这里已经拟好了一张,你看看,还有要改的地方没有?”阎二先生大约看了一遍,说道:“好是好,但是还少了八个字。”申义甫忙问:“哪八个字?”阎二先生道:“‘经手私肥,雷殛火焚’这八个字好少的吗?你若是不把这八个字刻上去,人家一定不相信。”申义甫道:“是极,是极!这是我一时忘记,这八个字本来是不能少的。”

其时王慕善亦站起来帮着看了捐册底稿一遍,愣在旁边,一声不敢言语。后来听了他二人攀谈,方晓得其中还有这许多讲究。随后申、阎二人又议论到名字。申义甫道:“兄弟是劝捐世家,居中头一个,兄弟也不消客气的了。其余的你斟酌去罢。”王慕善至此忽然动了附骥的念头,便朝着申义甫说道:“申老伯,小侄虽是财力浅薄,这劝捐的事,自分还办得来。可否这捐册后头附上小侄一个名字?一来等小侄附骥,叫人家瞧着小侄得与诸大善士在一块儿办事,也是莫大的荣幸;再则小侄也可以借此历练历练。小侄情愿报效,捐来的钱,涓滴归公,一个薪水也不敢领。”申义甫听了他话,同阎二先生两个你看看我,我看看你。歇了半天,申义甫未及开言,阎二先生先发话道:“备个名字在里头,这样事倒不容易。你不要以为安个名字上去是小事,一个名字虽然只有三个字,一个字要有几百万银子的沉重。你自问你有这个肩膀担得起这个沉重不能?”王慕善道:“既然如此,我去找宋子仁宋老伯做个保人,可好不好?”申义甫一想:“他这来是为借钱来的,现在借钱的话说不出口,倒想帮着劝捐,只求附个名字,我不好不答应他。而且他所来往的都是几个观察,看上去场面还不错,乐得送个人情答应了他。”便道:“并不是兄弟不相信吾兄,一定要吾兄找保人。实因事情关系者大,并不是兄弟一人之事,兄弟也作不得主。有个保人,人家就不会批评到兄弟了。”王慕善道:“这个小侄都知道。”申义甫又道:“吾兄现在做了我们自己一家人了,但愿吾兄从此一帆风顺,升官发财,各式事情都在此中生发,真正是名利双收,再好没有。从前人说:‘为善最乐’,兄弟是过来人,难道还骗你吗?”王慕善听了,自然高兴。

阎二先生道:“现在捐册还没有刻,再一笔笔地捐起来,至快也要二十天才得动身。今年十月里乃是家慈的七十晋九的生日。上次广西赈捐请奖案内已经替他老人家请了二品封典。前月家表兄进京，顺便把诰命轴子领到。兄弟打算看个日子，借张园替他老人家热闹一天。十月里兄弟要出去放赈，不能在家里，也就借此预祝，以尽人子之心。大先生以为何如？”申义甫道：“是极，是极！显亲扬名，本该如此。佐兄不是这两年办赈，哪里能够有此一番作为。如有知单公启，兄弟一定预名。”阎二先生道：“本要借重。”又闲谈了一回，彼此别去。

自从这天起，申义甫便拿红纸另写了一张“劝捐山西急赈总局”的条子贴在门口。王慕善便不时地到他家里鬼混。过了三天，捐册石印好了，下一排末了一个果然刻着王慕善的名字。王慕善看了，心上着实得意。所有捐册，除送报馆代为随报分送外，但止王慕善一个人身上就揣了五六百张。每到一处，开口三句话不离本行，立刻从怀里掏出捐册来送给人看，又指着末一个名字，说道：“这就是兄弟，现在也在这里头帮忙。诸公如要赈济，不妨交给兄弟，同送到局里都是一样的。再者，兄弟是初进去，等兄弟名下多捐几个，也替兄弟撑撑面子。”人家见他说得如此恳切，有些抹不下脸的，不免都得应酬他几块；然而大注捐款一注没有。捐了三天，捐册送掉三百多分，只捐得一百八十几块洋钱，都是些零星碎户。王慕善便有些懒惰起来。及至回到局里一问，才晓得申大先生三天不出门，坐在家里已经捐了人家十几万了。王慕善才晓得这劝捐一事，竟同做官一样，非有资格不可。

正是有话便长，无话便短。过了几天，便是阎二先生替他老太太预祝的日子。到了几天头里，先把张园大洋房定下，隔夜带了家人前去铺设一新，又定了一班髦儿戏①，发了一张知单，总共请了三百多客，都是上海有名的大人先生。到了次日，阎二先生一早起来，穿了袍褂，坐了马车，赶到张园。又把自己妾生的一个儿子带了来，这个儿子才有九岁，也扎扮着，穿着小袍套小靴帽，戴着五品顶子。说今天来的客多，好叫他帮着回拜。此外账房家人，一共去了十来个。

阎二先生是七点钟到的张园。八点钟头一位客到，乃是这里有名的一位道台，叫做“磕头道台”。这人年纪也有四十来岁了。据他自己说，

---

① 髦儿戏——清同治、光绪年间，在一些大城市出现的、由青少年女演员演出的戏班，大多唱京戏、昆剧。

他这个道台也捐了二十来年了,指省湖北,一直没有当过差使。公馆住在上海。专候人家有喜庆等事,他便穿着衣帽前来摆阔,无论这家同他有无来往,只要是场面上的人,被他晓得了,到了这一天,一定是他头一个戴着大红顶子前来磕头的。后来大家看熟了,就送他这么一个美号,叫做"磕头道台"。人家见磕头道台无处不磕头,就有些不认得的人,偶遇家中有事,亦就发付帖子给他,等他来磕头。这位磕头道台吃量又好,每到一个人家,总要等到开过席吃过中饭才走,有时候并且连晚饭都吃了去。人家有事,人来客往,总得有人陪客。别位大人先生,就是发帖子请他光陪,来虽来,不过同点卯应名一般,一来就走,而且还有拿架子不来的,独有这位磕头道台,他一到之后,马上就替你陪客送客,一直忙碌到走,不消主人费心的。因此各家有事都要请他。

且说这天磕头道台到了大洋房里,拜过寿堂,见过主人,让坐奉茶。此时为时尚早,大洋房内空落落的一个客没有。主人阎二先生因这位磕头道台没有什么谈头,便把儿子唤过来,叫他替老伯请安。磕头道台一见,先问几岁,读什么书。阎二先生一一回答过。磕头道台又见他戴着顶子,便问:"世兄贵班?"阎二先生道:"还是前年四川水灾赈捐案内买的捐票,捐的一个同知职衔。小孩子年纪小,等他大些再替他弄实官。"

磕头道台道:"现在捐票什么折头?兄弟想请一个三代一品封典。"阎二先生道:"有有有。某翁是自己人,我老实说。若是别人,就是出了钱我也不同他讲的。某翁要办这件事,姑且再等一两个月。这回山西义赈,极少要捐七八十万。有些捐整千整万的人,他们各人会替自己请奖,或者移奖子弟,我们想不到他的好处。就是请奖之外,有点盈余,也为数有限。其次,当铺钱业虽然由各府各县传谕各帮首董勒令派捐,将来他们这些捐票仍旧要出卖与人,希冀捞回两个。这种捐票都跟着大行大市走的,我们也占不到便宜。要拾便宜倒在零碎捐款上头,人家捐了一百、八十,十块、八块,谁还想什么好处。然而积少成多,这便是经手人的沾光。譬如有一百万银子的捐款,照例请奖,人所共知的也不过十万、二十万,其余的都要等到凑齐整数。将要奏报出去的时候,那一省的事就由那一省的督、抚同我们商量好了,定个折扣卖给人家,仍旧可以请奖。人家乐得便宜,谁不来买。而且这笔买卖多半还是我们经手。"磕头道台道:"如此一来,就是打个六折、七折卖给人家,岂不是一百万银子的捐款又多出六七十万吗？倒可以救人不少！”阎二先生道：“你这人好呆！再拿这银子去赈济，我们一年辛苦到头，为的什么？果然如此，我为什么不叫你买捐票，倒叫你等两天呢？叫你等两天就有便宜给你。不过这里头也不是我兄弟一人之事。现在山西急等赈济，靠你观察的面子，只要能够经手募捐万把银子，于照例请奖之外，兄弟并且可以在别人名下想个法子再送你一个保举，不要说是一个三代一品封典，别的官还可以得好几个哩。”磕头道台听了，着实心动。不过要他募捐一万银子，尚待踌躇。

正谈论间，客人也陆陆续续地来了，于是打住话头。后来客人渐渐的多了，主人便吩咐开席。磕头道台抢着代做主人，让人喝酒。自从冷荤盘子吃起，以至吃到后四道，一直没有住嘴。末了上了一碗红烧蹄子，他先让众人吃。众人都说：“谢谢，实在吃不下了。”他见众人不吃，便拿筷子横着一卷，一张蹄子的皮统通被他卷来，放在饭碗上。只见他拿筷子把蹄子一块一块夹碎，有一寸见方大小，和在饭里，不上一刻工夫，狼吞虎咽，居然吃个精光。依他肚皮，还没有吃饱，因见众人都停了筷子，他亦只好罢休。这桌席散，齐巧有后来的客，多开一席。他又抢着代东，吃过第二顿方才吃饱。抹过脸，又着实替主人张罗了一回；看了一回堂戏。后来见客人都已散完，他才走的。

且说阎二先生等老太太生日做过，停了一日，出门谢过客，便预备起身。他说出去放赈是穿不得皮袍子的，山西天冷，叫家里人替他做了一身的丝棉袄裤穿在里头，将来外面就是罩件破棉袍子也很够了。因为要做大善士，面子上不能不装做十二分俭朴。银子可以由汇兑庄汇去，棉袄棉裤不能不自己带去。好在沿途都有地方官派人照料。大善士是前去救人的，皇上还要另眼看待，不要说是一个小小州县。一个不好，只要大善士一封信给抚台，立刻拿他撤任，就是参官亦容易。因此上，谁敢不来巴结他！诸事停当，便带了师爷、二爷一块儿上了火轮船，取道京、津，径往山西。在路行走非止一日，他到哪里，沿途都打电报给山西抚台，好在大善士打电报是不花钱的。

有天到了山西境界。山西抚台预先有滚单下来给沿途州、县，说是南方大善士阎某人带了银子，还有棉袄棉裤前来赈济，是救我们山西百姓来的，我们地方上不好不尽地主之谊，一路之上都要好好派人招呼。那些州、县接到本省上司公事，有什么不尽心的。打尖住宿，一齐都预备公馆。

有些还张灯结彩,地方官自己出来迎接。大善士到店之后,还送鱼翅酒席。阎二先生要做出清正的样子,一到店忙叫店家把灯彩一齐撤去,人家送来的酒席,一概不收。问店里伙计要一碗开水,把带来的馍馍泡上两个,吃了充饥,同人家说:“我们有干粮吃,还算过的天堂日子。将来走到太原那边,赤地千里,寸谷不收,草根树皮都没得吃,饿得吃人肉,那日子才不是人过的哩!”说到这里,恨不得就哭出来,说道:“我想到那些遭难人的苦楚,我连干粮都吃不下了!”人家看了他这个样子,都拿他十分敬重,齐说:“这才真正是好人哩!”这个风声一出,下站办差的便不敢替他张灯结彩送酒席了。谁知他见人家办差草率,便道人家有心怠慢他,说:“我费了千辛万苦,带了银子来到你们山西地方放赈,原来替你们地方上救百姓的,怎么连点供应都没有?吃的东西亦不预备?还是瞧不起我们,拿我们不当人呢?还是多嫌我们,不要我们来放赈?既然多嫌我们,不要我们来放赈,我立刻写封信给抚台,等我们回去就是了。”地方官一见大善士生了气,那还了得!早吓得屁滚尿流。自己当面求情求不下,又托了绅士出来挽留,才算答应的。等到地方官赶把酒席做好送来,他又说不要了,又道:“我不是争他这点东西,为的是场面上下不去。况且我们办善举的人,自有干粮充饥,是从来不受人家酒席的。”决计不收,一定叫来人抬回去。地方官拿他无可如何,只得忍气吞声而止。有些州、县还有意巴结大善士,连大善士的师爷、二爷都得好处,托他在大善士跟前吹嘘,将来大善士到省,好在抚、藩跟前替他说好话,调好缺,因此,这一路上,大善士甚有威风。

一日到了太原地界。这太原一府正是被灾顶重的地方。大善士见机,晓得善门难开,倘若再像从前耀武扬威,被乡下那些人瞧见,一拥而前,那时节,连他的肉都被人家吃掉还不够。于是吩咐手下人,分做三四起,一齐扮做逃荒的样子,都不坐车,走了十几里。等到进了城,见了本城地方官,然后再声张起来,说是南边阎大善士到了。抚台得了信,不等他来拜,先自己去拜他,说了多少仰慕感激的话,一口一声“阎老先生”,又面谕首府、县好生款待,好生招呼。阎二先生的官阶虽然只有个知州,然而这一回乃是赈济而来,便摆出他大善士的架子,连抚台亦不放在眼里,竟称抚台为某翁,自己称兄弟。齐巧这位抚台乃是最讲究这些过节的。现在为着要银子赈济,不能不仰仗于他,虽然奈何他不得,心上却实在不高兴，面子上依旧竭力敷衍。

阎二先生头天到得太原，第二天就派了手下司事等众带了钱米，分往各处，稽查户口，核实散放，自己也穿了极破的衣服跟在里头做事。列位要晓得，这些做大善士的人，一年到头，捐了人家多少银钱，自己吃辛吃苦，毕竟那被灾户口也着实沾光，若无此辈更不知要死掉多少人，有了此辈到底救活性命不少。此乃做书人持平之论，若是一概抹杀，便不成为恕道了。但是办捐的人能够清白乃心，实事求是，不于此中想好处的虽然也有，至于像这回书上所说的各节，却亦不能全免。既然有了这种人这等事，做书的人拿他描画出来，也不算得刻薄了。

闲话少叙。且说阎二先生在太原足足放了两个多月的赈，又办了些善后事宜，功德做了不少，银子却也用去不少。不但山西百姓颂声载道，就是山西官员，从巡抚以下，也没有一个不感激他的。他到此更觉扬扬得意，目中无人。又他生平为人度量极小，天底下人，除他之外，没有一个好的。回省之后，见了抚台，便把他放赈所到的地方那些府、厅、州、县，某人如何不好，某人如何不好，一半公怨，一半私仇，竟说的没有一个好人。抚台听了，当时亦着实生气，吩咐藩台把情节较重的撤参了几个。

毕竟他的架子太大了，不满意于人的地方很多。起先是他到抚台面前说人不好，后来渐渐的有人到抚台面前说他不好。人众我寡，一张嘴如何说得过众人。抚台想起他的前情，见了人那副傲慢样子，心上很不舒服他。因此便将机就计，上了一个折子，上叙：

“山西吏治，早已坏到极处。现当大旱之后，户口凋残，元气一时难以骤复；非得关心民瘼①之员，竭力抚循，不足以资补救。兹查有南中义绅、分省补用知州阎某人，此次由上海捐集巨款，来晋赈济，急公好义，已堪嘉尚。自到太原后，臣屡次接见，见其才识宏通，性情朴实；每至一处放赈，往往恶衣菲食，与厮养同甘苦，奔驰于炎天烈日之中，实属坚忍耐劳，难能可贵。及试以他事，尤复刚毅果敢，不避嫌怨，实为当今不可多得之员。伏乞俯念晋省需才，允留该员在晋差遣委用之处，出自逾格鸿慈”

各等语。折子上去，朝廷自然没有不答应的。

---

① 民瘼(mò)——指群众的疾苦。

有天批折回来，抚台也不声张，袖了折子前去拜他。见面之后，又着实拿他抬举，慢慢露出借重之意。阎二先生听了，只当是抚台敷衍他的话，不免拿腔做势，添了许多自抬身价的话，说什么“现在山东、直隶都等着我去放赈，我顾了你们便顾不了别处。现在除非有上谕留我在贵省帮忙，那是无可如何之事。除此以外，无论是谁都留我不住。”抚台到此方微微的一笑，从袖筒管里取出批折，送到他的面前。此时也不称他为阎老先生，但说得一句道：“现在有上谕在此，老兄请看。”阎二先生一听大惊，赶忙接在手中看时，只见前是山西抚台的折子保举他，留他在山西的一派话，后面一行奉旨，是“阎某人着交某人差遣委用”十几个字。阎二先生看到这里，一时又惊又喜，两手拿着折子放不下来。惊的是，他在我面前，从未提过一声，凭空的一个折子竟其把我留下。喜的是，我本是一个没有省份的人，现在忽然归了特旨班，即日就可补缺。因此心上忐忑不定。但是既经留在山西，同抚台便是堂属体制，不能再照前番称呼。一旦要我恭顺起来，并非心有不甘，实在面子上一时放不下去。前日是并起并坐，今日是“大人、卑职”，未免叫不出口，难以为情。仔细思量，踌躇不决。既而一想：“他既然能够晓得我的好处，保举我，他便是我的知己。古人云：‘感恩知己。’我既感他的恩，就是叫声大人，有何不可。”主意打定，于是放下折子，慌忙离座，恭恭敬敬朝抚台磕了个头。磕头之后，接着请了一个安，说了声“卑职蒙大人提拔，谢大人栽培。卑职情愿伺候大人，替大人效力”。抚台仍旧照前同他客气，每逢禀见，无不立请，见了面总是灌米汤。有些实缺道、府都赶他不上。他说一是一，说二是二，抚台从没道过一个“不”字，因而官场上有些黑点的反去趋奉他，巴结他。他起初同人家还客气，到得后来，也就“居之不疑”了。

又过了些时，他带来的银钱已渐渐放完，因为要在抚台面前讨好，又打电报到上海汇了十几万来。起先银子都归他一人经手，除掉放赈之外，并无别用。自从改归山西差遣之后，上海二批汇来的钱，抚台渐渐也要干预，有时并借办理善后为名，向他支付。他碍于抚台情面，不敢不付。十几万银子，经不得几回也就完了。银子用完再打电报到上海；人家晓得他已经做了山西的官，而且银子已用掉不少，大约可以无须再行接济，以后的钱便来得不像前头容易了。

他此时正在热头上，为了一件什么事到抚台面前说首府不好。抚台马上把首府撤任，就同藩台商量，派阎某人署理。藩台说："阎某人乃是知州班次，署理知府，未免衔缺不甚相当。"抚台把脸一板，道："现在是什么时候，还拘什么资格吗？我从前保举他，留他在山西，就想要重用他的。现在朝廷尚且破格用人，你我岂可拘守成例！"藩台被抚台驳得无话可说，只得诺诺称"是"。回到衙门里，立刻挂牌，然而为他碰了抚台一个钉子，心上总不高兴。第二天阎二先生上去谢委，独独藩台没有见他。

抚台又立逼催他接印。恰巧前任这几个月碰着天旱，一无进款，赔的也苦极了，也乐得早交卸一天早轻快一天。阎二先生择定第三天接印。他老先生向来是俭朴惯的，上任的那一天，坐了一乘破轿子，名为四轿，其实只有两个轿夫，一把红伞，一面锣，喝道的亦只有一个。问问那些人哪里去，回称："都饿跑了。"阎二先生不便挑剔。等到拜过印，升堂点卯，六房书吏只有三个人，差役亦只有五六个。点卯应名都是一个人轮流上来好几趟。及至看他们穿的衣裳，都同叫花子一样。阎二先生手里早捏着一把汗，晓得荒年没有收成，这个缺万无生发，只得将机就计，做个清官，还好蒙骗上司的耳目。等到接印之后，一连十几日，下属应送的到任规，一处没有。而且弄得是政简刑清，案无留牍，连下属申详的案件，半个月来，亦是一桩没有。并不是德化感人，实因太原一府的百姓都已死净逃光，所以接印以来，竟无一事可做。

他这时仍旧总办放赈事务。看看秋尽冬来，北方天气寒冷，未交十月，已下得一场大雪。上海一连去了几个电报，不见有银子汇来，心中正在愁闷。一日端坐衙中，忽然接到抚台一个札子，拆阅之下，这一急非同小可！要知所为何事，且听下回分解。

第三十五回

捐巨赀纨绔得高官　吝小费貂珰发妙谑

话说阎二先生自从代理太原府以来,每日上院禀见抚台,以及抚台同他公事往来,外面甚是谦恭。虽然缺分苦些,幸而碰着这种上司,倒也相处甚安,怡然自得。不料一日正坐衙中,忽然院上发来一角公事,拆阅之下,乃是抚台下给他的札子。前面叙说他集款放赈如何得力,接着又说:

> "现在已交冬令,不能布种;若待交春,又得好几个月光景。这几个月当中,百姓不能餐风饮雪,非再得巨款接济,何以延此残生?该员声望素孚,官绅信服。为此特札该员迅速多集款项,源源接济;幸勿始勤终惰,有负委任。"

各等语。阎二先生接到札子,踌躇了半夜。次日上院,又要顾自己面子,不敢说上海不能接济的话,只说已经打了电报去催,大约不久就有回信的。抚台听了,无甚说得。过了三日,又下一个札子催他。

他弄急了,便和一个同来放赈的朋友,现在他衙门里做账房的一位何师爷商量。何师爷广有韬略,料事如神,想了一想,说道:"抚台一回回的札子,只怕为的自己,不是为的百姓罢!"阎二先生道:"何以见得?"何师爷道:"现在太原府的百姓都已完了。到了春天,雨水调匀,所有的田地,自然有人回来耕种。目下逃的逃,死的死,往往走出十里、八里,一点人烟都没有,哪里还要这许多银子去赈济。所以晚生想来,一定是抚台自己想好处。他总觉着你太尊上海地方面子大,扯得动,一个电报去,自然有几十万汇下来。哪里晓得今非昔比,呼应不灵!"阎二先生道:"如今上了他的圈套,要脱亦脱不掉。你有什么好法子呢?"

何师爷此时虽然挂名管账,其实自从东家接任到今,一个进账没有。而且这位东家又极其啬刻,每日零用,连合衙门上下吃饭,不到一吊钱。就是要赚他两个,亦为数有限。这个账他正管得不耐烦。如今听了东家的话,他便将机就计,想好了一条计策,说道:"太尊明日上院,只消求抚台给晚生一个札子。晚生拼着辛苦,替太尊回上海去走一趟。"阎二先生道:“札子上怎么说法?”何师爷道:“劝捐。”阎二先生道:“目下捐务已成强弩之末,况且上海有申大先生一帮在那里,你人微言轻,怎么会做过他们?”何师爷听了,笑道:“劝捐是假,报效是真。”阎二先生听到“报效”二字,便晓得其中另有文章,连问:“报效如何办法? ……”何师爷道:“若照部定章程,开个捐局专替山西办捐,人家有了银子,不论哪里都好上兑,何必定要跑到你们局里。此我所以不说劝捐,而说劝人报效,因为劝捐是呆的,报效是活的。我只要抚台上一个折子,先说本省灾区甚广,需款甚繁,倘有报捐在一万两以上者,准其专折奏请奖励。”阎二先生道:“能捐一万银子的有几个呢?”何师爷道:“晚生的话还没有说完。捐不捐在他,出奏的权柄在我。能捐一万银子的固然不多,只要他能够捐上六七千,我们同抚台说明,算他一万,给他一个便宜,人家谁不赶着来呢。合起捐官的钱来,所多有限,将来一奉旨就是特旨班,人家又何乐而不为呢。这笔款子叫名是山西赈济,赈济多少,有甚凭据? 尽着抚台的便,随他爱怎么报销就怎么报销。如此办法,抚台有了好处,一定没别的说话。你太尊就是要调好缺,过府班,都是容易之事。他还肯再叫你在这太原府喝西风吗?”

一席话说得阎二先生不觉恍然大悟,连连点头,连称“你话不错……”。又道:“话虽如此说,明天我就上去照你的话回抚台,这个札子一定是一要就到。但是你一无官职,他下札子给你,称呼你什么呢?”何师爷道:“太尊办了这几十万银子的捐款,还怕替晚生对付不出一个官来?起码至少一个同知总要叨光的了。”阎二先生笑了一笑,心上也明白:“将来一个官总得应酬他的。准其明日等把话同抚台说好,随后填张实收给他就是了。”

商量已定,次日上院,便把劝人报效的法子告诉了抚台。又道:“我们山西没有外销的款子,所以有些事情绌于经费,都不能办。现在开了这个大门,以后尽多尽用,部里头还能够再来挑剔我们吗?”抚台听了,果然甚喜,便问:“这件事仍旧要到上海去办,那里有钱的主儿多,款子好集。但是派谁去呢?”阎二先生便把何师爷保举上去,又说:“这何某就是在上海帮着卑府办捐,后来又同到此地放赈的。此人人头极熟,而且很靠得住。委他劝办一定可以得力。”抚台道:“你老哥想出来的法子就不错,保举的人亦是万无一失的。”说着,便叫人请了奏折师爷来,同他说知底细。一面拜折进京,一面就下公事给何师爷,委他到上海劝办。次日何师爷上辕谢委，一张嘴犹如蜜糖一般，说得抚台竟拿他十二分器重。

阎二先生又趁空求调好缺。抚台说："我亦晓得你苦久了，要紧替你对付一个好缺，补补你前头的辛苦。你由知州保直隶州的部文已到。这回赈济案内，我同藩台说，单保一个'过班'尚不足以酬劳，所以于'免补'之外，又加一个'俟补知府后，以道员用'。兄弟老实说：这山西太原府一府的百姓不全亏了你一个人，还有谁来救他们的命呢？就是再多给你点好处也不为过。"阎二先生听了，谢了又谢。不久抚台果然同藩台说了，另外委了他一个美缺。不在话下。

且说这位何师爷名顺，号孝先，乃是绍兴人氏。自从奉了委札，便也不肯耽搁，过了两日，遂即上院禀辞。又蒙抚台发下来二百银子的盘费，又有在省的上司、同寅托他到上海办洋货买东西的钱，倒也有二三百两，一共约有五百银子光景。他便留起二百两当盘缠，拿那三百两换了现钱带着。走到路上，遇见那些被灾的人鬻①儿卖女的，他男的不要，专买女的，坏的不要，单拣好的。那些人都饿昏了，只要还价就肯卖人。人家讨价，如十岁的人只要十吊，五岁的只要五吊。他还价，每一岁只肯出五百小钱。人家想钱用，没得法子，只好卖给他。于是被他这一买，不到三天，竟其买到五十多个女孩子。他一路之上为这五十多个女孩子倒也花得盘费不少。到了上海，拣了几个年纪大些，面孔长得标致些的留下，预备将来自己收用。其余的或是卖给亲戚，或是卖给朋友，总收人家好几倍钱。末后又剩下二十多个没有人要。幸亏他上海人头熟，找到一个熟识的媒婆，统通交代了他，贩了出去，大大地卖了一笔钱。后来这些女孩子也不晓得被媒婆子一齐卖到一个何等所在。做书的人既非目睹，说说亦是罪过，也就付诸不论不议之列了。

且说何师爷回到上海，便自己另外赁了一座公馆，挂起"奉旨设立报效山西赈捐总局"的牌子。未到上海的前头，已吩咐手下人等不准再称何师爷，须改口称老爷。靠着山西巡抚的虚火，天天拜客，竭力同人家拉拢。有人请酒，一概亲到。如此者应酬了一个月下来，居然有些人上他的吊，报效一万银子的有三个，八千银子的有四个，六千银子的有十来个。一面上兑，一面就打电报给山西抚台，替人家专折奏请奖励。真正是信实

---

① 鬻(yù)——卖。

通商，财源茂盛。等到三个月下来，居然捐到三十多万银子，他一齐作为六七千报销上去，下余的都是他自己所赚。山西抚台得了他这笔银子，究竟拿去做了什么用度？曾否有一文好处到百姓没有？无人查考，不得而知。

单说何孝先自办此事以来，居然别开生路，与申大善士一帮旗鼓相当，彼此各不相下。毕竟他是山西抚台奏派的，却也拿他无可如何。又过了些时，何孝先私自打电报托山西抚台于赈捐案内两个保举，从同知上一直保到道台，又加了二品顶戴。从此摇摇摆摆，每逢官场有事，他竟充作大人大物了。偶然人家请他吃饭，帖子写错，或称他为“何老爷”、“何大老爷”，他一定不到。只要称他“大人”，那是顶高兴没有。从此以后，羡慕他的人更多，不是亲也是亲，不是友也是友，都愿意同他往来。就有他一个表弟，是从前瞧不起他的，如今见他已做了道台，居然他表弟到上海也就来拜他了。

他表弟姓唐，行二，湖州人，是他姑夫的儿子。他姑夫做过两任镇台，一任提台，手中广有钱财。他表弟当少爷出身，十八岁上由荫生①连捐带保，虽然有个知府前程，一直却跟在老子任所，并没有出去做官。因他自小有个脾气，最欢喜吃鸦片烟，十二岁就上了瘾，一天要吃八九钱。人家都说吃烟的人心是静的，谁知他竟其大谬不然，往往问人家一句话，人家才回答得一半，他已经说到别处去了。他有年夏天穿了衣帽出门拜客，竟其忘记穿衬衫；同主人说说话，不知不觉会把茶碗打翻。诸如此类，不一而足。一天到晚，少说总得闹上两个乱子；因此大众送他一个美号，叫他做“唐二乱子”。

且说这唐二乱子二十一岁上丁父忧，三年服满，又在家里享了一年福。这年二十四，忽然想到上海去逛逛，预备花上一二万玩一下子，还想顺便在堂子里讨两个姨太太。到了上海，虽然同乡甚多，但因他一直是在外头随任，平时同这般同乡并没有什么来往，所以彼此不大接洽。恰巧他表兄何孝先新过道班，总办山西捐输，场面很大，唐二乱子于是找到了他。当天何孝先就请他吃大菜，替他接风，跟手下来，又请他吃花酒，荐相好给他。唐二乱子毕竟无所不乱，席上朋友叫的局，他见一个爱一个，没有一

---

① 荫生——由于祖先的资历或功勋而被允许到国子监读书的，叫做荫生。

个不转局。后来又把老表兄何孝先素来有交情的一个大先生,名字叫甄宝玉的转了过去。何孝先心上虽不愿意,但念他同乱人一般,无理可讲,只好随他。好在他烟瘾过深,也不能再作别事,乐得听其所为,彼此不露痕迹。

唐二乱子又好买东西,不要说别的,但是香水,一买就是一百瓶;雪茄烟,一买就是二百匣;别的东西,以此类推,也可想而知了。

一连乱了十几日。何孝先见他用的银子像水淌一般,趁空便兜揽他报效之事。他问报效是何规矩,何孝先一一告诉了他。因为他是有钱的人,冤桶是做惯的,乐得用他两个,于是把打折扣上兑的话藏起不说,反说:"正项是一万,正项之外,再送三千给抚台,包你一个'特旨道'一定到手。你是大员之后,将来引见的时候,只得山西抚台折子上多加上两句,还怕没有另外恩典给你。有此一条路,就是要放缺也很容易的。"一席话说得唐二乱子心痒难抓,跃跃欲试。但是带来的银子,看看所剩无几,办不了这桩正经。忙同何孝先商量,要派人回家去汇银子。何孝先是晓得他底细的,便说:"一万几千银子,有你老表弟声光,哪里借不出,何必一定要家里汇了来?"唐二乱子道:"本来我亦等用钱,索性派人回去多弄几文出来。"

何孝先生怕过了几天有人打岔,事情不成功,况且上海办捐的人,钻头觅缝,无孔不入,设或耽搁下来,被人家弄了去,岂不是悔之不及。盘算了一会,道:"老表,你如果要办这件事,是耽误不得的。我昨天还接到山西抚台衙门里的信,恐怕这个局子早晚要撤,这种机会求亦求不到,失掉可惜!依我的意思,这万多银子,我来替你担,你不过出两个利钱,一个月、两个月还我不妨。你果然如此办,马上我就回局子,一面填给你收条,一面打电报知会山西。这事情办的很快,不到一个月就好奉旨的。一奉旨你就是'特旨道'。赶着下个月进京,万寿庆典还赶得上。趁这挡口,我替你山西弄个差使。这里头事在人为,两三个月,只怕已经放了实缺也论不定。"一席话说得唐二乱子高兴非常,连说:"准其托老表兄代借银子。利钱照算,票子我写。"何孝先见买卖做成,乐得拿他拍马屁,今天看戏,明天吃酒。每到一处,先替他向人报名,说这位就是唐观察,有些扯顺风旗的,亦就一口一声的观察。唐二乱子更觉乐不可支。

何孝先便劝他道:"老弟,你即日就要出去做官了。像你天天吃烟,总得睡到天黑才起来。倘若放实缺到外边呢，自由自便，倒也无甚要紧，但是初到省总得赶早上几天衙门。而且你要预先进京谋干谋干，京里那些大老，哪一个不是三更多天就起来上朝的。老弟，别的事，我不劝你，这个起早，我总得劝你历练历练才好。”唐二乱子道：“要说起早，我不能，要说磨晚，等到太阳出了再睡，我却办得到。我倘若到京城，拼着夜夜不睡，赶大早见他们就是了。”何孝先道：“他们朝上下来还要上衙门办公事，等到回私宅见客总要顶到吃过中饭。你早去了，他们也不得见的。就是你到省之后，总算夜夜不睡，顶到天亮上院，难道见过抚台，别的客就一个不拜？人家来拜你，亦难道一概挡驾？倘若上头委件事情叫你立刻去办，你难道亦要等到回来睡醒了再去办？只怕有点不能罢。”唐二乱子想了一想道：“老表兄，你说的话不错。我就明天起，遵你教，学着起早何如？”当时无话。

是夜唐二乱子果然早睡。临睡的时候又吩咐管家：“明天起早喊我。”管家答应着。无奈他睡惯晚的人，早睡了睡不着，在床上翻来覆去，鸡叫了好几遍，两只眼一直睁到天亮。看看窗户角上有点太阳光射了下来，恰恰才有点朦胧，不提防管家来喊他了，一连叫了三声，把他唤醒。心上老大不自在，想要骂人，忽然想起“今天原是我要起早，叫他们喊我的”；于是隐忍不言，揉揉眼睛爬了起来。当下管家忙着打洗脸水，买早点心。众管家晓得少爷今天是起早，恐怕熬不住，只好拿鸦片来提精神，于是两个管家，一递一个装烟，足足吃了三十六口。刚坐起来，却又打了两个呵欠。正想再横下去睡睡，却好何孝先来了。一见他起早，不禁手舞足蹈，连连夸奖他有志气：“能够如此奋发有为，将来什么事不好做呢！”唐二乱子一笑不答。

何孝先便说：“你不是要买翡翠翎管吗？我替你找了好两天，如今好容易才找到一个，真正是满绿。你不相信，拿一大碗水来，把翎管放在里头，连一大碗水都是碧绿的。”唐二乱子道：“要多少价钱？”何孝先晓得他大老官脾气，早同那卖翎管的掮客串通好的，叫他把价钱多报些。当时听见唐二乱子问价，便回称“三千块”。谁知唐二乱子听了，鼻子里嗤的一笑，道：“三千块买得出什么好东西！快快拿回去！看亦不要看！”那个卖翎管的掮客听他说了这两句，气得头也不回，提了东西，一掀帘子竟去了。

唐二乱子道：“我想我这趟进京，齐巧赶上万寿，总得进几样贡才好。

你替我想,这趟贡要预备多少银子?”何孝先道:“少了拿不出手,我想总得两三万银子。你看够不够?”唐二乱子又嗤的一笑,道:“两三万银子够什么!至少也得十来万。”何孝先道:“你正项要用十来万,你还预备多少去配他?你一个候补道,不走门子帮衬帮衬,你这东西谁替你孝敬上去呢?”唐二乱子道:“自己端进去。”何孝先道:“说得好容易!不经老公的手,他们肯叫你把东西送到佛爷面前吗?要他们经手,就得好好的一笔钱。你东西值十万,一切费用只怕连十万还不够!”唐二乱子道:“我们是世家子弟,都要塞起狗洞来还了得!”何孝先道:“你不信,你试试看。”唐二乱子道:“这些闲话少说,这种钱我终究是不出的。如今且说办几样什么贡。”何孝先先想了一桩是电气车。唐二乱子虽乱,此时忽福至心灵,连说:“用不得!……这个车在此地大马路我碰见过几次。大马路如此宽的街,我还嫌它走的太快,怕它闹乱子,若是宫里,哪里容得这家伙。不妥!不妥!”何孝先又说电气灯,唐二乱子又嫌不新鲜。后来又说了几样,都不中意。还是他自己点对,想出四样东西,是:一个玛瑙瓶,一座翡翠假山,四粒大金刚钻,一串珍珠朝珠。好容易把东西配齐,忙着装潢停当。

看看又耽搁了半个月,唐二乱子要紧进京。齐巧山西电报亦来,说是已经保了出去。得电之后,自然欢喜。过了一天,又接到家信,由家里托票号又汇来十多万银子。取到之后,算还何孝先的垫款,还了制办贡货的价钱,然后写了招商局丰顺轮船大餐间的票子,预备进京。

在路非只一日,已到北京。唐二乱子是自小娇生惯养,以至成人,今番受了轮船火车上下劳顿,早害得他叫苦连天。预先托人在顺治门外南半截胡同赁了一所房子,搬了进去,就一连睡了三天。又叫人请大夫替他看脉。大夫把了脉出来,同管家说:“你们大人不过路上受了点辛苦,没有什么大毛病,将息两天就好的。”管家连忙摇手,道:“先生,你万万不可如此说!你要说他没病,你二遭就没有生意了。你一定要说他有病,而且说病的很厉害。开的药味要多,价钱要大,顶好每剂药里都要有人参,他瞧了才欢喜,说你的本事不错,明日仍旧请你。”大夫道:“人参是补货,无论什么病可以吃的吗?”管家道:“大老官吃药,不过呷上一口就吐掉的。本来没有什么病,横竖药又吃不到肚皮里去,莫说是人参,就是再开上些别的亦不妨。我们已同对过药铺里说明,方子上有人参,叫他不论什么放上些,价钱尽管开大,赚了钱一家一半。先生,你若是要生意好,要我们敝上天天来请你,你医金不妨多要些,三十两、二十两,尽管开口,要的少了,他还瞧不起你。这个钱我们亦是一家一半。先生,我们讲的是真话,并不是玩话。他是有钱的人,不赚他的赚谁的?"那个医生唯唯遵教而去。到了次日,唐二乱子果然又派人来请。那医生便同来人说:"贵上的症候很不轻,而且不好耽误日子,一天最好要看三趟。"又说:"我为着要替你们贵上看病,把别的主顾生意一齐回掉,专看你一家,总得二十四块钱一趟,再加四元六角挂号钱。"唐二乱子一一遵命。等到开出方子来,动不动人参五钱、珠粉二钱,一贴药总在好几十块。唐二乱子吃过之后,连称:"大夫有本事!果然病已好了许多!"又过了几天,方才出门拜客。

此番来京,为的是万寿进贡,于是见人就打听进贡的规矩。也不管席面上戏馆里有人没人,一味信口胡吹,又道:"我这分贡要值到十万银子,至少赏个三品京堂侍郎衔,才算化的不冤枉。"人家听了他,都说他是个痴子,这些话岂可在稠人广众地方说的!他并不以为意。

他有个内兄,姓查,号珊丹,大家叫顺了嘴,都叫他为"查三蛋"。这查三蛋现在居官刑部额外主事,在京城前后混了二十多年。幸亏他人头还熟,专门替人家拉拉皮条,经手经手事情,居然手里着实好过。如今听见妹夫来京,晓得妹夫是个阔少出身,手笔着实不小,早存心要弄他几个,便借至亲为名,天天跑到唐二乱子寓处替他办这样,弄那样,着实关切。不料唐二乱子是大爷脾气,只好人家巴结他,他却不会敷衍别人的。查三蛋见妹夫同他不甚亲热,便疑心妹夫瞧他不起,心上老大不自在,因此心上愈加想要算计他一下子。

唐二乱子是肚皮里存不下一句话的,把进贡的事天天朝着大众说。查三蛋立刻拉在身上,说:"我里头极熟,宫门费一切等事,等我找个人进去替你讲,十万银子的贡,大约花上三万银子的使费也就够了。"无奈唐二乱子另有一个偏见,别的钱都肯花,单单这个"宫门费"不肯花,说:"我有银子宁可报效皇上。他们是什么东西,要我巴结他!我做皇上家的官,是天子奴才,他们伺候皇上,难道不是奴才?我为什么要送钱给他用?我有三万银子,我大八成的道台都可捐得了。我为什么拿钱塞狗洞!"查三蛋道:"'阎王好见,小鬼难当'。他们这些人赛如就是些小鬼,你同他们缠些什么?见上司还要门包,难道见皇上就不要门包么?这宫门费就同门包一样,从敬事房起,里里外外有四十八处,一千多人分这笔钱,怎么好少他们的呢?”唐二乱子一听内兄要他花钱,心上愈加不高兴,闭着眼睛,摇头不语。其实查三蛋说的都是真话,就是劝他出三万两,也恰在分际,所谓‘不即不离’。无奈唐二乱子因为舅爷是穷京官,本来就瞧他不起的,如今见他想要经手,越发生了疑心,所以彼此更不投机。查三蛋一见妹夫有疑他的心思,就是要掏良心也不肯掏了。

此时趋奉唐二乱子的人真不少,大家一见查三蛋话不投机,就有个想讨好的私下同唐二乱子说:“我认得军机上某王爷,大约只消花得一万银子,这份贡礼就托王爷替我们带了进去。有王爷的面子,还怕上头不收?王爷又在军机上,这事情由他经手,将来上头有什么恩典,少不得仍在王爷手里经过,他得了你一万银子,一定是替你尽心的。不要说京堂,论不定上头只肯给你一个京堂,王爷替你求求,变个侍郎,亦未可知。”唐二乱子信以为真,从此便不理他内兄,把这事全托了那个人。那个人又天天来候信,催着付银子,又道:“早进去一天,观察就早高升一天。”唐二乱子果然把一万银子给了他。谁知那人钱已到手,一连三日没有回复。

唐二乱子急了。幸亏他是直性子的人,等到没得主意的时候,仍旧请了舅爷来商量。查三蛋见妹夫又请教到他,便乃扬扬得意地说道:“你这人本来好糊涂!我们至亲,岂肯叫你上当。你不相信,偏要听人家的瞎话,拿我们不当人。如今怎么样?一万银子哪里去了?事情到底办成没有?”唐二乱子道:“这些话不用说了。都是我不好,误听人言。丢掉一万银子算不了什么!”查三蛋道:“我叫你只出三万银子的宫门费,你嫌多,如今又贴上一万,倒说算不得什么。真正不晓得你们打的是什么算盘!”唐二乱子一声不响,闷在那里吃烟。查三蛋又道:“京城里这种人——撞木钟的人很多,一个不留心就上了当去。等到骗了你的银子,你要找他,也就没有地方去找他了。我且请教你,那个人到底叫个什么名字?你怎么会认得他的?”唐二乱子道:“那人没有姓,名字叫文明,是个在旗的。还是那天在志美斋席面上认得的。他说他是内务府的司员,现住城里石驸马大街。我想他既是内务府的官,一定里头的信息灵通的,所以就托他去办。谁知遭了他的骗!真正意想不到之事!”查三蛋道:“越发荒谬!他既是内务府的人员,不在里头走门路,倒走到外头来!岂有此理!岂有此理!……也好,不经一事,不长一智。这已过去的事情,也不用谈它了,且商量现在我们怎么办法。”

唐二乱子道:“我已经吃亏一万,现在你再要三万,岂不是总共要化去四万?我总嫌太多。如今我只肯再出两万,连失撇的总共三万,也总算依你的数了。”查三蛋道:“一万银子是你自己愿意被人家骗去,与我何干?又不是我用的!这话可笑不可笑!”唐二乱子道:“我不管!我总在这个算盘上算。”查三蛋低头一想:“他的算盘如此打法。我如今按照三七叫他拿钱,并没有叫他多拿分文。无论哪里,看他用钱用的很大方,独独于我至亲面上如此计较。而且我办的仍旧是他切己之事。他同我调脾,我也犯不着拿好良心待他。看来他上过一次当还不够,定要叫他再上一次,方能明白。”主意打定,便道:“既然你只肯两万,三成之中,不过少得一成,同前途去商量起来看。只要他们肯收,我又何苦要你多化呢。”唐二乱子听得此言入耳,方才说了声“费心”。

查三蛋退辞出去,便去找到素来同他做连手的一个老公,告诉他有这笔买卖。老公不等他提价钱,先说道:“三爷的事情,又是令亲,我们应得效力。”查三蛋道:“不是这等说。”便附耳如此这般,述了一遍,又道:“我们虽是亲戚,但是他太觉瞧人不起,只肯出一万银子的宫门费。他是有钱的人,不是拿不出,等他多化两个亦不打紧。”老公一听,他们至亲尚且如此,乐得多敲两个。连忙堆下笑来说道:“他是什么东西!连着亲戚都不认,真正岂有此理!就是三爷不吩咐,咱也要打个抱不平的!你去招呼他,叫他把一万银子先交进来。就说上头统通替他回好,叫他后天十点钟把东西送上来。等他到了这里,咱们自然有法子摆布他。”查三蛋诺诺连声,连忙赶到唐二乱子寓所同他说:“准定二万银子的宫门费,由大总管替我们到上头去回过。叫你今天先把宫门费交代清楚,后天大早再自己押着东西进去。”唐二乱子道:“何如!我说这些人是个无底洞,多给他多要,少给他少要。不是我拦得紧,岂不又白填掉一万。如今二万银子我是情愿出的。”说着,便叫一个带来的朋友,拿着折子到钱庄上划二万银子交给查三蛋,替他料理各事。查三蛋银子到手之后,自己先扣下一半,只拿一半交代了老公。老公会意。

到了第三天,唐二乱子起了一个大早,把贡礼分作两台,叫人抬着。查三蛋在前引路,他自己却坐车跟在后头。由八点钟起身,一直走到九点半钟,约摸走了十来里,走到一个地方。查三蛋下车,说:“这里就是宫门了。闲杂人不准进去。"众人于是一齐歇下。查三蛋挥手,又叫众人退去。唐二乱子亦只得下车等候。等了一回,只见里头走出两个人来,穿着靴帽袍子。查三蛋便招呼唐二乱子,说:"门里出来的就是总管的手下徒弟,所有贡礼交代他俩一样的。"唐二乱子一听是里头的人,连忙走上前去,恭恭敬敬请了一个安,口称:"唐某人现有孝敬老佛爷的一点意思,相烦老爷们代呈上去。"谁料那两个老公见了他,大模大样,一声不响。后来听他说话,便拿眼瞧了他一瞧,说道:"你这人好大胆!佛爷有过上谕,说过今年庆典,不准报效。你又来进什么贡!你是什么官?"唐二乱子道:"道台。"老公道:"亏你是个道台,不是个戏台!咱问你,你这官是怎么来的?"唐二乱子道:"山西赈捐案内报效,蒙山西抚院保的。"老公道:"银子捐来的就是,拉什么报效!名字倒好听!咱一见你,就晓得你不是羊毛笔换来的!如果是科甲出身,怎么连个字都不认得?佛爷不准报效,有过上谕,通天底下,谁不晓得,单单你不遵旨。今儿若不是看查老爷分上,一定拿你交慎刑司①,办你个'胆大钻营,卑鄙无耻'!下去候着罢!"那老公说完了这两句,扬长的走进去。

唐二乱子这一吓,早吓得浑身是汗,连烟瘾都吓回去了。歇了半天,问人道:"我这是在哪里?"其时抬东西的人早已散去,身旁止有查三蛋一个。查三蛋一见他这个样子,晓得他是吓呆了。立刻就走过来替他把头上的汗擦干,对他说道:"当初我就说钱少了,你不听我。可恨这些人,我来同他说,他们连我都骗了。既然二万不够,何不当时就同我说明,却到今天拿我们开心!"

此时唐二乱子神志已清,回想刚才老公们的说话不好,又记起末后还叫他"下去候着"的一句话,看来凶多吉少,越发急地话都说不出。只听查三蛋附着他的耳朵说道:"老妹丈,今天的事情闹坏了!有我亦不中用!看这样子,若非大大的再破费两个不能下场!"唐二乱子一心只想免祸,多化两个钱是小事,立刻满口应允。查三蛋便留他一人在外看守东西,自己却跑上台阶,走到门里,找着刚才的那个老公。往来奔波,做神做鬼,又添了二万银子。先把贡礼留下做当头。二万银子交来,非但把贡礼赏收,而且还有好处;倘不交二万银子,非但不还东西,而且还要办"胆大

① 慎刑司——清代内务府下面主管宫廷和旗人笞杖一类刑讯的机构。

钻营”的罪。三面言定，把贡礼交代清楚。唐二乱子方急急地跟了查三蛋出来。这天起得太早，烟瘾没有过足，再加此一吓，又跑了许多路，等到回寓，已经同死人一样了。

以后如何，且听下回分解。

第三十六回

骗中骗又逢鬼魅　强中强巧遇机缘

话说唐二乱子唐观察从宫门进贡回来，受了一肚皮的气，又惊又吓，又急又气。回到寓处，脱去衣裳，先吃鸦片烟过瘾。一面过瘾，一面追想："今日之事，明明是舅爷查三蛋混账！我想我待他也不算错，拿他当个人，托他办事，不料他竟其如此靠不住！你早说办不来，我不好另托别人？何至于今天坍这一回台呢！"往来盘算，越想越气。然而现在的事情少他不得，明晓得他不好，又不敢拿他怎样发作，只好闷在肚里。过足了瘾，开饭吃饭。老爷一肚皮闷气无处发泄，只好拿着二爷来出气，自从进门之后骂人起，一直骂到吃过饭还未住口。查三蛋见他骂得耐烦，于是问他："许人家的二万头怎么样？"唐二乱子道："有什么怎么样！不过是我晦气，注着破财就是了！"一面说，一面叫朋友拿折子再到钱庄里打二万银子的票子给查三蛋。临走的时候，却朝着查三蛋深深一揖，道："老哥，这遭你可照应照应愚妹丈罢！愚妹丈钱虽化得起，也不是偷来的！出的也不算少了！我也不敢想什么好处，只图个'财去身安乐'罢！老哥，千万费心！"查三蛋听他的话内中含着有刺，毕竟自己心虚，不禁面上一红一白，想要回敬两句，也就无辞可说了。挣扎了半天，才说得一句道："我们至亲，我若是拿你弄着玩，还成个人吗？单是他们不答应，也是叫我没有法子！"唐二乱子并不理他。查三蛋同了那个朋友去划银子不题。

约摸过了五个钟头的时候，其时已将天黑，唐二乱子见他没有回报，不免心中又生疑虑，便想派人去找他。正谈论间，只见他从外头兴兴头头地进来，连称"恭喜……"。唐二乱子一听"恭喜"二字，不禁前嫌尽释。忙问："银子可曾交代？进的贡怎么样了？"查三蛋道："银子自然交代。贡都进上去了。听说上头佛爷很欢喜，总管又帮着替你说话，已有旨意下来，赏你个四品衔。"唐二乱子道："什么四品衔！我自己现现成成的二品顶戴，进了这些东西，至少也赏我个头品顶戴，怎么还是四品衔？难道叫我缩回去戴蓝顶子不成？"查三蛋道："这个不晓得。但是，恩出自上，大小你总得感激。就是你说的有现成的红顶子,这个不相干。那是捐来的,这是特旨赏的,到底两样。”唐二乱子道:“道台本是四品,也不在乎又赏这个四品衔!”查三蛋道:“这个何足为奇!怎么有人赏个三品衔,派署巡抚?难道巡抚不比三品衔大些?”终究唐二乱子秉性忠厚,被查三蛋引经据典一驳,便已无话可说,并不晓得凡赏三品衔署理巡抚的都由废员起用一层。他仕路阅历尚浅,这都不必怪他。

且说他自从奉到赏加四品衔的信息,心上一直不高兴。无奈查三蛋只是在旁架弄着,说:“无论大小,总是上头的恩典。到底上起任来,官衔牌多一付。你虽不在乎此,人家却求之不得。无论如何,明天谢恩总要去的,倘若不去,便是看不起皇上。皇上家的事情,一翻脸你就吃不了。还是依着他办的好。”唐二乱子无奈,只得一一遵行。

到了第二日谢恩下来,无精打采的,也没有拜客,一直回到寓处。心想:“我化了不差十五万银子,只弄到这么一点点好处,真正划算不来!”一个人正低着头乱想,忽见管家拿进一张名片来,说是“有客拜会”。唐二乱子举目看时,只见片子上写着“师林”两个大字,便知又是旗人了。愣了一回,回称:“我不认得这人。他是谁?来拜我做什么?”管家道:“小的也问过他们爷们。他们爷们说:他老爷是内务府堂郎中①的兄弟。晓得上回文明文老爷拿了老爷一万银子,事情没有办妥。如今这一万银子的事情,连堂官都晓得了,交派他老爷的哥哥查办这事。他老爷的哥哥为着事情忙,所以特地派他四老爷来的,因为自己亲兄弟,各式事情靠得住点。”唐二乱子此时正因一注注的银子化的冤枉,心上肉痛,一听这话,心想:“这桩事怎么会被内务府堂官晓得?如果内务府堂官用了我的钱,少不得总有好处到我。倘若没有用,这个钱果然被姓文的吃起,也总有个水落石出。不如请他进来问问再讲。”主意打定,便吩咐一声“请”。

此时六月天气,正是免褂时候②。师四老爷下得车来,身上穿了一件米色的亮纱开气袍,竹青衬衫;头上围帽;脚下千层板的靴子;腰里羊脂玉螭虎龙的扣带;四面挂着粘片褡裢袋、眼镜套、扇套、表帕、槟榔荷包;大襟

① 堂郎中——内务府总管属下的官员。

② 免褂时候——当时的礼节,只有在三伏最热的天气里,宾主会见时不必穿外褂;其他的时间一律必须加穿外褂,以示恭敬。

里拽着小朝烟袋;还有什么汉玉件头,叮呤当啷,前前后后都已挂满。进门的时候,手里还摇着团扇;鼻子上架着大圆墨晶眼镜。走到会客厅坐下。等了一回,主人出来。师四老爷慌忙除掉眼镜,把团扇递在管家手中,因系初见,深深一躬。唐二乱子连忙还礼。礼毕归座,先叙寒暄。

师四老爷为人着实圆到,见了唐二乱子说了无数若干的仰慕话。又说:"兄弟常常听见家兄提起大名,每恨不能一见;今日齐巧有堂派查办的公事,家兄里头事情多,不得闲,所以派了兄弟来的。所查的事情,老哥想已晓得的了?"唐二乱子道:"恰恰晓得。多承诸位大人及令兄大人费心,兄弟实在感激得很!诸位大人及令兄大人跟前,兄弟还没有过来请安,甚是抱歉!"师四老爷道:"自家人,说哪里话来!"唐二乱子道:"文某人同四哥是同衙门?"师四老爷道:"兄弟在银库上行走,文某人在外头当些零碎差使,虽同衙门,却不同在一处,不过晓得有他这么一个人罢了。现在是上头堂官晓得了这桩事情。不瞒老哥说:这些事情原是瞒上不瞒下,常常有的。就是家兄及兄弟也常常替人家经手。堂官晓得了这件事很生气,说:'被他这一闹,岂不拿我们内务府的牌子都闹坏了吗!'马上要撤姓文的差使,还要拿他参办。后来是家兄出了一个主意,说:'文某人这注钱到手不多几天,大约还可以归原。现在不如暂且不拿他发作,由我们下头吓吓他,骗骗他。等他把原银缴了出来,就求上头给他一个恩典。一来保全他的声名,二来拿银子还了原主,亦可见得我们内务府的牌子到底不错。'堂官听了家兄的话,甚以为然,答应照办。谁知家兄事情虽则拉在身上,无奈一天到晚公事忙不了,哪里还有工夫管这些闲账。一搁搁了三天,难为上头堂官倒惦记着这事,今天又问了下来,所以家兄特地派兄弟过来先问问详细情形,好斟酌一个办法。"唐二乱子道:"多蒙费心!"说道,便把姓文的事情细述一遍。又道:"兄弟并不是舍不得这一万银子,为的是情理上说不过去。"师四老爷道:"是哟,等到回去告诉了家兄,再过来禀复。"

于是二人又谈了些别的闲话。唐二乱子着实拿师四老爷恭维,又道:"现在朝廷广开言路,昨儿新下上谕,内务府人员可以保送御史,将来贵府衙门又多一条出路。"师四老爷皱着眉头,说道:"好什么!外头面子上好看,里头内骨子吃亏。粤海、淮安,江宁织造①一齐裁掉,你算算,一年要少进几个钱?做了都老爷,难道就不喝西风?就是再添一千个都老爷,也抵不上两个监督、一个织造的好:这叫做'明升暗降'。"

唐二乱子又问他住处。师四老爷道:"家兄及兄弟都是一天到晚不回家的时候多。有什么事情,兄弟过来,千万不敢劳驾。"说完,起身告辞。临上车时,又再三作揖打恭,叫唐二乱子不要回拜。唐二乱子只得答应着。等到师四老爷去后,唐二乱子一人想道:"凭空丢掉一万银子,一点声音也没有听见,真正恨人!却不料这事竟被内务府堂官晓得,看起来这银子倒还有回来的指望。银子小事,堵堵查三蛋的嘴也好。"想罢,怡然自得。因为师四老爷再三叮嘱不要回拜,只好遵命。意思想过天邀他吃饭,以补此情。

谁知到了次日一大早,师四老爷改穿了便衣过来,说:"昨日兄弟回去之后,就把详细情形告诉家兄。家兄当时就把姓文的找了来。你晓得这姓文的是谁?"唐二乱子道:"不晓得。"师四老爷道:"他就是福中堂的嫡亲侄少爷。他叔叔现在阔了,未曾入阁,就奉旨抬进了厢白旗。因为他侄儿没出息,不干正经,所以一点不肯照应他,由他一个人去混。他还常常打着他叔叔的旗号,在外头招摇撞骗,弄人家的钱。被福中堂晓得了,打过好几顿,锁在一间空屋里,此番不晓得几时放出来的。我们堂官总看他叔叔分上,常派他个小差使,等他混两个钱使,大一点事情又不敢派他,怕他要闹乱子。如今好,索性又把堂官的旗号打出来了。家兄一想,这件事倘要认真办起来,与受同科,不但姓文的担不起,就是老哥亦落不是的。再说句老实话,福中堂的面上也不好看。平时他老人家虽然恨他侄儿,等到有起事情来,'折了膀子往里弯',总是帮自己人的。就是老兄也不犯着因此得罪福中堂。所以家兄一听是他,越发要替两面把这事圆全下来。当时找着他之后,衙门里不便说话,家兄请他上馆子,吃到了一半,才把这事先吐一点风给他。他起初还想赖,后来被家兄点了两句眼,他无话说了,然后自己招认的,自认是一时糊涂,央告家兄替他想法子。家兄看他软了下来,索性吓他一吓,便同他说道:'你老哥这件事也太荒唐了!原

① 江宁织造——清代在江宁设有织造监督,专管进奉宫廷里用的缎匹,是著名的肥缺。

主儿已在都察院拿你告下了，不久就有文书来提你归案的。堂官今儿早上得了这个信，气得了不得，已回过你们老中堂。将来都察院文书来的时候，因为要顾本衙门的声名，不能不拿你公事公办。'谁知这一吓，才把个小哥吓毛了。这小哥儿不管有人没人，在馆子里朝着家兄就跪下了，求着替他想法子。家兄一见大惊，说：'这是什么地方！有话请起来说，被人家瞧着算哪一回事呢！'家兄叫他起，他不肯起，后来好容易被家兄拉了起来。家兄就问他：'你这个钱可曾动过没有？'那姓文的回称：'刚正骗到之后，一直没有敢出手。这两天听听外头风声定些，到昨日才动了九百几十两银子。'家兄道：'好好好。现在你把那未动的九千零几十两银子拿了来。堂官跟前，我替你想法子去，保你无事。'姓文的说：'总要能够按住姓唐的不告才好。'家兄就说：'唐观察那里，有我们兄弟俩替你求情，这点面子还有。'"

唐二乱子此时听得一万银子尚有九千多好收回，早已心满意足，便连连地说道："不要说是还能够收九千多，就是再少些，只要贤昆仲一句话，兄弟无不遵命。……况且贤昆仲替兄弟出了这一把力，难道兄弟就不该应拿出两吊银子来道乏吗？"师四老爷道："咱们自己人，还说什么道乏！你快别说了，叫人不好意思的。"唐二乱子道："四哥虽如此说，兄弟总得尽心的。"

师四老爷道："兄弟的话还没有完。家兄见他肯把九千多银子交出来，便不肯放松一步，当时拿话拢住他，等到吃完了饭，同他同车到他家里，叫他把银子一五一十统通交代了家兄，点过数目不错，然后家兄又到衙门里找到兄弟，叫兄弟先过来送个信。并且叫兄弟代达，说姓文的拿了老哥这边一万银子，已经被敝衙门的两位堂官统通知道。后来是家兄出主意，叫姓文的吐出来，求上头保全他的功名。现在上头已答应。姓文的银子，家兄亦业已到手。却不料已经被他用掉了九百多两，归不得原，上头堂官跟前就不好交代。倘若为着这九百多银子弄得姓文的坏官，一来他们令叔面子上不好看，二来家兄骗他这个九千多银子出来，原答应他保他无事，现在也不可失信于他。但是银子只有九千零几十两，堂官不好拿来交还吾兄。愚兄弟有钱的时候呢，这几百银子就替姓文的垫了出来，等他光光脸，只要预先同老哥说一声，将来老哥银子到手之后，把那九百多两仍旧算还就是了，连利钱都不要的。大家都是为朋友，有什么说不明白。无奈愚兄弟应酬大,钱来不够用,都弄得前缺后空。一个堂郎中,一个银库,连着九百多银子都垫不出,说出来人家亦不相信。要不是老哥跟前,彼此知己,兄弟也不好实说。”唐二乱子道:“笑话!贤昆仲如此出力,已经当不起,怎么好再叫贤昆仲贴钱。少掉九百多银子,兄弟情愿自己吃亏,既不要贤昆仲代认,也决计不要文某人吐出来。一则顾全福中堂面子,二则我们哪里不拉个朋友。拜求四哥代为禀复贵衙门的几位大人,这九百多两银子就说我姓唐的情愿不要了,务求诸位大人不必追究此事。”

师四老爷连忙分辨道:“你老哥不在乎这九百多银子,我们有什么不晓得。不过姓文的总得把一万银子归原,由他完完全全交到堂官手里,再由堂官完完全全交给老哥,然后大家都有面子,倘若少了一分一厘,姓文的就不能交代上头,上头也不能交还老哥。就是老哥不说什么,勉强收了,终究于敝衙门声名有碍。现在用了这九百多银子,上头堂官还不晓得是姓文的拉住家兄替他想法子。所以家兄叫小弟过来代达,不看别的,总看他令叔福中堂分上,由老哥这边借给他九百多银子,等他把一万之数凑足,交代上头。好在此款终究是归老哥的。将来老哥一同收了回来,彼此不响起。如此办法,不但成全了姓文的功名,且顾全了他叔叔福中堂的面子,三则敝衙门也保全声名不少。我们敝衙门的人没有一个不感激老哥。至于老哥说什么道乏,我们敝衙门上下已承老哥保全不少,还敢想什么好处;就是老哥另有赏赐,家兄及小弟亦决计不敢再领的。”

唐二乱子听了他话,心上盘算了一回,自言自语道:“面子上叫我拿九百银子去换九千银子回来,而且连那九百也还我,不过他们借去用一用,此事原无不可。但是我同姓师的才第二回见面,一来人心测摸不定,二来他哥是堂郎中,他自己又管着银库,如此发财的官,连九百多银子都无处拉拢,这个话谁能相信。我已一误再误,目下不能不格外小心。我与其脱空九百多银子,我情愿失撇二千银子:姓文的用掉九百多,总算一千,我不要他还我;九千当中,我情愿再送他昆仲一千道乏。况且这种事情何必定要烦动堂官,莫妙于大家私下了结。”主意打定,便委宛曲折告诉了师四老爷。师四老爷也晓得他九百多银子不肯脱空,然而面子上掉不过来,便道:“这也怪不得老哥。兄弟同老哥是新交,姓文的九千银子没有拿回来,反叫老哥先拿出九百多两,无论谁不能相信。”唐二乱子亦忙分辨道:“并不是不相信四哥,为的是大家简便办法,省得堂官知道。”师四老爷道："这事原是堂上派下来的，怎能够不禀复。这事亦是兄弟荒唐，不该应来同老哥商量，先叫老哥垫银子。现在不说别的，姓文的用掉的九百多不要他还，兄弟回去同家兄商议，无论如何为难，总替他想个法儿凑齐这一万整数，等他在堂官面前交代过排场。堂官跟前既然老哥不愿出面，兄弟同家兄说，将来仍由兄弟把这一万银子的银票送过来。兄弟也不同老哥客气，老哥就预备一张一千银子的银票还了兄弟就是了。兄弟虽沾光几十银子，拿回去到堂官跟前替老哥赏赏人也不能少的。至于道乏，万万不敢。"

唐二乱子见他说得如此，有何不放心之理，立刻满口应承。师四老爷又问："老哥给姓文的一万银子是谁家的票子？"唐二乱子道："是恒利家的票子。"师四老爷道："如此甚好。我们来往的亦是恒利。明天仍到恒利打张一万银子的票子来就是了。"说罢自去。唐二乱子果然也到恒利划了一张一千银子的票子，预备第二天换给师四老爷；另写了一千，说是人家出了这么一把力，总得道乏的。谁知到了次日，左等不来，右等不来。唐二乱子心上急得发躁，想："他说得如此老靠，断无不来之理，莫非出了岔子，又有什么变卦？"左思右想，反弄得坐立不定。

好容易等到天黑，师四老爷来了。唐二乱子喜得什么似的，迎了进来，让茶让烟。师四老爷说："本来早好来了，无奈堂官定要见老哥一面，反怪老哥许多不是，都是家兄替你抗下来的。现在也不要你去见了。银子也拿来，这话也不用提了。为了这件事，兄弟今儿一天没有吃饭。"唐二乱子忙说："我们同去吃馆子。"师四老爷道："兄弟还有公事，要紧把东西交代了回去，改日再奉扰罢。"唐二乱子一再挽留，见他不肯，只得罢休。于是师四老爷方在靴页子里掏出一大搭的银票，从几万至几千，一共约有十几张，翻来复去，才拣出一张一万银子的票子，刚要递到唐二乱子手里，又说："昨儿说明白要恒利的票子，这张不是。"于是又收了回去，又在票子当中检了半天，检出一张恒利的一万票子，交代唐二乱子看过无误。唐二乱子见他有许多银票，心想："到底内务府的官儿有钱。他昨天还推头没有钱垫，这话哄谁呢。"师四老爷也觉着，连忙自己遮盖道："这都是上头发下来给工匠的。兄弟若有这些钱，也早发财了，不在这里做官了。"说话之间，唐二乱子也把自己写好的两张一千头的银票拿出来交代师四老爷。师四老爷一看是两张，忙问："这一千做什么用？"唐二乱子道:“令兄大人及四哥公事忙,兄弟连一杯酒都没有奉请,这个折个干罢。”师四老爷把眉头一皱,道:“说明白不要,你老哥一定要费事,叫兄弟怎么好意思呢?”唐二乱子道:“这算得什么!以后叨教之处多着哩。”师四老爷道:“既然老哥说到这里,兄弟亦不敢自外,兄弟这里谢赏了。”说着,一个安请了下去。请安起来,把银票收在靴页子里,说有要紧公事,匆匆告辞出门而去。临走的时候,唐二乱子又顶住问他的住处,预备过天来拜。师四老爷随嘴说了一个。

自此唐二乱子得意非凡。过天查三蛋来了,唐二乱子又把这话说给他听,面孔上很露出一副得意洋洋之色。查三蛋只是冷笑笑,心上却也诧异,说道:“像他这样的混蛋,居然也会碰着好人,真正奇怪!”谁知过了一天出门拜客,赶到师四老爷所说的地方,问来问去,哪里有姓师的住宅。唐二乱子骂车夫无用。等到回来,又差人到内务府去打听堂郎中及银库上,哪里有什么姓师的。唐二乱子这才吓坏了。连忙再取出那张一万头票子,差个朋友到恒利家去照票。柜上人接票在手,仔细端详了一回,又进去对了一回票根,走出来问:“你这票子是哪里来的?”去人说:“是人家还来的。怎样?”柜上人冷笑一声道:“这是哪里来的假票子!幸亏彼此是熟人,不然,可就要得罪了。如今相烦回去拜上令东,请查查这张票子是哪里来的,胆敢冒充小号的票子!查明白了,小号是要办人的!”去人一听这话,吓得面孔失色,连忙回来通知了东家。唐二乱子也急得跺脚,大骂姓师的不是东西,立刻叫人去报了坊官,叫坊官替他办人。自此以后,唐二乱子就躲在家里生气,一连十几天没有出门。查三蛋也晓得了,不过背后拿他说笑了几句,却没有当面说破。

又过了些时,到了引见日期,唐二乱子随班引见。本来指省湖北,奉旨照例发往。齐巧碰着这两日朝廷有事,没有拿他召见。白白赔了十五万银子进贡,不过赏了一个四品衔,余外一点好处没有。这也只好怪自己运气不好,注定破财,须怨不得别人。闲话少叙。且说唐二乱子领凭到省,在路火车轮船非止一日。路过上海,故地重临,少不得有许多旧好新欢,又着实捣乱了十几天,方才搭了长江轮船前往湖北。

单说此时做湖广总督的乃是一位旗人,名字叫做湍多欢。这人内宠极多,原有十个姨太太,湖北有名的叫做“制台衙门十美图”。上年有个属员,因想他一个什么差使,又特地在上海买了两个绝色女子送他。湍制台一见大喜,立刻赏收;从此便成了十二位姨太太。湖北人又改称他为“十二金钗”,不说“十美图”了。

湍制台未曾添收这两位姨太太的时候,他十位姨太太当中,只有九姨太最得宠。这九姨太太是天津侯家后窑子里出身,生得瘦刮刮长拢面孔,两个水汪汪的眼睛,模样儿倒还长得不错,只是脾气太刁钻了些。天生一张嘴,说出话来甜蜜蜜的,真叫人又喜又爱,听着真正入耳。若是她与这人不对,骂起人来,却是再要尖毒也没有。她巴结只巴结一个老爷,常常在老爷跟前狐狸似的批评这个姨太太不好,那个姨太太不好。起先湍制台总还听她的话,拿那些姨太太打骂出气。然而湍制台虽然糊涂,总有一天明白,而且天天听她絮聒,也觉得讨厌。

有天这九姨太又说大姨太怎么不好,怎么不好。湍制台听得不耐烦,冷笑了一笑,随口说了一句道:“我光听见你说人家不好,到底你比别人是怎样个好法?我总不能把别人一齐赶掉,单留你一个。况且这大姨太是从前伺候过老太爷、老太太的。就是去世的太太也很欢喜她。我看死人面上,她就是有不好,也要担待她三分。你既然多嫌她,你住后进,她住前院,你不去见她就是了。”九姨太因为湍制台一向是同她迁就惯的,忽然今儿帮了别人,这一气非同小可!不等湍制台说完,早把眉毛一竖,眼睛一瞪,拿出十指尖尖的手朝着自己的粉嫩香腮,毕毕拍拍一连打了十几下子,一头打,一头自己骂自己道:“我知道我这话就说错了!我是什么东西,好比得上人家!人家是伺候过老太爷、老太太的!有功之臣,自然老爷要另眼看待!既然要拿她抬上天去,横竖太太死了,为什么不拿她就扶了正?我们一齐死了让她!”

湍制台是吃鸦片的,每位姨太太屋里都有烟家伙。九姨太顺手在烟盘里捞起一盒子鸦片往嘴里一送,趁势把身子一歪,就在地下困倒了,困在地下又趁势打了几个滚,两只手在地下乱抓,两只脚却蹬在地板上,绷冬绷冬的响,头上的头发也散了,一头的翡翠簪子也蹬成好几段了,嘴里还是哭骂不止。湍制台看了这个样子,又气又恨又发急:气的是九姨太有己无人;恨的是九姨太以死讹诈;急的是九姨太吞了鸦片烟,倘若不救,就要七窍流血死的。事到此间,只得勉强捺定性子,请医生弄了药来,拿她灌救。谁知一连弄了多少药,九姨太只是咬定牙关,不肯往嘴里送。湍制台急得没法,于是又自己赔小心,拿话骗她说:“把大姨太立刻送回北京老家里去,不准她在任上。”以为如此,九姨太总可以不寻死了。岂知仍然还自个不开口。自从头天晚上闹起,一直闹到第二天下午四点钟,看看一周时不差只有三个时辰;过了这三个时辰,便不能救,只好静等下棺材了。

湍制台被她闹的早已精疲力倦。一回想到九姨太脾气不好,不免恨骂两声;一回又想到她俩恩情,不免又私自一人落泪。此时房间里有许多老妈子、丫头围住九姨太等死,他一个人却躺在对过房间床上伤心。正在前思后想,一筹莫展的时候,忽见九姨太的一个贴身大丫头进房有事。这丫头年纪二九,很有几分姿色,女孩儿家到了这等年纪,自然也有了心事。碰着这位湍制台又是个色中饿鬼,无人的时候,见了这丫头常常有些手脚不稳。这丫头晓得老爷爱上了她,也不免动了知己之感,但是惧怕九姨太的厉害,不敢如何。口虽不言,偶然眼睛一盼,就传出无限深情,湍制台是何等样人,岂有不领略之理。

且说此时湍制台见她一人进得房来,顿时把痛恨九姨太的心思全移在她一人身上,便招手将她叫近身边,借探问九姨太为名,好同她勾搭。当时说过几句话,湍制台忽然拿嘴朝着对过房间努了两努,说道:“阿弥陀佛!她这人居然也有死的日子!等她一死,我就拿你补她的缺。你愿意不愿意?”说着,就伸手要拉这丫头的手。丫头见是如此,恐防人来看见,连忙拿手一缩,道:“你等着罢!你当她眼前会死?你再等一百年,她亦不会死的!只怕这种烟吃了下去,她的精神格外好些!”湍制台诧异道:“据你说起来,难道她吃的不是鸦片烟?然而明明白白,我见她在烟盘子里拿的。你不要胡说,不是鸦片是什么?”大丫头道:“我告诉你,你可不许告诉别人。”湍制台一听这话,一骨碌从床上爬起,也不下床,就跪在床沿上发咒道:“你同我说的话,我若是同别人说了,叫我不得好死!”大丫头道:“为了这一点点的事,也不犯着发这大的咒。”湍制台也未听清,但是一味胡缠,拉着袖子催她快说。

大丫头道:“不是三个月头里九姨太闹着有喜,说肚子大了起来,老爷喜的什么似的,弄了多少药给她吃,还有一罐子的益母膏,叫她天天拿开水冲着吃的?谁知过了两个月,九姨太肚子也瘪了,又说并不是喜,药也不吃了,就把剩下来的半罐子益母膏丢在抽屉里,一直也没有人问信。齐巧前天收拾抽屉,把它拿了出来,不料被九姨太瞧见,夺了过去。昨儿九姨太同大姨太斗了嘴回来,就把个大姨太恨得什么似的,口说:‘一定要老爷打发了大姨太，倘若老爷不肯，我就同他拼命！’后来又说：‘我的命没这么不值钱！我死了，倒等他享福不成！’一面说，一面就找了个小烟盒子，挑了些益母膏在里头，原是预备同老爷拼命的。九姨太挑这益母膏的时候，只有我在跟前。她还嘱咐我不准说。所以你老爷发急只是空发急。老实对你说，九姨太是不会死的。”湍制台听了，方才恍然大悟，说：“这贱人如此可恶！原来是装死，讹诈我的！”还要同大丫头说什么，大丫头已经挣扎脱身子，说声“有事”，去了。湍制台只得眼巴巴望她出去，又生了一回闷气。晓得九姨太是装死，索性不去理她，一个人到外面去了。

这里九姨太见湍制台不来理她，只道老爷见她不肯吃药，无法施救，索性死心塌地避了出去。弄得事情不能收篷，自己懊悔不迭，却不料大丫头有背后一番言语。想来想去，今日之事总无下场。等了半天，老爷仍无音信。看看一周时已到，到时不死，反被人拿住破绽。于是踌躇了半天，只得自己装作恶心，干吊了半天，哇的一口，吐出些白沫。旁边看守她的人都说：“好了！九姨太把烟吐了出来就不妨事了。”当时老妈三五个，一个捶背，一个揉胸，又有一个拿饭汤，又有一个倒开水，闹得七手八脚，烟雾腾天。又听得九姨太哇的一声，把方才吃的饭汤也吐了出来。自己反说道：“我吞了生烟，等我自己死，岂不很好！何必一定要救我回来，做人家的眼中钉，肉中刺！”说着，又呜呜咽咽哭起来了。大众见九姨太回醒转来，立刻着人报信给老爷。老妈子又拿了一把笤帚把她吐的东西扫了出去。谁知吐的全是水，一些烟气都没有。

却说湍制台到前面签押房里坐了一回，不觉神思困倦，歪在床上朦胧睡去。正在又浓又甜的时候，不提防那个不解事的老婆子，因九姨太回醒过来，前来报信，倏起把湍制台惊醒。恨得湍制台把老婆子骂了两句，又说什么：“我早晓得她不会死的，要你们大惊小怪！”老婆子讨了没趣，只得趔趄着退到后面。

九姨太便从这日起，借病为名，一连十几天不出房门。湍制台亦发脾气，一连十几天止辕，没有见客，却也不到上房。毕竟九姨太自己诈死，贼人心虚，这几天内反比前头安稳了许多。不在话下。单说湍制台自从听了大丫头的话，从此便不把九姨太放在心上，却一心想哄骗这大丫头上手。无奈大丫头惧怕九姨太，不敢造次。湍制台亦恐怕因此家庭之间越发搅得不安,于是亦只得罢手。但是自从九姨太失宠之后,眼前的几位姨太太都不在他心上,不免终日无精打采,闷闷不乐。

合当他色运亨通,这几天止衙门不见客,他为一省之主,一举一动,做属员的都刻刻留心,便有一位候补知县,姓过名翘,打听得制台所以止辕之故,原来为此。这人本是有家,到省虽不多年,却是善于钻营,为此中第一能手。他既得此消息,并不通知别人,亦不合人商量。从汉口到上海只有三天多路,一水可通。他便请了一个月的假,带了一万多银子,面子上说到上海消遣,其实是暗中物色人材。一耍耍了二十来天,并无所遇。看看限期将满,遂打电报叫湖北公馆替他又续了二十天的假。四处托人,才化了八百洋钱从苏州买到一个女人带回上海。过老爷意思说:“孝敬上司,至少一对起码。”然而上海堂子里看来看去都不中意。后首有人荐了一个局,跟局的是个大姐,名字叫迷齐眼小脚阿毛,面孔虽然生得肥胖,却是眉眼传情,异常流动。过老爷一见大喜,着实在他家报效,同这迷齐眼小脚阿毛订了相知。有天阿毛到过老爷栈房里玩耍,看见了苏州买的女人,阿毛还当是过老爷的家眷。后首说来说去,才说明是替湖北制台讨的姨太太。这话传到阿毛娘的耳朵里,着实羡慕,说:“别人家勿晓得阿是前世修来格!”过老爷道:“只要你愿意,我就把你们毛官讨了去,也送给制台做姨太太,可好?”阿毛的娘还未开口,过老爷已被阿毛一把拉住辫子,狠狠地打了两下嘴巴,说道:“倪是要搭耐轧姘头格,倪勿做啥制台格小老妈!”又过了两天,倒是阿毛的娘做媒,把她外甥女,也是做大姐,名字叫阿土的说给了过老爷。过老爷看过,甚是对眼。阿毛的娘说道:“倪外甥男鱼才好格,不过脚大点。”过老爷也打着强苏白说道:“不要紧格。制台是旗人,大脚是看惯格。”就问要多少钱。阿毛的娘说:“俚有男人格,现在搭俚男人了断,连一应使费才勒海,一共要耐一千二百块洋钱。”过老爷一口应允。次日人钱两交。又过了几天,过老爷见事办妥,所费不多,甚是欢喜。又化了几千银子制办衣饰,把她二人打扮得焕然一新,又买了些别的礼物。诸事停当,方写了江裕轮船的官舱,径回湖北。

恰巧领凭到省的湖北候补道唐二乱子刚在上海玩够了,也包了这只船的大餐间一同到省。这唐二乱子的管家同过老爷的管家都是山东同乡,彼此谈起各人主人的官阶事业。唐二乱子的管家回来告诉了主人,竟说过大老爷替湖北制台接家眷来的。唐二乱子初入仕途,唯恐礼节不周,也不问青红皂白，立刻叫管家拿了手本，到官舱里替宪太太请安。又说："如果宪太太在官舱里住的不舒服，情愿把大餐间奉让。"过大老爷一看手本，细问自己的管家，才晓得大餐间住的原来是湖北本省的上司，也只得拿了手本过来禀见。彼此会面，唐二乱子估量他一定同制台非亲即故，见面之后，异常客气。又问："宪太太几时到的上海？"过老爷正想靠此虚火，便不同唐二乱子说真话，但说得一声"同来的不是制台大太太，乃是两位姨太太"。唐二乱子道："大太太、姨太太，都是一样的，不妨就请过来住。兄弟是吃烟人，到官舱里倒反便当些。"后来过老爷执定不肯，方始罢休。

唐二乱子因过老爷能够替制台接家眷，这个份儿一定不小，所以拿他十分看重。过老爷也因为他是本省道台，将来总有仰仗之处，所以也竭力的还他下属礼制。在路非止一日。一日到了汉口，摆过了江，唐二乱子自去寻觅公馆不题。

且说过老爷带了两个女人先回到自己家中，把他太太住的正屋腾了出来让两位候补姨太太居住。制台跟前文巡捕，有个是他拜把子的，靠他做了内线，又重重地送了一份上海礼物，托他趁空把这话回了制台。这两月湍制台正因身旁没有一个随心的人，心上颇不高兴，一听这话，岂有不乐之理。忙说："多少身价？由我这里还他。"巡捕回道："这是过令竭诚报效的，非但身价不敢领，就是衣服首饰，统通由过令制办齐全，送了进来。"湍制台听了，皱着眉头道："他花的钱不少罢？"巡捕道："两三万银子过令还报效得起。他在大帅手下当差，大帅要栽培他，哪里不栽培他。他就再报效些，算得什么。只要大帅肯赏收，他就快活死了！就请大帅吩咐个吉日好接进来。"湍制台道："看什么日子！今儿晚上抬进来就是了。"从前湍制台娶第十位姨太太的时候，九姨太正在红头上，寻死觅活，着实闹了一大阵，有半年多没有平复。这回的事情原是她自己不好，湍制台因此也就公然无忌，倏地一添就添了两位。九姨太竟其无可如何，有气瘪在肚里，只好骂自己用的丫头、老妈出气。湍制台亦不理她。

过老爷孝敬的这两位姨太太，苏州买的一位，年纪大些，人亦忠厚些，就排行做第十一；阿土排行第十二。阿土年纪小虽小，心眼极多。进得衙门，不得半月，一来是她自己留心，二来也是湍制台枕上的教导，居然一应卖差卖缺，弄银子的机关，就明白了一大半。此时她初到，人家还不拿她放在眼里。除了过老爷之外，她亦并无第二个恩人，因此便一心只想报答这过老爷的好处。此时湍制台感激过老爷送妾之情，已经委他办理文案，又兼了别处两个差使，暂时敷衍，随后出有优差美缺，再行调剂。过老爷倒也安之若素。却不料这第十二姨太太，每到无事的时候，便在这些姊妹当中套问人家："我们做姨太太的，一年到头到底有多少进项？"就有人告诉她，从前只有九姨太有些，脱天漏网的事做的顶多，银子少了不要，至少五百起码，以及几千几万不等。她因此便有心笼络九姨太，好学九姨太的本事。九姨太此时是失宠之人，见了这两位新的，自然生气。等到阿土前来敷衍她，却又把她喜得了不得。毕竟性子爽直，一个不留心，又把自己的生平所作所为，统通告诉了阿土。阿土大喜，趁空就在湍制台面前试演起来。头一个是替过老爷要缺，而且要一个上等好缺。湍制台情面难却，第二天就把话传给了藩台，不到三天，牌已挂出去了。

过老爷自从进来当文案，合衙门上下，不到半个月，统通被她溜熟；又结交了制台一个贴身小二爷做内线，常常到十二姨太跟前通个信。此番得缺，就托小二爷暗地送了十二姨太五千银子的妆敬；小二爷经手在外；言明只要有缺，每年加送若干银子，这便是十二姨太开门第一桩买卖。十二姨太见这宗买卖做得得意，等到过老爷上任去后，又把衙门里的委员以及门政大爷勾通了好几位，只要图得湍制台心上欢喜，言听计从，他们便好从中行事。

此时唐二乱子到省已将一月，照例的文章都已做过。但他是初到省的人员，两眼墨黑，他不认得上司，上司也不认得他。彼此虽然见过一面，不过旅进旅退，上司亦未必就有他在心上。所以凡是初到省的人，要得到一个差使，若非另有脚路，竟比登天还难！还亏他胸无主宰，最爱结交。自从路上认得了过老爷，到省之后，他俩便时常来往。但吃亏头一个月过老爷自己的事情还没有着落，如何能够替人家说话。好容易熬到十二姨太把过老爷事情弄好，但又是要出赴外任，不能常在省城。等到禀辞的前两天，唐二乱子在寓处备了酒席替他饯行。话到投机，过老爷就把湍制台贴身小二爷这条门路说给了唐二乱子，自己又替他从中凑合。自此唐二乱子有此内线，只要不惜银钱，差使自然唾手可得。况兼这十二姨太精明强干，不上两月，便把全套本领统通学会，无钱不要，无事不为，真要算得一女中豪杰了。要知所为之事，且听下回分解。

第三十七回

缴宪帖老父托人情　补札稿宠姬打官话

话说湖北湍制台从前曾做过云南臬司；彼时做云南藩司的乃是一个汉人，姓刘，名进吉。他二人气味相投，又为同在一省做官，于是两人就换了帖，拜了把兄弟。后来湍制台官运亨通，从云南臬司任上就升了贵州藩司；又调任江宁藩司，升江苏巡抚；不上两年，又升湖广总督，真正是一帆风顺，再要升得快亦没有了。刘进吉到底吃了汉人的亏，一任云南藩司就做了十一年半，一直没有调动。到了第十二年的下半年，才把他调了湖南藩司，正受湖广总督管辖。官场的规矩：从前把兄弟一朝做了堂属，是要缴帖的。刘藩司陛见进京，路过武昌，就把从前湍制台同他换的那副帖子找了出来，拿了红封套套好，等到上衙门的时候，交代了巡捕官，说是缴还宪帖。巡捕官拿了进去。湍制台先看手本，晓得是他到了，连忙叫"请"。巡捕官又把缴帖的话回明。湍制台偏要拉交情，便道："我同刘大人交非泛泛。你去同他说：若论皇上家的公事，我亦不能不公办，至于这副帖子，他一定要还我，我却不敢当。总而言之，我们私底下见面，总还是把兄弟。"巡捕官遵谕，传话出来。刘藩司无奈，只得受了宪帖，跟着手本上去。见面之后，无非先行他的官礼。湍制台异常亲热。刘藩台年纪大，湍制台年纪小，所以湍制台竟其口口声声称刘藩台为大哥，自己称小弟。

刘藩台一直当他是真念交情，便把缴帖的话亦不再提了。在武昌住了五日，湍制台又请他吃过饭。接着禀辞过江，坐了轮船径到上海，又换船到天津，然后搭了火车进京。藩、臬大员照例是要宫门请安的，召见下来，又赴各位军机大臣处禀安。一连在京城应酬了半个月。他乃是一个古板人，从不晓得什么叫做走门路，所以上头仍旧叫他回任。等到请训后，仍由原道出京。二次路过武昌，湍制台同他还是很要好，留住了几天，方才赴长沙上任。

无奈刘藩台是个上了年纪的人，素来身体生得又高又胖。到任不及三月,有天万寿①,跟了抚台拜牌,磕头起来,一个不留心,人家踏住了他的衣角,害得他跌了一个筋斗,谁知这一跌,竟其跌得中了风了,当时就嘴眼歪斜,口吐白沫。抚台一见大惊,立刻就叫人把他抱在轿子里头,送回藩台衙门。他有个大少爷,是捐的湖北候补道,此时正进京引见,不在跟前。衙门里只有两个姨太太,几个小少爷,一个大少奶奶,两个孙女儿。一见他老人家中了风,合衙门上下都惊慌了,立刻打电报给大少爷。大少爷得到电报,幸亏其时引见已完,立刻起身出京,到了武昌也没有禀到就赶回长沙老人家任上来了。此时他父亲刘藩台接连换了七八个医生,前后吃过二十几剂药,居然神志渐清,不过身子虚弱,不能用心。当时就托抚台替他请了一个月的假,以便将养。谁知一月之后,还不能出来办事。他心下思量:"自己已有这么一把年纪,儿子亦经出仕,做了二三十年的官,银子亦有了。古人说得好:'急流勇退。'我如今很可以回家享福了,何必再在外头吃辛吃苦替儿孙作马牛呢。"主意打定,便上了一个禀帖给抚台,托抚台替他告病。抚台念他是老资格,一切公事都还在行,起先还照例留过他两次,后来见他一定要告退,也只得随他了。折子上去,批了下来,是没有不准的。一面先由巡抚派人署理,以便他好交卸。交卸之后,又在长沙住了些时。常言道:"无官一身轻。"刘藩台此时却有此等光景。

闲话少叙。且说他大少爷号叫刘颐伯,因见老人家病体渐愈,他乃引见到省的人,是有凭限的,连忙先叩别了老太爷,径赴武昌禀到。临走的时候,刘藩台自恃同湍制台有旧,便写了一封书信交给颐伯转呈湍制台,无非是托他照应儿子的意思。自己说明暂住长沙,等到儿子得有差使,即行迎养。当时分派已定,然后颐伯起身。等到到了武昌,见过制台,呈上书信,湍制台问长问短,异常关切。官场上的人最妒忌不过的,因见制台向刘颐伯如此关切,大家齐说:"刘某人不久一定就要得差使的。"就是刘颐伯自己亦以为靠着老太爷的交情,大小总有个事情当当,不会久赋闲的。哪知一等等了三个月,制台见面总是很要好,提到"差使"二字,却是没得下文。刘颐伯亦托过藩台替他吹嘘过。湍制台说:"一来谁不晓得我同他老人家是把兄弟,二来刘道年纪还轻,等他阅历阅历再派他事情,

---

① 万寿——这里指皇帝生日。

人家就不会说我闲话了。”藩台出来把话传给了刘颐伯，亦无可如何。

又过了些时，长沙来信，说老太爷在长沙住的气闷，要到武昌来走走。刘颐伯只好打发家人去接。谁知老太爷动身的头天晚上，公馆里厨子做菜，掉了个火在柴堆上，就此烧了起来；自上灯时候烧起，一直烧到第二天大天白亮，足足烧了两条街。这刘进吉一世的宦囊全被火神收去，好容易把一家大小救了出来。当火旺的时候，刘进吉一直要往火里跳，说：“我这条老命也不要了！”幸亏一个小儿子，两三个管家拿他拉牢的。这火整整烧了一夜，合城文武官员带领兵役整整救了一夜。连抚台都亲自出来看火。当下一众官员打听得前任藩台刘大人被烧，便由首县出来替他设法安置，另外替他赁所房子，暂时住下，衣服伙食都是首县备办的。到底抚台念旧，首先送他一百银子。合城的官一见抚台尚且如此，于是大家凑拢，亦送了有个七八百金。无奈刘进吉是上了岁数的人，禁不起这一吓一急，老毛病又发作了。

起火之后，曾有电报到武昌通知刘颐伯。等到刘颐伯赶到，他老人家早已病得人事不知了。后来好容易找到前头替他看的那个医生，吃了几帖药，方才慢慢地回醒转来。又将养了半个月，渐渐能够起来，便吵着要离开长沙。儿子无奈，只得又凑了盘川，率领家眷，伺候老太爷同到武昌。此时老头子还以为制台湍某人是我的把弟，如今老把兄落了难，他断无坐视之理。一到武昌，就坐了轿子，拄了拐杖，上制台衙门求见。他此时是不做官的人了，自己以为可以脱略形骸，不必再拘官礼，见面之后，满嘴“愚兄老弟”。人家听了甚是亲热，岂知制台心上大不为然。见了面虽然是你兄我弟，留茶留饭，无奈等到出了差使，总轮刘颐伯不着。

有天刘进吉急了，见了湍制台，说起儿子的差使。湍制台道：“实不相瞒，咱俩把兄弟谁不晓得。世兄到省未及一年，小点事情委了他，对你老哥不起；要说著名的优差，又恐怕旁人说话。这个苦衷，你老哥不体谅我，谁体谅我呢？老哥尽管放心，将来世兄的事情，总在小弟身上就是了。”刘进吉无奈，只好隐忍回家。

后来还是同寅当中向刘颐伯说起，方晓得湍制台的为人最是讲究礼节的。刘进吉第一次到武昌，没有缴回宪帖，心上已经一个不高兴；等到刘颐伯到省，谁知道他的号这个“颐”字，又犯了湍制台祖老太爷的名讳下一个字，因此二事，常觉耿耿于心。湍制台有天同藩台说：“刘某人的号重了我们祖老太爷一个字,兄弟见了面,甚是不好称呼。”湍制台说这句话,原是想要叫他改号的意思。不料这位藩台是个马马糊糊的,听过之后也就忘记,并没有同刘颐伯讲起。刘颐伯一直不晓得,所以未曾改换。湍制台还道他有心违抗,心上愈觉不高兴。

等到刘颐伯打听了出来,回来告诉了老太爷。老太爷听了,自不免又生了一回暗气。但是为儿子差使起见,又不敢不遵办。不过所有的东西早被长沙一把天火都收了去,什么值钱的东西都抢不出,哪个还顾这副帖子。刘进吉见帖子找不着,心上发急。幸亏刘颐伯明白,晓得湍制台一个字不会写,这帖子一定是文案委员代笔的。“现在只须托个人把他的三代履历抄出来,照样誊上一张;只要是他的三代履历,他好说不收。”刘进吉听了儿子的话,想想没法,只好照办。却巧文案上有位陆老爷,是刘颐伯的同乡,常常到公馆里来的,刘颐伯便托了他。陆老爷道:“容易得很。制军的履历,卑职统通晓得。新近还同荆州将军换了一副帖,也是卑职写的。大人只要把老大人同他换帖的年份记清,不要把年纪写错,那是顶要紧的。”刘颐伯喜之不尽,立刻问过老太爷,把某年换帖的话告诉了陆老爷。陆老爷回去,自己又赔了一付大红全帖,用恭楷写好了,送了过来。刘颐伯受了,送给老太爷过目。老太爷道:“只要三代名字不错就是了,其余的字只怕他还有一半不认得哩。”刘颐伯去又自己改了一个号,叫做期伯,不叫颐伯了。

次日一早,父子二人一同上院,老子缴还宪帖,儿子禀明改号。当由巡捕官进内回明。湍制台接到帖子,笑了一笑,也不说什么,也不叫请见。巡捕官站了一会,无可说得,只得出来替制台说了一声“道乏”。父子二人怅怅而回。

因为臬台为人还明白些,并且同制台交情还好,到了次日,刘期伯便去见臬台,申明老人家缴帖,并自己改号的意思,顺便托臬台代为吹嘘。臬台满口应允。次日上院,见了湍制台,照话叙了一遍。湍制台笑着说道:“从前他少君不在我手下,他不还我这副帖子倒也罢了;如今既然在我手下当差,被人家说起,我同某人把兄弟,我照应他的儿子,这个名声可担不起!所以他这回来还帖子,我却不同他客气了。至于他们少君的号犯了我们先祖的讳,吾兄是知道的。我们在旗,顶讲究的是这回事。他同兄弟在一省做官,保不住彼此见面,总有个称呼;他如果不改,叫兄弟称他什么呢？他既然‘过而能改’，兄弟亦就‘既往不咎’了。”臬台接着说：“刘道老太爷年纪大了，一身的病，家累又重得很，自遭‘回禄’之后，家产一无所有。刘道到省亦有好几个月了，总求大帅看他老人家份上，赏他一个好点的差使，等他老太爷也好借此养老。”湍制台道：“这还用说吗，我同他是个什么交情！你去同他讲，他的儿子就是我的儿子，叫他放心就是了。”臬台下来回复了刘期伯。不在话下。

且说湍制台过了两天，果然传见刘期伯，见面先问：“老人家近来身体可好？”着实关切。后来提到差使一事，湍制台便同他说道：“银元局也是我们湖北数一数二的差使了，卫某人当了两年，也不晓得他是怎么弄的，现在丁忧下来，听说还亏空二万多。今儿早上托了藩台来同我说，想要后任替他弥补。老实说：我同卫某人也没有这个交情，不过看徐中堂面上，所以才委他这个差使。现在你老哥可能答应下来，替他弥补这个亏空不能？”刘期伯一想：“这明明是问我能够替他担亏空，才把这事委我的意思。我想银元局乃是著名的优差，听说弄得好，一年可得二三十万。果然如此，这头二万银子算得什么，不如且答应了他。等到差使到手，果然有这许多进项，我也不在乎此，倘若进款有限，将来还好指望他调剂一个好点的差使。”主意打定，便回道：“蒙大帅的栽培。卫道的这点亏空，不消大帅费得心，职道自当替他设法弥补。”湍制台道：“你能替他弥补，那就好极了。”刘期伯又请安谢过。等到退出，告诉了老太爷，自然合家欢喜。

谁知过了两天，委札还未下来。刘期伯又托了臬台进去问信。湍制台道：“前天我不过问问他，能否还有这个力量筹划一二万金借给卫某人弥补亏空。他说能够，足见他光景还好，一时并不等什么差使。所以这银元局事情，兄弟已经委了胡道胡某人了。”臬台又说：“刘道自己倒不要紧，一来年纪还轻，就是阅历两年再得差使，并不为晚；二则像大帅这样的公正廉明，做属员的人，只要自己谨慎小心，安分守己，还愁将来不得差缺吗。所以这个银元局得与不得，刘道甚为坦然。不过他老太爷年纪太大了，总盼望儿子能够得一个差使，等他老头子看着好放心。司里所以肯来替他求，就是这个意思。”湍制台一听臬台的话，颇为入耳，便道：“既然如此，厘金会办现要委人，不妨就先委了他。等有什么好点的差使出来，我再替他对付罢。”臬台出来通知刘期伯。刘期伯虽然满肚皮不愿意，也就无可如何。只等奉到札子，第二天照例上院谢委，自去到差不题。

且说湍制台所说委办银元局的胡道,你道何人?他的老底子却是江西的富商。到他老人家手里,已经不及从前,然而还有几十万银子的产业。等到这胡道当了家,生意一年年的失本下来,渐渐的有点支不住。因见做官的利息尚好,便把产业一概并归别人,自己捐了个道台,来到湖北候补。候补了几年,并没得什么差使。他又是舒服惯的,平时用度极大,看看只有出,没有进,任你有多大家私,也只有日少一日。后来他自己也急了,便去同朋友们商量。就有同他知己的劝他走门路,送钱给制台用,将本就利,小往大来,那是再要灵验没有。胡道台亦深以为然。当时就托人替他走了一位折奏师爷的门路,先送制台二万两,指名要银元局总办,接差之后再送一万,以后倘若留办,每一年认送二万。另外又送这位折奏师爷八千两,以作酬劳。三面言明,只等过付。

却不料这个档口,正是上文所说的那位过老爷得缺赴任,因为使过唐二乱子的钱,便把湍制台贴身跟班小二爷的这条门路说给了唐二乱子,又替他二人介绍了。这小二爷年纪虽小,只因制台听他说话,权柄却着实来得大。合衙门的人都听他指挥。而且这小二爷专会看风色,各位姨太太都不巴结,单巴结十二姨太。十二姨太正想有这么一个人好做他的连手,故尔他俩竟其串通一气,只瞒湍制台一人。此时省里候补的人,因走小二爷门路得法的,着实不少。唐二乱子到省不久,并不晓得哪个差使好,哪个差使不好。人家见他朝天捣乱,也没有人肯拿真话告诉他。至于他的为人,外面虽然捣乱,心上并非不知巴结向上。瞧着一班红道台,天天跟着两司上院见制台,见抚台,院上下来便是什么局什么局,局里一样有般官小的人,拿他当上司奉承。每逢出门,一样是戈什亲兵,呼么喝六。看了好不眼热。空闲之时,便走来同小二爷商量,想要弄个阔点事情当当。此时十二姨太正在招权纳贿的时候,小二爷替她出力,便嘱咐唐二乱子,叫他一共拿出二万五千两,包他银元局一定到手。初起唐二乱子还不晓得银元局有多少进项,听小二爷一说,吓得把舌头一伸,几乎缩不进去。回家之后,又去请教过旁人,果然不错。便一心一意拿出银子托小二爷替他走这条门路。

谁知这边才说停当,那边姓胡的亦恰恰同折奏师爷议妥,只等下委札,付银子了。小二爷一听不妙,一面先把外头压住,叫外头不要送稿,听他的消息。他此时正是气焰熏天,没有人敢违拗的。一面进来同十二姨太打主意，想计策。议论了半天，毕竟十二姨太有才情，便道如此如此，这般这般："只等今天晚上，老爷进房之后，看我眼色行事。"小二爷会意，答应着自去安排去了。

且说这天湍制台做成了一注买卖，颇觉怡然自得，专候银札两交，于是制台催师爷，师爷催门上，说明当天送稿，次日下札。不料催了几次，一直等到天黑，外头还没送稿。毕竟制台公事多，一天到晚忙个不了，又不能专在这上头用心，横竖银子是现成的，偶然想起，催上一二次也就算了。到了晚上，公事停当。这两个月只有十二姨太顶得宠，湍制台是一天离不开的，是夜仍然到她房中。坐定之后，想起日间之事，还骂门上公事不上紧的办："吃中饭的时候就叫送稿，顶如今还不送来，真正岂有此理！"一言未了，小二爷忙在门外答应一声道："怎么还不送来！等小的催去。"说罢，登登登的一气跑出去了。

不多一会，果见小二爷带了一个门上进来，呈上公事。湍制台看见，还骂门上，问他："白天干的什么事！如今赶晚上才送来！"说罢，就在洋灯底下把稿看了一遍。正要举起笔来填注胡道台的名字，说时迟，那时快，只见十二姨太倏地离坐，赶上前来，一个巴掌把湍制台手中之笔打落在地。湍制台忙问："怎的？"十二姨太也不答言，但说："现在什么时候，哪里来的这么大蚊子！"湍制台方晓得十二姨太打他一下，原来是替他赶蚊子的，于是叫人举火照地替他寻笔。

趁这档口，十二姨太便问："什么公事这等要紧？要写什么，不好等到明天到签押房里去写？"湍制台忙道："为的是一件要紧事。"十二姨太道："什么事？"湍制台道："你女人家问她做什么？我为的是公事，说了你也不晓得。"十二姨太道："我偏要晓得晓得。"湍制台道："告诉你亦不要紧，为要委一个人差使。"十二姨太道："什么差使不好明天委，等不及就在今天这一夜？"湍制台道："为着有个讲究，所以一定要今天委定。"十二姨太道："到底什么差使？你要委哪一个？你不告诉我，我不依！"湍制台道："你这人真正麻烦！我委人差使，也用着你来管我吗？我就告诉你：只为着我们省城里铸洋钱的银元局，前头的总办丁艰，如今要委人接他的手。"十二姨太抢着说道："你要委哪一个？"湍制台道："我要委一个姓胡的，他是个道台。"十二姨太道："慢着。我有一个人要委，这人姓唐，也是个道台。这个差使你替我给了姓唐的，不要给姓胡的了！等一回再出了什么好差使再委姓胡的。你说好不好?"湍制台道:"呀呀乎！派差使也是你们女人可以管得的！你说的姓唐的我知道,这个人是有名的唐二乱子,这等差使派了这样人去当也好了！我定归不答应,你快别闹了！把笔拾起来,等我画稿。连夜还要誊了出来,明儿早上用了印,标过朱,才好发下去,等人家也好早点到差。"

十二姨太见制台不答应她的话,登时柳眉双竖,桃眼圆睁,笔也不寻了,这个老虎势,就望湍制台怀里扑了过来,扑到湍制台怀里,就拿个头往湍制台夹肢窝里直躺下去。湍制台一向是拿她宠惯的,见了这样,想要发作两句,无奈发作不出。只得皱着眉头,说道:"你要委别人,我不愿意,你也不能朝着我这个样子。究竟这个官是我做的,怎么能被你作了主意?"十二姨太道:"我要委姓唐的,你不委,我就不答应!"说着,顺手拿过一只茶碗来就往地下顺手一摔,豁琅一声响,早已变为好几片了。跟手又要再摔别的东西。湍制台道:"我不委姓唐的,这又何苦拿东西来出气?"话犹未了,十二姨太忽伸手到桌子上,把刚才送进来的那张稿,早已嗤的一声,撕成两片了。湍制台道:"这更不成句话了！这是公事,怎么好撕的!"十二姨太也不理他,一味撒娇撒痴,要委姓唐的。他俩的拌嘴吵闹,小二爷都在旁边看得明明白白。等到看见十二姨太把公事撕掉,便朝送公事进来的那个门上努努嘴,说了声"你先出去,明儿快照样再补张进来。"小二爷进来把笔拾起,也就跟手出去。

十二姨太见门上及小二爷都出去,便又换了一副神情,弄得湍制台不晓得拿她怎样才好。一会十二姨太要湍制台把这银元局的事情说给她听,一会又要湍制台拿手把住她的手写字与他看,一会又问唐二乱子的名字怎样写。湍制台道:"你要委他差使,怎么连他的名字都不会写?"十二姨太拿眼睛一瞅,道:"我会写字,我早抢过来把稿画好,也不用你费心了。"湍制台无奈,只得写给她看。十二姨太又嫌写得不清爽,要写真字,不要带草。说着,便把方才撕破的那件送进来的稿,拣了个无字的地方,叫湍制台拿笔写给她看。湍制台一见是张破纸,果然把唐二乱子的名字一笔一笔地写了出来。

十二姨太等他写完,便说:"晓得了,不用你写了。时候不早,我们睡罢。"湍制台巴不得一声,立刻宽衣上床。十二姨太顺手把撕破的字纸以及湍制台写的字,团作一团,一齐往抽屉里一放;又把洋灯旋暗。湍制台并不留意。等到睡下,两个人又咕唧了一回。歇了半天,湍制台沉沉睡去。十二姨太听了听,房中并无声息,便轻轻地披衣下床,走到桌子边,仍把洋灯旋亮,轻轻从抽屉中取出那团字纸,在灯光底下,仍旧把它弄舒摊了,一张张摊在桌上。好在一张纸分为两片,浆子现成,是容易补的;便另取了一条纸,从裂缝处在后面用浆子贴好,翻过来一看,仍旧完完全全一张公事。唐某人三个字的名字,又是湍制台自己写的。十二姨太看了,不胜之喜。此时小二爷早在门外伺候好的,从门帘缝里见十二姨太诸事停当,亦轻轻地掀帘进来。十二姨太便将公事交在他的手中,把嘴一努。小二爷会意,立刻蹑手蹑脚,赶忙出去,连夜办事不题。这里十二姨太仍旧宽衣上床。湍制台犹自大梦方酣,睡得如死人一般,毫无知觉。

一宵易过,容易天明。湍制台起身下床。十二姨太装着未醒。湍制台也不叫她,独自一人洗面漱口,吃早点心,自然另有丫环、老妈承值。点心刚吃到一半,忽见外面传进一个手本,说是新委银元局总办唐某人在外候着谢委。湍制台听说,愣了一回,问道:"谁来谢委?"外面门上回称:"候补道唐某人谢委。"制台诧异道:"委的什么差使?可是抚台委的?何以抚台并没咨会我?"门上回道:"就是才委的银元局。"湍制台更为诧异,连点心都不吃了,筷子一放,说道:"我并没有委他,是谁委的?"拿手本的门上笑而不答,湍制台更摸不着头路。

正相持间,忽见十二姨太一骨碌从床上坐起,一手揉眼睛,一面问道:"什么事?"湍制台道:"不是你昨儿晚上要给唐某人银元局吗?一夜一过,他已经来谢委了,你说奇怪不奇怪?"十二姨太把脸一板道:"我当作什么事,原来这个!有什么稀奇的!"湍制台愈觉不解,说道:"你的话我不懂!"十二姨太冷笑道:"自家做的事,还有什么不懂的。你不委他,他怎么敢来冒充?"湍制台道:"我何曾委他?"十二姨太道:"昨天的稿是谁填的姓唐的名字?"湍制台道:"我何曾填姓唐的名字?"十二姨太道:"呸!自家做事,竟忘记掉了!不是你写了一个是草字,我不认得,你又赶着写一个真字的给我瞧吗?就是那个!"湍制台道:"那不是拉破的纸吗?"十二姨太道:"实不相瞒:等你睡着之后,我已经拿她补好了。两点钟补好,三点钟发誊,四点钟用印过朱,顶五点钟已经送到姓唐的公馆里去了。他接到了札子,立刻就来谢委,这人办事看来再至诚没有。这明明是你自己做的事,怎么好推头不晓得!"

一席话说得湍制台嘴上的胡子一根根地跷了起来，气愤愤地道："你们这些人真正荒唐！真正岂有此理！这些事都好如此胡闹的！这姓唐的也太不安分了！我一定参他，看他还能够在哪里当差使！"十二姨太冷笑道："你要参他的官，我看你还自先参自己罢。'只许州官放火，不许百姓点灯'。你卖缺卖差，也卖得不少了，也好分点生意给我们做做。现在'生米已经做成熟饭'，我看你得好休便好休。你一定要参姓唐的，我就头一个不答应。等到弄点事情出来，我们总陪得过你。我劝你还是马马糊糊的过去，大家不响，心上明白。这个差使，你卖给姓胡的拿他几个钱，等到姓唐的到差之后，我叫他再找补你一万银子就是了。"

湍制台听了，气得一个肚皮几乎胀破，坐着一声也不响。独自一个心上思量："倘若发作起来，毕竟姨太太出卖'风云雷雨'，于自己的声名也有碍。何如忍气吞声，等他们做过这一遭儿，以后免得说话，而且还有一万银子好拿。纵然姓胡的不得银元局，不肯出前天说的那个数目，另外拿个别的差使给他，他至少一半还得送我。两边合拢起来，数目亦差仿不多。罢罢罢，横竖我不吃亏，也就随他们去罢。"想了一会，居然脸上的颜色也就和平了许多。拿手本的门上还站在那里候示。湍制台发怒道："怎么等不及！叫他等一会儿，什么要紧！也总得等我吃过点心再去会他！"说完了这句，重新举起筷子把点心吃完，方才洗脸换衣服出去会面。

等他转背之后，十二姨太指指他对家人们说道："他自己买卖做惯的，怎么能够禁得住别人。以后你们有什么事情，只管来对我说，我自然有法子摆布，也不怕他不依！"家人们亦俱含笑不言。自此这十二姨太胆子越弄越大，湍制台竟非她敌手。这是后话不题。

且说湍制台出去见了唐二乱子，面上气色虽然不好，然而一时实在反不过脸来，只得打官话勉励他几句，然后端茶送客。唐二乱子自去到差不题。这里姓胡的弄了一场空，幸亏预先说明银札两交，所以银子未曾出手。后来见银元局委了唐二乱子，不免去找折奏师爷责其言而无信。折奏师爷有冤没处伸，于是来问东家。此时湍制台又不便说是姨太太所为，只得含糊其词，遮掩过去。后来又被折奏师爷钉不过，始终委了他一个略次一点的差事，也拿到他一万多银子，才把这事过去。以后还有何事，且听下回分解。

第三十八回

丫姑爷乘龙充快婿　知客僧拉马认干娘

却说湍制台九姨太身边的那个大丫头,自见湍制台属意于她,她便有心惹草粘花,时向湍制台跟前勾搭。后来忽然又见湍制台从外面收了两个姨太太,她便晓得自己无分。嗣后遇见了湍制台总是气得跷着嘴唇,连正眼也不看湍制台一眼,至于当差使更不用说了。湍制台也因自己已经有了十二个妾;又兼这新收的十二姨太法力高强,能把个湍制台压服得服服贴贴,因此也就打断这个念头。但是每逢见面,触起前情,总觉自己于心有愧。又因这大丫头见了面,一言不发,总是气愤愤的,更是过意不去。因此这湍制台左右为难,便想早点替她配匹一个年轻貌美,有钱有势的丈夫,等他们一夫一妻,安稳度日,借以稍赎前愆①。

主意打定,于是先在候补道、府当中,看来看去,不是年纪太大,便是家有正妻,嫁过去一定不能如意。至于同、通、州、县一班,捐纳的流品太杂,科甲班酸气难当,看了多人,亦不中意。湍制台心中因此甚为闷闷。后来为了一件公事,传督标各营将官来辕谕话。内有署理本标右营游击戴世昌一员,却生得面如冠玉,状貌魁梧,看上去不过三十左右。此时湍制台有心替大丫头挑选女婿,等到大众谕话之后,便向他问长问短,着实垂青。幸喜这戴世昌人极聪明,随机应变。当时湍制台看了,甚为合意。

等到送客之后,当晚单传中军副将王占城到内签押房,细问这戴世昌的细底,有无家眷在此。王占城一一禀知,说:"他是上年八月断弦,目下尚虚中馈。堂上既无二老,膝前子女犹虚。"湍制台一听大喜,就说:"我看这人相貌非凡,将来一定要阔,我很有心要提拔提拔他。"王占城道:"大帅赏识一定不差。倘蒙宪恩栽培,实是戴游击之幸。"湍制台听了,正想托他做媒,忽然想起:"我一个做制台的人,怎么管起丫头们的事来?说出去甚为不雅。"转念一想:"不好说是丫头,须改个称呼,人家便

① 愆(qiān)——过失,失误。

不至于说笑我了。”想了一会，便道：“现在有一事相烦，从前我们大太太去世的前头，曾抚养亲戚家一个女孩子，认为干女儿，等到我们大太太去世，一直便是我这第九个妾照管。如今刚刚十八岁。自古道：‘男大须婚，女大须嫁。’虽则是我干女儿，因我自己并未生养，所以我待她却同我自己所生的无二。今天我看见戴游击甚是中意，又兼老兄说他断弦之后，还未续娶；如此说来，正是绝好一头亲事。相烦老兄做个媒人，并且同戴游击说，他武官没有钱，不要害怕，将来男女两家的事，都是我一力承当。”

王占城诺诺连声。出去之后，连夜就把戴世昌请了过来，告诉他这番情由，又连称“恭喜”，口称：“吾兄有这种机会，将来前程未可限量。”戴世昌听了，不禁又喜又惊又怕：喜的是本省制台如今要招他做女婿；惊的是我是个当武官的，怎么配得上制台千金！转念一想：“我要同他攀亲，这个亲事阔虽阔，但是要拿多少钱去配他？”因此心中七上八下，愣了半天，除却嘻开嘴笑之外，并无他话。王占城懂得他的意思，又把湍制台的美意，什么男女两家都归他一人承当的话说了出来。戴世昌听了，止不住感激涕零，连连给王占城请安，请他费心。

王占城不敢怠慢，次日一早，上辕禀复制台。禀明之后，湍制台回转上房，不往别处，一直竟到九姨太房中。此时他老人家久已把九姨太丢在脑后了，今儿忽然见他进来，赛如天上掉下来的宝贝一般。想要前来奉承，一想自己是得过宠的，须要自留身份；如果不去理他，或者此时什么回心转意，反恐因此冷了他的心。正在左右为难的时候，湍制台早已坐下，说道：“我今儿来找你，不为别的事情，为着我们上房里丫头，年纪大的，留着也要作怪，我想打发掉两个，眼睛跟前也清楚清楚。你跟前的那个大丫头，今年年纪也不小了，也很好打发了；你又不缺什么人用。所以我特地同你说一声儿。”

九姨太起先听见湍制台要打发她的丫头，心上老大不自在。要说不遵，怕他着恼；如果依他，为什么拣着我欺负？尚在踌躇的时候，只听湍制台又说道：“你的丫头，我是拿她另眼看待的呢。我替她拣了一个做官的女婿，又是年轻，又是有钱，亦总算对得住她的了。但是一件，既然说是配个做官的，怎么好说我们的使女？我想来想去，没有法子，只好说是你的干女儿。你说好不好？”九姨太本来满肚皮不愿意，后来见说是许给一个做官的,方才把气平下;又想:“这丫头果然大了,留在家里,亦是祸害。倘若再被老爷看上了眼,做了什么十三姨太,更不得了。不如将机就计,拿她出脱也好。”想完,便道:“我当不起她做我的干女儿,就说是你的干女儿罢。”湍制台道:“你我并不分家,你的我的,还不是一样吗?”九姨太道:“既然如此,也得叫她出来替你磕个头。”湍制台道:“这也可不必了。”正说着,九姨太已把大丫头唤了出来,叫她替老爷磕头,还要改称呼。大丫头扭扭捏捏地替湍制台磕了一个头,湍制台还了一个半礼。起来又替九姨太行过礼。九姨太便吩咐一应人等都得改称呼,因她小名唤做宝珠,就称她为宝小姐。

过了两天,湍制台便催着男家赶紧行聘,叫善后局拨了三千银子给戴世昌,以作喜事之用,又委了戴世昌两个差使。此时湍制台因为自己没有女儿,竟把这大丫头当作自己亲生的一样看待,也拨三千银子给九姨太,叫九姨太替她办嫁妆。有了钱,样样都是现成的。男家看的是十月初二日的吉期。戴世昌特地又租了一座大公馆。三天头里,请媒人过帖,送衣服首饰,面子上也很下得去。两位媒人:一位中军王占城,一位首府康乃芳。到了这一天,一齐穿着公服到制台衙门里来。湍制台却是自己没有出来奉陪,推说自己有公事,叫侄少爷出来陪的。两个媒人也没有坐大厅,是在西面花厅另外坐的,这倒是湍制台爱惜声名的缘故。

且说到了正日,男府中张灯结彩,异常热闹。虽然有些人也晓得是制台姨太太跟前用的丫环,但是制台外面总说是亡妻的干女儿,大家也不肯同他计较,乐得将错就错,顺势奉承。还有些官员借此缘由前来送礼,湍制台也乐得拣礼重的任意收下。这场喜事居然也弄到头两万银子,又做了人家的干丈人,颇为值得。花轿过去,一切繁文都不必说。到了三朝,宝小姐同了新姑爷来回门。内里便是九姨太做主人。九姨太自己不曾生养,平空里有了这个女婿,自然也是欢喜。而且这女婿能言惯道,把个干丈母娘奉承得什么似的,因此这九姨太更觉乐不可支。

闲话少叙。单说这戴世昌自从做了总督东床,一来自己年纪轻,阅历少,二来有了这个靠山,自不免有些趾高气扬,眼睛内瞧不起同寅。于是这些同寅当中也不免因羡生妒,因妒生忌,更有几个晓得这宝小姐底细的,言语之间,便不免带点讥刺。起初戴世昌还不觉着,后来听得多了,也渐渐的有点诧异,回家便把这话告诉了妻子。宝小姐道:“我的娘是亡过大太太的好姊妹,我才养下来三天,大太太就抱了过来。人家的闲话,有影无形,听它做甚!"话虽如此说,但是面孔上甚不好看。戴世昌便亦丢过。

但是一样,宝小姐回到衙内,除了湍制台、九姨太认她为干女儿之外,其他别位姨太太以及侄少爷等还拿她当丫头看待,不过比起别人略有体面。她亦不敢同这些人并起并坐。她有几个旧伙伴见了她拿她取笑:一个个都来让她,请她坐,请她吃茶,一口一声的称她为小姐,把她急得什么似的。十二位姨太太当中,除掉九姨太,自然算十二姨太嘴顶刻毒,见了人一句不让。自见老爷抬举九姨太的丫头,心上很不舒服。一日听见大众奉承宝小姐,更把她恼了,便对着自己丫头连连冷笑道:"什么小姐!你们只好叫她一声'丫小姐',将来你们一个个都有分的。"谁知自从十二姨太这一句话,便是一传十,十传百,通衙门都晓得了。有些刻薄的,更指指点点,当着她面拿这话说给她听,把她气得了不得,而又无从发作。后来又把这话传到戴世昌的耳朵里,心上也觉气闷,忽念要靠这假泰山的势力,也只得隐忍不言。

这假泰山果有势力,成亲不到三月,便把他补实游击。除了寻常差使之外,又派了一只兵轮委他管带。人家见他有此脚力,合城文武官员,除掉提、镇、两司之外,没有一个不巴结他的,就有一班候补道也都要仰承他的鼻息。至于内里这位宝小姐,真正是小人得志,弄得个气焰熏天,见了戴世昌,喝去呼来,简直像她的奴才一样。后来人家走戴世昌的门路,戴世昌又转走他妻子的门路,替湍制台拉过两回皮条,一共也有一万六千银子。湍制台受了。自此以后,把柄落在这宝小姐手里,索性撒娇撒痴,更把这干爸爸不放在眼里了。

宝小姐有一样脾气,是欢喜人家称呼她"姑奶奶",不要人家称她"戴太太"。你道为何?她说称她"戴太太",不过是戴大人的妻子,没有什么稀罕,称她"姑奶奶",方合她制台干小姐的身份。她常常同人家说:"不是我说句大话,通湖北一省之中,谁家没有小姐?谁家小姐不出嫁?出了嫁就是姑奶奶。这些姑奶奶当中,哪有大过似我的?"她既欢喜奉承,人家也就乐得前来奉承她。有些候补老爷,单走戴世昌的门路不中用,必定又叫自己妻子前来奉承宝小姐。大家是晓得脾气的,见了面,姑奶奶长,姑奶奶短,叫得应天价响。候补老爷当中,该钱的少,这些太太们同她来往,知道她是阔出身,眼睛眶子是大的,东西少了拿不出手,有些都当了当，买礼送她。

当中就有一家太太，她老爷姓瞿，号耐庵。据说是个知县班子，当过两年保甲，半年发审，都是苦事情，别的差使却没有当过，心上想调一个好点的，就回家同太太商量，要太太走这条门路。太太拿腔做势，说道："自古道'做官做官'，是要你们老爷自己做的，我们当太太的只晓得跟着老爷享福，别的事是不管的。"禁不住瞿耐庵左作一揖，右打一恭，几乎要下跪。太太道："我要同你讲好了价钱，我们再去办这一回事。"瞿耐庵道："听太太吩咐。"太太道："你得了好事情，一年给我多少钱？"瞿耐庵道："我同你又不分家，我的就是你的，你的就是我的，这又何用说在前头呢？"太太道："不是这样说。等你有了事，我问你要钱比抽你的筋还难，不如预先说明白了好。"瞿耐庵道："太太用钱，我何曾敢说一个'不'字？没有亦是没法的事。"太太道："我不晓得你得个什么差使，多少我不好说，你自己凭良心罢。"瞿耐庵想了半天，才说得一句："一家一半。"太太不等说完，登时柳眉双竖，杏眼圆睁，喝道："什么一家一半！那一半你要留着给谁用？"瞿耐庵连连赔笑道："留着太太用。……我替你收好着。"太太道："不用你费心，我自己会收的。"瞿耐庵道："太太说得是，说得是！"连连屏气敛息，不敢作声。太太又吩咐道："我替你办事情，我是要花钱的，头一面，一份礼是不能少的。你想要差使，以后还得时时刻刻去点缀点缀。你现在已经穷的什么似的，哪里还有钱给我用。无非苦我这副老脸出去向人家挪借，借不着，自己当当。这笔钱难道就不要还我吗？"瞿耐庵道："应得还！应得还！既然太太如此说法，以后差使上来的钱，一齐归太太经管，就是我要用钱，也在太太手里来讨。你说可好不好？"太太道："如此也罢了。"当下商量已定，就想托一个庙里的和尚做了牵线。

此时宝小姐声气广通，交游开阔，省城里除了藩台、粮道两家太太之外，所有的太太一齐同她来往。她们这般女朋友竟比男朋友来得还要热闹，今天东家吃酒，明天西家抹牌，一齐坐着四人大轿，点着官衔灯笼，亲兵随从簇拥着，出出进进，好不威武。就这里头说差使，托人情，在湖北省城里赛如开了一爿大字号一样。

宝小姐又爱逛庙宇，所有大大小小的寺院都有她的功德。譬如宝小姐捐一百块洋钱，这庙里的和尚、姑子一定要回送公馆里管家大爷一分，上房里老妈、丫环一分，每一分至少也得十几块洋钱。宝小姐进款虽多，无奈出款也不少。就是宝小姐不愿意多出，手下的那些老妈、丫环们也一定要劝她多出。和尚、姑子还时常到公馆里请安，见了面，拿两手一合，头一低，念一声“阿弥陀佛”，然后再说声“请姑奶奶的安”，跟着下来，就尽性地拿“姑奶奶”奉承。无论有多少的高帽子，宝小姐都戴得上。宝小姐既同这般人混熟了，以后就天天的往寺院里跑，又请那些要好的太太、奶奶们吃素饭。人家见她礼佛拜忏，便认她是持斋行善一流，于是人家要回席请她，也只得把她请在庙里。这个风声传了出去，慢慢地那些会钻门路的人也就一个个的来同和尚、姑子拉拢了。

闲话休叙。且说这武昌省城有名的是一座龙华寺。这龙华寺坐落在宾阳门内，乃是个极大丛林，听说亦有千几百年的香火了。寺里居中一座“大雄宝殿”，供的是释迦牟尼。此外观音殿、罗汉堂、斋堂、客堂、禅堂、僧房，曲曲弯弯，已经不在少处。另外还有精室，专备接待女客。因这龙华寺是武昌名胜所在，所以合城文武官员，空闲时候都走来随喜随喜，就是过往的游客亦都有慕名来的。寺里有方丈，是专门只管清修，不问别事。执事的另外有人。顶阔的是知客，专管应酬客人以及同各衙门来往。督、抚、司、道以下，统通认得。凡是当知客和尚，第一要面孔生得好，走到人前不至于讨厌；第二要嘴巴会说，见人说人话，见鬼说鬼话，见了官场说官场上的话，见了生意人说生意场中的话，真正要八面圆通，十二分周到，方能当得此任。知客和尚专管知客，不要上殿做佛事。又常常听见人说起：知客应酬老爷们还容易，最难的是应酬太太们。应酬了老爷，老爷当中不肯花钱的居多，应酬了太太，却是大把银子抓给他们用。所以他们趋奉太太竟其比趋奉老爷还要来得起劲。这位太太的老爷是什么人，同谁家是亲戚，跟前伺候的人谁拿权谁不拿权，和尚肚皮里都有详详细细的一本账，说出来是不会错的。

单说这龙华寺里的知客，法号善哉，是镇江人氏。自少在金山寺出家。生的眉清目秀，一表非凡，而且人亦能言会道。二十三岁上，因往四川朝山回来，路过武昌，就在这龙华寺内挂单，一连住了几日。此时龙华寺当家老和尚正苦少个帮手，见他伶俐聪明，讨人欢喜，遂写一封书信给金山寺里的老和尚，留这善哉和尚在龙华寺里执事。过了几个月，当家老和尚见他着实来得，就升他为知客和尚。不上一年，凡是湖北省里的贵官显宦,豪贾富商,他没有一个不认得,而且还没有一个不同他说得来。他更有一件本事,是这些大人老爷们的太太,尤其没有一个不喜欢到他寺里走动。不说别的布施,单是佛事一项,已经比前头要多出好几倍了。他既有此人缘,也就乐得借此替人家拉拢,人家自然不肯叫他白出力的。

此时这善哉和尚打听得宝小姐是制台干小姐,是湖北第一份阔人,便借捐建水陆功德为名,先送了一份礼物,无非是吃食等类,又送了两副请帖,暂时不说布施,只说是"某日开建道场,请戴大人同姑奶奶前往随喜"。宝小姐是少年性情,听见有好玩的所在,没有不赶着去的。善哉和尚又早同戴府管家联络一气,某日前往,预先送信给他。到了这天,善哉和尚竭力张罗,把寺里寺外陈设一新。男客所在,分上、中、下三等:上等是提、镇、司、道以及督、抚衙门的幕友、官亲;二等是实缺、候补府班以下人员,至首县止,同着些阔商家,什么洋行买办,钱庄汇票等字号;三等乃是候补州、县,以及佐贰各官,同随常买卖人等。三等地方都另有招呼的人。戴世昌虽是游击,因系制台的干女婿,所以坐了第一等客位。女客所在也分三等,同男客不相上下。善哉和尚却又另外替宝小姐备了一间精室:这精室之中,特地买了一张外国床,一副新被褥,湖色外国纱帐子,鸭毛枕头,说是预备姑奶奶歇中觉的。床面前四张外国椅子,一张小小圆台;圆台上放着一个小小船盒,堆着些蜜饯点心之类,极其精致,说是预备姑奶奶随意吃吃的。靠窗一张妆台,脂、粉、镜奁,梳、篦、刨花水之类,亦都全备,又道是预备姑奶奶或是觉后或是饭后重新梳妆用的。床后头还有马桶一个。宝小姐有了这个好地方,又加以和尚竭力趋奉,比书上说的"先意承志",做人家儿子的也没有这样孝顺。

宝小姐来的多了,外头的名声也大了,就有些想走门路的钻头觅缝的来巴结善哉和尚。善哉和尚也就此出卖些"风云雷雨",以显他的声光。这个风声恰巧被瞿耐庵的太太晓得了。这瞿耐庵的太太平时也是极其相信吃斋念佛的,见了出家人,分外有缘,无事便到这龙华寺里来跑,因此同这善哉和尚也极相熟。但是一样:瞿耐庵的太太手里是没有什么钱的,和尚的眼睛最为势利不过,见了有钱的施主就把她比下来了。这回起建水陆道场,开忏的那一天,宝小姐到场,只吃了一顿饭,就捐了五百两银子。瞿太太也跟来随喜,好容易在家里连当带借,送了十块钱给和尚。和尚哪里拿她放在眼里,不过是来者不拒,多多少少,一齐留下罢了。瞿太太虽然竭力拉拢，无奈手笔不大，总觉上不得台盘，此乃境遇使然，无可奈何之事。

恰巧四十九天功德圆满。善哉和尚弄钱本事真大，又把老和尚架弄出来，说是要传戒。预先刻了传单，外府州、县，分头叫人去贴。这个风声一出，那些愿意受戒的善男信女，果然不远千里而来。此番善哉和尚却是大开山门，定了规例：凡来受戒的，每人定要多少钱。要了钱还不算，还要叫这些人吃苦头。一个个都跪在老和尚面前，拿些蕲艾①，分为九团或十二团，放在光郎头上，用火点着；烧到后来，靠着头皮，把他油都烤了出去，烧的吱吱得响。这人痛得愁眉苦脸，流泪满面，嘴里头只是念“阿弥陀佛”，“阿弥陀佛”，不敢说一声痛。凡受过戒的都说：“烧到痛的时候，只要念‘阿弥陀佛’，佛菩萨自然会来救你的。就是要痛，也就不痛了。”又说道：“凡一个人入了道，七情六欲是不能免的。如今这一烧，可把他烧断，永远不想开荤，亦不想偷女人了。”如是者一个个头上就同骨牌攒了眼的一样，这地方永远不生头发，其名又谓“烧香洞”。凡有香洞和尚，到哪里都好挂单，有饭吃，大家都肯布施他；要说是没有香洞，大家都叫他野和尚，可是没有人理的。烧过香洞之后，还要进禅堂。禅堂里的规矩是：坐一炷香，跪一炷香，轮流到九天九夜，一刻不得休歇，亦不准打盹睡觉。九天之后，方算圆满。这九天里头，倘然错了他一点规矩，另外有管他们的人，抗着又粗又长的板子，要在光郎头上敲的。看起来真正苦恼，并不是修行，直截是受罪！

闲话少叙。单说此时这龙华寺受戒的人，只有僧众，并无女人。善哉和尚会出主意，便出来同一班太太们说道：“诸位太太都是前世里修行，所以这一辈子才有这么大的福分；倘若这一辈子里再修行修行，下一辈子还不晓得怎样好哩！”一句话提醒了众人，便问：“怎样修行的好？”善哉和尚道：“阿弥陀佛！若要修行，也没有别的，只要同我们出家人一样，到大和尚跟前受个戒，等大和尚替你们起个法名。以后遇见寺里做什么功德，量力施布点，这就是修行了。”宝小姐道：“要剃头发不要？”善哉和尚道：“阿弥陀佛！我的姑奶奶，倘若要你们剃头发，岂不同姑子一样？以后这么大的福分叫谁去享呢？小僧说的原是带发修行。只要一心皈依，都是一样的。”宝小姐道：“既然如此，我亦来一分，修修来世也是好的。”又问：

① 蕲(qí)艾——一种草本植物。

“要多少钱?”善哉和尚道:“随缘乐助,亦要看各人的身份,姑奶奶大才斟酌罢了。”于是在座的各家太太听见和尚说“随缘乐助”,大家高兴,就有一大半要受戒的。当时算宝小姐顶阔,送了大和尚三百块洋钱,说是孝敬老师傅的贽敬;又拿出一百块钱来斋僧,说是同众位师兄结结缘的。和尚笑纳之后,大和尚就替他起了一个法号,叫做妙善。其余各位受戒的女太太们,从四元起码,以至几十元为止。瞿太太亦送了十块洋钱,随同受戒。等到事完之后,和尚又备了几桌素斋,请众位受戒的女太太一同到来,以叙同门之礼。

瞿太太是有心巴结宝小姐的,如今借此为由,被她搭上了手,便尔趋前跟后,做出千奇百怪的样子来奉承宝小姐。又时常到宝小姐公馆里去请安,送东送西,更不必说。有天宝小姐在一位姊妹家里吃醉了酒,其日瞿太太也在座。瞿太太一见这样,便过来替她捶背,替她装烟,又亲自搀扶她上轿,一直把宝小姐送回公馆。这一夜瞿太太也没有回家,就在宝小姐公馆里伺候了一夜。第二天宝小姐酒醒,很觉得过意不去。后来彼此熟了,见瞿太太常常如此,也就安之若素了。瞿太太的脾气再要随和没有,连老妈的气都肯受的。有些丫环问她要东西不必说,空着还要拿她说笑取乐。宝小姐见丫环们如此,她也和在里头拿瞿太太来开心。

有天亦是宝小姐醉后,瞿太太过来替她倒了一碗茶,接着又装了几袋水烟。宝小姐醉态可掬的,一手搂着瞿太太的颈项,说道:“我来世修修,修到有你这个女儿,我就开心死了!”瞿太太道:“我是巴而不得做姑奶奶的女儿,只怕够不上。”宝小姐道:“别的都可以,倒是你是上了岁数的人,我只有这一点点年纪,哪有你做我的女儿的道理。”瞿太太道:“姑奶奶说哪里话来!常言说得好:‘有志不在年高。’我哪一桩赶得上姑奶奶?只要姑奶奶肯收留,我就情愿拜在膝下,常常伺候你老人家。”此时宝小姐已有十分酒意,忘其所以,听了瞿太太的话,并不思量,便冲口而出道:“既然如此,你就替我磕个头,叫我一声‘娘’罢。以后我疼你。”一句话直把个瞿太太乐得要死,果真爬在地下替宝小姐磕了一个头,叫了一声“干娘”。宝小姐趁着酒盖了脸,便答应了一声,见她磕头,动也不动。

当日瞿太太伺候宝小姐睡觉之后,立刻赶回家中。此时她老爷瞿耐庵蒙戴世昌替她吹嘘,已经委了清道局的差使。这天正领了薪水回来,等太太等到半夜不见回家,以为一定是戴公馆留下,今天不转的了。岂知三更过后，忽听打门声急。开出门去一看，不是别人，原来就是太太。太太回家，不说别的，劈口便问："薪水领到没有？"瞿耐庵道："恰恰今日领到。因为太太未曾过目，所以不敢动用。"太太道："好。"登时取了出来，一看整整七十块洋钱。太太便吩咐备燕菜酒席两桌，下余的备办男女衣料四分，再配些别的礼物，一概明天候用。瞿耐庵是惧怕太太，一向奉命如神的，只得诺诺连声，不敢违拗。次日一早，备办停当。太太也早起梳洗。诸事齐备，便抬了酒席礼物，径往戴公馆而来。

这日宝小姐因为昨夜酒醉，人甚困乏，睡到十二点钟方才起身。人报瞿太太到来。只见瞿太太身穿补褂，腰系红裙；她老爷是有花翎的，所以太太头上也插着一支四寸长的小花翎；扭扭捏捏走进宅门，后面两个抬合抬着礼物酒席。宝小姐忘记昨夜醉后之事，见了甚为诧异。见面之后，忙问所以。瞿太太笑而不言。但见她走到客堂，拿圈身椅两把，居中一摆。跟来的人随手把红毡铺下。瞿太太便说："请你们大人。今日是寄女儿特地过来叩见干爹、干娘，是不用回避的了。"此时戴世昌正躲在房中，听了摸不着头路。宝小姐也觉茫然。倒是旁边的丫头、老妈记着，便把昨夜之事说出。宝小姐道："醉后之言，何足为凭。我哪里好收瞿太太做干女儿！真正把我折死了！"刚刚跨出房门，想要推让，瞿太太已拜倒在地了，嘴里还说："既然干爹不出来，朝上拜过亦是一样的。"宝小姐连忙还礼，连说："这是哪里说起！……"瞿太太拜过之后，赶忙又把礼物献上，说是两份送给干爹、干娘，两份连着一席酒，是托干娘孝敬与干外公、干外婆的。宝小姐只是谦着不受。瞿太太哪里肯依，说："昨夜已蒙干娘收留，倘今天不算，叫我把脸搁在哪里去呢？"于是旁边一众丫头、老妈都凑趣说："今天瞿太太来拜干娘，乃是出于一片至诚，太太倒是收了她的好，叫她心上快活。太太只要以后疼她就是了。"此时宝小姐无可如何，只得老老脸皮认了她做干女儿。后来戴世昌也出来见过礼。宝小姐又把丫头、老妈、底下人、厨子，统通叫了上来叩见瞿太太。大家亦改口叫她瞿姑奶奶。当时摆席吃酒。

等到饭后，宝小姐一想，自己总觉过意不去："索性今天把她带进制台衙门，叫她认认干外公、干外婆，也可显显我的手面。"当下便把此意同瞿太太说知。瞿太太有何不愿之理，登时满口答应，又说："于理应得去请安的。"于是宝小姐先打发老妈到制台衙门里去说明白，只说姑奶奶收了一个干女儿,立刻进来叩见老爷同九姨太太,但是且慢说出人头来。老妈去后,宝小姐带着瞿太太也就跟手上轿而去。

一霎时到得湍制台衙门,自然是一径到九姨太上房里。此时湍制台听了老妈的话,都晓得宝小姐收了一个干女儿,大家以为总是人家的小姐了。九姨太急忙预备见面礼。正闹着,人报宝小姐回来了。大家立起身看时,都想看看这位小姐长得面貌如何。只见宝小姐走在头里,后面跟了一个脸上起皱纹的老婆婆,再细看看,头发也有几根白了。大家见了诧异,还当是那小姐的娘自己同来的,然而来的只有她俩,并没有第三个。因此大众格外疑心。此时湍制台亦正在房中,从玻璃窗内看见,也觉着奇怪。只听得宝小姐在院子里喊道:“干妈,我同个人来给你瞧瞧。”一头说,一头走进上房,吩咐老妈把红毡铺地。宝小姐就拉了瞿太太一把,说道:“你就在这里拜见外公、外婆罢。”大众至此方才明白,这同来的老婆婆就是她的干女儿。但是她要收个干女儿,为什么不收个年轻的,倒收个老太婆?真正叫人不明白。但是她如此一片至诚,九姨太只得出来同她谦了一回,受了她一礼,让她坐下,彼此寒暄了一回。瞿太太又把孝敬的礼物送上,九姨太也送了五十块洋钱的见面钱。然后招呼开席,直吃到二更天,方才尽欢而散。这天湍制台虽未出来相见,但把她孝敬的礼物收下,也要算得赏脸的了。且说瞿太太这天因为头一天来,不便住下,约摸到了时候,便即起身告辞。九姨太还再三叮咛,叫她空了只管进来,现在是自己一家人,用不着客气的了。

此时瞿太太喜得心花都开。相别出来上轿,在轿子里满腹盘算,思量几时再进来;又思量过天还得备席请请干外婆;又想:“他们是阔人,眼眶子是大的,请他们不能过于寒俭,须得稍为体面些。”又想:“横竖有今天干外婆送我的五十块钱,‘羊毛出在羊身上’,就拿来应酬他。彼此要好了,少不得总要替我们老爷弄点事情。只要弄得一个好点差使,就有在里头了。”又想:“这条门路全亏了善哉和尚;等到有了钱,须得到他寺里大大的布施些,以补报他这番美意。”正盘算间,不提防轿子落地,说是已经到了自己家的门口了。瞿太太定了一定神,方才从轿子里走出来。还没有出轿门,忽然一个跟班的走上来回道:“太太!老爷不好了!今天出出小恭,跌断了一只腿了!”瞿太太听了,不禁大吃一惊。欲知后事如何,且听下回分解。

第三十九回

省钱财惧内误庸医　瞒消息藏娇感侠友

话说瞿太太从院上回来，在轿子里听说老爷跌断了一条腿，这一惊非同小可！连忙问道："怎么好端端的会把腿跌断了？是什么时候跌断的？"跟班回道："今儿早上，老爷送过太太上轿之后，也就到了局子里办公事，但是今儿一天总是低着头想心事，没精打采，没有吃饭就回来的。恰恰进门，提着裤子要去解手。小的正走过，看见摆尿缸的地方原来潮湿，亦不晓得哪一位在尿缸旁边掉了一个钱在地下。老爷见了钱，弯着腰要去拾，不想怎样一个不留心就滑倒了，弄得满身是溺还在其次，只听老爷'啊唷'一声，说是一条腿跌断了。"瞿太太骂道："混账东西！地下掉了钱，你们不去拾，要叫老爷去拾！"跟班的道："小的又没瞧见钱，后来是老爷说了出来才晓得的。"

瞿太太道："跌坏了怎么样？请大夫瞧过没有？"跟班的道："老爷跌倒之后，只顾啊唷的叫。他老人家的身坯来得又大，小的一个人怎么拉得动他。好容易找了打杂的、厨子、轿夫，才把他老人家连抬带扛地抬进上房床上睡下。齐巧那个会说外国话的胡二老爷有事来拜会，一听说是他老人家跌断了腿，胡二老爷就急了，说道：'我们做官的人全靠着这两条腿办事，又要磕头，又要请安，还要跑路。如今把他跌折了，岂不把吃饭的家伙完了吗！'到底胡二老爷关切，进去看过老爷之后，立刻就出去找了一位外国大夫来瞧了一瞧。"瞿太太大惊道："为什么不请一个伤科看看？那外国大夫岂是我们请得起的？"跟班的道："老爷亦何尝不是如此说，所以一听见胡二老爷说请外国大夫，可把他老人家急死了，说：'我这分家私都交给他还不够！我情愿做个残废罢！'谁知胡二老爷硬做主，自己去把个外国大夫请了来。老爷一定不要看，胡二老爷捉住老爷的腿，一定要看。外国大夫看了一回，便说：'治虽可治，将来走起路来，不免要一瘸一拐的呢。'胡二老爷道："好好好，只要能够会走路，可以磕得头，请得安，就做个瘸子也不打紧。'外国大夫道：'倘若只要磕头请安，那是我敢写得包票的。'后来胡二老爷要他包医,他要三十两银子。"瞿太太道:"老爷怎么说?"跟班的道:"老爷急得什么似的,暗底下拉了胡二老爷好几把,朝着他摇手,说是不要他包医。胡二老爷没法,方才又打了两句外国话,同着外国大夫走的。"

瞿太太一听这话,方才把一块石头落地。一面往上房里走,一面又问:"可请个伤科来瞧过没有?"跟班的道:"请是请过一个走方郎中瞧过,亦要什么十五块钱包医,老爷还嫌多。后来请了一个画辰州符的来到家里画过一道符,一个钱没花,亦没见什么功效。"太太道:"为什么不早送个信给我?"跟班的道:"小的赶到戴公馆,说太太到了制台衙门里去了。太太,你想,制台的衙门可是我们进得去的,所以小的也就回来了。"

正说着,太太已到上房,走进里间一看,老爷正睡在床上哼哼哩。太太把帐子枭开,望了一望,问了声"怎么好好的会把腿跌坏了",又问:"现在痛得怎么样了?那个画符的先生,他可包得你不做残废不能?"老爷正在痛得发晕,一听太太的声息,似乎明白了些,但回答得两句道:"你回来了?今天几乎拿我跌死!"说完了这两句,仍旧哼哼不已。太太就在床沿上坐下,叹了一口气,说道:"我们又不是没有见过钱的人!你要钱用,尽管告诉我,自然有地方弄给你,何犯着为了一个钱跌断一条腿呢!如果一个治不好,当真的不能磕头请安起来,你这一辈子不就完了吗!叫我这一辈子指望什么呢!"说着,也就唬嗤唬嗤地哭起来了。

瞿耐庵道:"你别哭了。现在既已回来,该应怎么找个大夫给我瞧瞧。"太太道:"外国大夫价钱大,无论如何,我们是请不起的,这个也不用提他了。如今你们赶快把伤科独眼龙王先生请了来,问他要多少钱,我给他。务必今夜里请他来一趟!就是睡了觉也要来的!"跟班的去了一会,回来说道:"王先生说的,一过晚上十点钟,就是拿八抬轿去抬他也不来的。有话明天早晨再讲罢。"太太道:"这东西混账!你去同他说,他再不来,我去叫制台衙门里的人押着他来,看他敢不来!"说着,就想坐轿子再回到制台衙门里去。还是瞿耐庵明白,连连摇手,道:"现在是什么时候了!去不得!去不得!你这一往回,要有多少时候?再等一会天就亮了。一会再去请他,他总要来的,何苦半夜里吵到制台衙门里去。请了来请封①仍旧一个钱不能少的。我多熬一会就是了。”太太一想，他话不错，只得依他。果然不多一刻，天也亮了。又过了一会，太太忙叫人去请独眼龙王先生。家人去了好半天才回来，说道：“先生才起来，正看门诊，总得门诊看完了才得来呢。”瞿耐庵夫妇无法，只得静等。

谁知一等等到下半天四点钟敲过，王先生才来。当时引进上房，先问：“是怎么跌的？”瞿耐庵连忙伸出来给他看。王先生生来只有一只眼，歪着头，斜着眼，看了一会，说是：“骨头跌错了笋了，只要拿它扳过来就是了，没有什么大不了的事。”瞿太太在帐子后头说道：“既然如此，就请你先生替他扳过来就是了。”王先生道：“如果是别人家，一定要他五十块大洋，你们这里，打个九折罢。”瞿太太把舌头一伸，道：“要的可不少！怎么比外国大夫还贵？”王先生也不答腔。瞿太太又再三同他磋磨。王先生道：“要我治，就得这个价钱，要省钱，可以不必请我。你们要晓得，你们老爷这条腿是值钱的，不比寻常人的腿，不要磕头，不要请安，可以随随便便的。我要替他弄好，三五天就要叫他走路哩。外面有外敷的药，里头有内托的药。我这副药，珍珠八宝，样样都全，但是这副药本就得四十块大洋。倘若只要扳扳好，不消上药，也费我半点钟工夫，至少也得五块洋钱。”瞿太太道：“只要你扳扳好，不敷药，可以不可以？”王先生道：“这也没有什么不可以，不过好得慢些。跌坏的虽是骨头，那骨头四面的肉就因此血不流通；血不流通，这肉岂不是同死的一样。将来一点点都要烂的，烂过之后，还得上药，然后去腐生新。合算起来，花的钱只有比我多些，还要耽搁日子。你们划算得来，我就依着你做。我原是无可无不可的。”瞿太太一想，四十五块钱总嫌太多，心上思量：“且叫他把骨头的笋头扳进。至于药可以不用他的，昨天我在干外婆屋里看见玻璃橱里摆着药瓶，什么跌打损伤药、生肌散，样样都有，我只要去讨点就是了，只怕还要比他的好些哩。”主意打定，便道：“好些的药我们自己有，只要到制台衙门里去讨来。现在只要你先生替他扳准了就是了。”王先生一听生意不成功，一来是心上不高兴，二来也是他本事有限，当下不问青红皂白，能扳不能扳，便拉住瞿耐庵的腿，看准受伤的地方，用两只手下死力的一扳。只听得床上啊唷的一声，瞿耐庵早已昏晕过去了。

---

① 请封——给医生诊病的酬金，用红纸包起，叫请封。

瞿太太正在帐子后头，一听这个声响，知道不妙，立刻三步并做两步，赶到前面，忙问："怎的?"王先生也不打言。瞿太太臬开帐子一望，只见老爷已经两眼直翻，气息全无，头上汗珠子有黄豆大小。瞿太太一见这个样子，晓得是被王先生扳坏了。又见王先生拿袖子卷了两卷，把条腿夹在夹肢窝里，想用蛮劲再把这条腿扳过来。瞿太太发急道："先生！你快松手罢！再弄下去，他的腿本来不折的，倒被你一弄弄折了也论不定！如今的人还不知是活是死哩!"一面说，一面又拿老爷掐人中，浑身的揉来揉去。幸亏歇了不多一会，瞿耐庵慢慢地回醒过来，只是"啊唷啊唷"地喊痛。大家一见老爷有了活命，方始放心。

王先生受了瞿太太的埋怨，只好松手，站在一旁，瞪着一只眼睛在那里呆望。好容易瞧着瞿老爷有了活气，他又想上前去用劲。瞿太太连忙摇手道："你快别来了！你再来来，我们老爷要送在你手里了！叫门房里赶紧替先生打发了马钱，请先生回府罢。"王先生无法，只得跟了跟班的走到门房里，替他发给了四百钱的马钱。王先生不答应，一定要五块洋钱，说："我是你们请了来的，同你们太太讲明白的，不下药，单要五块洋钱。现在是你们不要我治，并不是我不治。如今要少我的钱可不能。"门房里人道："你先生的本事太好，所以不请你治！老实同你说，你的本事一个钱不值！现在给你四百钱，已经有你面子了，不走做甚……"王先生一见门房里人骂他，愈加不肯干休，赖在门房里不肯去，说："你们要坏我的招牌，我是要同你们拼命的!"门房里人道："这王八羔子不走，真个等做……"一面说，一面就伸出手来打了王先生两拳。王先生气急了，于是躺在地下喊地方救命。闹得大了，上房里都听见了。瞿耐庵睡在床上，说道："这种人同他闹什么！给他两个钱，叫他走罢。"瞿太太道："你有钱你给他，我可是没有这多钱。他肯走就走，不肯走，我去到制台衙门里去一声说，叫首县押着他走!"一面说，一面自己走到外头叫底下人赶他出去。正吵着，齐巧胡二老爷走来看瞿耐庵的病。瞿太太连忙退回上房。胡二老爷便问："吵的什么事?"门房里人说了。还是胡二老爷顾大局，走过来好劝歹劝，又在自己搭连袋里摸了一块洋钱给他，才肯走的。王先生临走的时候还说："今天若不是看你二老爷脸上，我一定同他拼一拼哩!"说完了这一句，方才掸掸衣服，辞别胡二老爷出门。

胡二老爷跟了瞿家跟班的直入内室。瞿太太仍旧躲入床后头。胡二老爷当下便问:“大哥的腿怎么样了?可能好些?”瞿耐庵说不动话,只是摇头。胡二老爷是瞿老爷的把兄弟,所以异常关切,便朝着跟班的说道:“外国大夫既不请,中国大夫又是如此,现在总得想个法子,找个妥当的人替他看看才好,总不能听其自然。照这样子,几时才会好呢?我也晓得你们老爷光景,彼此至好,这二三十块钱,就是我替他出也不打紧。”刚说到这里,瞿太太一听他肯出钱,便在床背后接腔道:“难得二老爷如此关切,一回一回的好意!只要外国大夫包得好,就请二老爷同了他来就是了。”胡二老爷道:“这个外国大夫在外国学堂考过,是顶顶有名的,连这个都医不好,还做什么大夫。而且三十块钱要的亦并不算多。”瞿太太道:“既然如此,就拜托费心了。”胡二老爷去不多时,果然同了外国大夫来,言明三十块洋钱包医,签字为凭。当下就由外国大夫替他推拿了半天,也没下什么药。毕竟外国大夫本事大,当天就好了许多。前后亦只看过三次,居然慢慢地能够行动,亦没有做瘸子。他夫妇二人自然欢喜不尽。不在话下。

单说瞿太太自从拜宝小姐做了干娘之后,只有瞿耐庵腿痛的两天没有去,以后仍是天天去的。制台衙门里亦跟宝小姐去过两次,九姨太亦请过他。虽不算十分亲热,在人家瞧着,已经是十二分大面子了。瞿太太便趁空先托宝小姐替她老爷谋事情,说道:“不瞒寄娘说:你女婿自从弄了这个官到省,就背了一身的空子。虽说得过几个差使,无奈省里花费大,所领的薪水连浇裹还不够。现在官场的情形,只要有差使,无论大小,人家有事总要找到你,反不如没有差使的好。现在你女婿就是吃了这个有差使的亏,所以空子越发大了。不怕你老人家笑话,照这样子再当上两年,还要弄得精打光呢。现在只求你老人家疼我;你老人家不疼我,更叫我找谁呢!”

一番话说得宝小姐不由不大发慈悲,特地为她到了制台衙门一趟,先把这话告诉了九姨太。九姨太道:“你这话很可以自己同你干爹说。”宝小姐道:“我托干爹这点事情,不怕他不依,然而总得拜托干娘替我敲敲边鼓,来得快些。”九姨太太应允。宝小姐立即跑到内签押房逼着湍制台委瞿耐庵一个好缺。湍制台起初不答应,说:“他是有差之人,很可敷衍。现在省城里候补的人,熬上十几年见不着一个红点子的都有,叫他不要贪心不足。”宝小姐一见湍制台不答应,登时撒娇撒痴,因见签押房里无人,便一屁股坐在制台身上,一手拉着制台的耳朵,说:“干爹!这件事我已经答应了人家,你不答应我,我还有什么脸出去!”说着,便从怀里掏出手帕子哭起来了。湍制台被她缠不过,只得应允。宝小姐一直等他应允,方才收泪,另外坐下。跟手九姨太亦走进来,又帮着她说了两句“敲边鼓”的话。湍制台自然是无可推却。当面说定,次日见了藩台,就叫他替瞿耐庵对付一个缺,然后宝小姐走的。

原来瞿耐庵老夫妇两个,年纪均在四十七八,一直没有养过儿子。瞿耐庵望子心切,每逢提起没有儿子的话,总是长吁短叹。心上想弄小,只是怕太太,不敢出口。太太也明晓得他的意思,自己不会生养,无奈醋心太重,凡事都可商量,只有娶姨太太这句话一直不肯放松。每见老爷望子心切,她总在一旁宽慰,说什么“得子迟早有命。命中注定有儿子,早晚总会养的。某家太太五十几岁,一样生产。咱们两口子究竟还没有赶上人家的年纪,要心急做什么呢。”瞿耐庵被她驳过几次,虽然面子上无可说得,然而心总不死。朋友们都晓得他有惧内的毛病,说起话来,总不免拿他取笑。起先瞿耐庵还要抵赖,后来晓得的人多了,瞿耐庵也就自己承认了。

有天一个朋友请他吃饭,同桌的都是爱嫖的人。有两个创议,说席散之后,要过江到汉口去吃花酒,今天一夜不回来。于是同席的人都答应说去,独有瞿大老爷不响。大家无非又拿他取笑,说他怕太太,恐怕回来要罚跪。此时瞿耐庵已经吃了几杯酒,酒盖着脸,忽然胆子壮了起来,就说了声“我也同去”。众人又问他:“你这话可当真?”瞿耐庵道:“怎么不当真!我也不过让他些,果真怕了他也好了,还做什么男子汉大丈夫呢!”众人见他如此,都觉稀罕。当天果然同他到汉口去玩了一夜。第二天酒醒,不觉懊悔起来,怕太太生气。回家之后,少不得造谣言,说局子里有公事,又有外头解来的强盗,臬台因为他老手,特地派他审问,足足审了一夜,所以一夜未回。太太信以为真,以为臬台叫他问案乃是有面子的事情,非但不追究他,而且也甚欢喜,不过说了一句:“既然有公事,为什么不差人送个信回来,省得家里等门?而且夜里天冷,也好差人送件衣服给你。”瞿耐庵一见太太如此体贴,连忙感谢不尽。

过了十天半个月,朋友们见他吃花酒没有事,以后就常常有人请他。起先还辞过几次,后来晓得太太受骗,便尔胆子渐渐的大了起来,也就时常跟着朋友们走动走动了。他虽然是有家小的人,但是积威之下,只有惧怕的心,没有欢乐的心,忽然一天到得堂子里面,打情骂俏,骨软筋酥,真同初世为人一般,其快乐可想而知。这时候汉口有个做窑姐的,名字叫做爱珠,姿色甚是平常,生意也不兴旺。自从那日瞿耐庵破例跟着朋友吃花酒,因为他没有局带,有个朋友就把爱珠荐给与他。爱珠生意本来清淡,好容易弄到这个孤老,岂有不巴结之理。当夜吃完了酒,其时已经不早,爱珠屡次三番要留瞿老爷住在她那里。无奈瞿老爷一来怕有玷官箴①,二来怕"河东狮吼",足足坐了一夜。爱珠也就陪了一夜。到了第二天,过江回省,见了太太,胡造一派谣言,搪塞过去。这便是第一次破戒。这次住虽未住,然而瞿老爷心上感念爱珠相待之情,已觉得是世界上有一无二了。

后来瞿老爷时常跟着朋友们过江闲逛。人家请他吃酒,爱珠少不得也要敲他吃酒,朋友们也要他复东道。推来推去,无可推却。便有一天,趁太太到戴公馆宝小姐那里请安,午饭之后,跟班的回来说:"太太跟着戴太太到了制台衙门里去,留住了吃晚饭,今天恐怕不得回来,叫小的回来拿衣服。"瞿耐庵一听大喜,晓得太太是在戴公馆、制台衙门常常住的,今天决计不回。便趁这个空,偷偷开了箱子,换了一身的新衣服。齐巧这天早上领的薪水尚未交账,便包了二十块钱溜过江去,到得爱珠那里。一班好玩的朋友是天天在汉口的,自然一招就到。这天瞿老爷居然摆了一台酒,自己坐了主位。爱珠坐在身旁,不时还同他咬耳朵说话。直把个瞿老爷乐得手舞足蹈,比起候补老爷忽蒙挂牌署缺,接印之后第一次升堂理事,其开心也不过如此。

这天爱珠又留他。他晓得今天太太是不回家了,便尔一口答应。这一夜,他俩要好,自不必说。爱珠在枕头上诉说她本是好人家女儿,父母因为没有钱用,所以才拿她卖到窑子里来。"谁知竟是个火坑!老鸨的气也受够了!实实在在一天住不下去!你老爷倘若有心救我,就求你救到底!我只要出得此门,就是做丫头亦是情愿的!"说完了这两句,不住的唬嗤唬嗤地哭。瞿耐庵听了伤心,也帮着掉眼泪。后来爱珠再三问他:"你老爷的意思到底怎么样?……"瞿耐庵一时也回答不出,一来是爱她,二来又是可怜她,满心满意,想要弄她。但是一样,太太是著名的泼辣

① 官箴——古时对于官员的道德规范和行为准则所作的规戒。

货,这事万万商量不通的。倘若瞒着她做了,将来这饥荒一定不少。因此便把念头冷了下来。禁不住爱珠一只手偎住他的脖子,一面又脸对脸的说道:"瞿老爷,你好狠心!我如此的求你,你都不肯可怜可怜我!你放心!我来的时候,老鸨只出二百五十块洋钱,你如今泼出再多一半,有了五百钱,也尽够使的了。"瞿老爷一听五百块钱,不禁心上又毕怕一跳,思量:"我哪里弄这五百块洋钱呢!"当时便愣住无语;然而心上又实实舍她不得,只说"等明天商量起来再看",也没有回绝她。到了次日,约摸太太尚不会回家,恰巧有位朋友在别的窑子里约他吃酒打牌,因此也没有过江回省。这天爱珠又顶住他问过几次。瞿耐庵也巴不得讨她,但是苦于太太不准,二来亦是款项难筹,一时无从答应。

齐巧这天请他吃酒的这位朋友,姓笪,号玄洞,是湖北著名有钱的人。论起他的钱来,也不是自己赚的,是他老人家做武官,打"长毛",在军营里得来的。这两年他老人家过世了,他自己尚在服中,就出来烂嫖烂赌,无论什么朋友都肯结交,一齐拉了来吃酒。不过他天生就的另外一种脾气,是:朋友遇有急难,问他借钱,他是一毛不拔的;倘若是在窑子里替婊子赎身,或者在赌台上人家借做赌本,他却整百整千的借给人家,从来没有回头过。因此湖北官、幕两途,凡是好玩的人都肯同他交结。他并且很高兴借着官场势力欺压欺压那些乌龟王八开窑子的。

瞿耐庵晓得他这个脾气。齐巧这天正是他请吃酒,不觉打动念头,想好了主意,先走到笪玄洞相好家里,问:"笪老爷来了没有?"窑子里人回称:"笪老爷刚刚起身,在屋里床上吃大烟哩。"瞿耐庵掀帘进去。笪玄洞立即起身相迎,劈口便问:"今儿晚上奉请条子接到了没有?"瞿耐庵忙称:"一定过来奉陪。"当下言来语去,扳谈了半天。瞿耐庵思思瑟瑟,想要说又不好直说。愣了好几次,才走到笪玄洞身旁,附耳说了一句道:"有件事要同老哥商量。"笪玄洞见他来时,早已一手拿着烟灯坐起来洗耳恭听,听说有事商量,便正言厉色地问他:"有什么事情?"瞿耐庵又扭扭捏捏的半天,把脸涨得绯红,说道:"不为别的,就是爱珠的情事。"笪玄洞道:"可是你要娶她?"瞿耐庵道:"老哥真真是明鉴万里!怎么一猜就猜着了!"说着,便把爱珠要跟他的话一五一十说了;又说:"别的都好商量,单是身价要五百块洋钱这件事顶烦难,一时往哪里去凑!所以来同老哥斟酌斟酌。"笪玄洞道:"身价倒是小事。你是晓得我的脾气的,无论什么好朋友,就是亲戚本家,他老子娘死了,没有棺材睡,跪在地下问我借钱告帮,这个钱我是向来不借的,倘然有人家要讨小,或是赌钱输了,这个钱我最肯帮忙的。不过你老嫂子答应不答应?不要将来我们旁边人都弄得没趣!”瞿耐庵又把脸一红道:“这个……”笪玄洞道:“这个怎么样?”瞿耐庵道:“等我再去斟酌斟酌看。”笪玄洞道:“斟酌好了,快给我个信。我的钱是现成的。”

瞿耐庵仍回到爱珠屋里,拿两只眼睛瞧着爱珠,一声不响,呆坐了半天。爱珠又问他:“事情怎么样?”瞿耐庵看了半天,实在舍不得,一时色胆包天,只说得一句道:“依你办就是了,有什么怎么样!”爱珠便催他立刻叫了老鸨来在当面商量。老鸨来了,瞿耐庵支吾了半天,脸涨红了,还是说不清楚。幸亏爱珠自己爽爽快快地说了。老鸨先讨他八百,后来磨来磨去,磨到五百五。爱珠问:“瞿老爷,怎么样?”瞿老爷道:“五百块钱是有的,多了我没处去借。”老鸨道:“瞿大老爷大福大量,何在乎这五十块钱!”爱珠也生了气,说:“瞿老爷!为了五十块钱,不肯救我么?”说着就哭。瞿耐庵没有法子,又去找笪玄洞。笪玄洞就一口答应代借五百五十块,又说:“娶了过来,你老哥总得另外打公馆。这里洋街上西头有我一处房子空着,你不妨就搬了去先住起来。”又道:“正价虽有,零星开销也不能省的,我讨小讨惯的了,还有什么不晓得的。索性成全你到底罢,五百五的正价,算是借项,如今再多送你两百块钱,就算是我的贺仪,我也不另外送了。”于是瞿耐庵感激不尽。当天就去看房子,租家伙。诸事停当,然后到窑子里同老鸨交清楚,连夜一顶小轿把爱珠接了出来。

这天瞿耐庵一心只有新讨的小老婆在心上,泼出胆子来做,早把太太丢在九霄云外了。这一夜又没有过江。第二天晚上,特地叫了两席酒请请众位朋友。自然是笪玄洞首坐。席面上大家又叫局划拳,尽情取乐。等到席散,又有十二点半了。接连瞿耐庵三夜没有回省。他太太跟着宝小姐在制台衙门里,恰恰亦住了三夜。

第四天太太回来,问起老爷。家人不便直回,说:“老爷在局子里办公事,三天三夜没有回来。”太太大动疑心,说:“他这个差使有什么大不了的事情,整日整夜办不完?就是上司有什么公事交代他办,亦何至于连着回家睡觉的工夫都没有了?这话我不相信!”立刻吩咐跟班:“赶快到局子里看看老爷到底在那里不在!”跟班心上是明白的,出来打了一个转身,回来告诉太太说:“老爷正在局子里忙着呢。”瞿太太是何等样人,眼睛比镜子还亮,早看出这跟班说的是假话。便说:“是了,替我打轿子。”跟班的只得依她。等到上了轿,请示到哪里。瞿太太说:“到局子里看老爷去。”一句话把跟班的吓急了,只好硬硬头皮,跟到那里再说。

当时一群人跟着太太的轿子一直走到局子里。谁知局子里声息全无,一个鬼影子也没有。瞿太太见了把门的,劈口就问:“瞿大老爷今天来过没有?”把门的回道:“大老爷有四天不到这里来了。”瞿太太回头瞧着跟班的哼哼两声,吓得跟班脸色都变了。瞿太太下轿问明白了,走到老爷素来办公事的一间屋子里坐下。那个跟班连忙拿鸡毛掸子掸桌子上的灰尘,又忙着替太太献茶。瞿太太道:“用不着你忙!我有话问你!”跟班的拉长了嗓子,一叠连声地答应“者,者”,手里还是不住地做他的事情。瞿太太看着格外生气,又厉声骂道:“混账王八蛋!你说老爷在局子里,如今到哪里去了?你替我把老爷找出来!找不出来问你要!”那个跟班的还只顾答应“者,者”,站在底下,拿两只眼睛相着鼻子,一句别的话也没有。太太气极了,一迭连声地拍桌子骂王八蛋,叫他还出老爷来。

其时同来的还有一个是本在公馆厨房里做打杂的,现在亦升作二爷了。这人姓胡,名福,最爱挑唆是非,说人坏话。瞿太太欢喜他。外头有什么事,都是他听了来说,赛如耳报神一般,所以才会提升到二爷。瞿太太到局子里下轿,他早已跑到别屋子里向别人家的二爷探问详细,知道老爷这两天同了朋友出城过江到汉口窑子里玩耍,恋着不回来。他得到这信息,又如赶头报似的,赶过来到瞿太太跟前,弯着腰,蝎蝎螫螫的,将此情由全盘托出。他说话说得旁人都不听见,只见瞿太太面孔气得铁青,四肢厥冷,坐在椅子上半天说不出话来。后来想了半天,这事情非得自己亲身过江到汉口,决不能扫穴擒渠。当时又问胡福:“老爷在汉口什么人家住夜?”胡福道:“出去问过众人,都说不晓得。横竖到了汉口总打听得出的。”瞿太太无奈,遂命:“打轿!你们都跟着我到汉口去!”众人只得答应着。要知此去如何,且听下回分解。

第 四 十 回

息坤威解纷凭片语 绍心法清讼诩多才

话说瞿太太霎时过得江来，下船登岸。轿夫仍把轿子抬起，都说："这么一个大地方，晓得老爷在哪里？到哪里去问呢？"到底瞿太太有才情，吩咐一个跟班的，叫他到夏口厅马老爷衙门里去，就说是制台衙门里来的，要找瞿老爷，叫他打发几个人帮着去找了来。家人奉令，如飞而去。瞿太太也不下轿，就叫轿夫把轿子抬到夏口厅衙门左近，歇了下来等回信。原来这位夏口厅马老爷在湖北厅班当中，也很算得一位能员，上司跟前巴结得好，就是做错了两件事，亦就含糊过去了。他虽是地方官，也时常到戏馆里、窑子里走走，不说是弹压，就说是查夜。就是瞿耐庵、笪玄洞几个人，近来也很同他在一块儿。瞿耐庵讨爱珠一事，他深晓得，昨夜请客，他亦在座。这天在衙门里，忽然门上人上来回："制台衙门有人来问瞿大老爷，叫这里派人帮着去找。"他便急得屁滚尿流，立刻叫门上人出来说："瞿大老爷新公馆在洋街西头第二条弄堂，进弄右手转弯，第三个大门便是。"又派了两名练勇同去引路。当下又问："制台衙门里什么人找他？为的是什么事？"来人含含糊糊地回了两句，同了练勇自去。走不多时，遇见瞿太太的轿子，跟班的上前禀复说："老爷在某处新公馆里。"

瞿太太一听"新公馆"三个字，知道老爷有了相好，另外租的房子，这一气更非同小可！随催轿夫跟着练勇一路同到洋街西头，按照马大老爷所说的地方，走进弄堂，数到第三个大门，敲门进去。瞿太太在轿子里问："这里住的可是姓瞿的？"只见一个老头子出来回道："不错，姓'徐'。你是哪里来的？"瞿太太不由分说，一面下轿，一面就直着嗓子喊道："叫那杀坯出来！我同他说话！办的好公事！天天哄我在局子里，如今局子搬到这里来了！快出来，我同你去见制台！"一面骂，一面又号令手下人："快替我打！"其时带来的人都是些粗鲁之辈，不问青红皂白，一阵乒乒乓乓，把这家楼底下的东西打了个净光。那个老头子气昏了，连说："反了！反了！这是哪里来的强盗！"正闹着，瞿太太已到楼上搜寻了一回，一看样子不对,急忙下楼,问同来的练勇道:"可是这里不是? 怎么不对呀?"那房主老头儿也说道:"你们到底找的是哪个? 怎么也不问个青红皂白,就出来乱打人! 世界上哪有这种道理!"瞿太太自知打错,连忙出门上轿,骂手下人糊涂,不问明白就乱敲门。老头子见自己的东西被他们捣毁,如今一言不发,便想走出去上轿,立刻三步并做两步跑出来,拉住轿杠要拼命。幸亏有两个练勇助威,一阵吆喝,又要举起鞭子来打,才把老头子吓回去了。

这里瞿太太在轿子里还骂手下人,骂练勇。内中有一个练勇稍须明白些,便说:"莫不是我们转弯转错了罢? 我们姑且到那边第三家去问声看。"刚刚走到那边第三家门口,只见本公馆里另外一个管家正在那里敲门。瞿太太一见有自己的人来敲门,便道:"就是这里了!"那管家一见太太赶到,晓得其事已破,连忙上前打一个千,说道:"替太太请安。小的亦是来找老爷的,想不到太太也会找到这里来。"瞿太太道:"你们一个鼻子管里出气,做的好事情,当是我不知道! 如今被我访着了,你倒装起没事人来了! 你仔细着! 等我同你老爷算完账再同你算账!"说完,推门进去。却不料其时瞿老爷已不在这里了,只有新娶的爱珠同一个老妈在楼上,一见楼下来了许多人,知道不妙,坐在楼上不敢则声。瞿太太因刚才打错了人家,故到此不敢造次,连问两声,不见有人答应,便即迈步登楼。一见楼上只有两个女人,不敢指定她一定是老爷的相好,只得先问一声:"这里可是瞿老爷的新公馆?"爱珠望望他,并不答应。瞿太太只得又问。歇了半晌,爱珠才说道:"你是什么人? 为什么走到这里来?"瞿太太见问,反不免愣住了,站在扶梯边,进不得进,退不得退。

正在为难的时候,忽然胡福上来报道:"太太,正是这里。跟老爷出门的黄升报信来了。"瞿太太一听是这里,立刻胆子放大,厉声说道:"叫他上来!"黄升上楼见了太太,就跪在地下磕头,说是替太太叩喜。瞿太太发怒道:"老爷讨小,他欢喜,我是没有什么欢喜,用不着你们来巴结!我是不受这一切的!"黄升道:"小的替太太叩喜,不是这个,为的是老爷挂了牌了。"瞿太太一听"挂牌"二字,很像吃了一惊似的,连忙问道:"挂哪里?"黄升道:"署理兴国州。"瞿太太道:"这一个缺也罢了,但是还不能遂我的心愿。横竖我们这位老爷,无论得了什么缺,出去做官总是一个糊涂官。你们不相信,只要看他做的事情。他说年纪大了,愁的没儿子,要讨小,难道我就不怕绝了后代？自然我的心比他还急。我又没有说不准他讨小。如今瞒着我做这样的事情，你们想想看，叫我心上怎么不气呢！”

众人一见太太嘴里虽说有气，其实面子上比起初上楼的时候已经好了许多。就以瞿太太本心而论，此番率领众人一鼓作气而来，原想打一个落花流水，忽然得了老爷署缺信息，晓得干娘宝小姐的手面做到，心中一高兴，不知不觉，早把方才的气恨十分中撇去九分。但是面子上一时落不下去，只得做腔做势，说道：“我末，辛辛苦苦地东去求人，西去求人，朝着人家磕头礼拜，好容易替他弄了这个缺来。他瞒着我，倒在外头穷开心。我这是何犯着呢。他指日到任，手里有了钱，眼睛里更可以没有我了。不如我今天同他拼了罢！我也没福气做什么现任太太，等我死了，好让人家享福！”说着，便要寻绳子，找剪刀，要自己寻死。一众管家老妈只得上前解劝。此时新姨太太爱珠坐在窗口揩眼泪，只是不动身。一众管家因听得老爷挂牌，都不肯多事，一个个站着不动。瞿太太看了，愈加不肯罢休，说：“你们都是帮着老爷的，不替我太太出力！老爷得了缺，你们想发财，你们可晓得老爷的这个缺都是太太一人之力么？既然大家没良心，索性让我到制台衙门里去，拿这个缺仍旧还了制台，叫他另委别人。有福同享，有难同当，我又不是众人的灰孙子！”说罢，大哭不止。

正闹着，人报：“马老爷上来。”原来瞿太太初上楼之后，齐巧瞿耐庵亦从外头回来，刚进大门，一听说是太太在这里，早吓得魂不附体。知道事情不妙，心上盘算了一回：“别的朋友都靠不住，只有夏口厅马老爷精明强干，最能随机应变，不如找了他来，想个法子把个阎王请开，不然，饥荒有得打哩！”想好主意，刚出大门，那边第三家被太太打错的那个姓徐的老头儿赶了过来，一把拉住瞿耐庵，说：“你太太打坏了我的东西，要你赔我！你若不赔，我要叫洋东出场，到领事那里告你的！”瞿耐庵听了，顿口无言。还是跟去的管家会说话，朝姓徐的千赔不是，万赔不是，才把老爷放手。瞿耐庵得了命，立刻一溜烟跑到夏口厅衙门，将以上情形同马老爷说知。马老爷无可推却，只得赶了过来。瞿太太虽然从未见面，事到此间，也说不得了。

当下马老爷上楼，也不说别的，但连连跺脚，说道：“要人家冒名顶替，亦得看什么人去！他们叫耐庵顶这个名，我就说不对；如今果然闹出事来了！打错了中国人还不要紧，怎么打到一个洋行买办家去！马上人家告诉了洋东，洋东禀了领事，立时三刻，领事打德律风①来，不但要赔东西，还要办人。大家都是好朋友，叫我怎么办呢！”他说的话虽然是没头没脑，瞿太太听了，大致亦有点懂得，本来是坐着的，到此也只好站了起来。马老爷装作不认识，连问：“哪一位是瞿太太？……”管家们说了。马老爷才赶过来作揖，瞿太太也只得福了一福。

马老爷又说道：“这事情只怪我们朋友不好，连累大嫂过这一趟江，生这一回气。这女人本是在窑子里的，因为老鸨凶不过，所以兄弟起头，合了几个朋友，大家凑钱拿她赎了出来。兄弟是做官人，如何讨得婊子，众朋友都仗义，你亦不要，我亦不要，原想等个对劲的朋友，送给她做姨太太。当时就有人送给我们耐庵兄的。兄弟晓得耐庵兄的脾气，糊里糊涂，不是可以讨得小的人，所以力劝不可。当时朋友们商议，大家拿出钱来养活她，供他她，供她用，还要门口替他写个公馆条子，省得不三不四的人闯进来。大嫂是晓得的：我们汉口比不得省城，游勇会匪，所在皆是，动不动要闯祸的；有了公馆条子，他们就不敢进来了。其时便有朋友说顽话：‘耐庵兄怕嫂子，不敢讨小，我偏要害他一害：将来这里我就写个瞿公馆，等老嫂子晓得了，叫他吃顿苦头也是好的。’条子如今还没有写，不料这话已经传开，果然把大嫂骗到这里呕这一回气，真正岂有此理！”

瞿太太听说，低头一想：“幸亏没有动手，几几乎又错打了人！”又转念想道：“如果不是这里，何以我叫人请问你马老爷，你马老爷派了练勇同我到这里来呢？为什么黄升亦到这里来找老爷呢？”当把这话说了出来。马老爷赖道：“我并没有这个话。果然耐庵讨了小，要瞒你嫂子，我岂肯再叫人同了你来。一定是我们门口亦是听了谣言，以讹传讹。大嫂断断不要相信！”瞿太太又问黄升。亏得黄升人尚伶俐，亦就趁势回道：“小的亦是听见外面如此说，所以会找到这里来，不过是来碰碰看，并不敢说定老爷一定在这里。”

瞿太太又把瞿老爷几天在外不回家的话说了。马老爷道：“公事呢，原有公事。”又凑前一步，低声对瞿太太说道：“新近我们汉口到了几个维新党，不晓得住在哪一爿栈房里，上头特地派了耐庵过来访拿，恐怕声张起来，那几个维新党要逃走，所以只以玩耍为名，原是叫旁人看不出的意

① 德律风——英文电话的译音。我国初有电话时，都叫它做德律风。

思。大嫂,你不晓得,这维新党是要造反的,若捉住了就要正法的。这两年很被做兄弟的办掉几百个。不料现在还有这种大胆的人来到这里,又不晓得有什么举动。将来耐庵把人拿着了,还要大大的得保举呢。”瞿太太道:“如今挂了牌,就要到任,怎么还能来办这个呢?”马老爷道:“牌是藩台挂的,拿维新党是臬台委的,大家不接头。大约总得把这件事情办完了才得去上任。”瞿太太道:“维新党是要造反的,是不好惹的。有了缺还是早到任的好。等我去同制台说,把这差使委了别人罢。我们拿了人家的脑袋去换保举,怕人势势的,这保举还是不得的好。”马老爷道:“制台跟前有大嫂自己去,自然一说就妥。”瞿太太又抢着说道:“倒是前头打错的那个人家,怎么找补找补他才好?”马老爷皱着眉头道:“这倒是顶为难的一桩事情!现在牵涉洋商,又惊动了领事,恐怕要酿成交涉重案咧!”瞿太太亦着急道:“到底怎么办呢?这个总得拜托你马老爷的了!”说着,又福了一福。马老爷见瞿太太一面已经软了下来,不至生变,便也趁势收篷,立刻拿胸脯一拍,道:“为朋友,说不得包在我身上替他办妥就是了。大嫂此地也不便久留,就请过江回省。且看事情办的怎么样,兄弟再写信给耐庵兄。”于是瞿太太千恩万谢,偃旗息鼓,率领众人,悄悄回省而去。

这里马老爷回到衙门,一看瞿耐庵还在那里候信。马老爷先把他署缺的话说了,催他赶紧回省谢委。又把方才同他太太造的一派假话也告诉了他,以便彼此接洽。一面又叫人安慰徐老头子,打坏的东西,一齐认赔,还叫人替他点一副香烛,赔礼了事。又同瞿耐庵商量:“现在看尊嫂如此举动,尊宠只好留在汉口,同了去是不便的。等你到任一两月之后,看看情形如何再来迎接。好在这里有我们朋友替你照应,你只管放心前去。”瞿耐庵见各事都已办妥,异常感激,方才辞别马老爷渡江回省,向公馆而来。

回家之后,虽说有马老爷教他的一派胡言可以抵制,毕竟是贼人胆虚,见了太太总有点扭扭捏捏说不出话来。幸亏他太太打错了一个人家,又走错了一个人家,亦觉得心上没趣,没精打采。见了老爷,但说得一句:“还不赶紧去谢委!”又道:“拿什么维新党的差使可以趁空让给别人罢,自己犯不着揽在身上。”瞿耐庵一见马老爷之计已行,便道:“这捉人的差使,我就去回复了臬台,叫他另外派人,我们可以马上就去到任。”瞿太太道:“你辞得掉,顶好,倘若辞不掉,只好苦了我再到制台衙门里替你去走一趟。”瞿耐庵道：“容易得很，一辞就掉，不消太太费心。”说着，便换了衣服，赴各宪衙门谢委。第二天瞿太太又到戴公馆叩谢过干娘。又求宝小姐把她带到制台衙门叩谢过干外公、干外婆。瞿耐庵不日也就禀辞。接着便是上司荐人，同寅饯行，亦忙了好几日。

临走的头一天，瞿耐庵又到夏口厅马老爷那里再三把新娶的爱妾相托。马老爷自然一口答应。当下又请教做官的法门。马老爷说：“耐庵，你虽然候补了多年，如今却是第一回拿印把子。我们做官人有七个字秘诀。哪七个字呢？叫做‘一紧，二慢，三罢休’。各式事情到手，先给人家一个老虎势，一来叫人家害怕，二来叫上司瞧着我们办事还认真：这便叫做‘一紧’。等到人家怕了我们，自然会生出后文无数文章。上司见我们紧在前头，决不至再疑心我们有什么；然后把这事缓了下来，好等人家来打点：这叫做‘二慢’。‘千里为官只为财’，只要这个到手。……”马老爷说着，把两个指头一比。瞿耐庵明白，晓得他说的是钱了。马老爷又说：“无论原告怎么来催，我们只是给他一个不理，百姓见我们不理，他们自然不来告状，这就叫做‘三罢休’。耐庵，你要晓得，我们湖北民风刁悍，最喜健讼。现在我们不理他，亦是个清讼之法。至于别的法门，一时亦说不尽。好在你请的这位刑名老夫子王召兴本是此中老手，一切趋避之法他都懂的，随时请教他就是了。”瞿耐庵听了，甚是佩服。回家收拾行李，雇船起程。

等到上了船，头一夜，瞿太太等人静之后，亲自出来船前船后看了几十遍，生怕老爷另雇了船带了相好同去。后来见老爷一直睡在大船上，晓得没有别人同来，方才放心。

兴国州离省不过四五天路程。头天派人下去下红谕。次日赶到本州，书差接着。瞿耐庵拜过前任，便预备第二天接印。这天原看定时辰，午时接印。到了十一点半钟，瞿老爷换了蟒袍补褂，打着全副执事，前往衙门里上任。齐巧有个乡下人不懂得规矩，穿了一身重孝，走上前来拉住轿杠，拦舆喊冤。轿子跟前一班听差的衙役三班，赶忙一起过来呼喝。无奈这乡下人蛮力如牛，抵死不放。瞿老爷忌讳最深，这日看定了时辰接印，说是黄历上虽然好星宿不少，底下还有个坏星宿，恐怕冲撞了不好，特地在补褂当中挂了一面小铜镜子，镜子上还画了一个八卦，原取“诸邪回避”的意思。如今忽见一个穿重孝的人拦舆叫喊，早把瞿老爷吓得面如土色，以为到底时辰不好，必定撞着什么“披麻星”了。

好容易定了一定神，方问得一句：“这穿孝的是什么人？”那乡下人见老爷说了话，连忙跪下道：“小的冤枉！小的是王七。小的的父亲上个月死了，有两个本家想抢家当，争着过继，硬说小的不是小的的父亲养的，因此要把小的母子赶出大门。”瞿老爷道：“不是你父亲养的，难道是你娘拖油瓶拖来的吗？”王七道：“我的青天大老爷！为的就是这句话！前任大老爷得了被告的钱，所以就把小的断输了。小的打听得今日青天大老爷上任，所以赶来求伸冤的。”瞿老爷不等说完，拍着扶手板，大骂道：“好刁的百姓！我没有来到这里就晓得你们兴国州的百姓健讼！如今还没有接印，你就来告状！什么大不了的事情！这是你们家务事，亦要老爷替你管？我署这个缺，原是上头因我在省里苦够了，所以特地委个缺给我，原是调剂我的意思，不是叫我来替你们管家务！一个兴国州，十几万百姓，一家家都要我老爷管起来，我亦来不及呀！赶出去！不准！”差役们一阵吆喝，七八个人一齐上前来拖，好容易把个王七拖走。王七嘴里还是一味的喊“冤枉”，见老爷不准，索性在轿子旁边大哭起来。瞿老爷听着讨厌，连连吐馋唾，连连说：“晦气！……”后来见王七痛哭不止，不由无名火动，在轿子里大声喊道：“替我把那王八蛋锁起来！等我接了印再打他！”新官号令，衙役们无有不遵的，立刻把王七锁起。

说话间瞿老爷已经到了大堂下轿。礼生告吉时已到，鼓手吹打着。等老爷拜过了印，便是老爷升座，典吏堂参，书差叩贺。瞿老爷急急等诸事完毕，一天怒气便在王七身上发作，立刻叫人把他提到案前跪下，拍着惊堂木，骂道：“你要告状，明天不好来，嗳！后天不好来，偏偏老爷今天接印，你撞了来！你死了老子的人不怕忌讳，老爷今天是初接印，是要图个吉利的！拉下去！替我打！”两旁差役一声吆喝，犹如鹰抓燕雀一般，把王七拖翻在地，剥去下衣；霎时间两条腿上早已打成两个大窟窿，血流满地。瞿老爷瞧着底下一滩红的，方才把心安了一半。原来他的意思，以为“我今日头一天接印，看见这个身穿重孝的人，未免太不吉利；如今把他打得见血，也可以除除晦气了”。他坐在堂上一直不作声，掌刑的皂班便一直不敢停手。看看打到八百，他还不则声。倒是值堂的签押二爷瞧着不对，轻轻地回了老爷，方把王七放起来，然而已经不能行动了。瞿耐庵至此方命退堂。

此时前任还住在衙门里,没有让出。瞿耐庵只好另外赁了公馆办事,把太太一块儿接了上来同住。

且说他的前任姓王,表字柏臣,乃是个试用知州。委署这个缺未及一年,齐巧碰着开征时候,天天有银子进来,把他兴头得了不得,以为只要收过这季钱漕,就是交卸,亦可以在省里候补几年了。哪知乐极悲生,刚才开征之后,未及十天,家乡来了电报,说是老太爷没了。王柏臣系属亲子,例当呈报丁忧。报了丁忧,就要交卸,白白地望着钱粮漕米,只好让别人去收。当下他看过电报,回心一想,连忙拿电报往身上一揣,吩咐左右不准声张。他全不想一个外府州、县衙门,凭空里来了一个电报,大家总以为省里上司来的什么公事,后来好容易才打听出来。然而他老人家虽然死了老太爷,因为要瞒众人,并不举哀。后被大家看破了,不免指指摘摘,私相议论。

王柏臣晓得遮盖不住,只得把账房及钱谷师爷请来,并几个有脸面、有权柄的大爷们亦叫齐。等到众人到了,他一齐让到签押房床后头一间套屋里去。两位师爷坐着,几个大爷站着,别的人一概赶出。王柏臣更亲手把两扇门关好,然后回转身来,朝着两位师爷一跪就下。大家虽然明晓得他是丁艰,面子上只作不知,一齐做出诧异的样子,问道:"这是怎么一回事?断断乎不敢当!快快请起!"说着,两位师爷也跪下了。王柏臣只是不起,爬在地下,哭着说道:"兄弟接到家乡电报,先严前天已经见背了!"两位师爷又故作嗟叹,说道:"老伯大人是什么病?怎么我们竟其一点没有晓得呢?"王柏臣道:"如今他老人家死已死了,俗语说得好:'死者不可复生。'总求两位照应照应我们这些活的。我一家门几十口人吃饭,丁忧下来,一靠就是三年,坐吃山空,如何干靠得住!如今事情,权柄是在你们二位手里。"又指着几个大爷们说道:"至于他们都是兄弟的旧人,他们也巴不得兄弟迟交卸一天好一天。只要你二位肯把丁忧的事情替兄弟瞒起,多耽搁一个月或二十天,不要声张出来,上头亦缓点报上去。趁这档口,好叫兄弟多弄两文,以为将来丁忧盘缠,便是两兄莫大之恩!就是先严在九泉之下,亦是感激你二位的!"一席话说得两人都回答不出。还是账房师爷有主意,一想:"东家早交卸一天印把子,我们亦少赚一天钱。好在他匿丧与我们无干,我们乐得答应他,做个顺水人情,彼此有益。"便把这话又与钱谷师爷说明,钱谷师爷亦应允了。几个大爷们更是不愿意老爷早交卸的。于是彼此相戒不言。王柏臣重行爬下替两位师爷磕了一个头，爬了起来，送两位师爷出去，一路说说笑笑，装作没事人一般。

当天账房师爷同钱谷师爷又出来商量了一条主意，说："现在钱粮才动头开征，十几天里如何收得齐？总得想个法子叫乡下人愿意在我们手里来完才好。"于是商量了一个跌价的法子：譬如原收四吊钱一两的，如今改为三吊八或是三吊六，言明几天为限。乡下人有利可图，自然是踊跃从事。如此办法，一来钱粮可以早收到手，二来还落个好声名。商妥之后，当把这话告诉了王柏臣。王柏臣一想不差，便叫照办，立刻发出告示，四乡八镇统通贴遍。乡下人见有利益可沾，果然赶着来完。看看到了半个月，这一季的钱粮已完到六七成了，王柏臣的银子也赚得不少了。账房、钱谷二位师爷又商量道："钱粮已收到一大半，可以劝东家报丁忧了。等到派人下来，总得有好几天，怕不要收到八九分。多少留点给后任收收，等人家捞两个，也堵堵人家的嘴；倘若收得太足了，后任一个捞不到，恐怕要出乱子的。"当把这话又通知了王柏臣，王柏臣还舍不得。两位师爷便说："有了这个样子，我们也很对得住东家了。到这时候再不把丁忧报出去，倘或出了什么岔子，我们是不包场的。"便有人把这话又告诉了王柏臣。

王柏臣是个毛躁脾气，一听这话，便跳得三丈高，直着嗓子喊道："我死了老太爷我不报，我匿丧，有罪名我自己去担，要他们急的哪一门呢！"话虽如此说，自己转念一想："不对，如今我自己把丁忧的事情嚷了出来，倘若不报丁忧，这话传了出去，将来终究要担处分的。罢罢罢，我就吃点亏罢！"当时就把这话交代了出去。又自譬自解道："丁忧大事，总以家信为凭，电报是作不得准的。犹如大官大员升官调缺，总以部文为凭，电传上谕亦是作不得准的。所以我前头虽然接到电报不报丁忧，于例上亦没有什么说不过去。"此时合衙门上下方才一齐晓得老爷丁忧，一个个走来慰问。王柏臣也假做出闻讣的样子，干号了一场。一面禀报上司，一面将印信交代典史太爷看管。跟手就在衙门里设了老太爷的灵位，发报丧条子，即日成服。从同城起以及大小绅士，一齐都来叩奠。

转眼间上头委的瞿耐庵也就到了。瞿耐庵未到之前，算计正是开征时候，恨不得立时到任。等得接印之后一问，钱粮已被前任收去九成光景，登时把他气得话都说不出来。后来访问前任用的是个什么法子，才晓得每两银子跌去大钱四百，所以乡下人都赶着来完。常言道："好事不出门,恶言传千里。”王柏臣接着电报十几天不报丁忧,这话早已沸沸扬扬,传的同城都已知道,就有些耳报神到瞿耐庵面前送信讨好。瞿耐庵拿到这个把柄,恨不得立时就要禀揭他。遂又详求实在,又有人把账房师爷代出主意,叫他跌价的话说了出来。于是瞿耐庵恨这账房师爷比恨王柏臣还要厉害,总想抓他一个错,拿练子锁了他来,打他二千板子,方雪此恨。

此时王柏臣钱虽到手,一听外头风声不好,加以后任同他更如水火,现在尚未结算交代,后任已经处处挑剔,事事为难。凡他手里顶红的书差,不上三天,都被后任换了个干净,就是断好的案子,亦被后任翻了好几起。此时瞿耐庵一心只顾同前任作对,一桩事到手,不问有理无理,但是前任手里占上风的,他总得反过来叫他占下风,要是前任批驳的,到他手里一定批准。

有天坐堂,一件案情有姓张的欠了姓孙的钱,有二十多年未还。还是前任手里,姓孙的来告了;王柏臣断姓张的先还若干,其余拔付。两造遵断下去。这个档口,齐巧新旧交替,等姓张的缴钱上来,已是瞿大老爷手里了。瞿大老爷有心要拿前任断定的案子批驳,就传谕下来,硬叫姓孙的找出中人来方准具领。姓孙的说:“我的老爷!事情隔了二十多年,中人已经死了,哪里去找中人?横竖有纸笔为凭,被告肯认账就是了。”瞿耐庵道:“放屁,姓张的答应,我老爷不答应!没有中人,没有证见,就听你们马马虎虎过去吗?钱存案,候寻到中人再领。”一阵吆喝,把两边都撵下去。这是一桩。

又有一桩。是一个姓富的定了一家姓田的女儿做媳妇。后来姓田的忽然赖婚,说了姓富的儿子许多坏话,就把女儿另外许给一个姓黄的。姓富的晓得了,到州里来打官司。前任王柏臣断的是叫姓黄的退还礼金;拿姓田的训饬了两句,吩咐他不准赖婚,仍旧将女儿许配姓富的。当时三家已遵断具结。到了瞿耐庵手里,姓黄的又来翻案。瞿耐庵一翻旧卷,便谕姓田的仍将女儿许与姓黄的儿子。姓富的不答应,上堂跪求。老爷说:“你儿子不学好,所以人家不肯拿女儿许给他。只要你儿子肯改过,还怕没有人家给他老婆吗?不去教训自己的儿子,倒在这里咆哮公堂,真正岂有此理?再不遵断,本州就要打了!”一顿臭骂,又把姓富的骂了下去。

过了一天又问案。头一起乃是胡老六偷割了徐大海的稻子,却不是前任手里的事。瞿耐庵坐到堂上看了看状子,便把原告叫了上来问了两句,叫他下去。又叫被告胡老六上来,便拍着桌子,骂道:“好个混账王八蛋!人家种的稻子,要你去割他的!”便喊叫:“拉下去打他三百板子!”被告胡老六道:“小的还有下情。”瞿耐庵喝令:“打了再说!”早有皂役把他拖翻了,打了三百板,放他起来跪着。瞿耐庵道:“你有什么话,快说!快说!”胡老六道:“小的的地是同徐大海隔壁。他占了小的地,小的不依他;他不讲理,所以小的才去割他的稻子的。”瞿耐庵道:“原来如此。”再把原告徐大海带上,骂道:“天下人总要自己没有错才可告人!你既然自己错在前头,怎么能怪别人呢?也拉下去打三百!”徐大海道:“小的没有错。”瞿耐庵道:“天下哪有自己肯说自己错的!不必多说!快打!快打!”站堂的早把徐大海拉下去,亦打了三百。瞿耐庵便喝令到一边去,具结完案。

随手问第二起,乃是卢老四告钱小驴子,说他酗酒骂人。瞿耐庵也是先带了原告问过,叫他下去;把被告带上来,打了一百。被告说:“小的平时一盅酒不喝的,见了酒头里就晕,怎么会吃醉了酒骂人呢?是他诬赖小的的。”瞿耐庵又信以为真了,竟把原告喊上来,帮着被告硬说道他是诬告,也打一百。仍旧带在一旁具结。

于是又问第三起,是一个人家大小老婆打架儿。大老婆朱荀氏,小老婆朱吕氏,男人朱骆驼。这件事实在是小老婆撒泼行凶,把大老婆的脸都抓破,男人制服不下,所以大老婆来告状的。瞿耐庵把状子略看了一看,便叫带朱荀氏。朱荀氏上来跪下,刚说得几句,瞿耐庵不等她说完,便气吁吁地骂道:“统天底下,你做大老婆的就没有好东西!常言说得好:‘上梁不整下梁差。’你倘若是个好的,小老婆敢同你打架么?这要怪你自己不好。我老爷哪里有工夫替你管这些闲事!不准!”又把男人朱骆驼叫上来吩咐道:“你家里有这样凶的大老婆,为什么要讨小?既然讨了小,就应该在外头,不应该叫她们住在一块儿。闹出事来,你自己又降服不住她们,今又来找我老爷。你想,我老爷又要伺候上司,又要替皇上家收钱粮,再管你们的闲账,我老爷是三头六臂也来不及呀!快快回去,拿大小老婆分开在两下里住,包你平安无事。”朱骆驼道:“起初本是两下住的,后来大的打上门来,吵闹过几次,才并的宅。”瞿耐庵道:“这就是大的不是了!”说着,要打。大老婆急了,求了好半天,算没有打。亦是具结完案。

接着又审第四起,乃是两个乡下人,一个叫杨狗子,一个叫徐划子。

两个为了一只鸡，杨狗子说是他的，徐划子又说是他的，说不明白，就打起架来。杨狗子力气大，把徐划子右腿上踢伤了一块，一齐扭到州里来喊冤。官叫仵作①验伤。仵作上来，把徐划子的裤子脱了下来，看了半天，跪下禀过。瞿大老爷便同徐划子说道："容易。他踢坏了你的右腿，我老爷现在就打他的右腿。"于是吩咐把杨狗子翻倒在地，叫皂隶只准拿板子打他的右腿，一连打了一百多下。先是发青，后来发紫，看看颜色同徐划子腿上踢伤的差不多了，瞿耐庵便命放起来。嘴里又不住地自赞道："像我这样的老爷，真正再要公平没有！"于是徐、杨二人又争论那只鸡。瞿耐庵道："这鸡顶不是好东西！为了它害得你们打架！老爷替你讲和罢。"正说着，忽拿面孔一板，道："这鸡两个人都不准要，充公！来！替我拎到大厨房里去，叫他俩下去具结。"衙役一声吆喝，两个人只得一瘸一拐地走了下来，眼望着鸡早拎到后头去了。

这天瞿耐庵从早上问案，一直问到晚方才退堂。足足问了二三十起案子，其判断与头四起都大同小异。

第二天正想再要坐堂，只见稿案门上拿了几十张禀帖进来，说是："这些人因为老爷精明不过，都不愿意打官司了。这是息呈，请老爷过目。请老爷的示，还是准与不准？"瞿耐庵忙道："自然一齐准。我正恨这兴国州的百姓健讼，如今我才坐几回堂，他们就一齐息讼，可见道政齐刑，天下无不可治之百姓。现在上头正在讲究清讼，这个地方，照这样子，只要我再做一两个月，还怕不政简刑清么。"想罢，怡然自得。

哪知这两天来，把一个兴国州的百姓早已炸了，一齐都说："如今王官丁了艰，来了这个昏官，我们百姓还有性命吗！"又加瞿耐庵自以为是制台的亲眷，腰把子是硬的，别人是抗他不动的，便不把绅士放在眼里，到任之后，一家亦没有去拜过。弄得一般狗头绅士起先望他来，以为可以同他联络的，等到后来一见他一家不拜，便生了怨望之心，都说："这位大老爷瞧我们不起，我们也不犯着帮他。"又过两天，听见瞿耐庵问案笑话，于是一传十，十传百，其中更生出无数谣言，添了无数假话，竟把个瞿耐庵说得一钱不值，恨不得早叫这瘟官离任才好。于是这话传到王柏臣耳朵里，便把他急得了不得。要知后事如何，且听下回分解。

---

① 仵作（wǔ zuò）——旧时官府检验命案死尸的人。

第四十一回

乞保留极意媚乡绅　算交代有心改账簿

话说王柏臣正为这两天外头风声不好,人家说他匿丧,心上怀着鬼胎,忐忑不定。瞿耐庵亦为钱粮收不到手,更加恨他,四处八方,打听他的坏处。又查考他是几时跌的价钱,几时报的丁忧,应该是闻讣在前,跌价在后。如今一查不对,倒是没有闻讣丁忧,他先跌起价来。他好端端的在任上,又没有要交卸的消息。据此看来,再参以外面人的议论,明明是匿丧无疑了。瞿耐庵问案虽糊涂,弄钱的本事却精明,既然拿到了这个把柄,一腔怨气,便想由此发作,立刻请了刑名师爷替他拟了一个禀稿,誊清用印,禀揭出去。

瞿耐庵这面发禀帖,王柏臣那面也晓得了,急得搔头抓耳,坐立不安。亦请了自己的朋友前来商议,大家亦是面面相对,一筹莫展。还亏了账房师爷有主意,一想:"东家自到任以来,外面的口碑虽然不见得怎样,幸亏同绅士还联络。无论什么事情,只看绅士如何说,他便如何办,有时还拿了公事走到绅士家中,同他们商量,听他们的主意。至于他们绅士们自己的事,更不用说了。因此地方上一般绅士都同他要好,没有一个愿意他去的。如今是丁忧,也叫做没法。不料他有匿丧的一件事,被后任禀揭出去,果然闹出来,大家面子不好看,不如叫他同绅士商量。"一面想,一面又问:"电报是哪里送来的?"王柏臣说是:"电报打到裕厚钱庄,由裕厚钱庄送来的。"账房师爷道:"既然不是一直打到衙门里来的,这话就更好办了。"

原来这裕厚钱庄是同王柏臣顶要好的一个在籍候补员外郎赵员外开的。论功名,赵员外在兴国州并不算很阔;但是借着州官同他要好,有此势力,便觉与众不同。当下宾东二人想着了他。账房师爷出主意,先叫厨房里备了一席酒,叫管家拿了帖子去送给他,说:"敝上本来要请大老爷过去叙叙,因为七中不便,所以叫小的送过来的。"赵员外收了酒席。跟手王柏臣又叫人送给他四件顶好的细毛皮衣,一挂琥珀朝珠。送礼的管家说："敝上因为就要走了，不能常常同大老爷在一块儿；这是自己常穿的几件衣服，一挂朝珠，留在大老爷这里做个纪念罢。"赵员外无可推托，亦只得留下。"平时本来要好，受他的好处已经不少；如今临走忽然又送这些贵重东西，未免令人局促不安。莫不是外面传说他什么匿丧那话是真的？果然真的，倒可趁此又敲他一个竹杠了。"

正盘算间，忽见王柏臣差人拿着片子来请，当下连忙换了衣服，坐着轿子到州里来。此时王柏臣还没有搬出衙门，因为在苫[1]，自己不便出迎，只好叫账房师爷接了出来，一直把他领到签押房同王柏臣相见。王柏臣做出在苫的样子，让赵员外同账房师爷在高椅子上坐了，自己却坐在一个矮杌子上。先寒暄了几句。王柏臣一看左右无人，便走近赵员外身旁同他咕唧了半天，所说无非是外面风声不好，后任想出他的花样；彼此交好，务必要他帮忙的意思。赵员外考究所以，才晓得电报是他钱庄上转来；嘴里虽然诺诺连声，心上却不住的打主意。等到王柏臣说完，他主意亦已打好，连忙接口道："是呀，老父台不说，治弟[2]为着这件事正在这里替老父台担心呢！头一个就是敝钱庄的一个伙计到治弟家里来报信。治弟因为是老父台的事情，一来我们自己人，二来匿丧是革职处分，所以治弟当时就关照他，叫他不要响起，并且同他说：'王大老爷待人厚道，你如今替他出了力，包在我身上，将来总要补报你的。'这个伙计经过治弟嘱咐，一定不会多嘴。这话是哪里来的，老父台倒要查考查考。"王柏臣道："查也无须查得，只要老哥肯帮忙。现在兄弟已被后任禀了出去，这种公事，上头少不得总要派人来查，上头派人来查，自然头一桩要搜寻这电报的底子。只说是老哥替兄弟扣了下来，兄弟始终一个不知情，总不能说兄弟的不是。"

赵员外道："不是这样说，且等我想想来。"于是一个人抱着水烟袋，闭着眼睛，出了一会神，歇了半天，才说道："这件事不该这样办法。"王柏臣便问："如何办法？"赵员外道："你说电报是我扣下来的，不给你晓得，总算地方上绅士大家爱戴你，不愿你去任，所以才有此举。这事情并非不好如此办，但是光我一个人办不到，总得还要请出几位来，大家商量商量，

---

① 在苫（shān）——父母死了百天之内为在苫。

② 治弟——对州、县官自称的谦词，表示在其治辖之下。

约会齐了才好办。”王柏臣一听不错,便求他写信去联络众位。一面说话,一面便把纸墨笔砚取了出来,请他当面写信,又亲自动手替他磨墨。赵员外又愣了一会,道:“且慢。来了电报,不给你晓得,总算是我替你扣下来的,但是你没有得信,凭空的钱粮跌价,这话总说不过去,总是一个大漏洞。我们总得预先斟酌好了,方才妥当。”王柏臣听他说得有理,亦就呆在一旁出神。赵员外道:“这事情不是三言两语可以了结的,等治弟出去商量一个主意,再进来回复老父台就是了。”列位要晓得:赵员外既然存了主意要敲王柏臣的竹杠,人有见面之情,自然当着面有许多话说不出。王柏臣不懂得,还要起身相留。幸亏账房师爷明白,丢个眼色给东家,叫他不必留他;又帮着东家,替东家再三拜托赵员外,说道:“你老先生有什么指教,敝居停不能出门,兄弟过来领教就是了。”赵员外于是起身别去。

到得晚上,王柏臣急不可耐,差了账房师爷前去探听回音。赵员外见了面,便道:“主意是有一条,亦是兄弟想出来的,不过我们这当中还有几位心上不是如此。”账房师爷急欲请教。赵员外道:“电报是敝钱庄上通知了兄弟,由兄弟通知了各绅士,就是大家意思要留这位贤父母多做两天,显得我们地方上爱戴之情。这事只要兄弟领个头,他们众人倒也无可无不可。至于钱粮何以预先跌价?倘说是贤父母体恤百姓的苦处,虽亦说得过去;但是夹着丁忧一层,总不免为人借口。何如由我们绅士大家顶上一个禀帖,叙说百姓如何苦,求他减价的意思,倒填年月,递了进去?有了这个根子,便见得王老父台此举不是为着丁忧了。还有一个逼进一层的办法:索性由我们绅士上个公禀,就说是王老父台在这里做官,如何清正,如何认真,百姓实在舍他不得。现在国家有事之秋,正当破格用人之际,可否先由瞿某人代理起来,等他穿孝百日过后,仍旧由他署理,以收为地择人之效。禀帖后头,并可把后任这几天断的案子叙了进去,以见眼前非王某人赶紧回任竭力整顿不可。后任既然会出王老父台的花样,我们就给他两拳也不为过。不过其中却要同后任做一个大大冤家,因此有几个人主意还拿不定。”

账房师爷听了他话,心上明白,晓得他无非为两个钱;只要有了几个钱,别人的事,他都可以作得主意。又想:“这事就要做得快,一天天蹉跎过去,等上头查了下来,反为不妙。”于是起身把嘴附在赵员外耳朵旁边,索性老老实实问他多少数目;又说:“这钱并不是送你老先生的,为的是诸公跟前总得点缀点缀。况且敝居停这季钱粮已经收了九分九,无非是你们诸公所赐,这几个钱也是情愿出的。”赵员外听他说得冠冕,也就不同他客气,索性照实说,讨了二千的价。禁不起账房师爷再四蹉磨,答应了一千。彼此定议。回来通知了王柏臣。王柏臣无可说得,只得照办,次日一早把银子划了过去。

赵员外跟手送进来一张求减银价的公呈,倒填年月,还是一个月前头的事;又把保留他的稿禀也一块儿请他过目。王柏臣看了自然欢喜。虽然是银子买来的,面子上却很拿赵员外感激。一会又说要拿女儿许给赵员外的儿子,同他做亲家;一会又说:“倘若上头能够批准留任,将来不但你老兄有什么事情,兄弟一力帮忙;就是老兄的亲戚朋友有了什么事情,只要嘱咐了兄弟,兄弟无不照应。最好就请吾兄先把自己的亲戚朋友名号开张单子给兄弟,等兄弟拿他贴在签押房里,遇见什么事,兄弟一览便知,也免得惊动老兄了。”赵员外道:“承情得很!但愿如此,再好没有!但是批准不批准,其权操之自上,亦非治弟们可能拿稳的。”王柏臣道:“诸公的公禀,并非一人之私言;上宪俯顺舆情,没有不批准的。”赵员外道:“那亦看罢了。”说完辞去。王柏臣重复千恩万谢地拿他送到二门口,又叫账房师爷送出了大门。自此王柏臣便一心一意静候回批。

谁知瞿耐庵禀揭他的禀帖,不过虚张声势,其实并没有出去。后来听说众绅士递公禀保留前任,他便软了下来,又从新同前任拉拢起来。起先前任王柏臣还催他早算交代,以便回籍守制。瞿耐庵道:“忙什么!听说地方绅士一齐有禀帖上去保留你,将来这个缺总是你的,我不过替你看几天印罢了。依我看起来,这交代很可以不必算的。”王柏臣道:“虽然地方上爱戴,究竟也要看上头的宪眷。像你耐翁同制宪的交情,不要说是一个兴国州,就是比兴国州再好上十倍的缺也容易!”瞿耐庵道:“这句话,兄弟也不用客气,倒是拿得稳的。”一连几天,彼此往来甚是亲热。

过了一天,上头的批禀下来,说:

“王牧现在既已丁忧,自应开缺回籍守制。州缺业已委人署理,早经禀报接印任事在案。目下非军务吃紧之际，何得援例夺情①？况该牧在任并无实在政绩及民，该绅等率为禀请保留原任，无非出自该牧贿嘱，以为沽名钓誉地步。绅等此举殊属冒昧，所请着不准行！”

一个钉子碰了下来，王柏臣无可说得，只好收拾收拾行李，预备交代起程。好在囊橐充盈，倒也无所顾恋。

至于瞿耐庵一边，一到任之后，晓得钱粮已被前任收个净尽，心上老大不自在，把前任恨如切骨，时时刻刻想出前任的手。后来听说绅士有禀保留，一来晓得他民情爱戴，二来亦指望他真能留任，自己可以另图别缺；所以前几日间同前任重新和好。等到绅士禀帖被驳，前任既不得留，自己绝了指望，于是一腔怒气，仍复勾起。自从这日起，便与前任不再见面，逐日督率着师爷们去算交代。欠项款目自不必说，都要一一斤斤较量；至于细头关目，下至一张板凳，一盏洋灯，也叫前任开账点收，缺一不可。

瞿耐庵的账房就是他的舅子，名唤贺推仁，本在家乡教书度日；自从姊丈得了差使，就把他叫到武昌在公馆帮闲为业，带着叫他当当杂差，管管零用帐。一连吃了一年零两个月闲饭。姊夫得缺，就升他作账房，自此更把他兴头得了不得。通衙门上下都尊为舅老爷。下人有点不好，舅老爷虽不敢径同老爷去说，却趁便就跑到太太跟前报信，由太太传话给老爷，将那下人或打或骂。因此舅老爷的作用更比寻常不同。这贺推仁更有一件本事，是专会见风使舵，看眼色行事，头两天见姊夫同前任不对，他便于中兴风作浪，挑剔前任的账房。后来两天，姊夫忽同前任又要好起来，他亦请前任账房吃茶吃酒。近来这两天见姊夫同前任翻脸，他的架子登时亦就“水涨船高”。

向来州、县衙门，凡遇过年、过节以及督、抚、藩、臬、道、府六重上司或有喜庆等事，做属员的孝敬都有一定数目；什么缺应该多少，一任任相沿下来，都不敢增减毫分。此外还有上司衙门里的幕宾，以及什么监印、文案、文武巡捕，或是年节，或是到任，应得应酬的地方，亦都有一定尺寸。至于门敬、跟敬，更是各种衙门所不能免。另外府考、院考办差，总督大阅

---

① 夺情——清代虽有丁忧制度，但对职务重要或特需情况时，可令其不必去职，或丧期未满提前复职，叫夺情。

办差，钦差过境办差；还有查驿站的委员，查地丁的委员，查钱粮的委员，查监狱的委员，重重叠叠，一时也说它不尽。诸如此类，种种开销，倘无一定而不可易的章程，将来开销起来，少则固惹人言，多则遂为成例。所以这州、县官账房一席，竟非有绝大才干不能胜任。每见新官到任，后任同前任因银钱交代，虽不免彼此龃龉①；而后任账房同前任账房，却要卑礼厚币，柔气低声，以为事事叨教地步。缺分无论大小，做账房的都有历代相传的一本秘书；这本秘书就是他们开销的账簿了。后任账房要到前任手里买这本账簿，缺分大的，竟是三百、五百的讨价，至少也得一二百两或数十两不等。这笔本钱都是做账房的自己挖腰包，与东家不相干涉。只要前后任账房彼此联络要好，自然讨价也会便宜；倘然有些犄牾②，就是拼出价钱，那前任的账房亦是不肯轻易出手的。

贺推仁同前任账房忽冷忽热，忽热忽冷，人家同他会过几次，早把他的底细看得穿而又穿。他不请教人，人家也不俯就他。瞿耐庵到任不多几日，不要说别的，但是本衙门的开销，什么差役工食、犯人口粮，他胸中毫无主宰，早弄得头昏眼花，七颠八倒；又不敢去请示东家，只索同首府所荐的一个杂务门上马二爷商量。马二爷历充立幕③，这些规矩是懂得的；便问："舅老爷同前任账房师爷接过头没有？簿子可曾拿过来？"贺推仁道："会是会过多次，却不晓得有什么簿子。"马二爷一听这话，晓得他是外行。因为舅老爷是太太面上的人，不敢给他当上，便把做账房的诀窍，一五一十，统通告诉了一遍。

贺推仁至此方才恍然大悟，便道："据你说，怎么样呢？"马二爷道："依家人愚见：舅老爷先把这些应开销的账目暂时搁起，叫他们过天来领；一面自己再去拜望拜望前任的账房师爷，然后备副帖子请他们明天吃饭，才好同他们开口这件事情。"贺推仁道："吃饭是我已经请过的了。"马二爷道："前头请的不算数，现在是专为叨教来的。"贺推仁道："倘若我请了他，他再不把簿子交给我，岂不是我又化了冤钱？"马二爷道："唉！我的舅老爷！吃顿饭值得什么，这本簿子是要拿银子买的！"贺推仁一听，

① 龃龉（jǔyǔ）——上下牙不齐，比喻意见不合。
② 犄牾（jīwǔ）——矛盾，抵触。
③ 立幕——管理文案的差役。

不禁大为失色，忙问："多少银子？"马二爷道："一二百两、三四百两，都论不定，像这个缺几十两是不来的。"贺推仁听说要许多银子，吓得舌头伸了出来缩不回去；歇了半天，才说道："人家都说账房是好事情，像我来了这几天，一个钱都没有见，哪里有许多银子去买这个呢！"马二爷道："这是州、县衙门里的通例，做了账房是说不得的。没有银子好借，将来还人家就是了。"贺推仁道："当了账房好处没有，先叫我去拖债，我可不能！姑且等我斟酌斟酌再说。"于是趁空便把这话告诉了他姊姊瞿太太。瞿太太道："放屁！衙门里买东西，无论哪一项都有一个九五扣，这是账房的呆出息。至于做官的，只有拿进两个，哪里有拿出去给人家的。什么工食、口粮，都是官的好处，我从小就听见人说，这些都用不着开销的。他们不要拿那簿子当宝贝，你看我没有簿子也办得来！"一顿话说得贺推仁无言可答。

过了两天，忽然府里听差的有信来，说本府大人新近添了一位孙少爷，各属要送礼。瞿耐庵晓得贺推仁不懂得这个规矩，索性不同他说话，叫了杂务门马二爷上来问他。马二爷又把前言回了一遍，又说："这本簿子是万万少不得的！"瞿耐庵默然无言，回来同刑、钱老夫子提起此事。钱谷老夫子是个老在行，便道："怎么耐翁接印这许多天，贺推翁这件事还没办好？这件事向例没有接印的前头就要弄好的。幸亏得这账房兄弟同他熟识，等兄弟同他去说起来看。"瞿耐庵道："如此就拜托了。"钱谷老夫子果然替他去跑了两天。前任账房见了面甚是客气，不过提到账簿，前任账房便同钱谷老夫子咬耳朵咬了半天，又说："彼此都是自己人，我兄弟好瞒得你吗。如今将下情奉告过你老先生，料想你老先生也不会责备我兄弟了。"钱谷老夫子也晓得这事非钱不行，只得回来劝东家送他们一百银子，又说："这是起码价钱。"瞿耐庵是预先听了太太的吩咐，一个钱不肯往外拿。钱谷老夫子一看，事情不会合拢，也就搭讪着出去，不来干预这事。

原来前任账房的为人也是精明不过的，晓得瞿耐庵生性吝啬，决计不肯多拿钱的，不如趁此时簿子还在手中，乐得做他两注买卖。主意打定，便叫值账房的传话出去："凡是要常常到账房里领钱的主儿，叫他们或是今天，或是明天，分班来见，师爷有话交代他们。"众人还不晓得什么事情。到了天黑之后，先是把宅门的同了茶房进来，打了一个千，尊了一声

“师老爷”,垂手一旁站着听吩咐。只见那账房师爷笑嘻嘻地对他们先说了一声“辛苦”。把门的道:“小的当差使日子虽浅,蒙大老爷、师老爷抬举,不要说没有捱过一下板子,并且连骂都没有骂一声。如今大老爷走了,师老爷也要跟着一块儿去,小的们心上实在舍不得师老爷走。”账房师爷道:“只要你们晓得就好,所以你们晓得好歹,大老爷同我也有恩典给你们。”他二人一听有恩典给他,于是又凑前一步。

账房师爷拿帐翻了一翻,先指给把门的看,道:“这是你门下应该领的工食。你每月只领几个钱,原是历任相沿下来的,并不是我克扣你们。如今我要走了,晓得你们都是苦人,可以替你们想法子的地方,我总肯替你们想法子的。幸亏这簿子还没有交代过去,等我来做桩好事,替你把簿子改了过来,总说是月月领全的。后任亦不在乎此。”把门的听了这话,连忙跪下磕了一个头,说了声“谢师老爷栽培!不但小的感念师老爷的恩典,就是小的家里的老婆孩子也没有一个不感念师老爷的”!

账房师爷也不理他。又指出一条拿给茶房看,说:“这是你领的工食。历任手里只领多少,我如今也替你改了过来。”账房师爷的意思,以为如此,那茶房又要磕头的了;岂知茶房呆着,昂然不动。停了一回,说道:“回师老爷的话:‘有例不兴,无例不灭。’这两句俗语料想师老爷是晓得的。师老爷肯照顾小的,小的岂有不知感激之理!但是小的这差使也不只当了一年了,历任大老爷,一任去,一任来,少说也伺候过七八任。等到要临走的时候,账房师爷总是叫了小的们来,说体恤小的们,那一款,那一款,都替小的们复了旧;不过师爷们改簿子,稍些要花两个辛苦钱。小的们听了这个说话,总以为当真的了,心上想:‘果然如此,便是一辈子沾光,就是眼前花两个也还有限。’连忙回家借钱或是当当孝敬师爷;有的写张领纸,多借一两个月工食以作报效。谁知前任师爷钱已到手,也不管你后头了。到了后任账房手里,哪知扣得更凶。譬如前任账房只发五成的,这后任只发二三成,有的一成都不发。小的们便上去回说:‘师老爷!这个前任有账可以查得的。’那账房便发怒道:“混账王八蛋!我岂不知道有账!你可晓得那账是假的,一齐是你们花了钱买嘱前任替你们改的!’我的师老爷,你老人家想,这些后任的账房怎么就会晓得我们花了钱改的?真正眼睛比镜子还亮。当时小的们已经化了一笔冤钱孝敬前任,还没有补上空子,哪里还禁得后任分文不给呢?到了无可奈何之时,只得托了人去疏通,老实对后任说,前任实实在在是个什么数目。好容易把话说明白,后任还怪小的们不应该预支透付,以致好处都被前任占去,一定还在后来领的数目里一笔一笔的明扣了去,丝毫也不肯让一点。小的们上过一回当还不死心,等到第二任又是如此的一办;等到再戳破以后,便死心塌地不来想这些好处了。如今蒙师老爷恩典,小的心上实是感激!但求师老爷还是按照旧账移交过去,免得后任挑剔,小的们就感恩不浅!小的说的句句真言;灯光菩萨在这里,小的倘有一句假话,便不是人生父母养的!"

账房师爷听了他这番议论,气得半天说不出话来;仔细想了想,他的话又实在不错,无可驳得。只得微微地冷笑了两声,说道:"你说的很是!倒怪我瞎操心了!"说着,拿簿子往桌上一推,取了一根火煤子就灯上点着了火,两只手捧着了水烟袋,坐在那里呼噜呼噜吃个不了。茶房碰了钉子,退缩到门外,还不敢就出去。站了好一回,账房师爷才吩咐得一句道:"你们还在这里做什么!"于是把门的又向师爷磕了一个头,说了声"谢师老爷恩典"。那茶房仍旧昂立不动,搭讪着跟着一块儿退出去。账房师爷眼望着他们出去了,心上甚是觉着没趣。

幸亏到了次日,别的主顾很有几个相信他的话,仍旧把他鼓起兴来。他见了人总推头说自己不要钱,不过改簿子的人不能不略为点缀。一连做了两晚上的买卖,居然也弄到大大的一笔钱。然后把簿子通通另外誊了一遍,预备后任来要。

再说后任瞿耐庵见前任不把簿子交出,便接二连三,一天好几遍叫人来讨。背后头还说:"他再不交来,我一定禀明上头,看他在湖北省里还想吃饭不吃饭!"瞿太太见事不了,又从旁代出主意:"现在人心难测,就把簿子交了出来,谁能保他簿子里不做手脚。总而言之一句话:这里头的弊病,前任同后任不对,一定拿数目改大。譬如孝敬上司,应该送一百的,他一定要写二百;开发底下,向来是发一半的,他一定要写发全分,或者七成八成。他们的心上总要我们多出钱他才高兴。你在省里候补的时候,这些事不留心;我是姊妹当中有些他们的老爷也做过现任的交卸回来,都把这弊病告诉了我,我都记在心上,所以有些开销都瞒不过我。只要这本帐簿拿到我眼睛里来,是真是假,我都有点数目。现在你姑且答应他一百银子。同他言明在先:先拿簿子送来看过,果然真的,我自然照送,一个不少；倘若一笔假帐被我查了出来，非但一个钱没有，我还要四处八方写信去坏他名声的。”瞿耐庵听了太太吩咐，自然奉命如神，仍旧出来去找钱谷老夫子托作介绍。钱谷老夫子道：“话呢，不妨如此说；但是不送银子，人家的簿子也决计不肯拿出来的。至于不许他造假帐，这句话我可以同他讲的。”无奈瞿耐庵听了太太的话，决计不肯先送银子。钱谷老夫子急了，便道：“这一百银子暂且算了我的；将来看帐不对，在我的束脩上扣就是了。”在他的意思，以为如此说法，他们决计无可推却；岂知瞿耐庵夫妇倒反认以为真，以为有他担待，这一百两银子将来总收得回来的。于是满口答应，当天就划了一张票子送给钱谷老夫子。

等到钱谷老夫子将账簿取了过来，太太略为翻着看了一看，以为这兴国州是个大缺，送上司的寿礼、节礼至少一百金一次；岂知账簿上开的只有八十元或是五十元，顶多的也不过百元。从前他老爷也到外府州、县出过差，各府州、县于例送菲敬之外，一定还有加敬；譬如菲敬送三十两，加敬竟加至五六十两不等。候补老爷出差全靠这些。今看账簿，菲敬倒还不差上下，但是加敬只有四两、六两，至多也只有十两。此时他夫妇二人倒不疑心这簿子是假的了。但是如此一个大缺，孝敬上司只有这个数目，应酬同寅也只有这个数目，心上不免疑疑惑惑。既而一想：“州、县缺分本有明缺、暗缺之分：明缺好处在面子上，暗缺好处在骨子里；在面子上的应酬大，在骨子里的应酬小。照此看来，这个缺倒是一个暗缺，很可做得。”如此一想，也不疑心了。谁知看到后面，有些开销，或是送同城的，或是开发本衙门书差的数目，反见加大起来。于是瞿太太遂执定说这个簿子是前任账房所改，一百银子一定不能照送，要扣钱谷老夫子束脩。钱谷老夫子不肯，于是又闹出一番口舌。要知后事如何，且听下回分解。

第四十二回

欢喜便宜暗中上当　附庸风雅忙里偷闲

话说瞿耐庵夫妇吵着要扣钱谷老夫子一百银子的束脩，钱谷老夫子不肯，闹着要辞馆，瞿耐庵急了，只得又托人出来挽留。里面太太还只顾吵着扣束脩，又说什么“一季扣不来，分作四季扣就是了，要少我一个钱可是不能”！瞿耐庵无奈，只得答应着。

账房簿子既已到手，顶要紧的应酬，目下府太尊添了孙少爷，应送多少贺敬？翻开簿子一看，并无专条。瞿太太广有才情，于是拿了别条来比拟。上头有一条是：“本道添少爷，本署送贺敬一百元。”瞿太太道：“就拿这个比比罢。本府比本道差一层，一百块应得打一个八折，送八十块；孙少爷又比不得少爷，应再打一个八折；八八六十四，就送他六十四块罢。”于是叫书启师爷把贺禀写好，专人送到府里交纳。

不料本府是个旗人，他自己官名叫喜元。他祖老太爷养他老太爷的那一年，刚正六十四岁，因此就替他老太爷起了个官名，叫做“六十四”。旗人有个通病，顶忌的是犯他的讳，不独湍制台一人为然。这喜太守亦正坐此病。他老太爷名叫六十四，这几个字是万万不准人家触犯的。喜太守自接府篆，同寅荐了一位书启师爷，姓的是大耳朵的陆字。喜太守见了心上不愿意，便说：“大写小写都是一样，以后称呼起来不好出口，可否请师爷换一个？”师爷道：“别的好改，怎么叫我改起姓来！”晓得馆地不好处，于是弃馆而去。喜太尊也无可如何，只得听其自去。喜太尊虽然不大认得字，有些公事上的日子总得自己标写；每逢写到“六十四”三个字，一定要缺一笔；头一次标“十”字也缺一笔。旁边稿案便说：“回老爷的话：‘十’字缺一笔不又成了一个‘一’字吗？”他一想不错，连忙把笔放下，踌躇了半天没得法想。还是稿案有主意，叫他横过一横之后，一竖只写一半，不要头透。他闻言大喜，从此以后便照办，每逢写到“十”字，一竖只竖一半；还夸奖这稿案，说他有才情。又说：“我们现在升官发财是哪里来的？不是 老太爷养咱们，咱们哪里有这个官做呢？如今连他老人家的讳都忘了,还成个人吗。至于我,如今也是一府之主了,这一府的人总亦不能犯我的。”于是合衙门上下摸着老爷这个脾气,一齐留心,不敢触犯。

偏偏这回孙少爷做满月,兴国州孝敬的贺礼,签条上竟写了个“喜敬六十四元”。先是本府门政大爷接到手里一看,还没有嫌钱少,先看了签条上写的字,不觉眉头一皱,心上转念道:“真正凑巧!统共六个字,倒把他老人家父子两代的讳一齐都闹上了。我们如果不说明,照这样子拿上去,我们就得先碰钉子,又要怪我们不教给他了。”转了一回念头,又看到那封门包,也写得明明白白,是“六元四角”。门政大爷到此方才觉得兴国州送的贺礼不够数;于是问来人道:“你们贵上的缺,在湖北省里也算得上中字号了。怎么也不查查账,只送这一点点?这个是有老例的。”瞿耐庵派去的管家说道:“例倒查过,是没有的。敝上怕上头大人挑眼,所以特特为为查了几条别的例,才斟酌了这么一个数目。相烦你替咱费心,拿了上去。”门政大爷一面摇头,一面又说道:“你们贵上大老爷这回署缺,是初任还是做过几任了?”派去的管家回称“是初任”。门政大爷道:“这也怪不得你们老爷不晓得这个规矩了。”派去的管家问“什么规矩”。门政大爷道:“你不瞧见这签条上的字吗?又是‘喜元’,又是‘六十四’,把他父子两代的讳都干上去。你们老爷既然做他的下属,怎么连他的讳都不打听打听?你可晓得他们在旗的人,犯了他的讳,比当面骂他‘混账王八蛋’还要厉害?你老爷怎么不打听明白了就出来做官?”一顿话说得派去的管家呆了,只得拜求费心,说:“求你想个法子替敝上遮瞒遮瞒,敝上总是感激,总要补报的。”

门政大爷见他孝敬的钱不在分寸上,晓得这位老爷手笔一定不大的,便安心出出他的丑,等他以后怕了好来打点。主意打定,一声不响,先把六元四角揣起,然后拿了六十四块,便直径奔上房里来告诉主人。恰巧喜太尊正在上房同姨太太打麻雀牌哩,打的是两块钱一底的小麻雀。喜太尊先前输了钱不肯拿出来;其时正和了一副九十六副,姨太太想同他扣账,他不肯,起身上前要抢姨太太的筹码。正闹着,齐巧门政大爷拿着洋钱进来。姨太太道:“不要抢了,送了洋钱来了。”喜太尊一听有洋钱送来,果然放手,忙问:“洋钱在哪里?”门政大爷不慌不忙,登时把一个手本,一封喜敬,摆在喜太尊面前。喜太尊一看手本,知道是新任兴国州知州瞿某人,忽然想起一桩事来,回头问门政大爷道:“瞿某人到任也有好多天了,怎么'到任规'还没送来?兴国州是好缺,他都如此疲玩起来,叫我这本府指望谁呢?"门政大爷道:"这是送的孙少爷满月的贺礼。他有人在这里,'到任规'却没有提起。"于是喜太尊方才歪过头去瞧那一封洋钱;一瞧是"喜敬六十四元"六个小字,面色登时改变,从椅子上直站起来,嘴里不住地连声说:"啊!啊!"啊了两声,仍旧回过头去问门政大爷道:"怎么他到任,你们也没有写封信去拿这个教导教导他?"门政大爷道:"这个向来是应该他们来请示的。他们既然做到属员,这些上头就该当心。等到他们来问奴才,奴才自然交代他,他不来问,奴才怎么好写信给他呢。"喜太尊道:"写两封信也不要紧。你既然没有写信通知他们,等他来了,你就该告诉他来人,叫他拿回去重新写过再送来。如今拿了这个来给我瞧,可是有心给我下不去不是?"

门政大爷道:"老爷且请息怒。请老爷先瞧瞧他送的数目可对不对?"喜太尊至此方看出他止送有六十四块。此时也不管签条上有他老太爷的名讳,便登的一声,接着豁琅两响,把封洋钱摔在地下,早把包洋钱的纸摔破,洋钱滚了满地了。喜太尊一头跺脚,一头骂道:"岂有此理!岂有此理!他这明明是瞧不起我本府!我做本府也不是今天才做起,到他手里要破我的例可是不能!怎么他这个知州腰把子可是比别人硬绷些,就把我本府不放在眼里!'到任规'不送,贺礼亦只送这一点点!哼哼!他不要眼睛里没有人!有些事情,他能逃过我本府手吗!把这洋钱还给他,不收!"喜太尊说完这句,麻雀牌也不打了,一个人背着手自到房里生气去了。

这里门政大爷方从地板上把洋钱一块一块地拾起,连着手本捧了出来。那瞿耐庵派去的管家正坐在外面候信哩。门政大爷走进门房,也把洋钱和手本往桌上一摔,道:"伙计!碰下来了!上头说'谢谢',你带回去罢!"瞿耐庵派去的管家还要说别的;门政大爷因见又有人来说话,便去同别人去聒唧,也不来理他了。瞿耐庵管家无奈,只得把洋钱、手本揣了出来,回到下处;晓得事不妙,不敢径回本州,连夜打了一个禀帖给主人说明原委,听示办理。等到禀帖寄到,瞿耐庵看过之后,不觉手里捏着一把汗,进来请教太太。谁知太太听了反行所无事,连说:"他不收,很好!……我的钱本来不在这里嫌多,一定要孝敬他的。好歹咱们是署事,好便好,不好,到一年之后,他东我西,我不认得他,我也不仰攀他,要他认得我。派去的人赶紧写信叫他回来。就说我眼睛里没有本府，我担得起，看他拿我怎样！”瞿耐庵听了太太的话，一想不错，于是写了封信把管家叫了回来。后来本府喜太尊又等了半个月，不见兴国州添送进来，“到任规”也始终没送；心上奇怪，仔细一打听，才晓得他有这么一位仗腰的太太。面子上虽说不出，只好暗地想法子。

闲话少叙。且说瞿耐庵夫妇二人因见本府尚奈何他不得，以后胆子更大，除了督、抚、两司之外，其余连本道都不在他眼里。三节两寿，孝敬上司的钱，虽不敢任情减少，然而总是照着前任移交过来的簿子送的。各位司、道大人都念他同制台有点瓜葛，大家都不与他计较，不过恨在心里。究竟多送少送，瞿耐庵并不晓得，以为“照着簿子，我总交代得过了”。只有抚台是同制台敌体的，有些节敬、门包等项送得少了，便由首县传出话来，说他一两句，或是退了回来。瞿耐庵弄得不懂，告诉人说：“我是照例送的，怎么他们还贪心不足？”无奈抚台面上，只好补些进去。有时候添过原数，有时候不及原数，总叫使他钱的人心上总不舒服；这也非止一次了。还有些过境内委员老爷，或是专门来查事件的，他也是照着簿子开发，以致没一位委员不同他争论。

正是光阴似箭，日月如梭，不知不觉，瞿耐庵自从到任至今也有半年了。治下的百姓因他听断糊涂，一个个痛心疾首，还是平常；甚至上司，同寅也没有一个喜欢他的。磕来碰去，只有替他说坏话的人，没有一个说他好的人。他自以为：“我于上司面上的孝敬，同寅当中的应酬，并没有少人一个，而且笔笔都是照着前任移交的簿子送的。就是到任之初，同本府稍有龃龉，后来首县前来打圆场，情面难却，一切‘到任规’，孙少爷满月贺礼，都按照簿子上孝敬本道的数目孝敬本府，也算得尽心的了。”哪知本府亦恨之入骨。一处处弄得天怒人怨，在他自己始终亦莫明其所以然。

不料此时他太太所依靠的干外公湍制台奉旨进京陛见；接着又有旨意叫他署理直隶总督，一时不得回任。这里制台就奉旨派了抚台升署，抚台一缺就派了藩台升署，臬台、盐道以次递升，另外委了一位候补道署理盐道。省中大局已定，所属印委各员，送旧迎新，自有一番忙碌，不消细述。

且说这位署理制台的，姓贾，名世文。底子是个拔贡；做过一任教官，后来过班知县；连升带保，不到二十年工夫，居然做到封疆大吏；在湖北巡抚任上也足足有了三个年头。这年实年纪六十六岁。生平保养得很好，所以到如今还是精神充足。自称生平有两桩绝技：一桩是画梅花，一桩是写字。

他的书法，自称是王右军一路，常常对人说："我有一本王羲之写的'前赤壁赋'，笔笔真楷，碧波清爽，一笔不坏；听说还是汉朝一个有名的石匠刻的。兄弟自从得了这部帖，每天总得临写一遍；一年三百六十日，从没有一天不写的。"大家听了他的话，——幸亏官场上有学问的人也少，究竟王右军是那一朝代的人，一百个当中，论不定只有三个两个晓得。——晓得的也不过付之一笑，不晓得的还当是真的哩。他说近来有名的大员如同彭玉麟、任道熔等，都欢喜画梅花，他因此也学着画梅花。他画梅花另有一个诀窍，说是只要圈儿画得圆，梗儿画得粗，便是能手。每逢画的时候，或是大堂幅，或是屏幅，自己来不及，便叫管家帮着画圈；管家画不圆，他便检了几个沙壳子小钱铺在纸上，叫管家依着钱画，没有不圆的了。等到管家画完之后，然后再经他的手钩须加点。

有些下属想要趋奉他，每于上来禀见的时候，谈完了公事，有的便在袖筒管里或是靴页子里，掏出一张纸或是一把扇子，双手捧着，说一声"卑职求大人墨宝"，或是"求大人法绘"。那是他再要高兴没有，必定还要说一句："你倒欢喜我的书画么？"那人答应一声"是"，他更乐得了不得。送客回来，不到天黑便已写好，画好，叫差官送给那人了。

后来大家摸着他的脾气。就有一位候补知县，姓卫，名瓒，号占先，因为在省里穷的实在没有路子走了，曾于半个月前头，求过贾制台赏过一幅小堂画。贾制台的脾气是每逢人家求他书画，一定要详详细细把这人履历细问一遍，没差的就可得差，无缺的就可得缺。候补班子当中，有些人因走这条路子得法的很不少。卫占先为此也赶到这条路上来。但是求书画的人也多了，一个湖北省城哪里有这许多缺，许多差使应酬他们。弄到后来，书画虽还是有求必应，差缺却有点来不及了。卫占先心上踌躇了一回，忽然想出一条主意来，故意地说："有事面禀。"号房替他传话进去。贾制台一看手本，记得是上次求过书画的，吩咐叫"请"。见面之后，略为扳谈了几句。卫占先扭扭捏捏又从袖子管里掏出一卷纸来，说："大人画的梅花，卑职实在爱得很！意思想再求大人赏画一张，预备将来传之子孙，垂之久远。"贾制台道："不是我已经给你画过一张吗？"卫占先故意把脸一红,吞吞吐吐地,半天才回道:“回大人话:卑职该死!卑职该死!卑职没出息!卑职因为候补的实在穷不过,那张画卑职领到了两天,就被人家买了去了。”贾制台一听这话,不禁满脸堆下笑来,忙问道:“我的画,人家要买吗?”卫占先正言厉色地答道:“不但人家要买,并且抢着买!起先人家讨价,卑职要值十两银子。”贾制台皱着眉,摇着头道:“不值罢!不值罢!”又忙问:“你到底几个钱卖的?”卫占先道:“卑职实实在在到手二十块洋钱。”贾制台诧异道:“你只讨人家十两,怎么倒到手二十块洋钱?”卫占先道:“卑职讨了那人十两,那人回家去取银子,忽然来了一个东洋人,说是听见朋友说起卑职这里有大人画的梅花,也要来买。”贾制台又惊又喜道:“怎么东洋人也欢喜我的画?”卫占先道:“大人容禀。”贾制台道:“快说!”卫占先道:“东洋人跑来要画,卑职回他:‘只有一张。’他说:‘一张就是一张。’卑职拿出来给他看过之后,他便问:‘多少银子?’卑职回他:‘十两银子。已经被别的朋友买了去了。’东洋人道:‘你退还他的银子,我给你十四块洋钱。’卑职说:‘人家已经买定,是不好退还的。’东洋人只道卑职不愿意,立刻就十六块、十八块,一直添到二十块,不由分说,把洋钱丢下,拿着画就跑了。后来那个朋友拿了十两银子再来,卑职只好怪他没有留定钱,所以被别人买了去。那个朋友还满肚皮不愿意,说卑职不是。”贾制台道:“本来是你不是。”卫占先一听制台派他不是,立刻站起来答应了几声“是”。贾制台道:“你既然十两银子许给了人家,怎么还可以再卖给东洋人呢?果然东洋人要我的画,你何妨多约他两天,进来同我说明,等我画了再给他?”卫占先连连称“是”;又说:“卑职也是因为候补的实在苦极了,所以才斗胆拿这个卖给人的。”

贾制台道:“既然有人要,我就替你多画两张也使得。”说罢便吩咐卫占先跟着自己同到签押房里来。贾制台进屋之后,便自己除去靴帽,脱去大衣,催管家磨墨,立刻把纸摊开,蘸饱了笔就画;又吩咐卫占先也脱去衣帽,坐在一旁观看。正在画得高兴时候,巡捕上来回:“藩司有公事禀见。”贾制台道:“停一刻儿。”接着又是学台来拜。贾制台道:“刚刚有事,偏偏他们缠不清!替我挡驾!”巡捕出去回头了。接着又是臬司禀见,说是“夏口厅马同知捉住几个维新党,请示怎么办法”。夏口厅马同知也跟来预备传见。还有些客官来禀见的,官厅子上坐得有如许若干人,只等他老人家请见。他老人家专替卫占先画梅花,只是不出来。

外面学台虽然挡住未曾进来,藩、臬两司以及各项禀见的人却都等得不耐烦。当下藩台先探问:“到底督宪在里面会的什么客,这半天不出来?”探来探去,好容易探到,说是大人正在签押房里替候补知县卫某人画画哩。藩台一向是有毛躁脾气的,一听这话,不觉怒气冲天,在官厅子上,连连说道:“我们是有公事来的,拿我们丢在一边,倒有闲情别致在里头替人家画画儿!真正岂有此理!……我做的是皇上家的官,没有这样闲工夫好耐性去等他!既然不见,等我走!”说着,赌气走出官厅,上轿去了。

且说这时候署藩台的亦是一个旗人,官名唤做噶札腾额,年纪只有三十岁。他父亲曾做过兵部尚书,去世的时候,他年纪不过二十一岁。早年捐有郎中在身,到部学习行走。父亲见背,遂蒙皇上天恩,仍以本部郎中,遇缺即补;服满补缺。幸亏此时他岳丈执掌军机,歇了三年,齐巧碰到京察①年分,本部堂官就拿他保荐上去,引见下来,奉旨以道、府用。不到半年,就放湖北武昌盐法道。是年只有二十七岁。到底年纪轻的人,一心想做好官,很替地方上办了些事,口碑倒也很好。次年还是湍制台任上保荐贤员,把他的政绩胪列②上陈,奉朱批,先行传旨嘉奖。他里面有丈人照应,外面又有总督奏保,所以外放未及三年,便已升授本省臬司。这番湍制台调署直隶总督,本省抚台署理督篆,藩台署理抚篆,所以就请他署理藩篆。他到任之后,靠着自己内有奥援,总有点心高气傲。有些事情,凡是藩司分所应为的,在别人一定还要请示督、抚,在他却不免有点独断独行,不把督、抚放在眼里。

此番偶然要好,为了一件公事前来请示制台。齐巧贾制台替卫占先画画,没有立刻出来相会,叫他在官厅里等了一会,把他等得不耐烦,赌口气出门上轿,径回衙门,公事亦不回了。歇了一会,贾制台把画画完,题了款,用了图章,又同卫占先赏玩了一回,方才想起藩台来了半天了,立刻到厅上请见。哪知等了一刻,外面传进话来,说是藩司已经回去了。贾制台听说藩台已去,便也罢休。

---

① 京察——清时每三年举行京官考绩一次,叫做京察。有四格八法的规定,以为升降的标准。

② 胪(lú)列——罗列,列举。

只因他平日为人很有点号令不常，起居无节，一时高兴起来，想到那个人，无论是藩台，是臬台，马上就传见；等到人家来了，他或是画画，或是写字，竟可以十天不出来，把这人忘记在九霄云外。巡捕晓得他的脾气，回过一遍两遍，多回了怕他生气，也只好把那人丢在官厅上老等。常有早晨传见的人，到得晚上还不请见；晚上传见的人，到得三更、四更还不请见。他睡觉又没有一定的时刻，会着客，看着公事，坐在那里都会朦胧睡去。一天到夜，一夜到天亮，少说也要睡二三十次。幸亏睡的时候不大，只要稍为朦一朦，仍旧是清清楚楚的了。他还有一个脾气，是不欢喜剃头的。他说剃发匠拿刀子剃在头上，比拿刀子割他的头还难过，所以往往一两个月不剃头，亦不打辫子。人家见了，定要老大的吓一跳，倘不说明白是制台，不拿他当作囚犯看待，一定拿他当做孤哀子看待了。除了画梅花写字之外，最讲究的是写四六信。常常同书启老夫子们讨论，说是一个人只要会做四六信，别的学问一定是不差的。因为这四六信对仗既要工整，声调又要铿锵。譬如干支对干支，卦名对卦名，鸟兽对鸟兽，草木对草木；倘若拿干支对卦名，拿鸟兽对草木，便不算得好手了。至于声调更是要紧的，一封信念到完，一直顺流水泻，从不作兴有一个隔顿。一班书启相公、文案老爷，晓得制台讲究这个，便一个个在这上头用心思。至于文理浮泛些，或是用的典故不的当，他老人家却也不甚斤斤较量。

闲话少叙。且说他有位堂母舅，叙起来却是他母亲的从堂兄弟，不过从前替他批过文章，又算是受过业的老夫子。他外祖家是江西袁州人氏。这位堂母舅一直是个老贡生，近来为着年纪大了，家里人口众多，处馆不能养活，忽然动了做官之兴。想来想去，只有这位老贤甥可以帮助几百银子。后来又听见老贤甥升署总督，越发把他喜欢得了不得。意思就想自己到湖北来走一趟，一来想看看老贤甥，二来顺便弄点事情做做："倘若事情不成功，几百银子总得帮助我的。彼时回来弄个教官，捐足花样，倘能补得一缺，也好做下半世的吃着。"主意打定，好容易凑足盘川，待要动身，忽地又害起病来。老年人禁不起病，不到两三天，便把他病得骨瘦如柴，四肢无力。依他的意思，还要挣扎动身前去，他老婆同儿子再三谏阻，不容他起身，他只得罢手。于是婉婉曲曲修了一封书，差自己的大儿子趁了船一直来到湖北省城，寻个好客寓住下。——他的大儿子，便是贾制台的表弟了。这位老表有点秃顶，为他姓萧，乡下人都叫他为"萧秃子"；后来念顺了嘴，竟称其为“小兔子”。

且说小兔子一直是在家乡住惯的，没有见过什么大世面。平常在家乡的时候，见了捕厅老爷，已经当作贵人看待，如今要叫他去见制台，又听人家说起制台的官比捕厅老爷还要大个十七八级，就是伺候制台的以及在制台跟前当底下人的，论起官来，都要比捕厅老爷要大几成，一路早捏一把汗。如今到得这里，不见事情不成功，只得硬硬头皮，穿了一身新衣服，戴了一顶古式大帽子，拣出几样土仪，叫栈房里伙计替他拎到制台衙门跟前。东探西望，好容易找到一个人。小兔子卑躬屈节，自己拿了“愚表弟萧慎”的名片，向那人低低说道：“我是大人的表弟，大人是我的表哥。我有事情要见他，相烦你替我通报一声。”那人拿眼朝他看了两眼，因听说是大人的表弟，方才把嘴努了一努，叫他去找号房。小兔子走到号房门口，又探望了半天，才见一个人在床上睡觉；于是从床上把那人唤醒。那号房一接名片，晓得是大人亲戚，不敢怠慢，立刻通报。传出话来叫“请”。仍旧由号房替他把土仪拿着，把他领了进去叩见表哥。贾制台看了老母舅的信，自有一番寒暄，问长问短。小兔子除掉诺诺答应之外，更无别话说得。贾制台见他上不得台盘，知道没有谈头，便吩咐叫他在客栈暂住，“等我写好回信，连银子就送过来”。小兔子本来是见官害怕的，因见表哥叫他住在外面候信，便也不敢再到衙门里来。

贾制台的公事本忙，记性又不好，一搁搁了一个月，竟把这事忘记。后来又接到老母舅一封信，方才想起，忙请书启老夫子替他打信稿子，写回信，说是送老母舅五百银子。又对书启老夫子说：“这是我的老母舅。这封信须要说几句家常话，用不着太客气的。”书启老夫子回到书房，按照家常信的样子写了一封，送给贾制台过目。贾制台取过来看了一遍，因为上头说的话如同白话一样，心中不甚惬意，吩咐把文案上委员请一位来。委员到来，贾制台仍照前话告诉他一番，又道：“虽是家常信，但是我这位舅太爷，我小的时候曾经跟他批过文章，于家常之中，仍得加点材料才好，也好叫老夫子晓得我如今的笔墨如何。”委员答应退下，自去构思，约摸有三个钟头，做好写好，上来呈政。无奈当中又用了许多典故，贾制台有点不懂，看了心上气闷得很。后来看见信里有“渭阳”两个字，不觉颠头播脑，反而称赞这位文案有才情；又道：“我这封信本是给娘舅带银子去的。‘诗经’上这两句我还记得，是‘我送舅氏，曰至渭阳’。如今用这个典故,可称确切不移。好好好！但是别的句子又做得太文雅些,不像我们至亲说的话了。为了这封信,倒很辛苦你们。无奈写来写去,总不的当。你们如今也不必费心了,还是等我自己写罢。”文案退去之后,贾制台拿两封信给众人看,说:“不信一个武昌省城,连封信都没人写,还要我老头子自己烦心,真正是难了!”

人家总以为他既如此说,这封信一定马上自己动手的;况且舅太爷还在那里指望他寄银子。谁知小兔子在栈房里,一住住了两个月,不敢来见表哥。他老人家事情又多,几个打岔,竟把这件事忘记在九霄云外。忽然一天接到舅母的电报,说是娘舅已死,恳请立刻打发他儿子回去。贾制台到此方想起五百银子未寄,信亦不曾写,如今已来不及了。无可说得,只得叫人把表弟找来,当面怪表弟:“为什么躲着我表哥,自从一面之后,一直不再来见我？我只当你已经动身回去了,我有银子,我给谁带呢?”幸亏小兔子是个锯了嘴的葫芦,由他埋怨,一声不响,听凭贾制台给了他几个钱,次日便起身奔回原籍而去。要知后事如何,且听下回分解。

第四十三回

八座[①]荒唐起居无节　一班龌龊堂构相承

话说小兔子去了三四天，贾制台忽然接到蕲州知州一个夹单，说是“宪台表老爷萧某人趁了轮船过卑境，停船的时候，上下搭客混杂不分，偶不小心，包裹里的银子被扒儿手悉数扒去；现在住在敝署，不能前进，请示办理”等语。原来小兔子自从上了轮船，东张西望，并不照顾自己的行李，以致遇见扒手。当时齐巧解开包裹找衣服穿，一摸银子没有了，立刻吵着闹着，要船上人替他捉贼。贼捉不到，就哭着要船上茶房赔他，一会又说要上岸去告状。船上的人落得顺水推船，趁着轮船还未离岸，马上动手把他的行李送到岸上，由他去告状。他问了问，晓得靠船地方是蕲州该管，忙坐了一辆小车子，奔到州里来告状。这州官姓区，号奉仁，一听是制台的表弟，便也不敢怠慢，立刻请他到衙门里来住，一面禀明制台，请示办理。夹单后面又说：“这银子是在轮船上失去的。轮船自有洋人该管，卑职并无治外法权，还求大人详察。”他的意思以为着此一笔，这事便不与他相干，无非欲脱自己的干系。谁知制台看了这两句，心上不自在，便道：“不管他岸上水里，总是他蕲州该管，少了东西就得问他要。我的亲戚，他们尚且如此，别的小民更不用说了！”说罢，便下了一个札子，将蕲州区牧严行申饬，说他捕务废弛，“限三天人赃并获；逾限不获，定行撤委”。区奉仁接到此信，无奈只得来同小兔子商量，私底下答应小兔子，凡是此番失去的银子都归他赔，额外又送了二十四两银子的程仪；又另外替他写了船票，打发一个家人，两个练勇，送他回籍。一面自己上省禀见制台，面陈此事。

这位区知州是晚上上了火就赶着过江的。到了省里，恐怕制台记挂表弟，立刻上院禀见。幸亏贾制台是个起居无节的，三四更天一样会客。巡捕、号房晓得他的脾气，便也不敢回家，大家轮班在院上伺候。所以虽

---

① 八座——指八抬大轿，此处为督、抚的代词。

是三更半夜,辕门里头仍旧热闹得很。区奉仁走到官厅一看,已经有个人在那里了。这个人歪在首县一向坐惯的一张炕上,低着头打盹;有人走过他的面前,他也不曾觉得。这里官厅子共是三间厂间,只点了一枝指头细的蜡烛,照得满屋三间仍是黑沉沉的,看得不十分清楚。区奉仁是久在外任,省城里这些同寅素来隔膜;初进来时,见那人坐着不动,便也懒得上前招呼。此时正是十月天气,忽然起了一阵北风,吹得门窗户扇稀里哗啦的响。蜡烛火被风一闪,早已蜡油直泻下来,一支蜡烛便已剩得无几了。区奉仁此时也觉得阴气凛凛,寒毛直竖。正想叫管家取件衣服来穿,尚未开口,只见炕上那个打盹的人,忽然"啊唷"一声,从炕上下来,站着伸了一个懒腰,仍就歪下;却不知从哪里拖到一件又破又旧的一口钟①围在身上,拥抱而卧;一双脚露在外头,却是穿了一双靴子。区奉仁看了甚是疑心,既不晓得他是个什么人;"倘若是个官,何以并无家人伺候,却要在这里睡觉?"一面寻思,一面看表。他初进来的时候是十一点三刻,此时已经是三点一刻。

正在看表,忽然听见窗户外面一班差人、轿夫蹲在那里,嘴里不住的嘘哩嘘哩地响,好像吃面条子似的。区奉仁听得清切,便想:"此时也不早了,肚里也有些饿了,我何不叫他们也买一碗吃了,一来可以充饥,二来可以抵当寒气。"主意打定,便想推出门去叫人。谁知外面风大得很,尖风削面,犹如刀子割的一般。尚未开口,管家们早已瞧见,赶了进来,动问:"老爷有何使唤?"区奉仁连忙缩了回来,仍旧坐下;喘息稍定,便把买面吃的话说了。管家道:"三更半夜,哪里有卖面的。他们一般人是冻的在那里嘘哩嘘哩地喘气,并不是吃面,老爷想是听错了。老爷要吃面,等小的出去,到辕门外面去买了来。"区奉仁点点头。管家自去买面。停了好半天,只买得一碗稀粥;说是天将四鼓,面是没有的了。区奉仁只得罢休。

吃过了粥,登时身上有了热气。就问:"上头为什么还不请见?"管家回道:"听说同首府说话哩。首府从掌灯就进来,一直跑进签押房;大人留着吃晚饭,谈字,谈画,一直谈到如今还没有谈完。江汉关道从白天两点钟到这里,都没有见着哩。这位大人只有同首府说得来,有些司、道都

① 一口钟——又叫斗篷,一种没有袖子的外衣。

不如他。”区奉仁道:“首府本来同制台是把兄弟。”管家道:“听说现在又拜了门,拜制台做老师,不认把兄弟了。通武昌省城,只有他可以进得内签押房,别人只好在外头老等。”区奉仁道:“照这样子,可晓得他几时才见?”管家道:“小的进来就问过号房:马上就见亦说不定,十天半个月亦说不定,就此忘记了不见也说不定。”区奉仁道:“我是有缺的人,见他一面,把话说过了,我就要回去的。被他如此耽误下来也好了!”管家道:“这话难说。不是为此,怎么这官厅子上一个个都怨声载道呢?”

主仆二人正讲得高兴,忽见炕上围着一口钟睡觉的那个人一骨碌爬起,一手揉眼睛,一手拿一口钟推在一边,又拿两手拱了一拱,说道:“老同寅,放肆了! 你阁下才来了一霎工夫已经等得不耐烦,兄弟到这里不差有一个月了!”区奉仁一听这话,大为错愕,忙站起来,请教“贵姓、台甫”。那人便亦起身相迎,回称:“姓瞿,号耐庵。”区奉仁一听这“瞿耐庵”三字很熟,想了一会,想不起来。

原来这瞿耐庵自从到了兴国州,前任因为同他不对,前任账房又因需索不遂,就把历任移交的账簿子一齐改了给他。譬如素来孝敬上司一百两银子的,他簿子上却是改做一百元;应该一百元的,都改做五十元。无论瞿耐庵的太太如何精明,如何在行,见了这个簿子,总信以为真,决不疑心是假造的。谁知这可上了当了:送一处碰一处,送两处碰两处;连他自己还不明白所以然,已经得罪的人不少了。你道前任账房的心思可恶不可恶!

起初湍制台在湖北,丫姑爷戴世昌腰把子挺得起,说得动话,瞿耐庵靠着他的虚火,有些上司晓得他的来历,大众看制台分上,都不来同他计较;所以孝敬上司的数目就是少些,还不觉得。不料湍制台一朝调离,丫姑爷尚且失势,他这个假外孙婿更说不着了。贾制台初署督篆,就有人说他坏话。起先贾制台还看前任的面子,不肯拿他即时撤任;后来说他坏话人多了,又把他在任上听断如何糊涂,太太如何要钱,一齐掀了出来。齐巧本府上省,贾制台问到首府,首府又替他下了一副药:因此才拿他撤任。

撤任回省,接连上了三天辕门,制台都没有见他。后来因为要甄别一票人,忽然想着了他,平空里忽然传见。瞿耐庵闻命之后,忙得什么似的,也没有坐轿子,就赶到制台衙门里来。来传的人是十二点一刻到他公馆;瞿耐庵没有吃午饭,不到十二点三刻就赶到辕门,走进官厅,一直坐了老等。谁知左等也不见请,右等也不见请,想要回去,又不敢回去。肚里饿得难过,只好买些点心充饥。看看天黑下来,找到一个素来认得的巡捕,托他请示。巡捕道:“他老人家的脾气,你还不知道么?谁敢上去替你回!他一天不见你,就得等一天;他十天不见你,就得等十天;他一个月不见你,就得等一个月。他什么时候要见,你无论三更半夜,天明鸡叫,你都得在这儿伺候着。倘若走了,不在这里,他发起脾气来,那可不是玩的!”原来这巡捕当初也因少拿了瞿耐庵的钱,心上亦很不舒服他,乐得拿话吓他,叫他心上难过难过。瞿耐庵本来是个没有志气的,又加太太威风一倒,没了仗腰的人,听了巡捕的话,早吓得魂不附体,只得诺诺连声,退回官厅子上静等。哪知等到半夜,里边还没有传见。这一夜,竟是坐了一夜,一直未曾合眼。

等到第二天天明,就在官厅子上洗脸,吃点心。停了一刻,上衙门的人都来了,官厅子上人都挤满。等到制台传见了几个,其余统通散去,又只剩得他一个。仍旧不敢回家,只得又叫管家到公馆里搬了茶饭来吃。这日又等了一天,还没请见。又去请教巡捕。巡捕生气,说道:“你这人好麻烦!同你说过,大人的脾气是不好打发的!既然来了,走不得!怎么还是问不完?”瞿耐庵吓得不敢出气,仍回到官厅上。这夜不比昨夜了,因为昨夜一夜未曾合眼,身子疲倦得很,偶然往炕上躺躺,谁知一躺就躺着了。这一觉好睡,一直睡到第二天出太阳才醒。接着又有人来上院。他碰见熟人也就招呼,好像是特地穿了衣帽专门在官厅上陪客似的。一霎时各官散去,他仍旧从公馆里搬了茶饭来吃。只因其时天气尚不十分寒冷,所以穿了一件袍套还熬得住。

如是者又过了几天,一直不回公馆。太太生了疑心,说:“老爷不要又是到汉口被什么女人迷住了,所以不回来?”偷偷地自己过江探问。无意之中,又打听到前次率领家人去打的那个人家,的确是老爷讨的小老婆,那女人名唤爱珠,本是汉口窑子里的人。当时不知道怎样被夏口厅马老爷一个鬼串,竟被他蒙住了。后来瞿耐庵到任,很寄过几百银子给这女人。不过瞿耐庵惧内得很,一直不敢接他上任。那爱珠又是堂子里出身,杨花水性。幸亏马老爷顾朋友,说道:“倘若照此胡闹下去,终究不是个了局。”就写了一封信给瞿耐庵,说爱珠如何不好,“恐怕将来为盛名之累,已经替你打发了”。瞿耐庵得信之后,无可如何,只索丢开这个念头。

如今这事全盘被太太访闻，始而不禁大怒，既而晓得人已打发，方才把气平下。汉口找不到老爷，于是过江回省。怕家人说的话靠不住，又叫自己贴身老妈摸到制台衙门州、县官厅上瞧了一瞧，果然老爷一个人坐在那里，方始放心。天天派了人送饭送衣服给老爷。过了几天，又因天气冷了，夜里实实熬不住，被头褥子无处安放，只送了一件一口钟，又一条洋毯，以为夜间御寒之用。

闲话少叙。且说当时区奉仁拿他端详了一回，方才想起从前有人提过他是前任制台的寄外孙婿。闻名不如见面，怎么今天也会弄到这个样子。便大略地问了一问。瞿耐庵是老实人，就一五一十地把从前如何得缺，后来如何撤任，回省上辕门，制台如何不见，如今平空的传见，及至来了，一等等了一个月不见传见，以及巡捕又不准他走的话，详述一遍。区奉仁听了，一面替他叹息，一面又自己担心。不觉皱紧眉头，说道："吾兄在省候补，是个赋闲的人，有这闲工夫等他；兄弟是实缺人员，地方上有公事，怎么够耽搁得许久呢？"瞿耐庵道："你要不来便罢；既然来了，少不得就要等他。我正苦没有人作伴，如今好了，有了你老哥，我们空着无事谈谈，兄弟倒着实可以领教了。"区奉仁道："不要取笑！他不见终究不是个事。兄弟这趟上省只带了中毛衣服来，大毛的都没带，原想就好回任的。如今被你老哥这一说，兄弟还要派人回蕲州去拿衣服哩。"

瞿耐庵道："今儿这个样子大约是不会传见的了。你把补褂脱去，也到这炕上来睡一会儿；就是不睡着，我们躺着谈心。夜深了，天气冷，两个人睡在这炕上总比外面好些。我这里还有一条洋毯，你拿去盖盖脚；我这里有一口钟，也可以无须这个了。"起先区奉仁还同他客气，不肯上炕来睡。后来听听里面杳无消息，夜静天寒，窗户又是破碎的，一阵阵的凉风吹了进来，实在有些熬不住了；瞿耐庵又催了三回，方才上炕睡的。两个人就拿了两个炕枕作枕头。

睡下之后，瞿耐庵又同他说："不瞒老哥说：这三间屋里，上面有几根椽子，每根椽子里有几块砖头，地下有几块方砖，其中有几块整的，几块破的，兄弟肚子里有一本账，早把它记得清清楚楚了。"区奉仁听他说得奇怪，忙问所以。瞿耐庵方同他说："兄弟要见不得见，天天在这里替他们看守老营。别人走了，单剩兄弟一个，空着没有事做，又没有人谈天，我只好在这里数砖头了。"区奉仁闻言，甚为叹息。瞿耐庵又说："我们睡一会罢。停刻天亮,又有人来上衙门,一耽误又是半天哩。”却好区奉仁也有点倦意,便亦矇眬睡去。次日起来,才穿好衣服,赶早上衙门的人已经来了。他俩是日又等了一天,仍未传见。这夜又在官厅上盖着洋毯睡了一夜。

到了第三天,区奉仁熬不住了。幸亏他是现任,平时制台衙门里照例规矩并没有错,人缘亦还好;便找着制台的一个门口,化上一千两银子,托他疏通。那人拍胸脯说,各事都在他的身上。齐巧这天有人禀见,巡捕替他把手本一块儿递了上去,贾制台叫“请”。进去的时候,唯恐大人见怪,两手捏着一把汗。及至见了面,制台挨排问话,问到他,只说得两三句:第一句是“你几时来的”?区奉仁恭恭敬敬回了声“卑职前天就来了”。上头又说:“长江一带剪绺贼多得很啊,轮船到的时候,总得多派几个人弹压弹压才好。”区奉仁答应了两声“是”。制台马上端茶送客。区奉仁方才把心放下。等到站了起来,又重新请一个安,说:“大人如无什么吩咐,卑职禀辞,今天晚上就打算回去。”贾制台点点头道:“你赶紧回去罢。”说罢,把一干人送到宅门,一哈腰,制台进去。

然后区奉仁又去上藩、臬两司衙门。从司、道衙门里下来,回到寓处,收拾行李。刚要起身,忽见执帖门上拿着手本上来回称:“新选蕲州吏目随太爷特来禀见。”区奉仁一看,手本上写“蓝翎五品顶戴、新选蕲州吏目随凤占”一行小字,便道:“我马上就要出城赶过江的,哪里还有工夫会他。”执帖门道:“自从老爷一到这里,才去上制台衙门,不晓得他怎样打听着的,当天就奔了来。老爷一直没回家,他就一连跑了好几趟。他说老爷是他亲临上司,应得天天到这里来伺候的。”区奉仁听他说话还恭顺,便说了声“请”。执帖门出去。

一霎时只见随凤占随太爷戴着五品翎顶,外面一样是补褂朝珠,——因为第一次见面,照例穿着蟒袍。——未曾进门,先把马蹄袖放了下来;一进门,只见他把两只手往后一瘪,恭恭敬敬走到当中跪下,碰了三个头,起来请了一个安;跟手从袖筒管里拿履历掏了出来,双手奉上,又请了一个安。此番区奉仁见下属不比见制台了,大模大样的,回礼起来,收了履历。随凤占替他请安,他只拿只右手往前一竖,把腰呵了呵,就算已经还礼了。当下分宾坐下。区奉仁大约把履历翻了一翻,因为认得的字有限,也就不往下看了。翻完了履历,便问:“老兄贵处是山东?”随凤占道:“卑职是安徽庐州府人。”区奉仁诧异道：“怎么履历上说是山东呢？”再翻出来一看，才知道他是山东赈捐局捐的官，原来错看到隔壁第二行去了。自觉没趣，只得搭讪着问了几句：“你是几时来的？几时去上任？”随凤占一一回答了。立刻端茶送客。也同制台送下属一样，送了一半路，一哈腰进去了。随凤占又赶到城外，照例禀送，区奉仁自去回任不题。

单说随凤占禀到了十几天，未见藩台挂牌饬赴新任，他心上发急。因为同武昌府有些渊源，便天天到府里禀见。头一次首府还单请他进去，谈了两句，答应他吹嘘；以后就随着大众站班见了。有天首府见了藩台，顺便替他求了一求。藩台答应。首府回来，看见站班的那些佐杂当中，随凤占也在其内，进了宅门，就叫号房请随太爷进来。号房传话出去，随凤占马上满面春风，赛如脸上装金的一样，一手整帽子，一手提衣服，跟了号房进去。见面之后，首府无非拿藩台应允的话述了一遍。随凤占请安，谢过栽培。首府见无甚说得，也只好照例送客。

等到随凤占出来之后，他那些同班的人接着，一齐赶上前来拿他围住了，问他：“太尊传见什么事情？”随凤占得意洋洋地还不肯说真话，只说：“有两个差使，太尊叫我去，我不高兴去。太尊叫我保举几个人，我一时肚皮里没有人，答应明天给他回音。”大众一听首府有什么差使，于是一齐攒聚过来，足足有二三十个，竟把随凤占围在垓心①。好在一班都是佐杂太爷，人到穷了志气就没有了，什么怪像都做得出。其时正在隆冬天气，有的穿件单外褂，有的竟其还是纱的，一个个都钉着黄线织的补子，有些黄线都已宕了下来；脚下的靴子多是尖头上长了一对眼睛，有两个穿着“抓地虎”，还算是好的咧。至于头上戴的帽子，呢的也有，绒的也有，都是破旧不堪，间或有一两顶皮的，也是光板子，没有毛的了。大堂底下，敞豁豁的一堆人站在那里，都一个个冻得红眼睛，红鼻子，还有些一把胡子的人，眼泪鼻涕从胡子上直挂下来，拿着灰色布的手巾在那里揩抹。如今听说首府叫随凤占保举人，便认定了随凤占一定有什么大来头了，一齐围住了他，请问“贵姓、台甫”。

当中有一个稍些漂亮些的，亲自走到大堂暖阁后面一看，瞥见有个万

---

① 垓(gāi)心——中心。

民伞的伞架子在那里,他就搬了出来,靠墙摆好,请他坐下谈天。随凤占看看没有板凳,难拂他的美意,只得同他坐下,也请教他的名姓。那人自称姓申,号守尧,是个府经班子;二十四岁上就出来候补,今年六十八岁了。先捐了个典史,在河南等过几年,分在卫辉府当差。有年派了个保甲差使,晚上带了巡勇出门查夜。有一个吃酒醉的人,拦住当路骂人,被他碰见了。彼时少年气盛,拉下来就五十板。等到打完了,那人才说:"我是监生。"——捐了监的人,不革功名是打不得屁股的。当时无法,只得拿他开释。谁知第二天,通城的监生老爷都来不答应他,说他擅责有功名的人,声称要到府里去告他。他就此一吓,卷卷行李逃走了。后来还是那个捱打的人恐怕闹出来于自己面子不好看,私自出来求人家,劝大众不要闹了,这才罢休。后来本府也晓得了,明知他是畏罪而逃,乐得把差使委派别人。地方上少掉一个试用典史是不打紧的,倒也没有人追究。他闹了这个乱子,河南不能再去。齐巧他兄弟一辈子当中,当初有个捐巡检的,后来这人死了,他就顶了这巡检名字,花几个钱,捐免验看,一直到湖北候补;正碰着官运亨通,那年修理堤工案内,得了一个异常劳绩,保举免补本班,以府经补用。年代隔得远了,他自己也常常拿从前的事情告诉别人,以鸣得意。还说什么"你们不要瞧我不起,虽然是官卑职小,监生老爷都被我打过的"!人家听惯了,都当他有些痰气,没有人去理会他。此时同随凤占拉拢上了,便嘻开了一张胡子嘴,同随凤占一并排坐在伞架子上,扳谈起来。随凤占难却他这番美意,只得同他坐在一块儿谈天。

究竟佐杂太爷们眼眶子浅,见申守尧同随凤占如此亲热,以为他二人一定又有什么渊源,看来太尊所说的什么差使,论不定就要被申某夺去了。于是有些不看风色的人,偏偏跟了他二人到暖阁后面,听他二人讲话。又有些醋心重的人,一旁咕噜说道:"人家好,有门路,巴结得上红差使。不要说起是一桩事情轮不到我们头上,就是有十桩、八桩也早被手长的人抢了去了。我们何必在这里碍人家的眼,还是走开,省得结一重怨。"又有些人说道:"我偏不服气!我定要在这里听他们说些什么。有什么瞒人事情,要这样鬼鬼祟祟的!"

一干人正在言三语四,剌剌不休,忽见斜刺里走过一个少年,穿着一身半新的袍套,向一个老头子深深一揖,道:"梅翁老伯,常远不见了!小侄昨天回来就到公馆里请安,还是老伯母亲自出来开门的,一定要小侄里头坐。小侄一问老伯不在家,看见老伯母还只穿了一件单褂子,头也没梳,正在那里烧水煮饭,所以小侄也就出来了。今日凑巧老伯在这里,正想同老伯谈谈。”又听那老头子道:“失迎得很!兄弟家里也没得个客坐,偶然有个客气些的人来了,兄弟都是叫内人到门外街上顿一刻儿,好让客人到房里来,在床上坐坐;连吃烟,连睡觉,连会客,都是这一张床。老兄来了,兄弟不在家,亵渎得很!”又听那少年道:“老伯,小侄是自家人,说哪里话来!”又听老头子道:“老兄这趟差使,想还得意?”少年道:“小侄记着老伯的教训,该同人家争的地方,一点没有放松。所以这趟差使虽苦,除用之外,也剩到八块洋钱。”老头子道:“你已经吃了亏了!到底你们年纪轻,是没有什么用头的。”少年听了不服气,说道:“银钱大事,再比小侄年纪轻的人,他也会丁是丁,卯是卯的;况且我们出来为的是哪一项,岂有不同人家要,白睁着眼吃人家亏的道理。”老头子道:“你且不要不服气。你走了几个地方?”少年道:“我的札子一共是五处地方,走了半个多月才走完的。”老头子说:“你又来!五个地方只剩得八块洋钱,好算多?不信一处地方连着两三块钱都不要送。如今合算起来,每处只送得一块六角钱。我们是老迈无能了,终年是轮不到一个红点子;像你们年轻的人,差使到了手了又如此的辜负那差使,这才真正可惜哩。”少年道:“依你老伯怎么样?”老头子道:“叫我至少一处三只大洋,三五一十五块钱总得剩的。”少年道:“人家送出来何尝不是三块、四块,但是,自家也要用几文。人家送了这笔洋钱来,力钱总得开销人两个。”老头子把嘴一撇,道:“你阔!你太爷要赏他们!他们跟惯州县大老爷的人,那个腰里不是装饱的,就稀罕你这几角洋钱!叫我是老老脸皮,来的人请他坐下,倒碗茶让他吃,同他们谦恭些,是不犯本钱的。至于力钱,抹抹脸,我亦不同他们客气了。人家见我如此待他,就是我拿出来,他亦不好意思收了。所以这笔钱我就乐得省下,自己亦好多用两天。至于你说什么零用,这却是没有底的,倘若要阔,一天有多少都用得完;但是贪图舒服,也很可不必再出来当这个差使了。”

老头子只管絮絮叨叨不住,少年听了甚不耐烦。齐巧随凤占同申守尧在暖阁后面谈了一回也走了出来。申守尧是认得那两个人的,便问少年道:“你同梅翁谈些什么?”少年正待开口,却被老头子抢着说了一遍,无非是怪少年不知甘苦,不会弄钱的一派话。少年听了不服气,又同他争论。申守尧便从中解劝道:“这话怪不得梅翁要说。你老兄派的几处地方总还在上中字号里头。他们现任大老爷,一年两三万的往腰里拿;我们面上,他就是多应酬几文,也不过水牛身上拔一根毛。所以兄弟也是出差每到一处,等他们把照例的送了出来,我一定要客气,同他们推上两推。并不说嫌少不收,我只说:‘彼此至好,这个断断乎不敢当的。不过在省城里候补了多少年,光景实在不好,现在情愿写借票,商借几文,’如此说法,他们总得加你几文。有些客气的,借的数目比送的数目还多。”少年道:“开口问人家借,借多少呢?”申守尧道:“这也没有一定。总而言之:开出口去,伸出手去,不会落空就是了。”少年道:“到底这借票还写不写呢?”申守尧道:“你这人又呆了,钱既到手,抹抹脸皮,还有什么笔据给人家。倘若一处处都写起来,要是一年出上三趟差,至少也写得二十来张借票,这笔账今辈子还得清吗?不过是一句好看话罢了。况且几块钱的小事,就是写票据,人家也不肯接手的。倒不如大大方方说声‘多谢’,彼此了事。”

三个人正说得高兴,不提防随凤占站在旁边一齐听得明明白白,便插口说道:“守翁的话呢,固然不错;然而也要鉴貌辨色,随风驶船。这当中并没有什么一定的。”众人见他一旁插口,不知道他是什么人,不觉都愣在那里。申守尧便替他拉扯,朝着一老一少说:“这位是新选蕲州右堂,姓随,官印叫凤占;宦途得意得很,不日就要到任的。而且是老成练达,真要算我们佐杂班中出色人员了!”一老一少听了,连忙作揖,极道仰慕之忱。申守尧又替二人通报姓名,指着年老的道:“这位姓秦,号梅士,同兄弟同班,都是府经。”又指年少的道:“这位学槐兄,今年秋天才验看。同太尊第二位少奶奶娘家沾一点亲,极蒙太尊照拂,到省不到半年,已经委过好几个差使了。”随凤占亦连称“久仰”。又道:“恰恰听见诸公高论,甚是佩服!”秦梅士道:“见笑得很!像你老兄,指日就要到任的,比起我们这些终年听鼓的到底两样。”随凤占道:“岂敢,岂敢!不过兄弟自从出来做官,一直是捐了花样,补的实缺,从没有在省城里候补过一天。不过这里头的经济,从前常常听见先君提起,所以其中奥妙也还晓得一二。”众人忙问:“老伯大人从前一向哪里得意?”随凤占道:“兄弟家里,自从先祖就在山东做官;先祖见背之后,先君也就验看到省,一直是在山东的;等到兄弟,却是一直选了出来,侥幸没有受过这苦:虽然都是佐班,兄弟家里也总算得三代做官了。”众人道：“有你老哥这般大才，真要算得犁牛之子①，跨灶之儿了。但是老伯从前是怎么一个诀窍，可否见示一二？”申守尧道：“你们不要吵，且听他说。老成人的见解一定是不同的。”

随凤占道：“先君从前在山东听鼓的时候，有年奉首府的札子，叫老人家到各属去查一件什么事情。先君到了第二县，我还记得明明白白的，是长清县。这长清在山东省里也算一个上中缺，这位县大爷又同先君稍为有些渊源。到了长清，见面之后，他就留先君到衙门里去住。先君一想，住店总得化钱，有得省乐得省，就把铺盖往衙门里一搬。横竖衙门里空房子多得很。先君住的那间屋子就在账房的紧隔壁。当时住了下来，本官又打发门上来招呼，说：‘请太爷同账房一块儿吃饭。’衙门里大厨房的菜是不能进嘴的，账房师爷要好，又特地添了两样菜。先君吃着倒也很舒服。谁知住了一夜，第二天本官就下乡相验去了，离城一百多里路，来回总得三四天。临走的时候还同先君说：‘老兄不妨在这里多盘桓几天。倘若要紧动身，一切我已交代过账房了。’先君以为他已经交代过账房，总不会错的。第三天，先君觉着住在那儿白扰人家没有味儿，就同账房商量，说要就走的话。账房答应了。先君先回到屋里收拾行李。停了一会，账房就叫人送过两吊京钱来，说是太爷的差费。先君此来本想他多送两个的，等到两吊钱一送出来，气得话都说不出！”申守尧道：“两吊钱还比两块钱多些，现在一块洋钱只换得八百有零。”随凤占道：“呀呀呼！我的太爷！北边用的小钱，五百钱算一吊，一个算两个，两吊只有一千文，合起洋钱来还不到一元三角。”申守尧道：“那亦太少了。”随凤占道：“就是这句话了。所以当时先君见了，着实动气，就同送钱来的人说：‘我同你家大老爷的交情并不在钱上头，这个断断乎不好收的。’那人听了先君的话，先还不肯拿回去，后来见先君执定不收才拿了的。账房就在隔壁，是听得见的。那人过去，把先君的话述了一遍。只听得账房半天不说话，歇了一回，才说道：‘两吊不肯，只好再加一吊。这钱又不是我的，我也不便拿东家的钱乱做好人。’先君一听隔壁的话，知道不妙。等到第二趟送来，这时候顶为难：倘若是不推，明明是同他争这一吊钱，面子上不好看；无奈，只得略为推了一推。那送来的人自然还不肯拿回去。先君也就自

① 犁牛之子——比喻父虽不善却无损于其子的贤明。

己转圜,说道:'论理呢,这个钱我是不好收的。但是你们大老爷又不在家,我倘若一定不收,又叫你们师老爷为难。我只好留在这里。师老爷前,先替我道谢罢。'诸公,你们想,这时候倘若先君再不收他的,他们索性拿了回去,老实不再送来,你奈何他?你奈何他?所以这些地方全亏看得亮,好推便推,不好推只得留下:这就叫做见风驶舵,鉴貌辨色。这些话是先君常常教导兄弟的。诸公以为何如?"大家听了,一齐点头称"妙",说:"老伯大人的议论,真是我们佐班中的玉律金科!"

正说得高兴,忽见一个女老妈,身上穿的又破又烂,向申守尧说道:"老爷的事情完了没有?衣裳脱下来交代给我,我好替你拿回去。家里今天还没米下锅,太太叫我去当当,我要回去了。"申守尧不听则已,听了之时,怪这老妈不会说话,伸手一个巴掌,打得这老妈一个趔趄,站脚不稳,躺下了。欲知后事如何,且听下回分解。

第四十四回

跌茶碗初次上台盘　拉辫子两番争节礼

却说申守尧因为跟他拿衣帽的老妈说出他的窘况，一时面上落不下去，只得嗔怪老妈不会说话，顺手一个巴掌打了过去；不料用力过猛，把老妈打倒了。偏偏这个老妈又是个泼辣货，趁势往地下一躺，说了声"老爷，你尽管打！你打死我，我也不起来了"！说完了这句，就在地下号啕痛哭起来。幸亏这时候，有些小老爷因为方才站班已经见着首府，他们说话的档口，早已散去十之八九，此时所剩不过五六个人，被她这一哭，却惊动了许多人，一齐围住来看。申守尧只得红着脸，弯了腰去拖她；拖不起来，只得尽着骂她。骂了又要还嘴；气极了，举来腿来又是两脚。那老妈见老爷动手动脚，索性赖着不起来，只是哭着喊冤枉。府衙门里的号房、把门的出来吆喝都不听，后来还亏了本府的门政大爷出来骂了两句，又说拿她送到首县里去，方才住了哭，站了起来，拿手在那里揉眼睛。此时弄得个申守尧说不出的感激，意思想走到门政大爷跟前敷衍两句。谁知等到走上前去，还未开口，那门政大爷早把他看了两眼，回转身就进去了。申守尧更觉羞赧①无地自容；意思又想过来趁势吆喝老妈两句，谁知老妈早已跑掉，靴子、帽子、衣包都丢在地下，没有人拿。申守尧更急得没法。随凤占说："可惜兄弟还要到别处拜客，否则就叫我的跟班的替你拎了回去了。"申守尧道："不消费心。"

几个人当中，毕竟是老头子秦梅士古道热肠，便说："守兄的衣帽脱下来没有人拿，我们怎么走呢？"说完，喊了一声"小狗子"。只见一个面黄肌瘦的小厮应了一声，跑过来叫了一声"爸爸"，一旁侍立，却举起一只袖子来擦鼻涕。老头子道："这位是随老伯，这位是申老伯，见过了没有？"小狗子说："申老伯是认得的，只是随老伯没有见过。"老头就叫他请安。小狗子果然请了一个安，叫了声"老伯"。随凤占便晓得是老头子的

---

① 羞赧(nǎn)——形容因羞愧而脸红的样子。

儿子了，于是拉住了手，问长问短；又道："世兄品貌非凡，将来是要一定发达的。"老头子道："承赞，承赞。这是三小儿，今年已经十五岁了；不肯读书，外才倒还有点。每逢兄弟上衙门，省得带人，总是叫他跟着，或是拿拿衣帽，或是拜客投投帖。这些事情还做得来。"老头子一面说，一面回头吩咐儿子道："你在这里站着听什么！还不拿鞋来给我换！"小狗子听说，立刻从怀里掏出一个小布包，把鞋取出，等他爸爸换好。老头子亦一面把衣裳脱下折好，同靴子包在一处；又把申守尧的包裹、靴子、帽盒，亦交代儿子拿着。申守尧先还不肯，老头子一定要好，只得随他。无奈小狗子两只手拿不了许多。幸亏他人还伶俐，便在大堂底下找了一根棍子，两头挑着；又把他爸爸的大帽子合在自己头上，然后挑了衣包，吁呀吁呀地一路喊了出去。众人至此方晓得老头子拿儿子是当跟班用的。

闲话少叙。单说秦梅士打发儿子把申守尧的衣帽送到他的寓处，只见那老妈正坐在堂屋里哭骂哩，气得申守尧要立刻赶他出去。老妈坐着不肯走，口称："要我走容易，把工钱算还了给我，我立刻走。还有老爷许我的，天天跟着上衙门拿衣帽，另外加钱给我的。"申守尧道："那时说明白，有了差使再贴补你；如今我老爷并没有得什么差使，你怎好问我要呢？"老妈道："这个不贴，送礼的脚钱总应该给我的了。"申守尧道："送礼也有限得几注。"老妈道："不管它多少，总是我名分上应得的钱。老爷，你是做官做府的人，难道还吃我们这几个脚钱不成？我记得清清楚楚，自从去年五月到如今，大大小小，也有三块多钱的脚钱。从前你老爷说过，这笔钱要提给太太六成，余下的替我们收着一块儿分。如今多算点，太太名下算扣掉两块大洋，还有一块多钱的多余。连着十三个半月的工钱，一个月八角洋钱，八得八，三八两块四，再加半个月四角洋钱，一共是十元八角。加上脚钱。老爷，我就再让些，你一共给我十二块洋钱罢。"申守尧一听老妈要许多钱，急得头里火星直迸，恨不得伸手就要打她。嘴里嚷着骂："混账王八蛋！岂有此理！我老爷哪里欠你这许多工钱？我有数的，也不过还该你三个月没有付，如今倒赖我说是有十三个半月没付，真正岂有此理！就是送礼的脚钱，我也是笔笔有账，通共不到一块钱。除掉太太的六成，所余不过三四角洋钱，哪里有这许多？明明讹人罢哩！本来这钱我是要立刻给你的，因为你会讹人，如今把脚钱罚掉，我不给了。"老妈道："还有工钱呢？"申守尧道："依我算三个月工钱就拿了去。彼此一刀两断,永远不准进我的大门!”老妈道:“好便宜!你倒会打如意算盘!十三个半月工钱,只付三个月!你同我了事,我却不同你干休!还有送礼的脚钱,也不能少我半个的!老爷,你试试!你如果少我一个钱,我同你到江夏县打官司去!赖了人家的工钱,还要吃人家的脚钱,这样下作,还充什么老爷!”申守尧不听则已,听了她这番议论,立刻奔上前来,一手把老妈的领口拉住,要同她拼命。老妈索性发起泼来,跳骂不止,口口声声“老爷赖工钱!吃脚钱”!

他主仆拌嘴的时候,太太正在楼上捉虱子,所以没有下来,后来听得不像样子,只得蓬着头下来解劝。其时小狗子还未走,亦帮着在旁边拉申守尧的袖子。小狗子一手拉,一面说道:“申老伯,你不要去理那混账东西。等她走了以后,老伯要送礼,等我来替你送;就是上衙门,也是我来替你拿衣帽:这些事情我都会做。不稀罕她,取她的宝!”申守尧道:“世兄,你是我们秦大哥的少爷,我怎么好常常的烦你送礼拿衣帽呢?”小狗子道:“这些事我都做惯的;况且送礼是你申老伯挑我赚钱,以后十个钱我亦只要四个钱罢了。”申守尧听了他的话,又是好笑,又是好气;心想:“我们当佐班的竟不晓得是些什么东西,养出来的儿子都如此的下作!”

正想着,齐巧太太亦下来了。见是老爷同老妈怄气,太太心上是明白的,晓得老爷这两天是没有钱,不要说是十二块,就是三块亦拿不出;面子上只得劝老爷不要生气,却丢了个眼色把老妈,招呼到后面窝盘[①]她,叫她不要生气,仍旧做下去,“老爷一时气头上说的话是不好作准的”。起先老妈还一口咬定不答应,禁不住太太左说好话,右说好话,面情难却,也只好住下来再说。

当时秦小狗子把申守尧拉开之后,即便把衣帽等等一一点交清楚。申守尧留他吃茶也不要,留他吃饭也不要,——嘴里虽说不要,两只脚只是站着不肯走。申守尧摸不着头脑,问他:“有什么话说?”他说:“问申老伯要八个铜钱买糖山楂吃。”可怜申守尧的褡裢袋哪里有什么铜钱!但是小狗子开了口,又不好回他没有,只得仍旧进去同太太商量。太太道:“我前天当的当,只剩了二十三个大钱,在褥子底下,买半升米还不够。今日又没有米下锅,横竖总要再当的了。你就数八个给他。余下的替我

---

① 窝盘——敷衍、哄骗。

收好,我还要用两天呢!”一霎时申守尧把钱拿了出来。小狗子爬在地下给申老伯磕了一个头,方才接过铜钱,一头走,一头数了出去。

小狗子去了,申守尧听了听后面没有声息,晓得太太已经把老妈窝盘好了,不至于问他要钱,于是一块石头放下。这天仍是太太叫老妈出去当了当买了米来,才有饭吃。等到做好,太太一头吃饭,一头数说道:“当初我嫁你的时候,并不想什么大富大贵,只图有碗饱饭吃也够了。后来你出来做官,我们老人家还说:‘如今好了,某人出去做了官,你可以不愁的了。’人家做官是升官发财;谁晓得我们做官是越做越穷,眼前当都没得当了!照此一天一天的下去,叫我怎么样呢!”申守尧听了太太的话,满面羞惭,说道:“我自从出来做官,也总算巴结的了,衙门牌期没有一回不到。时运不济,叫我也没法想!”说罢,连连叹气。太太更是扑簌簌地泪如雨下,索性饭亦不吃了。申守尧看了这个样子,亦只吃了半碗饭,凑巧有朋友来找他,也就出去了。

向来申守尧吃了中饭出门,一定是要半夜里才回来;这天出去了不到两个钟头就回来了。一进门,拍手跳脚,竟把他兴头得了不得!太太见了反觉稀奇,问他:“为什么大早的回来?”他说:“好了!好了!我们做佐班的向来是被人家压住了头做的,没有人拿我们当作人的。如今好了,有了出头之日了!”太太问他:“怎么有了出头之日?”申守尧道:“我刚才同朋友出门,走到素来我同他商量借钱的胡太爷家。齐巧胡太爷出差回来,禀见藩台。藩台同他说:‘刚刚从院上下来,制台今天已有过话:自从明天起,凡是佐杂一班,一概有个坐位,不像从前只是站着见了。制台还说:‘大小都是皇上家的官,我瞧他不起,便是亵渎朝廷的命官。坐了下来,他们有什么话,都可以同他谈谈。’太太,你想这位制台也总算好的了。想我候补了十几年,真正气也受够了。到底如此,彼此坐下谈两句,他也好晓得晓得我。你不记得今年八月里,算命的还说我今年流年腊月大利?看来就此得法,也未可知。而且还有一样,藩台见制台也不过有个座位;如今我们佐班竟同藩台一样,你想这一跳跳得多高!”太太听了,寻思了半天,说道:“慢着!你从前不是对我说,你们做官的并不分什么大小,同制台就同哥儿兄弟一样?怎么你今儿又说从前都是站着见他呢?站着见他,不就合他的二爷一样吗?”申守尧脸上一红,一时回答不出,歇了好一会,才说道:“如今好了,是用不着站着见他了。”一面支吾,一面心上寻思:“难怪她们妇道之家,不懂得我们当佐杂的,连制台衙门里的一条狗还不如,能够比上他的二爷倒好了!”正想着,又听得太太说道:“你不要骗我了。你站着见也好,坐着见也好,就是跪着见也好,我只要有钱用,有饭吃,不要当当就好了。”申守尧道:“你不要愁;如今兴了这个规矩,以后就有了指望了。你等着罢。”太太也不理他。

本来次日申守尧是不上衙门的;因为制台有了这句话,又说检班次老的,一天先传见二三十员。自己算了算:“论起资格来,虽然还算不得十二分老,论不定制台高兴,或者多见几个,也未可知。与其临传不到,还是早去伺候的为是。”主意打定,次日一早,仍旧是老妈拿了衣帽跟着到了制台衙门。头天制台的话早已传遍的了;所以到了这天,那些佐贰老爷都兴头得了不得,上衙门的格外来得多。申守尧到了制台大堂底下,换好衣帽,会见秦梅士、随凤占一干人。随凤占说是昨晚已蒙藩宪挂牌,今天禀见,带着禀辞。又说蕲州吏目一缺,打听得近两年来,全被前任弄坏了;见了制军,有些话要得当面请请示。秦梅士亦预备下多少话,见了制军要面禀。

一干人正在那里簇簇私议,只见藩台、臬台、粮道、盐道,以及各著名局所总办、道班、府班、首府、首县,同、通、州、县班实缺、候补,一起一起地进去出来。从藩、臬起,首府止,出来上轿的时候,一班佐杂老爷都赶着走出来站班。那些大人们,有两位客气的,还同他们点点头;有几个架子大的,便亦昂头不顾地走出去了。

各官自清早七点钟上院,一等等到十二点,制台方才统通见完。然后巡捕拿手本下来,说是传见三十位佐班。某人某人,叫着名字,叫了上去,依着齿序,鱼贯而入,不得搀前落后。各位太爷虽然高兴,毕竟是第一次上台盘,由不得战战兢兢,上下三十六个牙打对。还有几个名字在后的,恐怕不能露脸,便越过几个人跳上前去;前头的人又不答应,便上前去拉他们;后头的不服,又同前头的吵闹起来。巡捕官等得不耐烦,连连催道:“快些罢!……有话下来说!我瞧你这些太爷,怎么好啊!”那些太爷被巡捕吆喝了两句,不敢则声,一齐放放马蹄袖,跟了进来。走到会客厅上,制台已经站在居中,传谕不要磕头。大众团团请了一个安。制台摊了一摊手,说了一声“坐”,便团团地坐了下来。有些人两只眼睛只管望着大帅,没有照顾后面,也有坐在茶几上的;也有一张椅子上已经有人坐了,这人又坐了下去,以致坐无可坐,又赶到对面,在厅上兜了一个大圈子的。乱了半天,方才坐定。

大家必恭必敬,声息俱无,静听大帅吩咐。只听得贾制台说道:“现在各处官场体制,佐杂见首府多半都是站班见的,不要说是督、抚了。我如今破除成例,望你们大家都知道自爱才好。这两天事情忙,过几天我还要挨班传见,当面考考你们。听清爽了没有?”起先众人听制台说要考试,早已彼此面面相觑,一声回答不出。等到临了问“大家听见了没有”,方才有两个答应了一声。制台见话已说完,无可再说,只得端起茶碗送客。随凤占进来的时候,原预备有许多说话面禀的;及至见了制台,不知不觉,就像被制台把他的气逼住了,半个字也说不出。众人答应“是”,也只得答应“是”;众人端茶碗,也只得端茶碗。

刚把茶碗端起,忽听得拍挞一声,不知是谁的茶碗跌碎了。定睛看时,原来是右手末二位那位太爷,不知怎样会把茶碗跌在地下,砸得粉碎,把茶泼了一地,连制台的开气袍子上都溅潮了。制台一面站起抖擞衣裳上的水,一面嘴里说道:“这是怎么说!这是怎么说!”急得那位太爷蹲在地下,拿两只马蹄袖掳那打碎磁片子,弄得袖子尽湿。嘴里自言自语的说:“卑职该死!卑职该死!打碎茶碗,卑职来赔!”制台也不理他。那人掳了一会,无法可想,也只得站了起来。众人至此方看明白,打碎茶碗的不是别人,正是申守尧。原来他此番得蒙制台赏坐,竟自以为莫大之荣宠,一时乐得手舞足蹈,心花都开。一见端茶送客,正想赶着出来,以便夸示同僚。岂知那茶碗托子是没有底的,凑巧他那碗茶又是才泡的开水滚汤,连锡托子都烫热了;他见制台端茶,忙将两手把碗连托子举起,不觉烫了一下,一时要放不敢放,一个不当心,误将指头伸在托子底下,往上一顶,那茶碗拍拉托一声,翻到在地下来了。此时众人既看清是申守尧,直把他羞得满面绯红,无地自容。制台拿他望了两眼,想要说他两句,又实在无可说得。只站起身来,回头对巡捕说道:“以后还是照旧罢。这些人是上不得台盘,抬举不来的。”说完了这句,也不送客,一直径往里头去了。

这里众人先还不敢走,只见制台的一个跟班进来说道:“诸位太爷不走等什么？还想大人再出来送你们吗？倒合了一句俗话，‘鼻子上挂鲞鱼①，叫做休想！’”众人听说，只得相将出来。申守尧思思瑟瑟地跟在众人后头，走得很慢。那爷们又说道：“刚才大人的话可听见了没有？这厅上的椅子，除了今天，明天又没得坐了。如果舍不得，不妨再进来多坐一会去。”众人虽明晓得他是奚落的话，但奈何他不得，只好低着头退了出去，仍走到大堂底下。秦梅士年老嘴快，首先走来把申守尧埋怨一顿，说：“我们熬了几十年，才熬到这么一个际遇，如今又被你闹回去了。你一人的成败有限，这是关系我们佐班大局的，怎么能够不来怪你呢！”申守尧自知理屈，不敢置辩。还是随凤占为人圆通，忙过来解劝道：“唯其只有今天坐得一次，越显得难得之机会。将来我们这辈人千秋之后，这件事行述②上都刻得的。老前辈以为何如？”众人议论了一回，各自散去。

随凤占随又分赴别位大宪衙门，叩谢禀辞，预备上任。且说他这个吏目，在湖北省佐贰实缺当中，虽然算不得好缺，比较起来，还算中中。随凤占自己又抱定了一个宗旨，叫做“事在人为”。他的意思，以为各种样缺总要想法自己去做，决没有赔累的。他捐了花样，新选到省，手中本来略有几文。因为吏目自从九品，上任之后，轿子跟前只能打把蓝伞，乡下人不懂得，还说这轿子里的老爷是穿“服”的。心想蓝伞实在不好看，要捐个五品衔又够不上。齐巧有人用他十二块钱，抵押给他一张空白五品翎顶奖札。他得了这个，非凡之喜，立刻穿戴起来，手本上居然加了“蓝翎五品顶戴”六个小字。又想在省里做好四副衔牌带去：一副是“蕲州右堂”，一副是“五品顶戴”，一副是“赏戴蓝翎”；那一副凑不出，想了半天，忽然想起“我的五品翎顶是军功上来的”，便凑了一副“军功加三级”。把四副官衔牌凑齐，找了个漆匠加工制造，五天包好，带去上任。

到了蕲州，照例先去禀见堂翁区奉仁。知州大老爷没有官厅，右堂太爷至此，只得先下门房，见了门政大爷，送过门包，自然以好颜相向，彼此如兄若弟地鬼混了半天。门政大爷随口编了几句恭维的话，随凤占亦说了些“诸事拜求关照”的话。等到里头堂翁请见，跟着手本进去，一般花衣补服，灿烂夺目。同堂翁区奉仁虽然在省城里已经见过，不能算数，重

---

① 鲞(xiǎng)鱼——号称海中最鲜的鱼。

② 行述——由死者的子孙所作的关于死者生平事迹的文字，叫做行述。

新磕头行礼。区奉仁让他坐下,彼此敷衍了几句,端茶送客。随凤占辞了出来,预先托过执帖门上,凡是堂翁衙里官亲、老夫子,打账房起,钱谷、刑名、书启、征收、教读、大少爷、二少爷、姑爷、表少爷,由执帖门上领着,一处处都去拜过。每处一张小字官衔名片。也有见着的,也有挡驾的。连堂翁的一个十二岁的小儿子,他还给他作了一个揖。又托执帖门上拿手本替他到上房里给太太请安,太太说不敢当,然后退了出去。其时一个州衙门已经大半个走遍了。下来之后,仍在门房里歇脚。门口几位拿权的大爷,是早已溜得熟而又熟,就是堂翁的跟班,随凤占亦都一一招呼过。三小子倒上茶来,还站起来同他哈一哈腰,说一声"劳驾"。跟手下来拜同寅,拜绅士,所有大小铺户,轿过之处,一概飞片。整整拜了一天客,未曾拜完。

预选吉日是第二天腊月十九,接钤任事。到了这天,地保办差,招了无数若干的化子,替太爷打着伞,抗着牌;又弄了两个鼓手,一个打鼓,一个吹唢呐,一路呲哩叭喇冬,一直吹进了衙门。随凤占身穿朝服,下了轿,一样三跪九叩首,赞礼生吆喝着,接过了木头戳子。因为上有堂翁,放不得炮,只放了两挂一千头的鞭炮。下来便是改换公服,升堂受贺。启用木戳。自有他那手下的一班人向他行礼。退堂之后,接着又到堂翁跟前禀知任事,照例三天衙门,不用细述。

随凤占虽系初任,幸亏是世代佐班,一切经络都还牢记在心,并不隔膜。他晓得做捕厅的好处全在三节,所以急急赶来上任,生恐怕节礼被前任预支了。到地头的头一天,禀见堂翁下来,就到盐公堂以及各当铺等处拜会管事人。见面之后,无非先拿人家一泡臭恭维,慢慢地谈及缺分清苦,以后全仗诸位帮忙,然后再谈到年下节敬一层。蕲州城厢里外一共有七家当铺。内中有两家当铺是新换挡手,只知道年下送捕厅有此一份礼;那署事的预先托人来预借,挡手的不晓得新选实缺就要来的,以为早晚都是一样,他既来借,乐得送个人情。有两家老硬的,却板定一定要到年下再送,预先来借,竟其一毛不拔;那署事的却也拿他无可如何。还有两家通融办理,等他来借,只借给他一半:譬如一向是送两块洋钱的,先叫他带一块去,说明白那一块须留送正任;那署事的亦只好罢手。内中只有盐公堂的管事人,因同这位署事的是同乡,见他来借,另外送了他两块,说是彼此乡情,格外送的程仪;至于正项,须得到年下方好支送。那署事的为盐公堂的节礼向比别处多些，不肯轻轻放过，便道："从中秋到年下一共是一百三十五天，我做了一百二十来天，这笔钱应该我得。"他虽如此说，无奈人家只是不肯送，便也无可如何，只得罢手。

单说随凤占自到蕲州之后，东也拜客，西也拜客，东也探听，西也探听；不上三天，居然把前任署事的一本账簿都打听得清清楚楚，放在肚里。自己又去同人家讲："兄弟本来今年是不打算到任的了；只因宪恩高厚，晓得年底下总有点出息，所以上头才叫兄弟赶了来的。兄弟倘若随随便便，不去顶真，不特自己对不住自己，并且辜负上头的一番美意。至于一切照例规矩，料想诸位都是按照旧章。"说到这里，禁不住强作欢颜，哈哈一笑，接着又道："兄弟是实缺，彼此以后相聚的日子正长，将来叨教的地方甚多，诸位一定是照应兄弟的，还要兄弟多虑吗。"说罢，又哈哈大笑。他一连走了多处，都是如此说法。有几家年礼未被前任收去的，听了他话，乐得送个顺水人情；有两家不懂得这里头诀窍，已经预先在前任面上做过好人，听此说话，却不免有点后悔。

闲话少叙。却说随凤占接印下来，忙叫自己的内弟同了一个心腹跟班，追着前任清算交代，一草一木，不能短少，别的更不消说了。前任移交下来，一共是五只吃茶的盖碗，内中有一只没有盖子。这边点收的时候，那个跟班的一个不当心，又跌碎了一只盖子。无奈这跟班的又想自己讨好，不肯说是跌破了，见了老爷，只推头说是前任只交过来三只有盖子的；以为一只茶碗盖子为价有限，推头在前任身上，老爷或者不好意思再去问他讨，这事就过去了。谁知这位太爷一根针也不肯放松，定规不答应，逼着跟班的找前任去讨盖子："倘若没有，就剥下他的王八盖来给我！"那跟班心上是明白的，自己打破了，怎么好向人家去讨呢。于是赖着不肯去。随凤占骂他说："跟了我这许多年，如今越发好了，帮着别人，不帮着我老爷，一点忠心都没有了！"跟班的被他催得无可如何，只得出去打了一个转身，仍旧空着手回来，说："没有。"随凤占不免又拿他埋怨了一顿，怪他无用，一定要自己去讨；后来还是被舅老爷劝下的。

交代算清，听说前任明天就要回省。他一听不妙，忙忙地连夜出门，找齐了城厢内外地保，叫他们去吩咐各烟馆，各赌场，以及私门头窑子："凡是右堂太爷衙门有规矩的，都通知他们一概不准付。倘若私自传授，我太爷一定不算，从新要第二分的。况且他是署事，我是实缺，将来他们这些人都是要在我手下过日子的。如果不听吩咐,叫他们以后小心!”着地保分头传命去后,他一想:“烟馆、赌场、窑子等处是我吃得住的。唯独当铺都是些有势力的绅衿开的,有两家已被前任收了去,年下未必肯再送我,岂不白白的吃亏。这事须得趁早向前任算了回来,倘若被他走了,这钱问谁去找呢。”主意打定,立刻亲自去拜望前任。

前任听说他来,只得出来相见。只见他进门之后,勉勉强强作了一个揖。归座之后,把脸红了几阵,要说又不爽爽快快地说,吞吞吐吐了半天,才说道:“兄弟今日过来,有一桩事情要请教。……”说到这里,又咽住了。歇了一会,又说道:“论理呢,兄弟世代为官,这几个钱也见过的。但是既然犯了本钱出来做官,所为何事?倘若一处不计较,两处不在乎,这也可以不必出来现世了。这事论不定还是他们因我们新旧交替,趁空蒙蔽,也未可知。所以兄弟不得不过来言语一声,大家明明心迹,这就不为小人所欺了。”前任署事的见他说了半天只是绕圈子里,还没有说到本题;虽然心上也有点数,究为何事,不得而知,愣在那里,不则一声。随凤占见他不答,只得又说道:“所为的并非别事,就是年下节礼一层。这笔钱虽然有限,也是名分所关,所谓‘有其举之,莫敢废之’,我们也犯不着做什么好人不要。但是这笔钱,兄弟一向是晓得的,总得拖到年下,他们方肯送来。有几处脾气不好的,弄到大年三十还不送来;总要派了人到他们店里去等,等到三更半夜,方才封了出来。我说他们这些人是犯贱的,一定要弄得人家上门,不知是何打算!”前任署事的听他如此讲,方才顺着他的嘴说道:“这班人真是可恶得很!不到年下,早一天决计不肯通融的。”随凤占忽然把脸一板道:“兄弟说的是别省外府州、县,都是这个样子;谁知此地这些人家竟其大谬不然!”前任听了他的说话,晓得他指的是自己,面子上只得做出诧愕的神气,装作不懂。

随凤占又笑嘻嘻说道:“做官的苦处,你老哥是晓得的。我们这个缺,一年之计在于三节;所以兄弟一接印之后,就忙忙地先去打听这个。这也瞒不过吾兄,这是我们养命之源,岂有不上劲之理。谁知连走几家,他们都说这份年礼已被老兄支来用了。兄弟想,兄弟是实缺,老兄不过署事。倘若兄弟是大年初一接印,这笔钱自然是归老兄所得;倘若是二十九接印,年里还有一天,这钱就应兄弟得了。兄弟听他们说话奇怪,心想吾兄是个要面子的人,决不至于如此无耻。而且他们这笔钱一向非到年下不付,何以此番忽然慷慨肯借?所以很疑心他们趁我们新旧交替,两面影射。兄弟一向是事事留心,所以今天特地过来请教一声,以免为所蒙蔽。"前任署事的听他此话,一句回答不出。随凤占又道:"我晓得老哥决不做对不住朋友的事情;咱俩一同到两家当铺里去,把话说说明白,也明明你老哥的心迹。"说罢,起身要走。前任署事的只是推头明天要动身,收拾行李,实在没有工夫出门。随凤占道:"老哥不去,岂不被人家瞧着真果的同他们串通,已经支用了吗?"

前任一想:"这事遮遮掩掩,终不是个了局,不如说穿了,看他如何。"想定主意,便哼哼冷笑了两声,说道:"你老哥也太精明了!固然你是实缺,兄弟是署事。你说你是宪恩高厚,叫你来收节礼的;难道兄弟不是上宪栽培,就会到这里来吗?辛苦了一节,好容易熬到年下,才收人家这份节礼。我们算算日子看:你到任不过十几天,我兄弟在任一百多天,论理年下的这份礼统通都应该我收才是。你是实缺,做得日子长着哩,自然该我们署事的占点便宜。"随凤占见他直认不辞,不觉气愤填膺,狠狠地说道:"那可不能!通天底下没有这个道理!照此说来,一定这个钱已经被你支了用了!我赶了来做什么的!我同你老实说:彼此顾交情,留个脸,小小不言的事情,我也不追究了。你把这预支的年礼乖乖的替我吐了出来,大家客客气气;如果要赖着不肯往外拿,哼哼,我不同你讲理,我们同去见堂翁,等堂翁替我评评这个理去!"前任署事的听他说话强横,便也不肯相让,连连说道:"见堂翁就见堂翁,我亦不怕他什么!……"随凤占见他不怕,立刻走上前去一把胸脯,说了声"我们同去"!前任署事的见他动手,也乘势一把辫子。两个人从右堂扭了出来,一扭扭到正堂的宅门里头。

把门的是认得的,连忙上前相劝。谁知两个人都用死力揪住不放,再三的拉亦拉不开。两家的管家都跟着。一揪揪到门房里,只见执帖门上同了几位门政大爷正在那里打麻雀牌哩。见了这个样子,一齐上前喝阻。随凤占说:"他眼睛里太没有我实缺了!我要见堂翁,请堂翁替我评评这个理!"前任亦说:"一共总我只收到人家四块钱的节礼,这钱也是我名分应得的。他要见堂翁,我就陪他来见堂翁。我没有短处,不怕什么!"几位门政大爷听了他二人说话,无可袒护,只得上来劝的劝,拉的拉,好容易才把他两位拉开。州里执帖门跺着脚说道:"你二位这是怎么说呢?说起来，大小是个官，怎么连着一点官礼都不要了？快别这个样子，叫上头听见了生气，就是旁人瞧着也要笑话的。有什么话，我们当面讲讲开。俗话说的好，叫做是‘君子动口，小人动手’，怎么你二位连这两句话都不晓得吗？”他俩扭进来的时候，各人都觉着自己理长，恨不得见了堂翁，各人把各人苦处诉说一顿。及至被执帖大爷训斥一番，登时哑口无言，不知不觉，气焰矮了大半截，坐在那里，一声不响。执帖门上又叫三小子绞手巾给他俩擦脸，又叫泡盖碗茶，着实殷勤。

那班打麻雀牌的人也不打了，一齐拿眼睛盯住他俩，听他说些什么。始终随凤占熬了半天，熬不住了，把前任预支年礼的话，原原本本述了一遍。前任见他开口，也抢着把他的苦况陈说一番；又说：“可怜我到了临要交卸的几天，是一点势力也没有了；那些人真正势利，向他们开口，说到舌敝唇焦，止有两家一家拿出来两块大洋，一共总止有四块大洋。你看，他就闹得这个样子！”随凤占道：“怎么四块还嫌少？依你要多少？”前任还未开口，只听一个打牌的人说道：“真是你们这些太爷眼眶子浅！四块钱也值得闹到这个样子！我们打麻雀，只要和上一百副就有了。——旁家和一百副，坐庄还不要。四块洋钱什么稀奇！我昨天还输了四十多块哩！”执帖门道：“老哥，谁能比得上你？你们钱漕大爷，一年好几千的挣，人家当小老爷，做上十年官，还不晓得能够赚到这个数目不能！”钱漕道：“我有钱赚，我可惜做不着老爷；他们大小总是皇上家的官。”又一个同赌的道：“罢罢罢！你们没瞧见他们刚才一路扭进来的时候，为了四块洋钱，这个官简直也不在他二位心上；倘若有几千银子给他赚，只怕叫他不做官都情愿的。你老哥眼馋他俩做官，我来做个中人，你俩就换一换，可好不好？”钱漕门道：“我有了钱，我不会自己捐官，我为什么要人家的？”那个同赌的道：“我只要有钱赚，就是给我官做我亦不要。”众人你一句，我一句，直把个随凤占同前任羞得无地自容，也深悔自己孟浪，如今坍台坍在他们这一班奴才手里。当下随凤占也没有再说别的，淡淡地谈了两句，自行回去。至于那前任，另有同他说得来的人，早拉他到别的屋里去了。一天大事，瓦解冰消。

一直等到年下，随凤占还差人到那两家当铺去讨年礼。人家回称早就送过了。随凤占道：“我没有收到，不能算数。”后首说来说去，大家总念他大小是个朝廷的官，将来论不定或者有仰仗他的地方，也就不肯过于同他计较，又每家送了他一只大洋，方才过去。

正是光阴似箭，日月如梭，转瞬间三春易过，已到四月。向例各属犯人，到了这个时定须解往省城，由大宪订期会讯详察有无冤枉；这日巡抚、司、道统通朝服升座，提犯勘验，其名谓之“秋审大典”。——其实不过点名过堂。大员之中有好名的，还捐几文钱买些蒲扇、痧药之类，赏给那些犯人，实则为数亦甚有限。名字说是“秋审”，及至犯人上堂之后，就是有冤枉，那坐在头上的几位大人实在也没闲工夫同犯人说话：所以这一番俱是虚应故事。

闲话休题。且说蕲州是黄州府该管，到了这个时候，府太尊便把合属的捕厅开了单子，酌派两位解犯进省。这趟到省，不定有一月、半月耽搁，本缺未便久悬，例在本府候补佐贰当中轮派两人前往代理，亦是调剂属员的意思。这年府太尊所委两人，偏偏有随凤占在内。到得四月初十边，本府公事跟着府委代理的一同下来。随凤占照例交卸，解犯上省。倘若到省没有耽搁，约计四月底、五月初就可回来，赶收节礼，尚不为晚；设遇有事，迟至节后亦未可知。随凤占奉到此札，心上甚是懊闷。但是太尊所委，便也无可如何，只得将钤记交与代理的人看管，自己跟手整顿行装，急急进省。

不料到省之后，各属犯人刚刚这天到齐。臬台正要请抚台几时秋审，偏偏这天抚台得了病症，请了几个大夫都医不好。又有人说：抚台犯的是外症，面目浮肿，很不好看；嘴里还有一股气味，叫人闻了恶心。后首来请到一位外国大夫，方才有了把握，配了几瓶药水，送给抚台吃过。据外国大夫说：吃了他这个药水，有什么病症，一齐从小便里出去，决不会上头面的了。但是一时总得避风，不能出外见客。因此就把这“秋审”一事耽误下来。一班实缺捕厅太爷眼巴巴望着，恨不得早把此事办过，也可以早些回任。无奈抚台病着，一时不能举行；公事不完，又不敢擅离省城一步。各位太爷异常焦躁。

书中单表随凤占随太爷只因端节就在目前，一时不能回任，眼看着一分节礼要被人家夺去，更是茶饭无心，坐立不安。等到四月二十六这一天，听得同寅说起抚台的病虽有转机，但一时总难出外，必须节后方能举行秋审。他一听此信，犹如浑身浇了一盆冷水一般。回寓后，一言不发，踌躇了半夜，方想出一条主意来。他想：“照此样子下去，不过闲居在省，一无事事，我何如趁此挡口，赶回蕲州，就骗人家说是公事已完。人家见我回来，自然这节礼决计不会再送到别人手中去了。等到节礼收齐，安安稳稳，过完了节，我再回省。神不知，鬼不觉，岂不大妙！”主意打定，立刻叫家人收拾行李，出城过江，趁了下水轮船，径向蕲州进发。临走的时候，有同他住在一起一位同差的，问他哪里去。他说：“接到家信，太太在蕲州生产，家里没人照应，不得不亲自回去。这里的事，千万拜托老兄不要说破。”人家见他说得如此恳切，这种顺水人情自然乐得送的，便亦无话，听其自去。谁知他老人家回到蕲州，既不禀见堂翁，亦不拜客，并不与代理的见面，天天钻在那几家当铺里，或是盐公堂里走走，同人家说：“我已经回来了，几时几日接的印。”人家都信以为真。到了五月初三，所有的礼物都被他收了去了。

那代理的人起先听说抚台有病，把“秋审”一事搁起，晓得实缺一时不得回来，满心欢喜，以为这分节礼逃不出我的掌握之中。哪知等到初五早上，依然杳无消息。赶紧着人出去打听，才知道早被随太爷半路上截了去了。这一气非同小可！立刻出门查访，后在一爿小客栈里把随太爷找着。见面之后，不由分说，拿随太爷一把辫子，说他擅离职守，捏称回任，定要扭他到堂翁跟前，请堂翁禀明太尊，请示定夺。随太爷亦不肯相让。因此彼此又冲突起来。要知后事如何，且听下回分解。

第四十五回

擅受民词声名扫地　渥承宪眷气焰熏天

却说正任蕲州吏目随凤占被代理的找着扭骂了一顿,随凤占不服,就同他冲突起来。代理的要拉了他去见堂翁,说他擅离差次,私自回任,问他当个什么处分。随凤占说:“我来了,又没有要你交印,怎么好说我私自回任?”代理的说:“你没接印,怎么私底下好受人家的节礼?”随凤占说:“我是正任,自然这个应归我收。”代理的不服,一定要上禀帖告他。毕竟是随凤占理短,敌不过人家,只得连夜到州里叩见堂翁,托堂翁代为斡旋。

这日州官区奉仁正办了两席酒,请一班幕友、官亲,庆赏端阳。正待入座,人报:“前任捕厅随太爷坐在账房里,请账房师爷说话。”账房师爷不及入席,赶过来同他相见;只见他穿着行装,一见面先磕头拜节。账房师爷还礼不迭。磕头起来,分宾归座。账房师爷未及开谈,随凤占先说道:“兄弟有件事,总得老夫子帮忙。”账房师爷到此方问他差使是几时交卸的,几时回来的。随凤占见问,只得把生怕节礼被人受去,私自赶回来的苦衷,细说了一遍;又说:“代理的为了此事要禀揭兄弟,所以兄弟特地先来求求老夫子,堂翁跟前务求好言一声,感激不尽!”说完,又一连请了两个安。账房师爷因为他时常进来拍马屁,彼此极熟,不好意思驳他。让他一人账房里坐,自己到厅上,一五一十告诉了东家区奉仁。区奉仁亦念他素来恪守下属体制,听了账房的话,有心替他帮忙。便让众位吃完了酒,等到席散,也有十点多钟了,然后再把随凤占传上去。面子上说话,少不得派他几句不是。随凤占亦再三自己引错,只求堂翁栽培。区奉仁答应他,等把代理的请了来,替他把话说开。

正待送客,齐巧代理的拿着手本也来了。区奉仁连忙让随凤占仍到账房里坐,然后把代理的请了进来。代理的见了堂翁,跪在地下,不肯起来。区奉仁道:“有话起来好说,为什么要这个样子呢?”代理的道:“堂翁替卑职做主,卑职才起来。”区奉仁道:“到底什么事情呢?”代理的道:“卑职的饭，都被随某人一个人吃完了。卑职这个缺，情愿不做了。”区奉仁道：“你起来，我们商量。”一面说，一面又拉了他一把。于是起立归座。区奉仁又问：“到底什么事情？”代理的道：“卑职分府当差，整整二十七个年头。前头洪太尊、陆太尊，卑职统通伺候过。就是代理，大小也有五六次，也有一月的，也有半月的。”区奉仁道：“这些我都晓得，你不用说了。你但说现在随某人同你怎样。”代理的道：“分府当差的人，不论差使、署缺，都是轮流得的。卑职好容易熬到代理这个缺，偏偏碰着随某人一时不能回任，节下有些卑职应得的规矩……”不想说到这里，区奉仁故意地把脸一板道：“什么规矩？怎么我不晓得？你倒说说看！”代理的一见堂翁顶起真来，不由得战战兢兢的，赔着笑脸，回道：“堂翁明鉴：就是外边有些人家送的节礼。”区奉仁听了，哼哼冷笑两声道：“噢！原来是节礼啊！”又正言厉色问道：“多少呢？”代理的道：“也有四块的，也有两块的，顶多的不过六块，一股脑儿也有三十多块钱。”区奉仁道：“怎么样呢？”代理的撇着哭声回道：“都被随某人收了去了，卑职一个没有捞着！卑职这一趟代理，不是白白的代理，一点好处都没有了么。所以卑职要求堂翁做主！”说罢，从袖筒管里抽出一个禀帖，双手捧上，又请了一个安。看那样子，两个眼泡里含着眼泪，恨不得马上就哭出来了。

区奉仁接在手中，先看红禀由头，只见上面写的是“代理蕲州吏目、试用从九品钱琼光禀：为前任吏目偷离省城，私是回任，冒收节敬，恳恩做主由。”区奉仁一头看，一头说道：“他是正任，你是代理，只好称他做正任。”又念到“私是回任”，想了一会，道：“噢！私自的自字写错了。但是他没有要你交卸，说不到回任两个字。”又念过末了一句，说道：“亦没有自称节敬的道理。亏你做了二十七年官，还没有晓得节敬是个私的！”顺手又看白禀，只见“敬禀者”底下头一句就是“窃卑职前任右堂随某人”。区奉仁也不往下再看，就往桌子上一撩，说道：“这禀帖可是老哥的手笔？”钱琼光答应一声“是”。又说：“卑职写得不好。”区奉仁道：“高明之极！但是这件事兄弟也不好办。随某人呢，私自回来，原是不应该的；但是你老哥告他冒收节敬，这节敬可是上得禀帖的？我倘若把你这禀帖通详上去，随某人固不必说，于你老哥恐怕亦不大便当罢？”钱琼光一听堂翁如此一番教训，不禁恍然大悟，生怕堂翁作起真来，于自己前程有碍，立刻站了起来，意思想上前收回那个禀帖。区奉仁懂得他的来意，连忙拿手一揿,说道:“慢着!公事公办。既然动了公事,哪有收回之理?你老哥且请回去听信,兄弟自有办法。”说罢,端茶送客。钱琼光只得出来。

这里区奉仁便把账房请了来,叫他出去替他们二人调处此事。随凤占私离差次,本是不应该的,现在罚他把已收到的节礼,退出一半,津贴后任。随凤占听了本不愿意;后见堂翁动了气,要上禀帖给本府,方才服了软,拿出十六块大洋交到账房手里。禀辞过堂翁,仍自回省,等候秋审不题。

这里钱琼光自从见了堂翁下来,一个钱没有捞着,反留个把柄在堂翁手里,心上害怕。在门房里坐了半天,不得主意,只得回去。次日大早,仍旧踱了过来。门口的人一齐劝他上去见账房师爷。他一想没法,只得照办。其时随凤占吐出来的十六块洋钱已到账房手里。只因他的人缘不及随凤占来的圆通,及至见面之后,吱吱喳喳,又把臭唾沫吐了账房师爷一脸,还没有把话讲明白。账房师爷看他可怜,意思想把十六块洋钱拿出来给他;回头一想:“倘若就此付给他,他一定不承情的。”只得先把东家要通禀上头的话,加上些枝叶,说给他听。直把他吓得跪在地下磕头。然后账房师爷又装着出去见东家,替他求情。鬼鬼祟祟了半天,回来同他说,东家已答应不提这事了。钱琼光不胜感激。至此方慢慢地讲到:“我兄弟念你老兄是个苦恼子,特地再三替你同随某人商量,把节礼分给你一半,你俩也就不用再闹了。”

钱琼光见了起初的情形,但求堂翁不要拿他的禀帖通详上去,已经是非常之幸,断想不到后来账房师爷又拿出十六块洋钱给他。把他感激的那副情形,真是画也画不出。立刻爬在地下,磕了八个头;磕起来少说作了十来个揖,千“费心”,万“费心”,说个不了。又托账房师爷带他到堂翁跟前叩谢宪恩。账房师爷说:“他现在有公事,我替你说到一样的了。”于是钱琼光又作了一个揖,然后拿了洋钱,告辞出去。回到自己捕厅里,把十六块洋钱拿出来,翻来覆去地看了半天,又一块一块的在桌上钉了好几回,一听响声不错,格外感激州里账房照应他,连一块哑板的都没有。总想如何酬谢酬谢他才好。一面想,一面取块小手巾,把洋钱包好,放在枕头旁边。跟手出去解手。解手回来,一个人低着头走,忽然想到:“四月底城外河里新到了一只档子班的船,一共有七八个江西女人,有两个长的很标致。南街上毡帽铺里掌柜王二瞎子请过我一趟,临行的时候,还再三的托我照应他们。我不如明天到那里,叫他们替我弄几样菜,化上一两块钱请这位老夫子,补补他的情才好。”主意打定,回到屋里,不知不觉,把刚才十六块洋钱陡然忘记放在哪里去了。桌子抽屉,书籍里面,统通找到,无奈只是无影无踪。直把他急得出了一身大汗,找了半天,仍旧找不着,恍恍惚惚,自己也不辨是真是梦。于是和衣往床上躺下,慢慢地想:“到底我刚才放在哪里的?”一会又怪自己记性不好,恨的像什么似的!不料偶一转侧,忽听得当的一声,原来一包洋钱,小手巾未曾包好,被个小枕头碰了一下,所以响的。

钱琼光翻过身来一看,洋钱有了;立刻打开来数了一数,不错,还是十六块。这一喜更非同小可!仍旧拿手巾包好,塞在身上袋里。便起身叫管家到南街上招呼王二瞎子,托他去到档子班船上,叫他们明天晚上到馆子里叫几样菜,说是要请州里账房师老爷吃饭;交代馆子里,菜要弄好些;再叫船上收拾收拾干净。底下人奉命去后,他自己又盘算道:“明天请的客自然是账房老夫子首座。”忽又想起:“我今儿在账房里,看见本官的二老爷,见了我,还问我这趟代理弄得好有几个钱,看来着实关切,也不好不请请他。我们在外头,哪里不拉个朋友呢。”屈指一算:“账房老夫子一位,本官二老爷两位,王二瞎子三位,连自己一共才有四个人。人头太少,索性多请两位,把南关里咸肉铺老板孙老荤,东门外丰大药材行跑街周小驴子,一齐请了来,大家热闹。料想他们听见我请的是州里二老爷、账房师爷,他们一齐都要赶得来的。况且如此一请,人家晓得我同州里要好,目下于我的事情也不为无益。”主意打定,正在洋洋自得,那差出去的管家也回来了,回称:“王二爷听说老爷请州里师爷吃饭,忙得他立刻自己出城到船上去交代,连馆子里也是自己去的。”钱琼光点点头,又道:“我请的不但账房师爷,还有区大老爷的二老爷哩。”

管家出去,钱琼光也就安寝;毕竟有事在心,睡不大着。次日一早起身,洗脸之后,就赶过来自己请客。先落门房,取出一张官衔名片,先上去禀见二老爷。执帖门上进去了一回,回来说道:“二老爷昨儿在房里叉了半夜麻雀,到了后半夜忽然发起痧来,闹到天亮才好的。如今睡着了,只好挡你老的驾罢。”钱琼光一听这话,不觉心中一个失望,嘴里还说:“我今天备了酒席,专诚要请他老人家赏光的,怎么病起来了?真真不凑巧了!”于是又亲身到账房里,想当面去约账房师爷。不料走到账房里,只见里间外间桌子上面以及床上,堆着无数若干的簿子;账房师爷手里捻着一管笔,一头查,一头念;旁边两个书办在那里帮着写。账房一见他来,也不及招呼,只说得一句“请坐!兄弟忙着哩”。钱琼光见插不下嘴,一人闷坐了半天。值账房的送上水烟袋,一吃吃了五根火煤子。无奈账房还没有忙完,只得站起身来告辞;意思想账房出来送客的时候,可以把请他吃饭的话通知于他。谁知钱琼光这里说“失陪”,账房把身子欠了一欠,说了声“对不住,我这里忙着,不能送了,过天再会罢”。说完,仍旧查他的簿子。钱琼光无法,只得出来。心想:今天特特为为请他们吃饭,一个也不来。化了冤钱事小,被王二瞎子一班人瞧着,我这个脸摆在那里去呢!一回又怪账房师爷道:“我专诚来请你吃饭,你不该只顾做你的事情,拿我搁在旁边,一理不理。谅你不过靠着东家骗碗饭吃,也不是什么大好老,就这样的大模大样,瞧人不起!至于那位二老爷,昨天不病,明天不病,偏偏今儿我定了菜,他今儿病了,得知是真是假。他们既然不来,我也不稀罕他们来!”

一面想,一面又走到门房里。执帖门上见他没精打采的,便问:“钱太爷,心上转什么念头?很像满肚皮心事似的。”谁知一句话倒把钱琼光提醒,一想:“二老爷、账房既然不来,我不如拿这桌菜请请底下的朋友,人家看起来,一样是州里的人。只怕这几位拿权的大爷,到堂翁跟前说起话来,还比什么账房、二老爷格外香些。况且我自从到任至今,也没有请过他们,今儿这局,岂不一当两便。”于是就把这话告诉了执帖门上,托他把钱漕、稿案、杂务、签押、书禀、用印,几位有名目的大爷统通请到;跟班人多,不能遍约,只约得跟班头一位。说明今天是夜局。执帖门上明晓得他是请上头请不到,所以改请他们的,便推头“没有空,谢谢罢”。钱琼光也没听见,忙着又托这屋里的三小子替他去请客。一霎时三小子回来说:“稿案毛大爷、签押卢大爷,恐怕晚上有堂事,不敢走开;杂务上朱大爷、用印的马大爷,为了这两天上头常常有呼唤,亦抽不得身;钱漕上陆大爷,为他二奶奶养孩子,请了假,已经两天不来了;只有跟班上萧二爷说是等到老爷睡了觉,一定过来奉扰的。”三小子未说完,执帖门上又道:“他们统通不来,你为我一个人,何必要费事呢?”钱琼光道:“还有萧二爷同你俩呢。他们扫我的面子,难道咱们老兄弟,你还好说不来吗?”于是又千叮万嘱，直到执帖门上点头应允，方才告别。回到自己衙内，心想："他们竟如此瞧我不起，竟其一个不来；肯来的又是拿不到权的人。真正越想越气！"

好容易熬到下午，王二瞎子亲自跑来，说："一切都预备好了。馆子里听说请的是州里师老爷，贴本都情愿。但不知这位师爷什么时候才过来？"只见钱琼光脸上红了一阵，说道："他们一齐体谅我，不肯叫我化钱，一定还要拉我在衙门里吃饭，说着就吩咐大厨房里添菜。我想我今天的菜已经托了你了，他们既不来，我不好叫你为难，只得又请了两位别的客。"王二瞎子道："你早告诉了我，这菜可以退得掉的。但不知请的又是哪两位？"钱琼光不好说请的是跟班上的，只含糊说了声"还是衙门里的"。王二瞎子一听仍是衙门里的人，就是声光比账房差些，尚属慰情聊胜于无。

依王二瞎子意思，还想等着衙门里的人到齐，一块陪出城，似乎面上有光彩些。钱琼光是晓得的，跟班上萧二爷，非得老爷睡了觉是不得出来的，便说："不必罢，我们先出去吃着烟等他们罢。"于是两人步行出城。到了船上，一班女戏子迎了出来，一个个擦着粉，戴着花，妖妖娆娆的，"钱太爷"、"王二爷"，叫得应天响。钱太爷走进舱里，只见居中摆了一张烟铺。王二瞎子是大瘾，见了烟铺就躺下了。船上女老班也进舱招呼，问衙门里的老爷几时好来。王二瞎子不等钱太爷开口，拿指头算着时候，说道："现在是五点钟，州里大老爷吃点心；六点钟看公事；七点钟坐堂。大约这几位老爷八点钟可以出城。"钱琼光道："那可来不及。我们这位堂翁也是个大瘾头，每日吃三顿烟，一顿总得吃上一个时辰。这个时辰单是抽烟，专门替他装烟的，一共有五六个，还来不及。此刻五点钟，不过才升帐先过瘾；到六点钟吃点心；七点钟看公事；八点钟吃中饭；九点钟坐堂；碰着堂事少，十点钟也可以完了，回到上房吃晚饭过瘾；十二点半钟，再到签押房看公事；打过两点，再到上房抽烟，这顿烟一直要抽到大天亮。不过以后有上房里的人伺候，跟班上的爷们都可以没事了。"王二瞎子道："他老这么大的瘾，设若有起事来，怎么样呢？"钱琼光道："有起事来，或是进省上衙门，总是来吞生烟。"

正说着，孙老荤先来了，晓得要陪州里的老夫子吃饭，特地换了一身簇新的衣服。王二瞎子道："老荤，今儿钱太爷是请你来做陪客的，不是请你来招女婿的，为什么穿的衣服同新女婿一样呢？”孙老荤道：“难得钱老父台赏饭吃，请的又是州里的老夫子，自然应该穿件新衣服，恭敬些。”

三个人闲谈了好一回，船上又搬出些点心来吃过。王二瞎子掏出表来一看，九点钟只差得五分了，不但州里的客没来，连着周小驴子也没音信。大家甚是奇怪。又等了半个钟头，忽听见船头上有人叫唤，大家总以为是请的特客来了，一齐起身相迎。及至进舱一看，原来就是周小驴子，跑得满身是汗，一件官纱大衫已湿透了半截了，一只手只拿扇子扇个不了。王二瞎子劝他脱去长衫，又叫船上打盆水给他洗脸。钱琼光便问他：“为何来得如此之晚？”周小驴子道：“不要说起，今儿替一个朋友忙了一天。”钱琼光问：“是什么事情？”周小驴子道：“也是治弟的一个乡亲，他有个姑表妹妹，从前他姑妈在世的时候有过话，允许把这个女儿给我们这个乡亲做媳妇的；后来姑妈死了，姑夫变了卦，嫌这内侄不学好，把女儿又许给别人了。”钱琼光道：“当初媒人是谁？”周小驴子道：“有了媒人倒好了，为的是至亲，姑妈亲口许的，用不着媒人。”钱琼光道：“婚书总有？”周小驴子道：“这个不晓得有没有。治弟为了这件事，今天替他们跑了一天，无奈说不合拢，看来恐怕要成讼的了。”钱琼光道：“一无媒证，二无婚书，这官司是走到天边亦打不赢的。”周小驴子道：“现在我们这乡亲情愿……”说到这里又不说了。王二瞎子会意，拿嘴朝着钱琼光一努，对周小驴子道：“摆着我们钱老父台在这里你不托。该应怎么办法，大家商量好了。只要替你乡亲争口气；再不然，钱老父台同州里上头下头都说得来，还怕有办不到的事吗。”一句话提醒了周小驴子，忙说道：“他姑夫那边只要出张票，不怕他不遵。”钱琼光道：“单是出张票容易。兄弟自从到任之后，承诸位乡亲照顾，一共出过十多张票。不瞒诸位说：这票都是诸位照顾兄弟的。这件事兄弟衙门里很可办得，用不着惊动州里的。”周小驴子道：“你老父台肯办这件事，那还有什么说的，包管一张票出去，不怕他姑夫不把女儿送过来。捕衙的规矩治弟是懂得的。如今我们这乡亲，他是有钱的主儿，我一定叫他多出几文。俗语说得好，叫做‘争气不争财’。只要这件扳过来，不但治弟面子上有光彩，将来敝乡亲还要送老父台的万民伞咧。”钱琼光道：“全仗费心！你老哥今儿回去，叫他明天一早就把呈子送过来。兄弟这边签稿并行，当天就出票的。”

几个人又闲谈了一回。王二瞎子躺在烟铺上，一连打了几个呵欠。

都说："天不早了，怎么请的客还不来？不要是忘记了罢？"钱琼光道："我有数的，他们早不得来，这时候也快了。"又停了一会，只听得岸上咭咭呱呱的，一片说笑之声；走到岸滩上，又哼儿哈儿的，叫船上打扶手。霎时上得船来。钱琼光急忙迎出去一看，原来来的只有一个萧二爷；还有一个小爷们，是常常替堂翁装水烟的，虽然面善得很，却不晓得他姓甚名谁。当下不便动问，只问得一声："为什么某人不来？"小爷们抢着说道："老爷派他进省，他不得来，所以叫我来代理的。萧大爷，今天咱代理执帖门，你说咱阔不阔！"一面说，一面走进舱中。众人一齐起身相迎，见面之后，都恭恭敬敬地作揖。不料这小爷们是打千打惯的，见了人，一伸腿就弯下去了。众人之中亦止有钱琼光还安还得快。那三个却都不在行；王二瞎子幸亏被钱琼光扶了一把，否则几乎跌倒。当下都劝他俩宽衣。只见这小爷们身胚很小，却穿了一件又长又大的纱大褂，钱琼光认得这件大褂是堂翁天天穿着会客的；再看手里的潮州扇子，指头上扳指，腰里的表帕、荷包，没有一件不是堂翁的。当面不便说破，心上却也好笑。

一会，归座奉茶。钱琼光先问："二位为什么来的这么晚？"萧大爷先回答道："九点半钟本来就可以来的，齐巧我们东家接到省里一封信。外头还没有人知道，先送个信给你，你明天一早好穿了衣裳过来道喜。"钱琼光忙问道："堂翁有什么喜事？"小爷们抢着说道："我们老爷升了官了。"萧大爷进来的时候，当着王二瞎子一班人，自己还想充做师爷，所以一口一声的"我们东家"。今见小爷们说了声"我们老爷"，他便把小爷们瞅了一眼。幸亏在场的人都没留意。钱琼光又接着问道："堂翁高升到哪里？"小爷们又抢着说道："或者武昌府，或者黄州府，都论不定。"萧大爷道："你别听他胡说。我们东家，他身上本有个补缺后的同知直隶州，如今又保了个……保了个什么？……你看，我的记性真正不好，偏偏又忘记了。"一面说，一面又低着头，皱着眉，闭着眼睛，想了半天，还是想不出。又拿自己的拳头打着自己的头，说道："保得个什么？……怎么我说不上来？"小爷们又抢着说道："萧大爷，这封信是杂务上拿进来的，那时候我正在椅子后头替他老人家装烟。他老指着信上一句，对杂务上说：'你看。'我在他背后，亦就踮着脚望了一望，原来这信上有我的名字，——有'应升'两个字。我自己的名字，我是认得的。"钱琼光是在官场上阅历久的了，晓得保案上有"应升"两个字，一定是应升之缺升用，便道:“他老人家已有了同知直隶州,再升什么,自然一定是知府了。明天应得过去道喜。费心二位关照。”萧大爷道:“自家人,说哪里话来!”此时钱琼光正因不晓得小爷们的尊姓大名,心上闷闷;因此一番酬答,倒晓得了。

当因时候不早,忙命摆席。自然是萧大爷首座,小爷们二座。在席面上,萧大爷还留身份,提到州官,口口声声“我们东家”,在座人始终瞧不破他的底细。只有小爷们吃无吃相,坐无坐相。夜里天热,打赤了膊,把条辫子盘在头上,拿两条腿蹲在椅子上,尽性地喝酒吃菜。档子班的女人,叫名头是卖技不卖身的,他偏要同她们动手动脚。有两个女人,在人面前一定要撇清;被他这一闹,一个个都咕嘟着嘴,说什么“你们老爷,手要放尊重些”! 说罢,把手一摔走开。小爷们生气,骂声“混账王八蛋! 你瞧不起我大爷,明儿回去一定告诉本官,出票拿你们,看你怕不怕”! 船上女人也不理他。主人钱琼光只好起身相劝。

好容易一席酒吃完,看看已将天亮。小爷们是带着跑上房的,怕误了差使,老爷要骂,立刻披衣要走。主人还再三相留,吃了稀饭再去。萧大爷亦劝他慢些,“我同钱太爷还有句话说”。小爷们等不及,只是跺脚,说:“误了差使,钉子是我碰! 你饱人不知饿人饥! 我劝你快走罢!”萧大爷被他催得无奈,只得穿衣告辞。等到主人送到船头上,小爷们早披了又长又大的那件长褂,站在岸上了。当时他二人自回衙门不题。

且说钱琼光回到舱中,王二瞎子便埋怨他道:“怎么请到这位宝贝?”钱琼光把脸一红,想了想,说道:“你不要看轻了他,他在本州大老爷跟前,倒是头一分的红人呢。一天到晚,除掉睡觉,哪有一刻工夫离得掉他。总而言之:我们做官,总要随机应变,能屈能伸,才不会吃亏。即如他们所说的州里大老爷得了保举,他们就肯送信给我;我既然先得信,今天我就头一个去道喜,上司瞧着自然欢喜。倘若不请他们吃饭,谁有这闲工夫来通知我。可见同人拉拢是没有吃亏的。这叫做做官的诀窍。”王二瞎子被他说得顿口无言。周小驴子起身先行,说:“要办那件事去。洽晚马上就去同前途接头,尽两个钟头赶来回复老父台。”钱琼光道:“兄弟就回去,一面先把票子写好,空着名字等填。等老兄来过,兄弟再到州里贺喜。专候,专候。”说罢,拱手而别。钱琼光也同王、孙两个各自回去,不在话下。

单说钱琼光虽然熬了一夜，只因有利可图，便也不觉劳乏。回到捕衙，业已红日高升，急忙翻出旧卷，查照旧票的底子把票写好，只空着案由及原被告的名字未填。写好之后，看了两遍，索性又取出木头戳子用好，又拿朱笔把日子填好。其时已有八点钟了，算算时候已不止两个钟头，无奈不见周小驴子前来，心上异常着急。看看时候不早，又须赶到州衙门里道喜，急得他什么似的。无奈，只得穿好衣帽静坐，专等周小驴子一到，交割清楚，便好踱了过来。事有凑巧，刚刚衣服穿得一半，周小驴子来了。二人相见大喜。周小驴子在袖子里取出那张禀帖，钱琼光大略一看，只见上面很有些不懂得的句子；忙把原被告名字记清；又再三斟酌一番，把案由摘叙了三四句；从抽屉里取出票来填好，立刻派了一个人，叫他跟着周先生一同去。

然后周小驴子从大襟袋里取出一个红封袋，双手奉上。钱琼光接在手里一掂，似乎觉得甚轻，忙问："这里头是若干？"周小驴子道："这里头是四块折席，不成意思，不过送老父台吃杯酒的。"钱琼光踌躇了一回，说道："不瞒老哥说：兄弟是代理，就要交卸的人。同老哥相好，承老哥照顾这件事，兄弟多也不敢望，只望他一个全数。不要说别的，单是这张票，兄弟从城外一回来就连忙弄好了，专等你老哥来。这票上的字都是兄弟自己写的。倘若照衙门里的规矩办起来，至少也得十天起码，哪里有这样快。此事落在别人身上，哼哼，至少也得要他三十只洋！如今只要你十块，真是格外克己的了。"周小驴子听了他这一番话，又见他不肯收那四块，知道事情不得过场，于是从袋里又挖出两块洋钱，还说："这两块是治弟代垫的。替朋友办事，少不得也要替他作三分主。"钱琼光道："兄弟是个爽快人，你老哥替朋友办事也是义气，你索性爽快些再替他添两块。一共兄弟受他八块，你回去开销他十块，我们弄个二八扣。你费了心，我也不另外替你道乏了。"周小驴子又思思索索地半天，好容易才添了一块，说了无数的叨情话，说什么"这总是老父台照应治弟的，多赏治弟一块买鞋穿罢"。钱琼光无奈。

周小驴子去后，方急忙赶到州里去。虽然晓得堂翁是起得迟的，但是为了道喜，不得不早些过来。此时合衙门的人因为老爷得了保案，都是喜气冲冲的。钱琼光蟒袍补褂，照例先下门房。常见的那位执帖大爷，已经奉派进省，这天是杂务门兼执帖，钱琼光也是认得的，急忙取出手本交给，托他上去代回，说是禀贺、禀见。杂务门进去了一回，忽然满头是汗，怒冲冲地走回门房，把大帽子摘下往桌子上一撩，说道："妈的晦气！他升官，人家就该死了！幸亏他得的保举，不过是个虚好看；倘若真正做了知府，那架子更要大呢！倘若做了道台，天都可以撑破！再大更不用说了！总而言之，我们当奴才的不是人！——钱太爷，大小像你这样，总得是个官才好！"钱琼光听了他半天说话，也摸不着头脑，只得搭讪着站起来，说道："堂翁可曾升帐没有？我还是就进去，还是等一会儿？"杂务门道："得了保举，早把他喜得睡不着了。今天一早就起来了，忙着做官衔牌，糊对子。因为做牌的来的晚了些，开口就骂人。谁不是人生父母养的？搁得住被他'混账王八蛋'，骂了去，喝了来！大爷越想越气，不吃这碗饭了！"钱琼光一听堂翁已经起来多时，心上着急，恨不得马上进去才好；后来直等得杂务门气平了，然后领了他进去见的。

这时候区奉仁正在大厅上，把昨夜接的那封喜信搁在面前；旁边坐着几位朋友、官亲，如账房、书启、二老爷之类，都在那里凑趣。钱琼光进了大厅，恭恭敬敬跪下磕了三个头，替堂翁叩喜；又与各位师爷及二老爷相见。堂翁让他坐，然后坐下。区奉仁一面孔得意之色，先开口道："你是几时晓得的？"钱琼光一想，不好说是昨夜里得信，只得回称："刚刚得信。"区奉仁道："还是你一个人晓得，还是同城统通晓得？"钱琼光道："只有卑职一个人得信，所以赶过来先替堂翁叩喜。"区奉仁道："是啊，我料想他们是不会晓得的。我得的是密保，上头只有抚台自己晓得，连藩台都还不明白哩。还是那年获盗案内，抚台亲口许我的，到如今果然保了出来。可见做上宪的人，又要赏罚分明，又要记性好，夫然后叫人心服。这位抚台，兄弟同他也算投缘的了，将来倒要送副门生帖子去才是。"说着，便同账房说："我的话可是不是？"账房说："是极！"

区奉仁又道："我已经有了同知直隶州了，再升用，升个什么？自然一定是知府了。你看这些混账王八蛋！我从早上叫他们赶做一付'升用府正堂'的官衔牌，到如今木匠还不来，真正可恶！此时同城虽然还不晓得，马上他们得了信都要来道喜的。今天他们来过，明天我去谢步，这副牌是执事里一定要用的。况且这是恩出自上，比捐的总体面些。"师爷们一齐应了一声“是”。区奉仁又望着钱琼光说道：“我们湖北的体制，佐贰见知府是没得座位的。兄弟虽然不讲究这个，但是体制所关，将来过了班，就是要随随便便也就不能了。”钱琼光明晓得这句话说的是他，想了半天，无可回答，只应了一声“是”。

正说着，书办上来请示，说是里里外外，或是柱子上，或是门上，有些对联都要另换新的，要请师爷拟好了句子，好交代书办去写。区奉仁忙回过脸去对书启老夫子说道：“这个要请你老夫子费心了。”书启师爷忙又应一声“是”，随手请教是怎么做法。区奉仁道：“前头的对子都是按着州、县官做的；如今兄弟得了升用知府，有些什么‘五马黄堂’等类的字眼都可以用得着了。兄弟如今一来公事忙，二来上了年纪，也不肯用这个心思了。至于暖阁当中，我倒想好了一句成句，就是贴‘一品当朝’四个字的地方，你们拿红纸比好尺寸，替我写‘宪眷优隆’四个字，照样贴在屏门当中。”回头又问书启：“老夫子以为何如？”书启尚未答言，二老爷接着说道：“这四个字似乎太俗。”区奉仁听了似不愿意，道：“这四个字，人家四六信里常常用的，又是成句，总比‘一品当朝’四个字来得文雅。”二老爷道：“暖阁当中，不是‘当朝一品’，就是‘指日高升’，从没有用过别的字眼。”区奉仁更发怒道：“你们这些人真正不通！不靠着宪眷，怎么能够升官呢？我这四个字，把你所说的两句，统通包括在内。所以一等人有一等人的材料。老弟，不是我瞧你不起，像你这样执迷不化，将来能够赶到愚兄这个分儿还早咧！”二老爷见哥哥动了气，也就撅起了嘴，不言语了。

区奉仁正待再说下去，忽听外面一片人声，大家不觉吓了一跳，忙叫人出去查问。只见稿案门飞跑似的进来，回道：“有些人来告钱太爷受了人家的状子，又出票子拿人，逼得人家吃了鸦片烟。现在赶来求老爷替他伸冤。那个吃大烟的也抬了来了，还不知有气没气。”区奉仁道：“混账！我的衙门里准他们把尸首抬来的吗？你跟官跟了这许多年，这一点点规矩还不晓得？今天老爷有喜事，连点忌讳都没有了！混账王八蛋！还不替我轰出去！”稿案门道：“这是钱太爷不该受人家的状子，人家无路伸冤，所以才来上控的。”区奉仁听得“上控”二字，忽然明白，方才回过脸去，对准钱太爷发作道：“你做的好官啊！这是你闹的乱子，弄得人家到我这里来上控。我自己公事累不了，你还要弄点事情出来叫我忙忙。现在怎么说？”

钱琼光起先听了稿案门的话，早已吓得瑟瑟地抖；后来又听了堂翁的教训，便拍托一声，身不由己地跪下了。区奉仁并不让他起来，又拉着长腔，说什么“擅受民词，有干例禁；你既出来做官，连这个还不晓得吗？我也顾不得你，我是照例要揭参的”。钱琼光一听要参官，更吓得魂不附体，只是跪在地下磕响头不起来，求堂翁开恩。区奉仁拿他训斥了半天，还不晓得外面究竟闹的是什么事情，便道：“你就在这里朝我跪到天黑也不中用。你自己闹的乱子，快自己出去了结过再来见我。”钱琼光跪在地下还是不动。区奉仁问他为什么不出去。钱琼光道：“不瞒堂翁说：卑职这一出去，可没有命了！”区奉仁道：“到底为着什么事情，你自己总该有点数的。”钱琼光又磕头道：“卑职该死！卑职同他们来往，共有好两件事情，实在不晓得是哪一件。”区奉仁道：“好个不安本分的人！”钱琼光道：“都是他们来找卑职的，卑职也只盼能够替他们把事情了掉，也免得堂翁操心。”区奉仁道：“承情。”至此方回头问稿案门：“到底外面为了什么事情？”稿案门回称：“为的是一个人家有个女儿，有个光棍想要娶他。那家不肯，这光棍就托人花了钱给钱太爷，托钱太爷出票子抓那个该女儿的人，说是抓了来要打板子。那人急了，就吃了生大烟。乡邻不服，所以闹到这里来的。”钱琼光至此，方才明白就是早上的那桩事，深恨周小驴子事情办得不妥当。

里面说了半天话，外面的人声已住。稿案门再出去问了问，才知已被杂务门吆喝住，只等老爷坐堂审问，不敢啰唆了。区奉仁一听外头人声已息，才说：“那个吞烟的，赶紧拿点药水给他吃，或者有救。”人回：“已经灌过了，听说吃的不多，大约可以救得的。”区奉仁于是把心放下，又朝着钱琼光发作了几句，方才自往签押房里而去。钱琼光不免跟了账房师爷同到账房里，就左一个安，右一个安，一面请安，一面软求道：“晚生一时荒谬，总得求你老夫子成全！”师爷道：“你老哥就要交卸的人了，何必再去多事。这事你自己闹的乱子，还不快去想个法子压服压服他们；等到堂翁坐了堂，那事就不好办了。”

一句话提醒了钱琼光，立刻退出账房，走到杂务门的门房里。杂务门正在外面帮着灌那吞烟的人，一霎回来，见了面，少不得又是一番埋怨，说：“我的太爷！几乎玩成功一条人命！亏你，我亦不晓得你是怎样闹的！”停了一回，又说道：“现在你放心罢，人命是没有的了。你今天算好运气,偏偏碰着我们这位老爷有喜事不坐堂。你有这半天一夜的工夫,能够完结,赶快去完结了再来,完结不了,明天再审。”

钱琼光于是再三感谢,方才辞别出来。回到捕衙,蟒袍补褂,统通汗透的了。马上叫人去找周小驴子。周小驴子逃走了,不在家。钱琼光无奈,只得去找王二瞎子,因他地面上人头还熟,托他找个人出来劝和劝和。王二瞎子昨夜扰过他的酒,少不得出来帮忙。当时就找到了两个人:一个是善堂董事,一个是从前做过图正的,后来因为上了岁数,就把图正一应事务,统通交代儿子承受,自己不管。他俩都是年高望重的人,又是捕厅老父台见委之事,一想彼此都有仰仗的地方,乐得借此交结交结。王二瞎子见他俩已允,便先寻了本图地保,同着原差又找到原告,在小茶馆里会齐,开议此事。幸亏原告那边吞烟吞的不多,一经施治,便无妨碍。又经王二瞎子、善堂董事一干人,连骗带吓,原告一面,只求太爷不逼他把女儿嫁与那个光棍,他亦情愿息讼。钱琼光就答应他:“前头那张票不算数,立刻吊销。所有你们婚嫁之事,我太爷一概不管。”于是一天大事,瓦解冰消。

钱琼光又进去求了账房师爷、钱谷师爷,替他到堂翁面前讲情。凑巧堂翁这两天正因升官一事,满心快活,只图省事,便也不来问信。过了两日,正任吏目随风占回任,钱琼光照例交卸,自行回府销差,这事也就完了。要知后事如何,且听下回分解。

第四十六回

却洋货尚书挽利权　换银票公子工心计

且说蕲州州官区奉仁自从得了保举之后，同城齐来道喜，少不得一一答拜；又办了酒席，请他们吃喝；一连忙了几日，方才停当。后来奉到部文核准，行知下来，自己又特地进了一趟省，叩谢宪恩。正想回任，忽然奉到藩台公事，说他从前当过好几处局子的收支委员，账目清楚，公事在行。现在北京派有钦差童大人前来清查财政，由江、皖各省，一路而来，目下已到南京，指日就临湖北；所有本省司库局所，凡属银钱出入之地，均须造册报销，以备钦差查考。因此特地留下区奉仁在省办理此事；蕲州本缺，另委一位候补同知前去代理。虽说是短局，然而区奉仁放着一个实缺不得回任，却在省里帮人家清理账目，心上很不愿意。但是迫于宪令，亦叫做无可奈何而已。

且说这位钦差姓童，表字子良，原籍山西人氏。乃是两榜出身，由部曹外放知府，一直升到封疆大吏；三年前调京当差，改以侍郎候补，第二年就补了缺，做了两年侍郎；目下正奉旨署理户部尚书。此时朝廷正因府库空虚，有些应办的事，都因没有款项，停住了手。便有人上了一个折子，说：

> "现在东南各省，如两江、湖广、闽、浙、两粤等处，均系财赋之区，钱粮厘税，岁入以数千万计。然而钱漕有积欠，厘金有中饱；如能加意搜剔，一年之中，定可有益公家不少。无如各省督、抚狃于积习，苟且因循，决不肯破除情面，认真厘剔。近来又有了什么外销名目，说是筹了款项，只能办理本省之事；将来不过一纸空文咨部塞责。似此不顾大局，自便私图，若非钦派亲信大员，前往各省详细稽查，认真清理，将来财政竭蹶，根本动摇，其弊当不可胜言"

各等语。朝廷看了这个折子，甚是动听，马上召见军机大臣、户部尚书，商议此事。童子良亦以此举为然，并且自己保举自己说："臣在外省做官做了二十年，一切情形都熟。先下江南，后到闽、广，大约有半年工夫，就可回京复命。”朝廷准奏。跟手就下一条上谕,派童某人前往江南等省查办事件。

次日童大人谢恩,召见下来,就在本部里选了八位司员,又在别部里奏调了几位,此外还有军机嘱托、老公嘱托,大小一共又收了五十多张条子,一齐派为随员。又因为自己膝下只有一个大儿子,是前头正太太所生,余外都是妾生的几个小儿子;若把大的留在家里,恐怕他欺负小的,只得把大的带了出门。安排停当,方才检了日子,陛辞出京。

且说童子良生平却有一个脾气,最犯恶的是洋人:无论什么东西,吃的、用的,凡带着一个“洋”字,他决计不肯亲近。所以他浑身上下,穿的都是乡下人自织的粗布,洋布、洋呢之类是找不出一点的。但是到了五十多岁上,因为生病抽上了鸦片烟,再戒不脱。一天在朝房里,有位王爷同他说笑话道:“子良,你不是犯恶洋货吗?你为什么抽洋烟呢?”一句话说恼了他,回得家来,就把烟灯、烟枪统通摔掉,对家里人说:“我从今再不吃这劳什子了!”谁知他老人家烟瘾很大,两个时辰不抽,眼泪鼻涕就一齐来了。家里人看他难过,想要劝他,又不敢十分相劝。才劝得一句,他便回道:“你们随我罢,我宁可死也不破戒的了!”后来实在熬不过了,一息奄奄,说不出话来,拿眼睛望着他大儿子,意思想叫他大少爷替他备办后事。他大少爷此时也有十八九岁了,读书虽不成,外才是有的。见了父亲这个样子,便追问所以立志戒烟的缘故。当时就有人提起,只因某王爷说了一句笑话,所以把老头子害到这步田地。到底大少爷有主意,想了一想,道:“说了洋烟,无怪乎他老人家要不吃了。如今你们只说是云南土熬的广膏。云南、广东都是中国地方,并不是外洋来的,自然他老人家没得说了。”家人遵命,慌忙另外取了一付烟盘,端到房中。童子良见了,连忙摇手,意思不要他们进来。后来家人照着大少爷的话回了,方才一连呼十几口。这一顿,竟比平时多吃了三钱,方才过瘾。

过了几天,齐巧前头同他说笑话的那位王爷请他吃饭。见面之后,童子良便叫着自己名字告诉王爷,说道:“童某现在不吃洋烟了。”王爷一听大喜,连连夸奖他,说道:“有志不在年高。你老先生竟能立志戒烟,打起精神替主子办事,真正是国家之福!”一面吃酒,一面留心看他到底吃不吃。谁知他吃到一半,叫值席的倒了一碗热茶给他,趁人不见,从荷包里摸出一个烟泡,化在茶里吃了。这位王爷是同他向来说惯笑话的。今天拿住了这个把柄，便问他："既然不抽洋烟，为什么还要吞烟泡呢?"他便正言厉色地答道："童某吃的是本土，是不相干的。"王爷说："吃烟吞泡还不是一样吗，怎么叫做不相干呢?"童子良道："回王爷话：所谓戒烟者，原戒的是洋药，本不是戒的本土。但看各关报销册，洋药进口税一年有多少，便晓得我们中国人吃洋烟的多少。如今先从童某起，头一个不抽洋烟，拿本土来抵制他，以后慢慢劝他。倘或天下人一齐都吃本土，不吃洋烟，还愁什么利源外溢呢。童某并不是欢喜一定要吃这个劳什子，原不过以身作法，叫天下人晓得我是为洋药节流，便是为本土开源，如此一片苦心而已。"王爷道："不想老先生抽抽鸦片烟，却有如此的一番大经济在内。可佩！可佩！"这是一桩事。

还有一桩，这一桩乃是要钱：做官的人要钱，本来算不得什么。但是他却另有一副脾气，是专要银子，不要洋钱，为的洋钱的"洋"字又犯了他的忌讳。从前京城里面本来是不用什么洋钱的，用的全是当十大钱，无非银子换钱，钱换银子，倒也爽快。近来几年，洋钱渐渐的用开了，北京城也有了。有些会打小算盘的人，譬如一向是孝敬一百两的，如今只消一百块钱，化上七十多两银子，也甚觉得冠冕。无奈这位童大人，要是人家送他洋钱，他一定璧还不受。送他钱的人，不是门生，便是故吏，总是有求于他的人；如今见他不受，大家心上都要诧异。后来访着缘故，只得换了银子再去送，合起数目来，总比洋钱还要多些。他到此亦不谦让了。除掉现银子，便是银票：一千两、二千两，三百两、五百两，白纸写的居多。还有些人因为写的白纸票子，恐怕忌讳，竟用大红缎子写的，倒也新鲜得很。

他生平虽爱钱，却是一文不肯浪费。凡是人家送给他的银票，上房后面，另有一间小屋。这间屋是墨测黑，连个窗户都没有的，然而一步一锁，无论什么人不准进去的。就是儿子亦只准站在门外。一天老头子在这屋里有事情。大少爷进来回话，因为受过父亲的教训，不敢径入房中，站在门外老等。等了一回，忽听老头子在小屋里叫唤起来；方见姨太太点了个亮，掀开门帘，在门口站着，亦不敢进去。仿佛老子在地下摸索了一回，忽然一跳就起，说道："还好！有了！"随手出来，把门锁好。姨太太照火的时候，大少爷留心观看。只见这间小屋里，四面墙上贴的，一张一张，很像帐条子一样。及至仔细一看，才晓得墙上贴的都是银票。大少爷把舌头一伸，心中暗暗欢喜："原来老人家有这许多家当，这间小屋却是他老人家的一间银库!”

又过了两年,有几省督、抚奏请置办机器,试造中国洋钱。他老先生见了这个折子,老大不以为然。无奈朝廷已经批准,他也无可挽回,只得回转家中,生了两天气,说:“好好一个中国,为什么要用夷变夏!中国用惯银子的,如今偏要学外国的样,铸什么中国洋钱!这个洋钱日后倘若用开,岂不是全个成了他们外国人的世界?那还了得!我情愿早死一天,眼睛闭了干净,免得日后叫我瞧着难过。”他虽如此说,人家亦不来睬他。到了第二年,有两省银元造成,解到部里,——其时他老人家已掌户部,——司员检了一包,请他过目。他闭着眼睛,说道:“我不忍看这些亡国东西,你们拿了去罢!”司官晓得他素来脾气,只得退了下来。后来这话传开了,京城里面都以为笑话。

有天,有个门生,本是个翰林底子,因得京察记名,奉旨简放江西九江府知府。召见下来,到老师跟前辞行。童子良道:“听说九江地方是很热闹的。”门生道:“本是个通商码头,各国商人都有。在那里是很不好做的,门生特地来请请老师的教训。”童子良叹口气道:“哪里有这许多国度!总而言之一句话:他们外国人,想出法子来骗我们钱的。我不相信他们外国人就穷到这步田地,自己家里做不出生意,一定要赶到我们中国做生意。偏偏就有我们这些不挣气的督、抚去随和,他们的洋钱不够使,我们又特地买了机器,铸出洋钱来给他们使。不晓得他们外国人有何功何德到我们,我们要如此的巴结他!我真正不懂!”门生道:“我们中国自铸的洋钱本不叫做洋钱,有的叫银元,亦叫龙圆。”童子良道:“亦不过多换几个名字,骗骗皇上罢了,还不同外国洋钱一个样子吗?”门生道:“大小虽一个样子,花样却是不同。我们的龙圆,正中盘的是一条龙,所以叫做龙圆。”童子良听说花样不同外国一样,不觉心上一动,说道:“你有没有?可拿个来我瞧瞧。”这位门生齐巧身边有两块洋钱,——一块鹰洋,一块龙圆,——便取出来,说声“老师请看”。童子良接在手中,一见有一块鹰洋在内,便皱着眉头,说道:“怎么老弟你亦用这个?”随手就拿这块洋钱在炕几上一丢,却拿了那块龙圆不住地端详。后来看见有龙的一面四转亦有洋字,他老人家便把面孔一板道:“老弟!怎么你也来欺我?如果不是造了送给外国人的,为什么要刻上这些外国字呢?我总疑心现在的人,一定是吃了外国人的迷魂药,所以样样都帮着外国人,真正不解!”后来这个门生又再三告诉他："中国所以铸造龙圆，原是想出法子抵制外国洋钱的意思，就同老师单吃本土，不吃洋烟，同一用意。"童子良经此一番譬解，虽然明白了许多，然而总为这龙圆上面刻了洋字，决计不肯使用。

闲话少叙。单说他此番派了九省钦差，到处查账筹款，不但那九省大小官员，听得他来，个个不安其位，就是别省听着，也为担心。当时他上去请训，奏称道："臣这趟出京，要由旱道而走，十八站到清江浦，然后坐了民船，再下江南。"上头问他："为什么不坐火车到天津，再换轮船到上海？岂不快些？"他便碰头奏道："臣是天朝的大臣，应该按照国家的制度办事。什么火车、轮船，走的虽快，总不外乎奇技淫巧；臣若坐了，有伤国体，所以断断不敢。"上头听他说的话很冠冕，而且晓得他为人古板，也就随他去了。但是按照官站，须要经过山东，朝廷便谕他顺便带看河工。他亦说："山东黄河，年来时常决口，听说其中弊端百出；臣到山东后，定当严密稽查，决不敢有负委任。"上头听了，无甚说得。

过了一天，又上去陛辞下来，便在部里支了盘川，带了随员，径向北道旱路进发。未曾动身的前头，发信给各地方大员，叫他们传谕所属，无非说"本大臣砥砺①廉隅，一介不取。所到之处，一概不许办差。倘敢不遵，定行参处"。如此通饬下去，总以为这位钦差是清廉自矢，决计不用地方上破费银钱的了。——岂知他所费的更多。你道是何缘故呢？现在不说别的，单指轿马一项而论：钦差坐的是长轿，抬轿子的每班四人，每天要换三班。一位少大人，随员六七十位，有的坐轿，有的坐车。钦差随员，各人都有跟人，都有行李。通扯起来，轿子至少亦得二三十顶，轿车、大车一百多辆，马亦要一百多匹。这笔费用，一天共需几何？部里支得盘川，如何够使？钦差每到一处，总要面谕地方官："所有夫价，即便写了领纸，交给巡捕官到我这里来领。"地方官当时只得诺诺遵命。等到下来，一一发付之后，哪里还敢向钦差大人手里讨取。然而等到钦差临动身的时候，这张领纸又一定要来讨取去的，地方官又不敢不照写。然而只见领纸进来，从不见银子出去。好在地方官亦早已自认晦气，决不要钦差还的。至于钦差自己心上亦未始不明白；但是不如此，不能显得清廉，况且自己亦哪里贴得出许多呢。

---

① 砥砺——磨刀石，引申为磨炼。

最要紧的是：每到一处，地方官办差太省俭了，固然不好；太华丽了，也不相宜。钦差尚未来到，便有钦差的巡捕先赶早一步来，名字叫做“先站”；其实是同地方官讲价钱来的。看缺分大小，一千、八百，尽着量要。若是地方官孝敬的能够如愿，他便把钦差脾气欢喜什么，不欢喜什么，都说了出来；地方官摸着钦差的脾气，这差事自然是好办了。倘若送的不能如愿，他便不肯以实相告，尽着地方官去瞎碰。

此番钦差因奉旨查办河工，所以绕道济南。抚台恐怕首县办差，一个人兼顾不到，特地派了两个同知，两个知县，帮着去办。使用银子，都在善后局里支领。偏所派的四位当中，有一位同知手笔极紧，除掉行辕应用的物件，不得不办了送去，其余小钱一文不肯浪费。巡捕官预先下来，只有首县私下答应他八百银子。那巡捕官一定要三千，说：“钦差到你们这里，总得多住几天，随时可以挑眼的。咱们劝你多破费几文，为的是彼此平安，省得钦差挑眼之后，大家没味。”首县听了，甚以为然。无奈那位同知大老爷执定不肯。首县无奈，只得又自己暗里送了这巡捕五百金。

此时山东省城是早已晓得钦差脾气不喜欢洋货的，所以行辕之内，一切摆设铺陈，凡是洋钟、洋表、洋毯、洋灯、洋桌、洋椅之类，一概不用。等到晚上，点了无数若干的牛油蜡烛，不拿洋灯比较，也还觉得明亮。至于其他一切陈设，都是中国土货。吃的东西，又无非照例的燕菜席，满、汉席。钦差住了几天，尚无话说。其时已是四月，天气渐热。跟班的出来，说大人嫌吃的水不干净，就是拧出手巾来也有股气味。办差的听见了，立刻就叫人到趵突泉打了水来给钦差吃。又买了一打林文烟香水交给跟班上，说：“每逢钦差洗脸，面盆里冲上些香水，就没有气味了，而且还香喷喷的好闻。”谁知拿了进去，钦差还没有闻着，打手巾把子的人已经挑眼了，拿着香水送到钦差面前，说：“这是外国人的药水，他们拿来药你的。”钦差听了，便气得了不得，写信给抚台，要查办办差的。抚台忙传那四个办差的到辕问话。四个人据实禀明，说那香水原是可以避暑气的，而且还可以避疫气。抚台复了钦差。钦差又查问哪里买的。后来听说是洋货店里买的，钦差愈加不高兴，说：“我就同女人一样，守节已经到了六七十岁了，难道还要半路上失节不成。你们这些人都不是好人，总要想出法子来害我，到底是何居心！”

这个风声传了出去，不但办差的人处处小心，就是合省官员来禀见的，凡是稍微带点洋气的东西，都不敢叫他瞧见。有天同司、道谈论公事，谈得时候多了些，忘记了时辰，便问："现在是什么时辰了？"有位候补道，无意之中说了声"现在大约有一点钟了"。童子良不听则已，听了之时，便把眉头一皱，眼睛一楞，说："你老哥说的什么？兄弟不懂。"嘴里说不懂，心上却是明白的，晓得他们所说的一定是表上的时刻。便想到这些人身上一定带着有表。半天不言语，侧着耳朵一听，偏偏同他坐的顶近一位道台，外褂里面剔剔的响。童子良听了一会，便问这位道台："你老哥身上有什么东西，一剔一剔的响？"又问："你们众位可曾听见没有？"众人都不敢言语。直把那位道台羞得耳根都红，坐立不稳。童子良还算忠厚，未曾当面揭穿；只第二天见了抚台，说："某道人是漂亮的；但是漂亮人总不免华而无实，不肯务正。所以兄弟取人，总在悃愊①无华一路。"抚台听了，先还摸不着头脑，还以为某人办事不诚实，所以钦差才加了他这个考语，后听别位司、道说起，晓得是为带着表，方才付之一笑了事。

钦差在济南住了十来天，所查办的事，无非是河工局里多孝敬他几万银子，没什么大不了之事。河工局送的是公款，为的是保全大局起见，钦差受了自无话说。抚台又另外送了程仪。下来便是司、道孝敬，府、县孝敬，还有些相好处的孝敬，钦差亦一一笑纳。

另外又有位平度州知州，这州官乃是在旗，名唤巴吉，表字祥甫。平度州缺，在东三府里也算得中等的缺。巴祥甫到任，已经做过五六年了。这年又得了"卓异"，照例送部引见。他身上本有"在任候补直隶州"字样，等到引见下来，又得了个"回任候升"。回省之后，上司都拿他当老州县看待，自然立即饬回本任的。回任不多几时，偏偏临清州出缺。——临清州乃是直隶州。巴祥甫因为自己资格已到，不免有觊觎②之心。亲自进省，托人在大宪面前吹嘘，意思想求大人拿他升补。上头尚在游移两可。这个档口，齐巧钦差来到，一连忙了十几天，就把这事搁起。巴祥甫心上虽然着急，也属无可如何。

巴祥甫有个哥哥，从前曾经拜在钦差门下，巴祥甫因此渊源，也就拿着门生的帖子前去叩见，居然传见，留下谈了半天，甚是亲热。等到见了

---

① 悃愊（kǔn bì）——至诚。

② 觊觎（jì yú）——希望得到（不应得到的东西）。

下来，就有他的亲家，也在省里候补的，劝他送份重礼给钦差，趁势托钦差说两句好话，抚台一定答应。巴祥甫亦以为然，意思想送钦差八千银子。他亲家道："送银子不及送东西的体面。"原来巴祥甫省城里有什么事情，都是托他这位亲家替他经手的。他亲家新近亦是替一个朋友办了一份礼，说是送给一位什么大人的，后来这份礼没有收，那个朋友的钱亦就一直没有拿出来。这份礼物总共值到五吊来往银子，一齐担在他亲家身上，所以他亲家急于想要出脱。齐巧碰着巴祥甫要送钦差的礼，他亲家面子上劝他置办东西，内骨子实是要卸自己的干系，因此一力撺掇。那份礼物当中，如珠宝、翡翠之类，很有两件值钱的。巴祥甫瞧了，因见亲家讨他六千，他看过六千还值，便尔应允。

但是巴祥甫的为人，是有点马马虎虎的；把礼物大概看了一遍，面子上很觉过得去，便对亲家说了声"费心"，吩咐开写礼单，即刻派人送去。不料送礼的家人去不多时，忽然赶回来找老爷，说是礼单之中有盘珠打璜金表一打，钦差巡捕说："这是大人顶顶犯忌的东西，怎么拿这个送他？非但不落好，倘或钦差生了气，还怕于你老爷功名有碍。"巴祥甫道："既然承他关照，我们就把表拿回来，再配一样别的送去亦好。"家人道："小的亦是如此说，无奈巡捕老爷不准我们拿回来。"巴祥甫急了，只好亲自赶去。走到那里，巡捕拿他一味恫吓①，说："已回过少大人了，不能由你拿回去掉换。你要太平无事，除非送三千银子给少大人，托他替你想法子，还是个办法。"巴祥甫无奈，只得同他磋磨了半天，跌到二千。巡捕果然进去同大少爷说明。大少爷说："叫他把银子拿来，保他无事。"巴祥甫只得又回来，找到他亲家，打了二千银子的一张票子送了进去，然后巡捕连表连银子，统通拿进去，交代了大少爷。大少爷又教了巡捕若干话，巡捕会意。

直等到里头传开饭，童子良刚刚坐下，只见巡捕拿了手本、礼单从外面走了进来。方才走到院子里，劈面大少爷从厢房里走了出来，不由分说，拦住台盒瞧了一瞧，顺手在盒子里取出一捧东西。手里拿着，却嘴里嚷着说道："这人真正岂有此理！他不晓得这里大人犯恶这个吗？竟其大胆，敢拿这个往这里送吗？"一头嚷，一头抢在盒子前头上来报信。其

① 恫吓（tōng hè）——扬言灾祸或苦难就要来临，以此威胁。

时拿手本、礼单的人已经到了童子良跟前了。童子良看了礼单,一见有金表在内,心上一个不高兴,面孔登时沉了下来,要待发作,尚未发作。不料少爷才上得一层台阶,一个滑脚早滑倒了,哗啷一声,一大捧东西一齐丢在地下,还有些珠子的溜溜在地下乱滚。看上去,有两个黄澄澄的的确像个金表,珠子早洒了满地了。童子良一见大少爷跌倒,忙问:"怎么样了?"大少爷喘吁吁地站起来,把衣服掸了两掸,也不拾地下的东西,便跑在他父亲身边,回道:"我正为巴某人送的礼奇怪,所以抢着拿了来给你老人家瞧。"童子良此时早看清是表,便发话道:"你不晓得我顶恨这个东西吗?还要拿了来气我!替我把那地下的东西扫出去,就是跌破了,也不准放在这里。"家人们答应一声,早有几个人把表抢着拿了出去;又一连两三笤帚,地下一颗珠子都扫的没有了。童子良见表拿出去,方把巡捕埋怨道:"他们说不晓得,怎么你们在我这里当差使,连这个都不知道吗?也不通知他们一声,由着他们拿这个来气我!"

巡捕见表拿了出去,没了对证,方慢慢地辨道:"回大人的话:巴牧有两句说话来,本要紧禀告大人知道的;倘若巴牧没有那两句话,标下亦决计不敢替他拿上来了。"童子良忙问:"什么话?"巡捕道:"他说他这个表不是外国来的,是本地匠人自己造的。"童子良道:"怎么本地人也会造表?造出表来做什么用呢?"巡捕便按照大少爷吩咐他的话回道:"巴牧的意思,因为外国进来的表太多了,顶好中国人不买。无奈中国人有几个能像大人这样正派,不要这些东西呢。但是外国进来的多了,中国的银钱就不免慢慢地一齐淌出去了。现在也是万不得已才想出这个抵制的法子,叫自己的匠人,仿照外国人的样子造出一个表来,一样报时报刻,中间的关捩子就同锁璜一样,所以叫做打璜金表,面子上盘了多少珍珠,无非取其值钱好看的意思,所以叫做盘珠打璜金表。大人没有瞧见,那底下一面还有'大清光绪年制'六个字,上头外国字一个都没有,真正是自己本国土造的。"童子良听了,居然信以为真,便道:"果然如此,还说得下去。如今跌碎了他的,倒辜负他这一片盛意了。"

巡捕见钦差怒气已平,便笑着朝大少爷说道:"巴某人送礼来的时候,他自己倒也很明白。"童子良道:"怎样讲?"巡捕道:"他说:'我巴某人拿了这东西孝敬钦差,不把话说明白,钦差一定要生气的。说明白了,或者还念这片苦心,亦就包涵过去了。'巴某人还说:'钦差是个正人,自古道‘邪不胜正’,所以不欢喜这些东西的。’如今可被他一句话说着了。表是大人犯恶的,一进了院子门,大人老远的瞅了一眼,自然而然那东西就会跌在地下跌碎,不能近大人的身。这也不怪少大人拿的不好跌碎的,暗地里自有神道在少大人手里夺过来摔在地下的。真正是‘邪不胜正’,这话是万不得错的。”童子良听了这番恭维,方才一面吃饭,一面慢慢地说道:“神道自有的。我们老太爷从前在山西做知县,凡是出了疑难命盗案件,自己弄得没有法子想,总是去求城隍老爷帮忙。洗过澡,换过新衣服,吃的是净素,住在城隍庙里,城隍老爷就托梦给他,或是强盗,或是凶犯,依着方向去找,回回都找到的。后来老太爷升天之后,老太太还做梦,说是老太爷也做了那一县的城隍了。神道的确是有的,不可不相信。”巡捕道:“像大人这样的职分,一定有值日功曹暗中保护,城隍老爷位分小,还够不上哩。”童子良把脸一板道:“这话不是可以混说的!那年陆中堂死了,他家是南方人,都按照南方风俗办的事:当天花了多少锡箔,什么望乡台、地狱门、十八殿阎王,一齐都上了钱粮。城隍庙里自从城隍老爷起,一直到小鬼土地,一齐都有烧化。人死了,头一重先要到城隍老爷跟前挂号,任凭你中堂、尚书再大点的官都逃不过的。这话都可以混说,真正瞎胡闹了!”

一席话说完,饭亦停当,方走下来,把巴祥甫送的礼物仔仔细细看了一遍。有个翡翠扳指,很中他老人家的意,带了手上给大少爷瞧,问大少爷道:“你瞧,这扳指也不输给你丈人的那一个了?”大少爷答应了一声“是”。童子良又看别的礼物也都过得去,便吩咐一齐收下;表已打碎,亦不追究。因此一个扳指对了他的胃口,却很替巴祥甫出力,在抚台面前替他说了许多好话,后来巴祥甫竟其如愿以偿,补授临清州缺。这是后话不题。

单说大少爷凭空得着了十二只金表,自然满心欢喜。且说他此番跟了老头子出来,人家孝敬钦差,少不得也要孝敬少大人,银子虽然也弄得不少,不过人心总无餍足①之时,自然越多越好。老头子自到山东,总共收了人家若干现的,若干票子,就账上看起来,也就不在少数。后来老头子又嫌现的累赘,于是又一概换了票子,床头上有个拜匣,一齐锁在里面。莫说别人不能经手,就是自己儿子也不准近前一步。这间屋,一步一锁,

① 餍(yàn)足——满足(多指私欲)。

钥匙是老头子自己带着。老头子或是清晨起来,或是灯下无事,一定一天要早晚查点二次。统计在山东境内,得了十五万六千银子。少爷劝他与其自己带在身边,不如早些托票号里汇到京城,也可存庄生息。无奈老头子总觉放心不下,不以少爷之言为然。过了些时,山东银子收齐了,便吩咐起马,九站旱道,直到清江浦换船南下。在旱道上,这个拜匣就放在轿子里面,每逢打尖住宿,等到无人之时,依旧每日二次查点银票。十五万六千银子的银票,也有二千一张的,也有一千一张的,三百、五百也有,一百、二百也有:统算起来,共有三百几十张银票。查点一次,亦很费半天工夫。他在屋里点票,一向是一个人不准入内;就是有客来拜,也不敢回,必须等到他老人家点完了数,锁入拜匣,亲随人等方敢进见。

及至到了清江,坐的是大号南湾子船,钦差自己一只,少爷一只,随员人等一共是二十多只,一字儿排在河心。少爷因为老头子一个人在船上未免冷清,同老头子说,情愿同老人家同船,以便早晚伺候。老头子怕儿子偷他银子,执意不肯。少爷见老头子不允,也只好遵命。南湾子船极大,房舱又多。童子良特特为为叫办差的替他做了两扇牢固的门,以便随时好锁。到了清江,漕台请他吃饭,都是锁了舱门才去的。漕台见了面,同他说:"我这里有的是小火轮,我派两条送你到苏州,免得路上耽搁。"童子良连连作揖推辞道:"你老哥还不晓得兄弟的脾气吗?我宁可天天顶风,一天走不上三里路,我是情愿的。小火轮虽快,是洋人的东西,兄弟生平顶顶恨的是洋货,已经守了这几十年,现在要兄弟失节是万万不能的了。况且兄弟苟其贪图走得快,早由天津坐了火轮船到上海,也不到山东绕这一个大弯儿了。"漕台见他如此说法,晓得他牛性发作,也只好一笑置之。

单说大少爷见老人家有这许多银子,自己到不了手,总觉有点难过,变尽方法,总想偷老头子一票,方才称心。如此者处心积虑,已非一日。从清江一路行来,早晚靠了船,大少爷一定要过来请安。等到老头子查点票子的时候,一定要把大少爷赶回自己船上去。大少爷也晓得老头子的用意,生恐被他偷用了,将来轮不到小儿小女;无奈想放下总放不下。

有天船靠常州,到了晚上,时候还早,父子二人吃过了饭,随便谈了几句,童子良就急急地催儿子过船。大少爷心上有点气不服,走到船头,盘算了一回。恰喜这夜并无月色,对面不见人影,他便悄悄地吩咐船家说:

"我要在这船沿上出恭。"船上人道:"这里河面宽,要当心,滑了脚不是玩的!船上有的是马桶,还是舱里稳当些。"大少爷道:"我欢喜如此。不准响,闹得大人知道!"船上人见说他不听,也只好随他了。大少爷便依着船沿,慢慢地扶到后面,约摸老人家住的那间房舱。幸喜窗板露着有缝,趁势蹲下,朝里一望,可巧老头子正是一个人在那里点票子哩。大少爷看着眼馋,一头看,一头想主意。只见老头子只是一张一张地点数,并不细看票子上的数目,一搭五十张,望上去有七八搭的光景,点完之后,用纸包了一个总包,仍旧放在那个拜匣之内,拿锁锁好,摆在床头。他老人家亦就顺势躺在床上,看那样子,甚为怡然自得。大少爷随即回自己船上。

一宵易过,容易天明。第二天开船,是日船到无锡。到了晚上,大少爷又过来偷着看了一回,也是如此。他便心上想道:"像他这种点法,只点票子的数,并不点银子的数,倘若有人暗地里替他换下几张,他会晓得吗?有了,等我到了苏州,如此如此,这般这般。这银子虽然不能全数到我的手,十成里头,总有六七成可以弄到手的。"主意打定,便买嘱上下人等。等到船泊苏州之后,偷个空上岸,先把自己的现银子取出几个大元宝,到钱铺里托他们一齐写了银票,也有十两的,也有八两的,极少也有四两。钱铺问他做什么用,他说是赏人的,人家也不疑心了。回到船上,专等钦差上岸,或是拜客,或是赴宴,这个挡口,大少爷便开了老头子住的舱门;——钥匙都是预先配好的——开了舱门,寻到拜匣所在,取出银票,拿掉几张大数目的,放上几张小数目的,仍旧包好放好。等到晚上老头子点票子的时候,大少爷又去偷看了一回,只见老头子依然是一张一张地点了个总数不差,无甚说得。因此大少爷胆子愈大,第二天又换上十来张,老头子仍未看出:如此者不上五天,便把他老人家整千整百大数目的银票统通偷换了去。

童钦差虽然仍旧逐日查点,无奈这个弊病始终没有查出。又幸亏这童钦差平时一个钱不肯用的,这些银票,将来回京之后,也不过送到黑屋里为糊墙之用。大约这重公案,他老人家在世一日,总不会破的了。于是大少爷把心放下。后来手脚做得越多,胆子越大,老头子这趟差使弄来的钱,足足有八九成到他儿子手里了。

要知后事如何,且听下回分解。

第四十七回

喜掉文频频说白字　为惜费急急煮乌烟

却说童子良到了苏州。江苏是财赋之区,本是有名的地方。童子良此番是奉旨前来,一为查旧账,二为筹新款。钦差还没有下来,这里官场上得了信,早已吓毛了。此时做江苏巡抚的,姓徐,号长绵,是直隶河间府人氏,一榜出身。藩台姓施,号步彤,是汉军旗人氏。臬台姓萧,号卣才,是江西人氏。他俩一个是保举,一个是捐班,现在一齐做到监司大员,偏偏都在这苏州城内。施藩台文理虽不甚清通,然而极爱掉文,又欢喜挖苦。因为萧臬台是江西人,他背后总要说他是个锔碗的出身。萧臬台听见了,甚是恨他。

这日辕期,两司上院,见了徐抚台。徐抚台先开口道:“里头总说我们江苏是个发财地方,我们在这里做官,也不知有多少好处,上头不放心,一定要派钦差来查。我们做了封疆大吏,上头还如此不放心我们,听了叫人寒心!”施藩台答应了两声“是”,又说道:“回大帅的话:我们江苏声名好听,其实是有名无实。即如司里做了这个官,急急的‘量人为出’,还是不够用,一样有亏空。”徐抚台听了“量人为出”四个字不懂,便问:“步翁说得什么?”施藩台道:“司里说的是‘量人为出’,是不敢浪费的意思。”毕竟徐抚台是一榜出身,想了一想,忽然明白,笑着对臬台说道:“是了。施大哥眼睛近视,把个量入为出的‘入’字看错个头,认做个‘人’字了。”萧臬台道:“虽然看错了一个字,然而‘量人为出’,这个‘人’字还讲得过。”徐抚台听了,付之一笑。施藩台却颇洋洋自得。

徐抚台又同两司说道:“我们说正经话,钦差说来就来,我们须得早为防备。你二位老兄所管的几个局子,有些账趁早叫人结算结算,赶紧把册子造好,以备钦差查考。等到这一关搪塞过了,我兄弟亦决计不来管你的闲事。”藩、臬二司一齐躬身答应,齐说:“像大帅这样体恤属员,真正少有,司里实在感激!”徐抚台道:“多靡费,少靡费,横竖不是用的我的钱,我兄弟决计不来做个难人的。”藩、臬两司下来,果然分头交代属员,赶造册子不题。

正是有话便长，无话便短。转眼间，童钦差已经到了苏州了，一切接差请圣安等事，不必细述。且说童钦差见了巡抚徐长绵，问问地方上的情形，徐抚台无非拿场面上的话敷衍了半天。接着便是司道到行辕禀见。童钦差单传两司上去，先问地方上的公事，随后又问藩台："单就江苏一省而论，厘金共是若干？"施藩台先回一声"是"，接着说了句："等司里回去查查看。"童钦差听了，无甚说得。歇了一回，又提到漕米，童钦差道："这个是你老哥所晓得的了？"谁料施藩台仍旧答应了一声"是"，接着又说了一句"等司里回去查查看"。童钦差一听，他这个要回去查，那个要回去查，便很有些不高兴。于是回过脸同萧臬台议论江南的枭匪，施藩台又抢着说道："前天无锡县王令来省，司里还同他说起：'无锡的九龙山强盗很多，你们总得会同营里，时常派几条兵船去'游戈游戈'才好，不然，强盗胆子越弄越大，那里离太湖又近，倘或将来同太湖里的'鸟匪'合起帮来，可不是玩的！'"施藩台说得高兴，童钦差一直等他说完，方同萧臬台说道："他说的什么？我有好几句不懂。什么'游戈游戈'，难道是下油锅的油锅不成？"萧臬台明晓得施藩台又说了白字，不便当面揭穿驳他，只笑了一笑。童钦差又说道："他说太湖里还有什么'鸟匪'，那鸟儿自然会飞的，于地方上的公事，有什么相干呢？——哦！我明白了，大约是枭匪的'枭'字。施大哥的一根木头被人家抗了去了，自然那鸟儿没处歇，就飞走了。施大哥好才情，真要算得想入非非的了！"施藩台晓得童钦差是挖苦他，把脸红了一阵，又挣扎着说道："司里实在是为大局起见，生怕他们串通一气，设或将来造起反来，总不免'茶毒生灵'的。"童钦差听了，只是皱眉头。施藩台又说道："现在缉捕营统领周副将，这人很有本事，赛如戏台上的黄天霸一样。还是前年司里护院的时候，委他这个差使。而且这人不怕死，常同司里说：'我们做皇上的官，吃皇上家的钱使，将来总要"马革里尸"，才算对得起朝廷。'"童钦差又摇了摇头，说道："做武官能够不怕死，原是好的。但是你说的什么'马革里尸'，这句话我又不懂。"施藩台只是涨红了脸，回答不出。萧臬台于是替他分辨道："回大人的话：施藩台眼睛有点近视，所说的'马革里尸'，大约是'马革裹尸'，因为近视眼看错了半个字了。就是刚才说的什么'茶毒生灵'的'茶'字，想来亦是这个缘故。"童钦差点头笑了一笑，马上端茶送客。一面吃茶，又笑着说道："我们现在用得着这'茶度生灵'了！"施藩台下来之后，朝萧臬台拱拱手，道："卣翁，以后凡事照应些，钦差跟前是玩不得的！"于是各自上轿而去。

自此以后，童钦差便在苏州住了下来。今天传见牙厘局总办，明天传见铜元局委员，无非查问他们一年实收若干，开销若干，盈余若干。所有局所，虽然一齐造了四柱清册，呈送钦差过目，无奈童子良还不放心，背后头同自己随员说："这些账是假造的，都有点靠不住，总要自己彻底清查，方能作准。"于是见过总办、会办，大小委员，都不算数，一定要把局子里的司事一齐传到行辕，分班问话。头一天传上来的一班人，童钦差只略为敷衍了几句话，并不查问公事。这一班退出，吩咐明天再换一班来见。等到第二天，换二班的上来，钦差竟其异常顶真，凡事都要考求一个实在。有些人回答不出，很碰钦差的钉子。于是大家齐说："这是钦差用的计策，晓得头一班上来见的人一定是各局总办选了又选，都是几个尖子，自然公事熟悉，应对如流，所以无须问得。等到第二班，一来总办没有预备，再则大家见头一天钦差无甚说话，便亦随随便便，谁知钦差忽然改变，焉有不碰钉子之理。"司事碰了钉子，其过自然一齐归在总办身上。合苏州省里的几个阔差使总办一齐都是藩台当权，马上传见施藩台，当面申饬，问他所司何事。施藩台道："司里要算是顶真的了，几次三番同他们三令五申，无奈这些人只有这个材料，总是这么不明不白的。"童子良道："这里头的事，你可明白？"施藩台道："等司里回去查查看。"童子良气得无话可说，便也不再理他。

幸亏现任苏州府知府为人极会钻营，而且公事亦明白，不知怎样，钦差跟前被他溜上了，竟其大为赏识，凡事都同他商量。这知府姓卜，号琼名。但是过于精明的人，就不免流于刻薄一路。平时做官极其风厉，在街上看见有不顺眼的人，抓过来就是一顿。——尤其犯恶打前刘海的人，见了总要打的。他说这班都是无业游民，往往有打个半死的。因此百姓恨极了他，背后都替他起了一个诨号，称他为"剥穷民"。藩台施步通文理虽然不甚通，公事亦极颟顸；然而心地是慈悲的，所谓"虽非好官，尚不失为好人"。因见首府如此行为，心上老大不以为然，背后常说："像某人这样做官，真正是草菅人命了。"亦曾当面劝过他，无如卜知府阳奉阴违，也就奈何他不得。

钦差此番南来，无非为的是筹款。江南财赋之区，查了几天，尚无眉目，别处更可想而知了。童子良生怕回京无以交代，因此心上甚为着急。卜知府晓得钦差的心事，便献计于钦差，说是："苏州一府，有些乡下人应该缴的钱粮漕米，都是地方上绅士包了去，总不能缴到十足，有的缴上八九成，有的缴上六七成，地方官怕他们，一直奈何他们不得。许多年积攒下来，为数却亦不少。"童子良道："做百姓的食毛践土①，连国课都要欠起来不还，这还了得吗！"卜知府道："其过不在百姓而在绅士；百姓是早已十成交足，都收到绅士的腰包里去了。苏州省城里还好，顶坏的是常熟、昭文两县，他那里的人，只要中个举，就可以出来替人家包完钱漕，进士更不用说了。"童子良道："你也欠，他也欠，地方官就肯容他欠吗？将来交不到数目，不还是地方官的责任吗？"卜知府道："地方官顾自己考成，亦只好拿那些没势力的欺负，做个移东补西的法子。至于有势力的，拉拢他还来不及，还敢拿他怎样呢。"童子良道："一个举人有多大的功名，胆敢如此！"卜知府道："一个举人原算不得什么，他们合起帮来同地方官为难，遇事掣肘，就叫你做不成功，所以有些州、县，只好隐忍。卑府却甚不以此为然。"童子良道："依你之见如何？"卜知府道："卑府愚见：大人此番本是奉旨筹款而来，这笔钱，实实在在是皇上家的钱，极应该清理的，而且数目也不在少处。为今之计，只要大人发个令，说要清赋，谁敢拖欠，我们就办谁。越是绅衿，越要办得凶。办两个做榜样，人家害怕，以后的事情就好办了。不但以后的事情好办，这笔钱清理出来，也尽够大人回京复旨交代的了。"

童子良这两天正以筹不着款为虑，听了此言虽然合意，但是意思之中尚不免于踌躇。想了一想，说道："这笔钱原是极应该清理的，但是，如此一闹，不免总要得罪人。"卜知府道："古人'铁面无私'，大人能够如此，包管大人的名声格外好，也同古人一样，传之不朽。而且如此一办，朝廷也一定说大人有忠心，朝廷相信了大人，谁还敢说什么话呢？"童子良经他这一泡恭维，便觉他说的话果然不错，连说："兄弟照办。……但是，老兄

---

① 食毛践土——毛，地面所生的植物。践，踩。此处指所食之物、所居之地均为国君所有。

到底在这里做过几年官，情形总比兄弟熟悉些，将来凡事还要仰仗！”卜知府亦深愿效力。一连又议了几日，把大概的办法商量妥当，就委卜知府做了总办。

卜知府本来是个喜欢多事的人，一朝权在手，便把令来行，行文各属，查取拖欠的数目以及各花户的姓名。查明之后，立刻委了委员，分赴各属，先去拿人。那些地方官本来是同绅士不对的，今奉本府之命，又是钦差的公事，乐得假私济公，凡来文指拿的人，没有一名漏网。等到解到省城之后，凡是数目大的，一概下监，数目小的，捕厅看管。但是欠得年代太久了，总算起来，任凭你什么人，一时如何还得起。于是变卖田地的也有，变卖房子的也有，把现成生意盘给人家的也有，一齐拿出钱弥补这笔亏空。然而这些都还是有产业、有生意的人，方能如此。要是一无底子的人，靠着自己一个功名，鱼肉乡愚，挟持官长，左手来，右手去，弄得的钱是早已用完的了，到得此时，斥革功名，抄没家产都不算，一定还要拷打监追，及至山穷水尽，一无法想，然后定他一个罪名，以为玩视国课者戒：因此破家荡产，鬻儿卖女，时有所闻。虽然是咎由自取，然而大家谈起来，总说这卜知府办的太煞认真了。

闲话少叙。但说卜知府奉到宪札之后，认真办了几天，又去禀见钦差。童子良道：“兄弟即日就要起身前赴镇江，沿江上驶，先到南京，其次安徽，其次江西，其次两湖，回来再坐了海船，分赴闽、粤等省。到处查查账，筹筹款，总得有一年半载耽搁。这事既交代了老兄，大约有半年光景，总可清理出一个头绪？”卜知府道：“不消半年。卑府是个急性子的人，凡事到手，总得办掉了才睡得着觉，大约多则三月，少则两月，总好销差。”童子良道：“如此更好！”卜知府回去，真个是雷厉风行，丝毫不肯假借，怕委员们私下容情，一齐提来，自己审问。每天从早晨起来就坐在堂上问案，一直到夜方才退堂。他又在三大宪跟前禀明，说：“有钦差委派的事，不能常常上来伺候大人。”甚至每逢辕期，他独不到。三宪面子上虽不拿他怎样，心上却甚是不快。

有天施藩台又同萧臬台说道：“听说卜某人是一天到晚坐在堂上问

案子,连吃饭的工夫都没有。这人精明得很,赛如古时皋陶①一般;有了他,可用不着你这臬台了。”施藩台说这话,萧臬台心上本以为然,无奈施藩台又读差了字音,把个皋陶的“陶”字,念做本音,像煞是什么“糕桃”。萧臬台愣了,忙问:“什么叫做糕桃?”施藩台亦把脸红了半天,回答不出。后来还是一位候补道忽然明白了他这句话,解出来与众人听了,臬台方才无言而罢。

按下卜知府在苏州办理清赋不表。且说此时做徐州府知府的,姓万,号向荣,是四川人氏。这人以军功出身,一直保到道台,放过实缺。到任不久,为了一件什么事,被御史参了一本,本省巡抚查明复奏,奉旨降了一个知府。后来走了门路,经两江总督咨调过来,当了半年的差使。齐巧徐州府出缺,他是实缺降调人员,又有上头的照应,自然是他无疑了。

这万太尊从前做道台的时候,很有点贪赃的名声,就是降官之后,又一直没有断过差使,所以手里光景还好。到任之后,就把从前的积蓄以及新收的到任规费等先拿出一万银子,叫账房替他存在庄上。每月定要一分利息。钱庄上不肯,只出得一个六厘,万太尊不答应,后首说来说去,作为每月七厘半长存。这爿钱庄乃本地几个绅士摒出股份来合开的,下本不到一万,放出去的账面却有十来万上下。齐巧这年年成不好,各色生意大半有亏无赢,因此,钱业也不能获利,后来放出去的账又被人家倒掉几注,到了年下,这爿钱庄便觉得有点转运不灵。万太尊一听消息不好,立刻逼着账房去提那一万银子。钱庄上挡手的忙托了东家进来同太尊说,请他过了年再提。万太尊见银子提不出,更疑心这钱庄是挣不住的了,也不及思前顾后,登时一角公事给首县,叫他一面提钱庄挡手,押缴存款,一面派人看守该庄前后门户。知县不知就里,正在奉命而行,却不料这个风声一传出去,凡是存户,一齐拿了折子到庄取现,登时把个钱庄逼倒。既倒之后,万太尊不好说是为了自己的款子所以札县拿人,只说是奸商亏空巨款,地方官不能置之不问。但是钱庄已经闭倒,店伙四散,挡手的就是押在县里亦是枉然。后来几个东家会议,先凑了三千银子归还太尊,请把

---

① 皋陶(gāo yáo)——传说中东夷族的首领,相传被舜任为掌管刑法的官,后被禹选为继承人,因早死未继位。

挡手保出，以便清理。万太尊无奈，只得应允。连利钱整整一万零几百银子，现在所收到的不及三分之一，虽说保出去清理，究竟还在虚无缥缈之间。总算凭空失去一笔巨项，心上焉有不懊闷之理。

又过了些时，恰值新年。万太尊有两个少爷，生性好赌，正月无事，便有人同他到一爿破落户乡绅人家去赌。无奈手气不好，屡赌屡输，不到几天，就输到五千多两。少爷想要抵赖，又抵赖不脱。兄弟二人，彼此私下商量，无从设法，便心生一计，将他们聚赌的情形，一齐告诉与他父亲。万太尊转念想道："这拿赌是好事情，其中有无数生发。"便声色不动，传齐差役，等到三更半夜，按照儿子所说的地方前往拿人，并带了儿子同去，充做眼线。少爷一想："倘或到得那里被人家看破，反为不妙。"但是老子跟前又不好说明，只得临时推头肚子疼，逃了回来。这里万太尊既已找着赌场所在，吩咐跟来的人把守住了前后门户，然后打门进去，乘其不备，登时拿到十几个人。其中很有几个体面人，平时也到过府里，同万太尊平起平坐的，如今却被差役们拉住了辫子，至于屋主那个破落乡绅，更不用说了。此时这般人正在赌到高兴头上，桌子上洋钱、银子、钱票、银票、戒指、镯头、金表统通都有，连着筹码、骨牌，万太尊都指为赌具，于是连赌具，连银钱，亲自动手，一搂而光，总共包了一个总包，交代跟来的家人，放在自己轿子肚里，说是带回衙门，销毁充公。又亲自率了多人，故意在这个人家上房内院仔细查点了一回，然后出来，叫差人拉了那十几个人，同回衙门而去。

万太尊明晓得被拿之人有体面人在内，便吩咐把一干人分别看管。第二天也不审问，专等这些人前来说法。果然不到三天，一齐说好，有些顾面子的，竟其出到三千、五千不等，就是再少的三百、二百也有，统通保了出去。万太尊面子上说这笔钱是罚充善举，其实各善堂里并没有拨给分文，后来也不晓得是如何报销的。便有人说，这回拿赌，万太尊总共拿进有一万几千银子。少爷赖掉人家的五千多不算，当大赌台上搂来的，听说值到三四千亦不算，倘算起来，足足有两万朝外。不但上年被钱庄倒掉的一齐收回，而且更多了一倍，真可谓得之意外了。但是被拿的人事后考究这事是如何被太尊晓得的，猜来猜去，便有人猜到是少爷漏的消息，说道："太尊的两位少爷是天天到此地来的，独有拿赌的那天没来，如今索性连影子都不见了。赌输了钱,欠的账都有凭据,他如此混账,我们要到道里去上控的。他既纵子为非,又借拿赌为名,敲我们的竹杠。如今这笔钱到底是捐在哪爿善堂里,我们倒要查查看。”众人齐说:“是极。”于是一唱百和,大家都是这个说法。就有人把话传到万太尊耳朵里。万太尊道:“我不怕!他要告,先拿他们办了再说!难道他们开赌是应该的?我的儿子好好的在家里,没有人来引诱,他就会跑出去同他们在一块儿吗?我不办他们,只罚他们出几个钱,难道还不该应?真正又好笑,又好气!”万太尊说罢,行所无事。后来再打听打听,那几个罚钱的人亦始终没有敢去出首,大约是怕弄他不倒,自己先坐不是之故。

但是名气越闹越大,这个消息传到京城里,被一个都老爷晓得了。齐巧这都老爷是徐州人氏,便上了一个折子,大大的拿这万太尊参了几款。这时恰碰着童子良到江南筹款,军机里寄出信来,就叫他就近查办。童子良不免派了自己带来的随员,悄悄地到徐州府走了一遭。列位看官,可晓得现在官场,凡是奉派查办事件,无论大小,可有几件是铁面无私的?委员到得徐州,面子上说不拜客,只是住在店里查访,却暗地里早透个风给人,叫人到万太尊那里报信。万太尊得了这信,岂有不着急之理!立刻亲自过来奉拜,送了一桌酒席,又想留在衙门里去住。几天下来,彼此熟了,还有什么不拉交情的。再加派去的委员亦并不是吃素的,万太尊斟酌送些,他再借些,自然是大事化小,小事化无了。

话休絮烦。此时童子良已由苏州坐了民船到得南京,委员回来禀复了。万太尊晓得事已消弭,不致再有出岔,于是也跟着进省,叩谢钦差,并且由先前那个委员替他说合,拜钦差童子良为老师,借名送了一分厚礼,自不必说。正当这天进去禀见,同班连他共是三个,那两个也是知府,都在省里当什么差使的。齐巧头天童子良病了一天一夜,又吐又泻,甚是厉害。这天本是不见客的,因为万太尊是新收的门生,那两个又有要紧的公事面回,所以一齐都请到卧室里相见。预先传谕万太尊不必行礼,万太尊答应着。进得房来,只见钦差靠着两个炕枕,坐在床上。三个人只恭恭敬敬地请了一个安。童子良略为把身子欠了一欠,上气不接下气地敷衍了两句。三人躬身询问:“福体欠安,今天怎么样了?”童子良因晓得那两位知府当中,有一位略为懂得点医道的,先把病势大概说了几句,又叫人把方子取出来，请他过目，问他怎么样，可用得用不得。那位不懂得医道的先说道："大人洪福齐天，定然吉人天相，马上就会痊好的。"童子良也不理他。又听得那个略为懂得点医道的说道："方子不过如此。但是卑府学问疏浅，大人明鉴万里，还是大人鉴察施行罢。"童子良着急道："这是什么话！我晓得老兄于此道甚是高明，所以特地请教。现在兄弟命在呼吸，还要如此的恭维，也真正太难了！诸位老兄在官场上历练久了，敷衍的本事是第一等，像这样子，只怕要敷衍到兄弟死了方才不敷衍呢！"

他俩听了，面孔很红了一阵，不敢作声。到底新收的门生万太尊格外贴切些，因见他俩都碰了钉子，便搭讪着说道："上吐下泻的病，只要吃两口鸦片烟就好的。"童子良道："是啊！我从前原本不忌这个东西的，现在到了江南来，因为天天要起早办公事、见客，吃了他很不便当，又要耽搁工夫，又要靡费。像愚兄从前的瘾，总得一两银子一天。所以到了苏州就立志戒烟，天天吃药丸子。前头还觉撑得住，如今有了病，倒有点撑不住了。"万太尊道："老师是朝廷的栋梁，就是一天吃一两银子也不打紧。"童子良道："小处不可大算，一天一两，一年三百六十两。近年来大土的价钱又贵，三百六十两，不过买上十二三只土，还要自己看着煮，才不会走漏，一转眼，就被他们偷了去了。"万太尊道："老师毛病要紧，多花几两银子值得什么！如果要土，门生那个地方本是出土的地方，而且的的确确是我们中国的土。门生这趟带来的不多，大约只够老师一年用的。等到门生回去，再替老师办些来，就是老师回京之后，门生年年供应些，亦还供应得起。"童子良一听万太尊有烟土送他，自然欢喜。因为病后，恐怕多说了话劳神，当时示意送客，三人一齐告辞出来。

万太尊回到寓处，把从徐州带来的烟土取出好些，送到行辕。童子良一齐收下。当天就传话出来，叫到烟馆里挑选四名煮烟的好手到行辕伺候，又叫办差的置办锅炉、木炭、瓷缸等件预备应用，又特地派了大少爷及三个心腹随员监督熬烟。大少爷道："一天就是抽二两，一时哪里就抽得这许多。有这些土，只要略为煮些，够路上抽的就是了，其余的不必煮，路上带着，岂不便当些。如今一起煮好了，缸儿罐儿堆了一大堆，还要人去照顾他，一个不留心，不是打碎了罐子，或如倒翻了烟，真正不上算。"童子良低低地说道："你们小孩子家，真正糊涂！我为的如今煮烟，炭是有人办差的，就是缸儿、罐儿，也不要自己出钱买。等到上起路来，船上不必说，走到旱路，还怕没有人替我们抬着走吗。每罐多少，每缸多少，我上头都号了字，谁敢少咱们的。打翻了，少不得就叫地方官赔，用不着你操心。如今倘若不把它煮好了，将来带到京里，哪一样不要自己拿钱买呢？谁来替咱办差？你们小孩子家，只顾得眼前一点，不晓得瞻前虑后，这点算盘都不会打，我看你们将来怎样好啊！"一席话说得儿子无言可答。

不多一会，煮烟的也来了。童子良吩咐他们明天起早来煮。到了第二天，他老人家病也好些，居然也能到外面来走走了。就在花厅上摆起四个炉子煮烟。除掉大少爷之外，其余三个随员，虽然不戴大帽子，却一齐穿了方马褂上来，围着炉子，川流不息地监察。童子良也穿了一件小夹袄，短打着，头上又戴了一个风帽，拄着拐杖，自己出来监工，弄得三间厅上，烟雾腾天。碰着有些不要紧的官员来见，他就吩咐叫"请"。人家进来之后，或是立谈数语，或是让人家随便旁边椅子上坐坐。人家见了，都为诧异。要知后事如何，且听下回分解。

第四十八回

还私债巧邀上宪欢　骗公文忍绝良朋义

却说钦差童子良在南京将养了半个月，病亦好了，公事亦查完了，总共凑到将近一百万银子光景。因见这边实在无可再筹，只得起身溯江上驶。未曾动身之先，就有安徽派来道员一员、知县两员，前来迎迓。及至动身的几天头里，江宁、上元两县晓得钦差不坐轮船的，特地封了十几号大江船，又由长江水师提督派了十几号炮船沿江护卫。在路早行夜泊，非止一日。有天到得芜湖，钦差因为没甚公事，未曾登岸。及至将到安庆省城，文武大小官员一起出境迎接，照例周旋，无庸多述。因安徽省现在这位中丞亦有被参交查事件，所以钦差于盘查仓库，提拨款项之后，只得暂时住下，查办参案。

原来此时做安徽巡抚的，姓蒋，号愚斋，本贯四川人氏。先做过一任山东巡抚，上年春天才调过来的。由山东调安徽，乃是以繁调简，蒋中丞心上本来不甚高兴。实因其时皖北凤、亳一带土匪蠢动，朝廷因为这蒋中丞是军功出身，前年山东曹州一带亦是土匪作乱，经蒋中丞派了兵去制服的，所以朝廷特地调他过来，以便剿办皖北土匪，无非为地择人之意。蒋中丞接印之后，就派了一位营务处上的道台，姓黄，名保信，一员副将，姓胡，名鸾仁，带了五营人马，前去剿办。禀辞的时候，蒋中丞原面谕他们相机行事，及至到得那里，他两个办不下来，就上了一个禀帖，说土匪如何猖狂，如何厉害，请加派几营兵，以资策应。蒋中丞得禀后，就加派了一员记名总兵，姓盖，名道运，统率了新练的什么常备军、续备军，又是三四营，前去救应。此番蒋中丞因该匪等胆敢抗拒官军，异常凶悍，实属目无法纪，又加了一个札子给他三个，叫他们如遇土匪，迎头痛剿。毕竟土匪是乌合之众，哪里禁得起这大队人马，不下二个月，土匪也平了，那一带的村庄也没有了。问是怎样没有的，说是早被他三位架起大炮，轰得没有了。于是“得胜回朝”。蒋中丞自有一番保奏：胡副将升总兵；盖总兵升提督；黄道台亦得了什么“巴图鲁”勇号。正在高兴头上，不提防被御史参上几本，说他们并不分别良莠,一律剿杀,又说蒋中丞滥保匪人,玩视民命,所以派了童子良查办的。

蒋中丞未曾调任之前,安徽有一个候补知府,姓刁,名迈彭,历任三大宪都欢喜他,凡是省里的红差使、阔差使,不是总办,便是提调,都有他一份。然而除掉上司之外,却没有一个说他好的。蒋中丞亦早已闻得他的大名。等到接印下来,同司、道谈起本省公事,便道:"怎么我们安徽一省候补道、府如此之多,连个能够办事的都没有?"两司听了愕然,各候补道更为失色。蒋中丞歇了一会,又说道:"但凡有个会办事的,何至于无论什么差使都少不了刁某人一个呢?就是他能办事,他一个人到底有多少本事,有多大能耐?一天到晚,忙了东又忙西,就是有兼人之材,恐怕亦办不了!"各位司、道方才晓得中丞是专指刁某人而言,一齐把心放下。但是大众听抚宪如此口气,知道不妙,就是想要替他说两句好话也不敢说了。有些穷候补道,永远不得差使的,心中反为称快。

等到下来,早有耳报神把这话传给了刁迈彭了。刁迈彭自从到省十几年,一直是走惯上风的,从没有受过这种瘪子。初听这话,还是一鼓作气的,说道:"明天就上院辞差使,决计不干了!"亲友们大家都劝他忍耐。又有人说:"中丞大约是初到这里,误听人言,再过几天,同你相处久了,晓得你的本领,自然也要倾倒的。"在外亲友劝,在家太太劝,过了两天,刁迈彭的气也平了,也不想辞差使了,仍旧谨谨慎慎上他的局子,办他的公事。却不料藩台因抚台说他闲话,也不敢过于相信他,三四天后,忽然拿他所兼的差使委了别人两个,大约还是些挂名不办事的,正经差使却没有动。刁迈彭一见苗头果然不对,此时一心害怕,唯恐还有什么下文,翻过来求藩台,求臬台,替他在抚宪面前说好话,保全他的差使还来不及,亦不说辞差使不干的话了。

毕竟蒋中丞人尚忠厚,因见两司代为求情,亦就答应暂时留差,以观后效。两司下来,传谕给刁迈彭,叫他巴结听差。刁迈彭不但感激涕零,异常出力,并且日夜钻谋笼络抚宪的法子,总要叫他以后开不得口才好。心想:"凡是面子上的巴结,人人都做得到的,不必去做。总要晓得抚台内里的情形,或者有什么隐事,人家不能知道的,我独知道,或者他要办一件事,未曾出口,我先办到,那时候方能显得我的本领。但是他做巡抚,我做属员,平日内里又无往来,如何能够晓得他的隐事?"这天整整踌躇了半夜。

回到上房，正待睡觉，忽然有个老妈，因为太太平时很喜欢她，她不免常在主人眼前说同伴坏话。此时忽被同伴说她做贼，并且拿到贼赃，一时赖不过去。太太只得吩咐局里听差的勇役，一面看守好了这个老妈，一面去追赶荐头，说是等到荐头到来，一齐送到首县里去办。这事从吃晚饭闹起，一直等到二更多天，荐头才来。太太正在上房发威，荐头同老妈直挺挺跪在地下。这个档口，齐巧刁迈彭踱了进去，问其所以，太太说了一遍。太太又骂荐头好大的架子，叫了这半天才来。荐头分辨说道："实为着抚台大人的三姨太太昨日添了一位小少爷，叫我雇奶妈；早晨送去一个，说是不好，刚才晚上又送去一个；进去之后，又等了好半天，所以误了太太这里的差事。只求太太开恩！"太太听了这话，心上生气，说他拿抚台压我。正待发作，谁知刁迈彭早听得明明白白，忽然意有所触；又见老妈年纪尚轻，甚是洁净。刁迈彭便心生一计，连向太太摇手，叫她不要追问。太太摸不着头脑。刁迈彭急走上前，附耳说了两句，太太明白，果然就不响了。刁迈彭忙叫荐头起来，向他说道："'知人知面不知心'，你们做荐头的人也管不了这许多，荐来的人做贼，是怪不得你的；不过是你的来手，却不能不同你言语一声。刚才太太因为你来得晚了生气，如今把话说明，就没有你的事了。"荐头正为太太说要拿他当窝家办，吓得心上十五个吊桶七上八落。如今见刁大人这番说话，不但转愁为喜，立刻爬在地下替大人、太太磕了几个响头；回转身来，就把那偷东西的老妈打了两下巴掌，又着实拿她埋怨了几句。刁迈彭又道："这个人我本是要送她到县里重办的；只为到得县里，一定要追及荐头人，于你亦有不便。我如今索性拿她交代与你带去，只要把偷的东西拿回来，看你面上，饶她这一遭，等她以后别处好吃饭。"那老妈听了，自然也是感激得了不得，亦磕了几个头，跟了荐头，千恩万谢而去。

第二天刁太太这里仍旧由原荐头荐了个人来。刁迈彭有意笼络这荐头，便同他问长问短，故意找些话出来搭讪着同他讲。后来荐头来得多了，刁迈彭同他熟惯了，甚至无话不谈。有天刁迈彭问他："抚台衙门里，你可常去？"荐头道："现在院上用的老妈一大半是我荐得去的。"刁迈彭道："有什么伶俐点的人没有？"荐头道："可是太太跟前要添人？"刁迈彭道："不是。现在没有这样伶俐人，也不必说；等到有了，你告诉我，我自有用她的去处,并且于你也有好处的。”荐头道:“可惜一个人,大人公门里若能再叫她进来了,这个人倒是很聪明的,而且人也干净,模样儿也好,心也细;有什么事情托她,是再不会错的。”刁迈彭忙问:“是谁?”又问:“我这里为什么不能再来?”荐头道:“就是前个月里人家冤枉她做贼撵掉的那个王妈。大人明鉴:人家说他做贼,是冤枉的;同伙里和她不对,所以说她做贼,无非想害她的意思。”刁迈彭道:“这个人很不错,太太本来也很喜欢她。不过同伙当中都同她不对,因此我这里她站不住脚,所以太太亦只好让她走了干净。至于做贼的一件事,我也晓得冤枉的,所以当时我并不追问。”荐头道:“大人、太太待她的恩典,她有什么不知道!”刁迈彭道:“知道就好,可见得就不是个糊涂人。如今又是你的保举,我现在就用她亦可以。”荐头道:“她出去之后,我又荐她到南街上刘道台公馆里去。刘道台是一直没有当过什么差使的,公馆里没有出息,听说老妈的工钱都是付不出的。所以王妈虽然去了,并不愿意在他家,闹着要出来。既然大人要她,我回去就带信给她,仍旧叫她到这里来伺候大人同太太就是了。”刁迈彭道:“钱归我出,而且还可以多给她些好处。但是这个人并不是要她来伺候我,亦不是要她来伺候我们太太;要她去伺候一个人,伺候好了,我还重重有赏,连你都有好处的。”荐头听了,还当是刁大人有什么外室,瞒住了太太;因是熟惯了,便凑前一步,附耳问道:“可是去伺候姨太太?”刁迈彭连连摇头道:“不是,不是。你不要乱猜。”荐头道:“这个我可猜不着了。到底去伺候谁,请大人吩咐了罢。”刁迈彭道:“现在离年不多几天了,我还要消停两天,今日不同你说;等你回家猜两天,猜不着,等我过了年再告诉你。”荐头无奈,只得回去。

正是光阴似箭,转眼又是新年了。这天是大年初五,那荐头急忙忙赶到刁公馆里给大人、太太叩喜。齐巧太太被一位要好的同寅内眷邀去吃年酒去了,只有刁迈彭在家。荐头便问:“大人去年所说的那桩事情,可把我闷坏了。今日请大人吩咐了罢。”刁迈彭说道:“你不要着急,我本来今天就要告诉你的。总而言之:这件事你能替我办成,我老爷的升官,连你的发财,统通都在里头。”荐头听了,直喜得眉花眼笑,嘴都合不拢来。

刁迈彭正要往下说时,恰巧管家头戴大帽子,拿了封信进来,说是:“老爷的喜信来了。”刁迈彭听了,不觉陡然愣了一愣,于是把话头打住。原来上年刁迈彭曾经托过京里一个朋友谋干一件事情。这个管家乃是刁迈彭的心腹,晓得此事;所以今天接着了这封京信,以为必定是那件事的回信来了。及至刁迈彭拆开看过之后,才知不是,于是搁在一边。

管家退去,刁迈彭方才说道:“我托你不为别的,为的你常常荐人到抚台衙门里去,就是上回歇掉的那个王妈,我看这人还伶俐,我想托你拿她荐到抚台衙门里去。我这里有四十两银子,二十两送你吃杯茶,那二十两你替我给了王妈。你可晓得我托你把她荐了进去,所为何事?专为叫她在里头做一个小耳朵。凡是抚台大人有什么事情,都来告诉我,就是没有事情,或是大人说些什么闲话,一天到晚做些什么事情,只要是她知道的,都可以来告诉我。我公馆里她不便来,她可送信给你,由你再传给我。但是至多三天总得报一次。这件事情办成,我还要重重地谢你。以后若是王妈他家里缺什么钱用,你告诉我,都由我这里给她。”那荐头听了刁迈彭的一番话,沉吟了一回,回说:“这人现在已不在刘公馆了,另外找了一个人家,听说出息很好。等我去挖挖看。大人赏他的银子,我带了去。这个请大人收了回去,我们怎好无功受禄呢。”刁迈彭道:“这一点点算不得什么。你也不必客气,将来我还要补报你的。”荐头见刁迈彭执意要他收,他亦乐得享用,于是千恩万谢,揣了银子而去。走出宅门,刁迈彭又拿他喊住,问道:“你拿她送进去给哪一个?倘若送到不相干人的跟前,那是没用的。”荐头道:“现在是二姨太太拿权,我自然拿她送到二姨太太跟前去,大人放心就是了。”刁迈彭见他说话在行,也自放心。

果然那荐头回去找到王妈,交代她十两银子,把刁迈彭的一番盛意说知;并说以后还有周济她。王妈自然欢喜。本来她此时在刘公馆里出来,正待找主,有了这个机会,随即一口答应。齐巧院上传出话来,二姨太太房里要雇个老妈,又要干净,又要能干。荐头得信,便把这王妈荐了进去;试了两天工,居然甚合二姨太太之意。当时荐头先把进去情形禀报过刁迈彭。过了两天,王妈传出话来,无非抚台大人昨日欢喜,今天生气的一派话,并没有什么大事情;以后或三天一报,或两天一报,都是些不要紧的,甚至抚台大人同姨太太说笑的话也说了出来。刁迈彭听了,不过付之一笑。只有一次是二姨太太过生日,别人都不晓得,只有他厚厚地送了一份礼。虽然抚宪大人有命璧谢,未曾赏收;然而从此以后,似乎觉得有了他这个人在心上,便不像先前那样的犯恶他了。以后又有两件事情被他得了风声,都抢了先去,不用细述。

单说有天王妈又出来报说，说是抚台大人这两天很有些愁眉不展。听得二姨太太讲起，说他老人家前年上京陛见的时候，借了一家钱庄上一万二千银子，前后已还过五千，还短七千。现在这个人生意不好，店亦倒了，派了人来逼这七千银子。这位大人一向是一清如水的。现在这个来讨账的人，就住在院东一爿客栈里面。大人想要不还他，似乎对不住人家，而且声名也不好听；倘若是还他，一时又不凑手，因此甚觉为难。

刁迈彭听在肚里，等到王妈去后，便独自一个踱到街上，寻到院东几爿客栈，一家家访问，有无北京下来的人。等到问着了，又问这人名姓；问他到此之后，可是常常到院上去的，并他来往的是些什么人，都打听清楚。刁迈彭是在安庆住久的，人头既熟，便找到这人的熟人，托他请这人吃饭，他却自己作陪。席面上故意说这位抚台手里如何有钱，好叫那人听了回去，逼得更凶。过了一天，果然王妈又来报，说大人这两天不知为着何事，心上不快活，一天到夜骂人，饭亦吃不下去。

刁迈彭听了欢喜，心想道："时候到了。"便打了一张七千两的票子，又另外打了一百两的票子，带在身上，去到栈房，找那个讨账的说话。幸喜几天头里在台面上同那人早已混熟了，彼此来往过多次；那人亦曾把讨账的话告诉过刁迈彭。刁迈彭立刻拍着胸脯，说道："我们这位老宪台是有钱的，不应如此啬刻。你只管天天去讨；将来实在讨不着，等我进去同他账房老夫子说，划还给你就是了。"果然那人次日进去，逼得更紧。抚台不便亲自出来会他，都是官亲表侄少爷出来同他支吾。有时或竟在门房里一坐半天，弄得个抚台难为情的了不得，而又奈何他不得。想要同下属商量，又难于启齿。正在急的时候，忽然一连三天，不见那人前来。合衙门的人都为诧异，派个人到他住的栈房里打听打听，说是已经回京去了。栈房里的人还说："这人本是专为取一笔银子来的，如今人家银子已经还了他，还住在这里做什么呢。"出来打听的人回去，把这话禀报上去，弄得个抚台更是满腹狐疑，想不出其中缘故。

原来刁迈彭自从王妈送信之后，他袖了银票，一直径到栈房，找到那人，自己装做是抚台账房里托出来做说客的。起先止允还一半，那人不肯，然后讲到让去利钱，那人方才肯了。叫他取出字据，银契两交，一刀割断。然后又把那一张一百两的票子取出，作为抚台送的盘川。那人自是感激。又叫他写了一张谢帖。那人次日便动身回京而去。刁迈彭把笔据谢帖带了回家,心上盘算:“银子已代还了,抚台的面子亦有了;怎么想个法子,叫抚台晓得是我替他还的才好。”意思想托个人去通知他,恐怕他不认,亦属徒然;若是自己去当面去同他讲,更恐怕把他说臊了,反为不美。而且这字据又不便公然送还他。踌躇了好两天,才想出一个法子。当天足足忙了半夜。

诸事停当,次日饭后上院。这几天抚台正为要账的人忽然走了,心上甚是疑惑不定。见他独自一个来禀见,原本不想见他,后来说是有事面回,方才见的。进去之后,敷衍了几句,并不提及公事。等到抚台问他,刁迈彭方才从从容容地从袖筒管里取出一个手折,双手送给抚台,口称:“大人上次命卑府抄的各局所的节略,凡是卑府所当过的差使,这上头一齐有了;此外卑府没有当过的,不晓得其中情形,不敢乱写。”抚台听了,一时记不清楚自己从前到底有过这话没有,随手接了过来,往茶几上一搁,道:“等兄弟慢慢地看。”刁迈彭道:“这后头还有卑府新拟的两条条陈,要请大人教训。”抚台听说有条陈,不得不打开来,一页一页地翻看。大略的看了一遍:前面所叙的,无非是他历来当的差使,如何兴利,如何除弊的一派话;后头果然又附了两条条陈,一条用人,一条理财,却都是老生常谈,看不出什么好处。抚台正在看得不耐烦,忽地手折里面夹着两张纸头,上面都写着有字,一张是八行书信纸写的,一张是红纸写的,急展开一半来一看,原来那张信纸写的不是别样,正是他老人家自己欠人家银子的字据;那一张就是来讨银子的那个人的谢帖。再看欠据上,却早已写明“收清”涂销了。抚台看了,当时不觉呆了一呆;随时心上亦就明白过来,连手折,连字据,连谢帖,卷了一卷,攒在手里,说了声“兄弟都晓得了,过天再谈罢”。说完,端茶送客。

且说抚台蒋中丞送客之后,袖了那卷东西,回到签押房里,打开来仔仔细细地看了一回,的确是那张原据七千多银子,连利钱足足一万开外。“如此一笔巨款,他竟替我还掉,可为难得!但是思想不出,他是怎么晓得的,真正不解!”接着又看那张谢帖,写明白“收到一百银子川资”的话,心想:“他这又何苦呢!正项之外,还要多贴一百银子。”仔细一想,明白了:“这是他明明替我做脸的意思。这人真有能耐,真想得到,倒看他不出!从前这人我还要撤他的;如今看来,倒是一个真能办事的人,以后倒要补补他的情才好。”跟手又把他那个手折翻出来,自头至尾,看了一遍。

虽然不多几句话，然而简洁老当，有条不紊，的确是个老公事。再看那两条条陈，亦觉得语多中肯。“在候补当中，竟要算个出色人员！”盘算了一会，回到上房。

接着吃晚饭。二姨太太陪着吃饭，正议论到那个要账的走的奇怪。蒋中丞连忙接口道：“我正要告诉你们，这银子竟有人替我代还了。”二姨太太听了诧异，忙问：“是谁还的？”蒋中丞便一五一十地统通告诉了她。又说“刁某人是个候补知府，现在当的是什么差使？”此时齐巧王妈站在二姨太太身傍，伺候添饭；她心上是明白的，忙插嘴道：“这位老爷我伺候过他，他的光景我是知道的，虽然当了这几年的差使，还是穷的当当，手里一个钱都没有，哪里来的这一万银子呢？不要不是他罢？”蒋中丞道：“的确是他。他当的都是好差使，还怕没钱，头两万银子，算来难不倒他。”王妈道：“这位老爷的的确确没有钱。我伺候过他的太太一年多，还有什么不晓得的。他的太太亦时常同我们说：‘这些差使给了我们这位老爷，真正冤枉呢！除掉几两薪水之外，外快一个不要，这两年把我的嫁妆都赔完了，再过两年就支不住了。这些差使若是委在别人身上，少说有五六万银子的财好发。’”蒋中丞听了疑惑道：“他既然没得钱，怎么能够替我还账呢？”王妈道：“这位老爷钱虽不要，然而手笔很大，一千、八百的常常帮人，自己没有钱，外头拖亏空；所以他身上听说有毛五万银子的亏空。如今这笔钱，想来又是什么庄上拉来的。有几个差使在身上罩住，哪里总还拉得动；但怕将来没了差使，不晓得拿什么还人家呢。”蒋中丞听了，心上盘算道：“据他这样说来，真正是个好人了。”

从此以后，蒋中丞便拿他另眼看待；又委他做了本衙门的总文案，没有事情，都可以穿了便服一直到签押房里同抚台谈天的。此时刁大人的声光竟比蒋中丞未到任之前还好。人家看了，都为奇怪，齐说：“某人做官真有本事，无论什么抚台来，一个好一个。”总猜不出是个什么诀窍。

又过了一个月，童钦差要来的话早已宣布开了，所有当银钱差使的人，一齐捏着一把汗。刁迈彭更不必说。还算他有才具，只在暗地里布置，外面却丝毫不肯矜张①。等到钦差到了安庆住下，叫他们造报销，他早已派人在南京抄到人家报销的底子，怎样钦差就赏识，怎样钦差就批

---

① 矜(jīn)张——夸张。

驳，他都了然于心，预备停当。等到这里钦差才吩咐下来，他第二天就把册子呈了上去，又快又清楚，合了钦差的心。钦差看了大喜，一连传见过三次，所说的话，又甚对钦差的脾胃。以后通省各局所的册子都造好送了上来；钦差看了，有好有歹，然而总不及刁迈彭的好。因此钦差很赏识他，同蒋抚台说，要上折子保举他。抚台是承过他的情的，岂有不赞成之理。这是后话不题。

且说钦差童子良因奉朝廷命查办蒋抚台“误剿良民，滥保匪人”一案，案情重大，所以到了安庆之后，声色不动，早派了两个心腹，前往凤、亳一带密查。等到这里司库局所盘查停当，先前委出去查事的人亦已回来了，竟同御史参的话丝毫不错。钦差便行文抚台，叫他把记名提督盖道运、候补道黄保信、候补总兵胡鸾仁三员，先行摘去顶戴，有缺撤任，有差撤委，一齐先交首府看管，听候严参，归案审办。这事一出，大家又吓毛了。

先前蒋抚台也听见风声不好，便有人送信给他说，为的就是上年皖北剿匪一案。蒋抚台说：“我有地方官奏报为凭，所以才发兵的。至于派出去的人误剿良民，这个我坐在省城里，离着一千多里路，我怎么会晓得呢。这个须问他们带兵的，其过并不在我。”又有人把这话传给了盖道运等三个，说：“看上去抚台不肯帮忙。”盖道运道：“我们是奉公差遣，他不叫我们去杀人，我们就能够乱杀人吗！这件事是他叫我们如此做的。钦差问起来，我有他的札子为凭，咱不怕！”说完，便把札子取了出来，给大众瞧了一瞧，仍旧揣在身上，又说一声“这是咱的真凭据”！黄保信、胡鸾仁两个听他如此一说，亦各各把心放下。随后又有人把盖道运的话告诉了蒋抚台。蒋抚台一听大惊，便把札子的原稿吊出查看，觉得所说的话虽然过火，尚无大碍；唯独后头有一句是叫他们“迎头痛剿”。看到这里，不觉把桌子一拍，道：“完了！这是我的指使了！”深悔当初自己没有站定脚步，如今反被他们拿住了把柄；自己恼悔的了不得，然而又是一筹莫展。晓得刁迈彭见多识广，才情极大；况且这些属员当中，亦只有同他知己；于是请了他来，密商这件事如何办法。

这件事刁迈彭是早已知道的了。三人之中，黄保信黄道台还同他是把兄弟。依理，老把兄遭了事情，现在首府看管，做把弟人就该应进去瞧瞧他，上司跟前能够尽力的地方，替他帮点忙才是。无奈这位刁迈彭一听抚台有卸罪于他三人身上的意思,将来他三人的罪名,重则杀头,轻则出口,断无轻恕之理;因此就把前头交情一笔勾销,见了抚台,绝口不提一字,免得抚台心上生疑,这正是他做能员的秘诀。此时抚台传见,正为商议这件事情。他便迎合宪意,说他三人如何荒唐,“极该拿他三人重办:一来塞御史之口,二来卸大人的干系;倘若大人再要回护他三人,将来一定两败俱伤,于大人反为无益。”蒋抚台听了,虽甚以他话为然,但是因为前头自己实实在在下过一个札子,叫他们迎头痛剿,如今把柄落在他们手里,钦差提审起来,他们一定要把这个札子呈上去的;岂不是一应干系都在自己身上,他们罪名反可减轻。因把详细情节告诉了刁迈彭,问他如何是好。

刁迈彭至此也不免低头沉吟了一回,问抚台要了那个札子底稿,揣摹了半天,便道:“法子是有一个;但是光卑府一个人做不来,还得找一个盖某人的朋友,肯替大帅出力的,做个连手才好。”蒋抚台默默无语。后来还是刁迈彭想起武巡捕当中有一个名字叫做范颜清的,这人同盖道运本是郎舅。后来为了借钱不遂,早已不大来往的了。“如今找他做个帮手,这事或者成功。”蒋抚台一听这话,连忙站起身来,朝着刁迈彭深深一揖,道:“兄弟的身家性命,一齐在老哥身上。千万费心!一切拜托!”刁迈彭道:“卑府有一分心,尽一分力就是了。”说罢,退下。

刁迈彭也不及回公馆,便去找着范颜清,先探他口气,同他说:“想不到令亲出此意外之事!”范颜清道:“我们是至亲,不是我背后说,他也过于得意了。”刁迈彭一听口音很对,便说:“你们是至亲,到了这个时候,只应该帮帮他的忙才是。你是常在老帅身边的人,总望你替他说句好话才好。今日连你都如此说他,他还有活命吗?”范颜清道:“卑职的事情,瞒不过你大人的明鉴。常言道:‘至亲莫如郎舅。’他是提镇,卑职是千、把,说起来只有他提拔卑职的了,谁知倒是一点好处沾不到的。即如去年他平了土匪回来,随折呢,本来不敢妄想,只求他大案里头带个名字,就算我至亲沾他这点光,也在情理之内。哪晓得弄到后来竟是一场空,倒是些不三不四的一齐保举了出来。所以如今卑职也看穿了,决计不去求他。卑职同他亲虽亲,究竟隔着一层;如今连他们的姑太太也不同他来往了,这可是同他一个娘肚里爬出来的,尚且如此,更怪不得别人了。”刁迈彭一听范颜清说的话很是有隙可乘,便把他拉到里间房里,同他咕唧了好一会，把抚台所托的事情，以及拉他帮忙的话，并如何摆布他三个的法子，密密的商量了半天。范颜清果然满口答应："情愿拼着断了这门亲戚报效老帅，只求事成之后，求大人在老帅面前好言吹嘘，求老帅的栽培就是了。"刁迈彭亦满口答应。

二人计议已定。好个刁迈彭，回到公馆，立刻叫厨子做了两席酒，叫人挑着送到首府里。一席说是自己送给黄大人的；那一席又换了两个人抬了进去，说是院上武巡捕范老爷送给他舅爷盖大人的。随后又见他二人不约而同，一齐来到首府，找了首府陪着他，一个看朋友，一个看亲戚。首府一见他二人都是抚台的红人，焉有不领他进去之理。盖道运见了范颜清，虽然平时同他不对，如今自己是落难的人，他送了吃的，又亲自来瞧，总算有情分的了，不得不拿他当做亲人，同他诉了一番苦，又问姑太太的好。范颜清同他敷衍了几句，又把刁迈彭引了过来，彼此相见。刁迈彭先见老把兄，自然另有一番替他抱屈的话，说得黄保信感激他，直拿他当做亲兄弟一般看待。及至见了盖道运，又是义形于色地说了一大泡。盖道运是个武家伙，更加容易哄骗，亦当他是真好人，便说抚台如何想卸罪于他三人身上："现在我有抚台札子为凭，钦差提审，我是要呈上去的。"刁迈彭亦竭力叫他把札子收好，不但保得性命，而且保得前程。盖道运自然佩服他的话。四个人又谈了半天，他二人方才辞别而出。

第二天，范颜清说院上事忙，只有刁迈彭一个又到首府里看他二人，说的话无非同昨天一样。刁迈彭回到院上，同蒋抚台说："时候到了。再不办，钦差要提人审问，就来不及了。"当夜刁迈彭就住在院上签押房里，足足忙了半夜。第三天午前又去瞧盖道运，说是："刚从院上下来，听得说你三位的风声不好。"盖道运道："无论如何，我有中丞这个凭据，总不会杀头的。"刁迈彭道："你别这样讲，他们做文官的心眼子总比你多两个，你哪里是他对手。你姑且把札子拿出来，等我替你看看还有什么拿住他的把柄地方没有。"头两天盖道运听了黄保信的话，说我们这位把弟如何能干，如何在行，所以一听他言，登时就要请教。齐巧黄保信这时也陪了过来，亦催盖道运把札子拿出来，"给某人瞧瞧还有什么可以规避的方法"。盖道运不假思索，忙从怀里取出那角公事，双手送上。

刁迈彭刚正接到手中，忽然范颜清又从外面进来，拿个盖道运一把拉到对过房里说话。大家晓得他是院上来的，一定是得了什么风声了，盖道运不由得跟了过去。黄保信同胡鸾仁各各惊疑不定。刁迈彭将计就计，亦说："范某人到这里，一定有什么话说，你二人姑且跟过去听听看。"他俩被这一句提醒，果然一齐走了过去。此时刁迈彭见房内无人，急急从袖筒管里把昨夜所改好的一个札子取了出来，替他换上。那边范颜清故意做得鬼鬼祟祟的，说是："今天在院上，听见老帅同两司谈起你老舅的事情，大约无甚要紧。老帅总得想法子出脱你们三位的罪名，可以保全自己。"盖道运听了如此一讲，又把心略略放下，忙说道："果其如此，还像个人。"范颜清又故意多坐了一回，约摸刁迈彭手脚已经做好，倏地取出表来一看，说一声："不好了！误了差了！"连忙起身告辞；又走过来喊了一声："刁大人，我们同走罢。老帅叫你起的那个稿子，今儿早上还催过两遍，你交代上去没有？"刁迈彭亦故作一惊道："真的！我忘记了！我们同走，回来再来。"说完出来，便把札子连封套交代了盖道运，彼此拱拱手，同了范颜清扬扬而去。这里盖道运还算细心，拉开封套瞧了一瞧，见札子依然在内，仍旧往身上一揣，行所无事。

且说童子良此番来到安徽筹款，没有筹得什么，安徽又是苦省份，抚台应酬的也不能如愿，所以这事既已查到实在，就想彻底究办。先叫带来的司员拟定折稿，请旨把盖道运等三个先行革职，归案审办。这是钦差在行辕里做的事，抚台在外头虽然得了风声，然而无法弥补。偏偏又是刁迈彭因蒙钦差赏识，便天天到钦差行辕里去献殷勤，不但钦差欢喜他，连钦差的随员跟人没有一个不同他要好的，拜把子，送东西，应有尽有，所以弄得异常连络。等到钦差参了出去，他得了风声，又去化钱给钦差随员，托他们把折子的稿子抄了出来。大众以为折已拜发，无可挽回，落得卖他几文。哪晓得他稿子到手，立刻送到抚台跟前。蒋抚台见上头参的很凶，倘若认真的办起来，不但自己功名不保，而且还防有余罪，急同刁迈彭商量办法。刁迈彭道："只要钦差的这个底子到了我们手里，卑府就有法子想了。"蒋抚台急欲请教。刁迈彭道："要大人先下手奏出去，便可无事。"蒋抚台道："钦差的折子昨儿已经拜发，我们怎么赶到他的头里呢？"刁迈彭道："这有什么难的。钦差的折子是按站走的；我们给他一个'六百里加紧'①,将来总是我们的先到。他三个的罪名横竖是脱不掉的,如今札子已经换到,他们没有把柄,就冤枉他们一次,还怕什么。现在只请大人先把这事奏参出去,只把罪名卸在他三个身上;自己亦不可推得十二分干净,失察处分必须自行检举的。如此一来,我们的折子先到京,皇上先看见,钦差的折子随后赶到,就是再说得厉害些,也就无用了。"蒋抚台听他说话甚是有理,立刻照办,仔仔细细拟了一个折子,请将盖道运三个革职严惩,自己亦自请议处。当天把折子写好拜发,由驿站六百里加紧递到京城,果然比钦差的折子早到得好几天。上头批了下来:"盖道运三个一齐充发军台,效力赎罪②;巡抚蒋某交部议处。"旋经部议得"降三级调用";亏得自己军机里有照应,求了上头,改了个"革职留任",仍旧还做他的抚台。

上谕下来的那天,盖道运气愤愤地不服,说:"我们是按照抚台的札子办事的,为什么要办我们的罪?"一定吵着,要首府上去替他伸冤。首府问他有什么凭据。他就把札子掏了出来,摔到首府面前,说:"老兄请看!这不是他叫我们'迎头痛剿'的吗?怎么如今全推在我们身上呢?"首府接过来一看,只有叫他们"相机剿办"的字眼,并没有许他"迎头痛剿"的字眼,便把这话告诉了他,又把字义讲给他听。盖道运还不明白。毕竟黄保信是文官,猜出其中的缘故,一定是那天被刁迈彭偷换了去。把话说明,于是一齐痛骂刁迈彭,已经来不及了。后来钦差那面见朝廷先有旨意,亦道是蒋某人自己先行出奏,却不晓得全是刁迈彭一个人串的鬼戏。后来刁迈彭在安徽做官,因此甚为得法。欲知后事如何,且听下回分解。

---

① 六百里加紧——是一种最紧急的文书,每到一站,立即换人换马飞驰,每天限定要走六百里。

② 充发军台,效力赎罪——清代在西北边远的地方设置的驿站叫做军台。犯罪的官员如经发往军台,规定每月缴纳若干银两,叫做台费,三年期满,得到准许,可以释放回来。

第四十九回

焚遗财伤心说命妇① 造揭帖密计遣群姬

却说刁迈彭自蒙钦差童子良赏识，本省巡抚蒋中丞亦因他种种出力，心上十二分的感激。后来钦差那边拿他保了个送部引见；抚台这边明保，亦有好几个折子。刁迈彭就趁势请咨进京引见。到京之后，又走了门路，引见下来，接着召见了一次，竟其奉旨以道员发往安徽补用。平空里得了一个“特旨道”，声光更与前不同了。回省之后，不特通省印委人员仰承鼻息，就是抚台，因为从前历次承过他的情，不免诸事都请教他，有时还让他三分。因此安徽省里官场上竟替他起了一个绰号，叫他做“二抚台”。这二抚台屡次署藩台，署臬台，署关道，署巡道；每遇缺出总有他一分，都是蒋抚台照应他的。后来又署了芜湖关道。

到任未久，忽然当地有个外路绅衿，姓张，名守财，从前带过兵，打过“捻匪”；事平之后，带过十几年营头，又做过一任实缺提督。自从打“捻匪”掳来的钱财以及做统领克扣的军饷，少说手里有三百多万家私。这人到了七十岁上，因为手里钱也有了，官也到了极品了，看看世界上以后的官一天难做一天，如果还是恋栈，保不定哪时出个乱子；皇上叫你去带兵，或是打土匪，或是打洋人，打赢了还好，打输了，岂非前功尽弃，自寻苦恼。齐巧这年新换的总督同他不对，很想抓他个岔子，出他的手。亏得他见貌辨色，立刻告病还乡，乐得带了妻儿老小，回家享福，以保他的富贵。他原籍虽然不是芜湖，只因从前带营头，曾经在芜湖住过几年，同地方上熟了，就在本地买了些地基，起了一所房子。后来在任上手里的钱多了，又派人回来添买了一百几十亩地，翻造了一所大住宅，宅子旁边又起了一座大花园。

这张守财生平只有一样不足，是年纪活到七十岁，膝下还是空无所

---

① 命妇——封建时代，皇帝给予官员的妻子以夫人、淑人、恭人之类的封号，统称命妇。

有。前前后后，连买带骗，他的姨太太，少说也有四五十个。到了后来，也有半路上逃走的，也有过了两年不欢喜，送给朋友，赏给差官的，等到告病交卸的那年，连正太太、姨太太一共还有十九位。正太太是续娶的，其年不过四十来岁，听说也是一位实缺总兵的女儿。张守财一向是在女人面上逞英豪惯了的，谁知娶了这位太太来，年纪比他差着三十岁，然而见了面，竟其伏帖帖不敢违拗半分。那十八位姨太太都还是太太未进门之前讨的，自从太太进门，却没有添得一位。

在任上的时候，一来太太来的日子还浅，不便放出什么手段；二则衙门里耳目众多，不至于闹什么笑话，所以彼时太太还不见得怎样，不过禁止张守财不再添小老婆而已。等到交卸之后，回到芜湖，他盖造的那所大房子本是预先画了图样，照着图样盖的：上房一并排是个九间，原说明是太太住的上房。后头紧靠着上房，四四方方，起了一座楼；楼上下的房间都是井字式，楼上是九间，楼下是九间；四面都有窗户，只有当中一间是一天到夜都要点火的。九间屋，每间都有两三个门，可以走得通的。恰恰楼上下一十八个房间，住了一十八位姨太太。正太太住了前面上房，怕这些姨太太不妥当，凡是这楼的四面，或是天井里，或是夹道里，有门可以通到外头的，一齐叫木匠钉煞，或是叫泥水匠砌煞。倘若要出来，只准走一个总门。这个总门通着太太后房，要走太太的后房里出来，一定还要在太太的木床旁边绕过。不但十八位姨太太出来一齐飞不掉太太的房间，就是伺候这十八位姨太太的人，无论老妈子，丫头，冲壶开水，点个火，也要入太太后房，在床边经过。镇日价人来人去，太太并不嫌烦，而且以为："必须如此，方好免得老爷瞒了我同这班人有什么鬼鬼祟祟的事，或是私下拿银子去给他们。只要有我这个总关口，不怕他插翅飞去。"按下慢表。

且说张守财告病回来，他是做过大员的人，地方官自然要拿他抬高了身份看待。县里官小说不着，本道刁迈彭乃是官场中著名的老猾，碰见这种主儿，而且又是该钱的，岂有不同他拉拢的道理。起先不过请吃饭，请吃酒，到得后来，照例拜了把子。张守财年尊居长，是老把哥；刁迈彭年轻，是老把弟。拜过把子不算，彼此两家的内眷又互相往来。刁迈彭又特特为为穿了公服到张守财家里拜过老把嫂；等到张守财到道衙门里来的时候，又叫自己的妻子也出来拜见了大伯子。从此两家往来甚是热闹。刁迈彭虽然屡次署缺，心还不足，又托人到京里买通了门路，拿他实授芜湖关道。这走门路的银子，十成之中，听说竟有九成是老把兄张守财拿出来的。

张守财一介武夫，本元虽足，到底年轻的时候，打过仗，受过伤，到了中年，斫丧[1]过度，如今已是暮年了，还是整天的守着一群小老婆厮混，无论你如何好的身体，亦总有撑不住的一日。平时常常有点头晕眼花，刁迈彭得了信，一定亲自坐了轿子来看他；上房之内，直出直进，竟亦无须回避的。到底张守财是上了年纪的人，经不起常常有病，病了几天，竟其躺在床上，不能起来了。不但精神模糊，言语蹇涩[2]；而且骨瘦如柴，遍体火烧；到得后来，竟其痰涌上来，喘声如锯。这几个月里，只要稍微有点名气的医生，统通请到；一个方子，总得三四个先生商量好了，方才煎服。一帖药至少六七十块洋钱起码；若是便宜了，太太一定要闹着说："便宜无好货，这药是吃了不中用的。"——谁知越吃越坏，仍旧毫无功效。

后来又由刁迈彭荐了一个医生，说是他们的同乡，现在在上海行道，很有本事。张太太得到这个风声，立刻就请刁迈彭写了信，打发两个差官去请；要多少银子，就给他多少银子。好在上海有来往的庄家，可以就近划取的。等到到了上海，差官找到了医生的下处，一看场面，好不威武，一样贴着公馆条子；但是上门看病的人，却是一个不见。差官只得把信投进。那医生见是芜湖关道所荐，一定要包他三百银子一天，盘川在外，医好了再议；另外还要"安家费"二千两。差官样样都遵命，只是安家费不肯出，说："我们大人自从有了病，请的大夫少说也有八九十位了，无论什么大价钱都肯出，从来没有听见还要什么安家费的。先生如果缺钱使用，不妨在'包银'里头支五天使用，三五一十五，也有一千五百银子。"那医生见差官不允，立刻拿架子，说："不去了。"又说："我又不是唱戏的戏子，不应该说'包银'。"同来请的是两个差官，一个不认安家费，以致先生不肯去；那一个急了，便做好做歹，磕头赔礼，仍旧统通答应了他，方才上轮船。在轮船上包的是大餐间，一切供应，不必细述。

谁知等到先生来到芜湖，张守财的病已经九分九了。当时急急忙忙，张太太恨不得马上就请这位名医进去替老爷看脉，把药灌下，就可以起死

---

① 斫(zhuó)丧——伤害，特指因沉溺酒色以致伤害身体。

② 蹇(jiǎn)涩——形容语言不流畅，难懂。

回生。齐巧这位先生偏偏要摆架子，一定不肯马上就看，说是轮船上吹了风，又是一夜没有好生睡觉，总得等他养养神，歇息一夜，到第二天再看。无论如何求他，总是不肯。甚至于张太太要出来跪求他，他只是执定不答应。他说："我们做名医的不是可以粗心浮气的。等到将息过一两天，敛气凝神，然后可以诊脉。如此，开出方子来才能有用。"大家见他说得有理，也只得依他。这医生是早晨到的，当天不看脉，到得晚上，张守财的病越发不成样子了，看看只有出的气，没有进来的气。这两天刁迈彭是一天两三趟的来看病，偏偏这天有公事，等到上火才来。会见了上海请来的先生，问看过没有。差官便把医生的话回了。刁迈彭道："人是眼看着就没有用了，怎么等到明天！还不早些请他进去看看，用两味药，把病人扳了过来。你们不会说话，等我去同他商量。"当下幸亏刁迈彭好言奉劝，才把先生劝得勉强答应了。于是由刁大人陪着，前面十几个差官打了十几个灯笼，把这位先生请到上房里来。此时张太太见了先生，他的心上赛如老爷的救命星来了。满上房里，洋灯、保险灯、洋蜡烛、机器灯，点的烁亮。先生走到床前，只见病人困在床上，喉咙里只有痰出进抽的声响。

那先生进去之后，坐在床前一张杌子①上，闭着眼，歪着头，三个指头把了半天脉；一只把完，再把一只，足足把了一个钟头。把完之后，张太太急急问道："先生，我们军门的病，看是怎样？"先生听了，并不答腔，便约刁大人同到外面去开方子。张太太方再要问，先生已经走出门外。大家齐说："这先生是有脾气的，有些话是不能同他多讲的。"当由刁大人让了出来。先生一面吃水烟，一面想脉案方，说得一句"军门这个病……"，下半截还没有说出，里面已经是号啕痛哭，一片举哀的声音；就有人赶出来报信，说是军门归天了。刁迈彭听了这话，一跳就起，也不及顾，先跑到里头，帮着举哀去了。

这里先生双手捧着一枝烟袋，愣在那里坐着发呆。正在出神的时候，不提防一个差官举手一个巴掌，说："你这个混账王八蛋！不替我滚出去，还在这里等什么！"说着，又是一脚。先生亦因坐着没味，便说："我的当差的呢？我要到关道衙门去。"又道："我是你们请来的，就是要我走，也得好好地打发我走，不应该这个样子待我。我倒要同刁大人把这个情

---

① 杌（wù）子——一种矮凳。

理再细细地同他讲讲。”差官道：“你早晨来了，叫你看病，你不看，摆你娘的臭架子！一直等到人不中用了，还是刁大人说着，你这才进去看！我们军门的病都是你这杂种耽误坏的！不走，等做不成！”说着，举起拳头又要打过来。幸亏刁大人的管家劝住，才腾空放那先生走的。

闲话少叙。再说张太太在上房里，原指望请了这个名医来，一帖药下去，好救回军门的性命。谁知先生前脚出去，军门跟手就断气，立刻手忙脚乱起来。一位太太同着十八位姨太太，一齐号啕痛哭，哭得震天价响。正哭着，人报：“刁大人进来了。”张太太此时已经哭的死去活来。一众老妈见是刁大人进来，但把十几位姨太太架弄到后房里去。刁大人靠着房门，望着死人亦干号了几声。于是张太太又重新大哭；一面哭着，一面下跪给刁大人磕头，说：“我们军门伸腿去了，家下没有做主的人，以后各事都要仰仗了！”刁迈彭急忙回说：“这都是兄弟身上应该办的事，还要大嫂嘱咐吗？”说罢，又哭。

张守财既死之后，一切成殓成服，都不必说，横竖有钱，马上就可以办得的。但是一件：他老人家做了这么大的一个官，又挣下了这么一份大家私，没有儿子，叫谁承受？他本来出身微贱，平时于这些近支远亲，自己都弄不清楚。娶的这位续弦太太，又是个武官的女儿，平时把揽家私以及驾驭这些姨太太，压制手段是有的；至于如何懂得大道理，也未见得；所以于过继儿子一事，竟不提起。至于那些姨太太，平日受她的压制，服她的规矩，都是因为军门在世；如今军门死了，大家都是寡妇家，晓得太太也没有仗腰的人，彼此还不是一样，便慢慢的有两个不服规矩起来。太太到了此时，也竟奈何她们不得。

此时张府上是整日整夜请了四十九位僧众在大厅上拜礼“梁王忏”①，晚上“施食”，闹得昼夜不得休息。到了“三七”的头两天，有个尼庵的姑子走了一位姨太太的门路，也想插进来做几天佛事。姨太太已答应了她。谁知太太不答应，一定要等和尚拜完四十九天功德圆满之后，再用姑子。这件事本来小事情，谁知她们妇道家存了意见。这位姨太太见太太不允，扫了她面子，立刻满嘴里叽里咕噜的，瞎说了一泡，还是不算；又跑到军门灵前，连哭带骂，絮絮叨叨哭个不了。太太听得话内有因，便

① 拜礼“梁王忏”——请和尚念经以超度死者。

把她拉住了,问她说些什么。这位姨太太索性一不做,二不休,便一头哭,一头说道:“我只可怜我们老爷做了一辈子的官,如今死了,还不能够叫他风光风光,多念几天经,多拜几堂忏,好超度他老人家早生天界,免在地狱里受罪;如今连着这么一点点都不肯,我不晓得留着这些钱将来做什么使? 难道谁还要留着贴汉不成! 如今他老人家死了,我晓得我们这些人更该没有活命了! 我也不想活了,索性大家闹破了脸,我剃了头发当姑子去!”一面说,一面哭。

太太也有听得明白的,气得坐在房里,瑟瑟地抖;后来又听说什么养汉不养汉,越发气急了。也不顾前虑后,立起走到床前,把军门在日素来存放房产契据、银钱票子的一个铁柜,拿钥匙开了开来,顺手抱出一大捧的字据,一走走到灵前,说了声:“老爷死了,我免得留着这样东西害人!”抓了一把,捺在焚化锡箔的炉内,点了个火,呼呼的一齐烧着。说时迟,那时快,等到家人、小子、老妈、丫环上前来抢,已经把那一大捧一齐送进去了。究竟这柜子里的东西,连张太太自家亦没有个数,大约刚才所烧掉的一大包,估量上去,至少亦得二三十万产业。有些可以注失重补;有些票子,一烧之后,没有查考,亦就完了。当时张太太盛怒之下,不假思索,以致有此一番举动。一霎烧完,正想回到上房里,从柜子里再拿出一包来烧;谁知早被几个老妈抱住,捺在一张椅子上,几个人围着,不容她再去拿了。张太太身不由己,这才跺着脚,连哭带骂,骂个不了。起先说她闲话的那个姨太太,倒愣在一旁呆看,不言不语了。

正当胡闹的时候,早有人飞跑送信到道衙门里去。刁迈彭得信赶来,不用通报,一直进去。因为进门的时候,就听得人说张太太把些家当产业统通烧完,他便三步迈作两步走到灵前,嘴里连连说道:“这从哪儿说起! 这从哪儿说起!”一见炉子里还在那里冒烟,他便伸手下去,抓了一下子,被火烫的手指头生痛,连忙缩了回来。看看心总不死,于是又伸下去,抓出一叠四面已经焦黄,当中没有烧到的几张契纸,字迹还有些约略可辨。刁迈彭一面检看,一面连连跌脚,说道:“这又何必!”看了半天,都是残缺不全,无可如何,亦只有付之一叹,然后起身与张太太相见。

此时张太太早哭得头发散乱,哑着喉咙,把这事的始末根由诉了一遍。诉罢,又跪下磕了一个头,跪着不起来。刁迈彭再三让她站起,她总是不肯起,口口声声要求刁迈彭做主。刁迈彭一想:“她们都是一般寡妇,没有一个做主的。若论彼此交情,除了我也没有第二个可以管得他的家事的。”于是也就不避嫌疑,满口答应。又说:“大哥临终的时候,我受了他的嘱托,本来就想过来替他料理的;一来这两天公事忙,二来因为大哥过去了才不多几天,还不忍说到别事。如今既然嫂嫂这里弄得吵闹不安,那亦就说不得了。”张太太听了,自然是千感万谢,忙又磕了一个头。磕头起来,便请刁大人到屋里来,拿柜子指给他看,说:“我们军门几十年辛苦赚得来的,明天就请大人过来替他理个头绪。应该怎么个用头,就求大人斟酌一个数目,省得我嫂子受人的气。”刁迈彭道:“这件事不是光理个头绪就算完的;依我兄弟的愚见,总得分派分派才好。大哥身后掉下来的人又不只你嫂子一个,如果还像从前和在一起,那是万万做不到的。兄弟明天过来,自有一个办法。”张太太一向是“唯我独尊”的,如今听说要拿家当分派,意思之间,以为:“这个家除了我更有何人?”便有点不高兴。

当下刁迈彭回到自己衙门,独自盘算着,说道:“这位军门,他的钱当初也不晓得是怎么来的,如今整大捧的被他太太一齐往火里送。自己辛苦了一辈子,挣了这份大家私,死下来又没有个传宗接代的人,不知当初要留着这些钱何用!我刚才想要替她们大小老婆分派分派,似乎张太太心上还不高兴。唉!我这人真正也太呆了!替她们分派之后,一个人守着十几万银子,各人干各人的,这钱岂非仍落他人之手。我明天何不另想一个主意,等到太太出面,把些小老婆好打发的打发几个;打发不掉的,每人些须少分给她们几个;余下的,一齐仍归太太掌管。如此办法,少不得他太太总要相信我。以后各事经了我的手,便有了商量了。”转念一想,“凡事不能光做一面,总要两面光”,必须如此如此方好。

主意打定,第二天止衙门不见客,独自一个溜到张家,先到大厅上见了张守财的几个老差官。晓得这班人都很有点权柄,太太跟前亦都说得动话的,刁迈彭便着实拿他们抬举,又要拉他们坐下谈天。几个老差官因他是实缺关道,又是主人把弟,齐说:“大人跟前哪有标下座位。”刁迈彭道:“不必如此说。一来,诸位大小亦是皇上家的一个官;二来,你们太太托了我要替他料理料理家务,有些事情还得同诸位商量。现在跟前没有别人,我们还是坐下好谈。诸位不坐,我亦只好站着说话了。”众人至此无奈,方才一齐斜签着身子坐下。刁迈彭先夸奖诸位如何忠心,“军门过去了,全靠诸位替他料理这样,料理那样。”又说:“诸位跟了军门这许多年，可惜不出去投标投营。有诸位的本领，倘若出去做官，还怕不做到提、镇大员，戴红顶子吗。”随后方才说到自己同军门的交情：“如今军门死了，无人问信，我做把弟的少不得要替他料理料理；就是人家说我什么，也顾不得了。”此时，众人已被刁迈彭灌足米汤，不由已地冲口而出，一齐说道：“大人是我们军门的盟弟，军门过去了，大人就是我们的主人，谁敢说得一句什么！要是有人说话，标下亦不答应他，一定揍他。”刁迈彭哈哈大笑道：“就是说什么，我亦不怕。我同军门的交情非同别个，要是怕人说话，我也不往这里来了。”说罢，就往上房里跑。走了几步，又停住了脚，回头说道：“诸位都跟着军门出过力，见过世面的人。我今天来到这里，要同军门的太太商量：现在我奉到上头公事，要添招几营人；又有几营要换管带。我看来看去，只有诸位是老军务，目前就要借重诸位跟我帮个忙才好。”众人一听刁大人有委他们做管带的意思，指日便是个官了，总比如今当奴才好，便一齐请安，“谢大人提拔”。然后跟着同到上房，见了张太太，照例请安，劝慰一番；然后又提到替他料理家务的话。此时一众差官都当他是好人，见他同太太讲话，并不生他的疑心。把他送到上房之后，便一齐退到外面，候着站班恭送。

刁迈彭见跟前的人渐渐少了，方才把想好的主意说了出来。张太太一听，甚中其意，连忙满脸堆着笑，说道：“到底我们军门的眼力不差，交了这些个朋友，只有大人一位可以托得后事的。”说着，又叹气道：“我们军门一条命送在这班狐狸手里！依我的意思，一齐赶掉，一个钱也不给她们。”刁迈彭道：“这是断断乎不可，钱是要给几个的。”张太太默默无言。刁迈彭又讲到：“这班出过力的差官，很有几个有才具的。兄弟的意思：想求嫂子赏荐几个，等兄弟派他们点差事，帮帮兄弟。横竖又不出门，府上有事，仍旧可以一喊就来的。”张太太道：“这是大人提拔他们。大人看谁好，就叫谁去。军门过世之后，公馆里亦没有什么事情，本来也要裁人。如今一得两便，他们又有了出路，自然再好没有了。”

刁迈彭辞别回去，第二天办了五六分札子，叫人送到张府上。那札子便是委这几个差官当什么新军管带的。凡是张府上几个拿权老差官，都被他统通调了去。这般人正愁着军门过世以后绝了指望；如今凭空里一齐得了差使，更胜军门在日，有何不感激之理。自此以后，这班人便在刁迈彭手下当差。刁迈彭却自从那日起，一直未曾再到过张府，后文再叙。

且说张太太自从听了刁迈彭的话,同那班姨太太忽然又改了一副相待情形;天天同起同坐,又同在一块儿吃饭,说话异常亲热。从前这班姨太太出出进进都要打太太的床前走过;如今太太也不拿她们防备了,便在中间屋里另开了一个门,通着后头,预备她们出进。太太又说:"我们现在都是一样的,还分什么大小呢。"一班姨太太陡然见太太如此随和,心上都觉得纳罕。毕竟这班小老婆几个是好出身?从前怕的是老爷,是太太;如今老爷已死了,太太也没有威风了。有几个安分守己的,还是规规矩矩,同前头一样;有几个却不免有点放荡起来,同家人小厮嘻嘻哈哈。有时和尚进来参灵,或是念经念的短了,或是声音不好听了,这些姨太太还排揎他们一顿。后来过了半月,借着到庙里替军门做佛事,就时常出去玩耍。太太非但不管她们,倒反劝她们出去散心,说:"你们都是一班年轻人,如今老爷死了,还有什么指望,有得玩乐得出去玩玩。不比我自从遭了老爷的事,就一直有病,哪里有玩的兴致呢?"自那日起,张太太果然推头有病,不出来吃饭。一班姨太太见她如此,乐得无拘无束,尽着性儿出去玩耍。太太睡在家里,一问也不问。张府中照此样子,已经有一个多月。

这一个多月,刁迈彭竟其推称有公事,一趟未曾来过。又不时把他新委的几个张府上的差官传来谕话,说:"我这一阵因为公事忙,未曾到你们军门家里。自从军门去世之后,留下这些年轻女人,我实在替他放心不下。你们得空,还得常常回去,带着招呼招呼,也好替我分分心。"众人一齐答应称"是"。背后私议,齐说:"刁大人如此关切,真正是我们军门的好朋友!"

又过两天,正是初一,刁迈彭到城隍庙里拈香,磕头起来,说是:"神桌底下有张字帖似的,看是什么东西。"便有人拾了起来,递到刁迈彭手里;故意看了一看,就往袖子里一藏,出来上轿。此时那一班差官都跟来看见。刁迈彭回到衙中,脱去衣服,吩咐左右之人一齐退去,单把那班差官传进来,拿这帖给他们看。又是埋怨自己,又是怪他们,说道:"我再三的同你们说,我这阵子公事忙,不能常常到你们军门公馆里去。况且现在又不比军门在日,公馆里全是一班女人,我常常跑了去亦很不便。所以再三交代你们,叫你们时常带着回去招呼招呼,为的就是怕闹点事情出来,叫人家笑话。也不必实有其事,就是被人家造两句谣言,亦就犯不着。你们不听我的话,如今如何!被人家写在匿名帖子上头!这个写帖子的人也是可恶!什么事情不好说,偏偏要说她们寡妇家的事情!我总得叫县里查到这个人重办他一办。这个帖子幸亏是我瞧见,叫他们拾了起来;倘若被别人拾着了,传扬出去,那时候名气才好听呢!"

刁迈彭一头说,众差官一面应"是",一面看那匿名揭帖。内中有两个识字的,只得把上写的四句诗念给众人听道:

"芜湖城里出新闻:提督军门开后门,
日日人前来卖俏,便宜浪子与淫僧。"

那两个差官毕竟是武夫,字虽认得,句子的意思究竟还不懂。念完之后,愣住不响。刁迈彭特地逐句讲给他们听过,然后大家方才明白。内中就有一粗鲁的,听了这些言语,不觉双眉倒竖,两眼圆睁,气愤愤地说道:"这是怎么说!这是怎么说!我们军门做了这么大的一个官,倒叫他死后丢脸!这件事标下倒有点不服气!近来半个月,我们太太有病,睡在屋里不出来,这一定是那班姨太太闹的。太太病了,没有人管她们,就闹得无法无天了。大人,说不得,我们军门死了,知己朋友可以帮着替他料理料理家务的,只有你老人家一位。标下在这里替你老人家跪着,总得求你老人家替他管管才好!"于是一齐跪下。刁迈彭看了,皱着眉头说道:"这事情闹的太难为情了,叫我亦不好管啊。也罢,等我慢慢地想个法子。你们且出去,一面打听打听,到底怎么样;一面访访那个写匿名帖子的人到底是谁,查得人头,我也好办。况且这帖子既然被我拾着一张,看来总不只一张,外面一定还有,你们姑且留起心来。"众差官只好答应着,退了下来。

有两个回到公馆里把这话禀告了张太太。张太太听了,一声不响。歇了半天,方说:"我自己的病还不晓得怎样,哪里有工夫管她们!你们姑且出去查查看,查到了什么凭据,告诉我说,我再来问她们。"差官退出,因见太太并不追究此事,心中俱各愤愤,齐说:"军门死了,怎么连个管事的人都没有了!尽她们无法无天,这还了得!"

于是又过两天,那两个性子暴的差官正在茶馆里吃茶回来,将近走到辕门,忽见照壁前有许多人在那里围住了看。他俩亦就停止了脚,看他们看些什么。原来墙上贴着一张字帖,众人一头看,一头说,一头譬解,也譬解不得当。你道如何?原来那张字帖正与前天刁大人在城隍庙里拾着的一样,不过第二句“提督军门开后门”一句,改为“大小老婆开后门”,换了四个字了。这两个差官不看则已,看了之时,不觉一腔热血,大抱不平,也不顾人多拥挤,立时迈步上前,把字帖揭在手中;并不回到道衙门,拿了字帖,一直径到张公馆上房,叫老妈禀报,说:“有要事面回太太。”太太便唤他们进见。那两个差官见了太太,一言不发,把个字帖往太太面前一送,说一声“太太请看”!太太瞧了,佯作不知,还问:“上头说的是些什么?”差官道:“上回刁大人照这样的字已经见过一张了,标下就来回过太太,请太太管管这些姨太太,少教她们出去,弄的声名怪不好听的。太太说:‘没有工夫管她们。’如今好了,连太太的声名也被她们带累上了!”太太着急道:“怎么有我在上头?”差官道:“这第二句可不是连太太也被着他们糟蹋了么。”

太太看了一遍,还是不懂,叫账房师爷来讲给他听,方才明白。等到明白之后,这一气真非同小可!登时面孔一板,两脚一顿,也不顾有人没人,蓬着个头,穿了一身小衣裳,也不及穿裙子,一跑跑到军门灵前,拍着灵台,又哭又骂,数说:“老爷在世,吃了皇上家的钱粮,不替皇上家办事,只知道克扣军饷,弄了钱来讨小老婆。人家讨小老婆,三个五个,也尽够的了;你偏一讨讨上几十个。又不是开窑子,要这群狐狸做什么用!如今等你死了,留下这班祸害,替你换了顶戴还不算,还要拿我往浑水缸里乱拉,连我的名声也弄坏了!”一面够说,一面回头叫人:“替我把刁大人请了来。他是军门的好弟兄,军门死了,他索性门也不上了!我们这里的事,他一管也不管了!到底我们这里大小老婆,哪一个开后门,哪一个卖俏,哪一个同和尚往来,他是地方官,可以审得的。横竖我是一直病着,连房门都没有出,是瞒不过人的。将来审明白了哪个狐狸干的事,我同哪个拼命!倘若审不出,我情愿自己剃了头发当姑子去。住在这里,弄得名声被别人带累坏了,我却犯不着!”说着,又叫人去催刁大人,说:“他为什么还不来?他不是军门的好朋友吗?军门死了,他竟其信也不问了,活的不要管,问他对得住死的吗!”

正吵着,刁大人来了。一只脚才跨进门,张太太已经跪下了,口口声声“请大人伸冤!大人倘若不替我伸冤,我今天就死在大人跟前”!说完,从袖筒管里一把烁亮雪尖的剪刀伸了出来,就在面前地下一摆。刁迈彭见了,连连摇手,道:“快别如此!快别如此!有话起来说,我们好商量。我受了大哥临终时候的嘱托,我赛如就是他的顾命大臣一样,还有什么不尽心的。快快请起!快快请起!"起先张太太还只是跪着不起来,后来听见刁大人答应了他,方才又磕了一个头,从地下爬起,就在灵前一张矮脚杌子上坐下。刁迈彭亦即归座。张太太便一五一十把方才的话说了一遍。刁迈彭道:"这事原难怪大嫂生气。大嫂一直有病,睡在家里,如今忽然拿你带累在里头,自然你要生气。但是这事情关系府上的大局,传扬出去名声不好听,而且也对不住死的大哥。依兄弟愚见,还是请大嫂训斥她们一番,等她们以后收敛些就是了。"差官插口道:"头一回大人拾着那张帖子,标下就赶回来告诉太太说:'请太太管管她们,不准她们出去。'太太不听。如今果然闹到自己身上来了。"刁迈彭道:"是啊,当初我交代你们,也为的是这个。"张太太道:"我从前不管她们,是拿她们当做人,留她们的脸,如今闹到这步田地,大家的脸亦不要了。大人若是肯做主,对得住死的大哥,想个法子安放安放这些狐狸;若是不能,我就死了让她!"说着,伸手拾起剪刀来,就想抹脖子,急得众人连忙抢下。

刁迈彭装做没主意,向众人道:"这事怎么办呢?"众人也是你看看我,我看看你,都不得主意。张太太又只是催着问刁大人:"到底怎么?"后来还是那个来送信的差官心直口快,帮着说道:"军门过世之后,只有太太是一家之主,不要说是自尽,就是要往别处去住也是万万不能的。"张太太道:"留着我在这里受气!人家做了坏事,好一齐推在我的身上!既然不准我死,我无论如何,断然不能再同这班狐狸住在一块儿的!"差官道:"太太说到这步田地,料想是不能挽回的了。现在没得法想,只好求大人把这些姨太太都叫出来问问,谁是安分守己的谁留下,以后跟着太太同住。既然住下,就有得服太太规矩。倘若不情愿的,只好请她另外住,免得常在一块儿淘气。"张太太道:"这些人我是一个合不来的!"刁迈彭道:"好是好,坏是坏,不可执一而论。就是叫她们另外住,也得有个章程给她们,不是出去之后,就可以任所欲为的。"张太太道:"什么章程!她们各人有各人的私房,还怕不够吃用。公中的钱,那是一个不能动我的。不愿意,尽管走!从前我没有来的时候,小老婆听说也打发掉不少了,没有什么稀罕!后来这几年,幸亏有我替他管得凶,所以没闹什么笑话。如今军门过了世,还没有断七,她们就一个个的变了样子!刁大人若看把兄弟份上,这班狐狸办都可以办得的,如今还要拿出钱来送给她们,那却万万不能!"刁迈彭听毕,凑近一步,低低说道:"这话做兄弟的岂有不知。但是如此一做,被别人瞧着,好像我们做事过于刻薄,不如好好地叫她们另外去住。回来兄弟放个风声给她们,并且不要她们住在这里芜湖地面上才好;叫她们远远的,我们看不见,听不着,说句不中听的话,就是她们跟了人逃走,也不与我们相干,以后我们倒反干净。大嫂意思以为何如?但是姨太太听说一共还有头二十位,……"张太太道:"还有十八个。"刁迈彭道:"也得做几起慢慢地分派,不是一天可以去得完的。况其中果有一二安分守己的,也不妨留两个陪伴陪伴自己。兄弟今天先把几个常常爱出去玩的替你打发掉,其余的过天再来。"张太太一听他话有理,便也点头应允,不作一声。

刁迈彭于是回过脸,朝着众人说道:"我同你们军门是把兄弟,有些事情虽然我也应该管得,然而今天之事,一张匿名帖子也作不得凭据。我如今并不拿这帖子上说的话派谁的不是;不过一样:现在军门已经过世,太太便是一家之主,太太说的话,无论谁都不能违拗的。各位姨太太既然不服太太的规矩,爱出去玩耍,以致把太太的名声连累弄坏,这便是各位姨太太的不是。太太发过誓,不能再同各位姨太太住在一处,我劝来劝去,劝不下来。这是天长日久之事,倘若今天说和之后,明天又翻腾起来,或是闹得比今天更凶,叫我旁边人也来不及。所以我替她们想,也是分开住的好。现在有我做个当中人,也决计不会克苦了她们。我今天先替大家分派停当,愿意去的,尽半月之内,各自另外去住。倘若半月之后不走,便是有心在这里陪伴太太,太太亦并不难为她,一样分钱给她使;但是永远不得再出大门。叫她们想想看,还是走哪条路的好。"张太太道:"走的人一家给她多少,亦请刁大人吩咐个数目。"刁迈彭道:"这要太太吩咐的。"张太太不肯,一定要刁大人说。刁迈彭无奈,只得说道:"今天我来分派,无论走的同不走的,总归一样。至于走不走,听便。各人衣服、首饰仍给本人。每人另给折子一个,就把大哥所有的当铺分派均匀,每人写明:当本三万,只准取利,不准动本。另外每人再给一千银子的搬家费,不去的不给。"张太太意思似乎太多。刁迈彭道:"出去之后仍是军门的人,军门有这份家当在这里,不好少她们的。"说完,又对来的两个差官说道:"你俩暂且在这里伺候两天。哪位姨太太要走,我不便当面问她们,她们也不便对我说。今天请账房先生把当铺里管事的一齐约好,赶把利钱折子写给她们。谁要走,有你们在这里,也好帮着招呼招呼;不走的,再等我来同你们太太商量安置的法子。"

刁迈彭说完了一席话,便即起身告辞。他说话时,一众姨太太在孝幔里都听得明明白白。有两个规矩的,早打定主意不出去。有两个尖刁的,听了不服,说道:"我偏不走,看她能够拿我怎样!"后来转念一想:"太太的气,从前也受够了。如今有了三万银子的利钱,又有自己私房,乐得出去享用,无拘无束。"因此也就不闹。又有些本来不打算出去另住,听了旁人的挑唆,或是老妈、丫环的撺掇,也觉得出去舒服些。因此愿意分开另外住的,十八位之中倒有一十五位。欲知后事如何,且听下回分解。

第五十回

听主使豪仆学摸金　抗官威洋奴唆吃教

话说张守财一班姨太太自从太太闹着不要他们同住,经刁迈彭一番分派,倒也觉得甚是公允,没甚话说。其时十八位姨太太当中,只有三个安心不愿意出去,情愿跟着太太过活,也只好听其自然。下余的十五位,也有三个一起的,两个一起的,合了伙,房子租在一块儿,不但可以节省房金,而且彼此互有照应。其时正有一位大员的少爷在芜湖买了一大爿地基,仿上海的样子造了许多弄堂;弄堂里全是住宅,也有三楼三底的,也有五楼五底的,大家都贪图这里便当,所以一齐都租了这里的屋。而且这片房子里头,有戏园,有大菜馆,有窑子,真要算得第一个热闹所在。姨太太们虽然不逛窑子,上茶馆;然而戏园、大菜馆是逃不掉的,因此更觉随心乐意。刁大人限的是半月,这半月里头,油漆房子,置办家伙,并没有一天得空;等到安排停当,搬了出来,却也没有一个逾限的。你道为何?只因这位张太太为人凶狠不过,所以一群姨太太也以早离开她一天早快活一天;大家都存了这个心,自然是不肯耽搁了。十五位当中却有四位因为自己家里或是有父母,有兄弟,得了这个信,把她们接出来同住;有的住本地,有的住乡间,还有一二位竟住往别县而去。其他十位却一齐住在这热闹所在。

等到在张府临出门的头一天,刁大人特地叫差官传谕她们,说道:"诸位姨太太现在虽是搬出另住,也要自己顾自己的声名。凡是庵观寺院,戏园酒馆,统通不可去得。现在大人正有告示贴在以上各处,不许容留妇女入内玩耍;倘有不遵,定须重办!因为此事,又特地派了十几个委员,昼夜巡查。设若撞见委员们,委员们倘若置之不问,何以禁止旁人?如其毫不徇情,未免有伤颜面。为此特地关照一声,还是各自小心为妙。"大家听了,也有在意的,也有不在意的。按下不表。

单说张太太自从十五位姨太太一齐出去另住之后,过了两天,心上忽然想着:"刁大人做事好无决断!这班狐狸为什么不赶掉了干净?他偏蝎蝎螫螫的,又像留住她们,却又叫她们分出去住,等他无拘无束,将来一定无所不至,岂不把军门的声名愈加弄坏！正不知他是何用意!”正在疑疑惑惑,齐巧刁迈彭亲来问候,张太太便问他所以纵容这班狐狸之故。刁迈彭道:“依我的意思,顶好叫她们离开芜湖地面,彼此不相闻问;无奈一时做不到,只好慢慢的来。好在我前天已经叫人透过风给她们,将来自有摆布她们的法子,不消大嫂费心的。至于大嫂这里,除掉分给各位姨太太之外,大约数目,我兄弟也粗知一二。也应该趁此时叫这里账房先生理出一个头绪,该收的收,该放的放。譬如有什么生意,也不妨做一两桩。家当虽大,断无坐吃山空的道理。此时大哥过世之后,大嫂是女流之辈,兄弟虽然不便经手,然而知无不言,也是我们做朋友的一点道理。”张太太道:“正是。军门去世,我乃女流之辈,一些事儿不懂,将来各式事情正要仰仗,怎么你刁大人倒说什么‘不便经手’？刁大人不管,叫我将来靠哪个呢?”说着,便大哭将起来。刁迈彭道:“非是兄弟不管,但是兄弟实在有不便之故。彼此交情无论如何好,嫌疑总应得避的。况且大嫂这里原有一向用的账房,把事情交代他们也就够了。不瞒大嫂说:新近有好两注生意,弄得好,将来都是对本的利钱。倘若大哥在日,兄弟早来合他说,叫他入股;如今想想总不便,所以几次三番,人家叫兄弟来说,兄弟总没有来说。虽说看准这买卖好做,不至于蚀到哪里;然而数目太大了,大嫂虽不疑心,亦总觉得骇人听闻的。”张太太道:“刁大人说哪里话来！你照顾我,就是照顾你去世的大哥。只要生意靠得住,你说好,我有什么不做的。钱是我的,谁还能管得住我。至于账房所管不过是个呆账,有些大生意他们是作不来主的。刁大人,你说的到底什么生意？如果可以说得回来,要多少本钱,我这里有。”刁迈彭道:“生意呢,也算不得什么大生意,不过弄得好才有对本利,弄得不好,也只有二三分、三四分钱。”太太道:“我亦不想多要,就有二三分、三四分,我已经快活死了。”刁迈彭见张太太于他深信不疑,便也不再推托,言明先叫账房先生把所有的产业以及放在外头的,一律先开一篇细帐。至于所说的生意,立刻写信通知前途,叫他来合股。

自此以后,刁迈彭一连来了几天,把这里账目都弄得清清楚楚。所有的房契、股票、合同、欠据,总共一个柜子,仍旧放在张太太床前。还有什么金叶子、金条、洋钱、元宝,虽没有逐件细点,亦大约晓得一个数目,亦是统通放在太太屋里。已成之产业不算，总共还有个一百二十几万现的。张太太又说："分出去住一班狐狸，每人至少有三五万银子的金珠首饰。可怜我自己一个人所有的，也不过她们一个双分罢了！她们十五个人倒足足有五六十万！"刁迈彭听了吐舌头，借此又把张太太同一班姨太太的金珠价值亦了然于心了。

后来连着来说过两注买卖，张太太都答应：一注是在上海顶人家一爿丝厂，出股本三十万；一桩是合人家开一个小轮船公司，也拼了六万。两桩事张太太这边都托了刁迈彭，请他兼管。刁迈彭说自己官身不便，于是又保举了他的兄弟刁迈崑做了丝厂的总理；又保举自己的侄少爷去到轮船公司里做副挡手。张太太见两桩买卖都已成功，利钱又大，大约算起来，不上三年就有一个顶对；于是心上甚是感激刁迈彭，托他还有什么好做的事情，留心留心。刁迈彭满口答应，又说："各式买卖，好做的却不少。但是靠不住的，我兄弟也不来说；设或有点差错，放了出去，一时收不回来，叫我如何对得住大嫂呢。"嘴里如此说，心上却不住的转念头。

话分两头。且说那十五位姨太太有五位跟了自己家里的人出去另住，倒也偃旗息鼓，不必表它。单说那十位，一班都是年轻好玩的人，又是这么一个热闹所在，此时无拘无束，乐得任意逍遥，整日里出去玩耍；到得晚上，不是合伙喝酒，便是聚拢打牌。十个人分住了三所五楼五底的房子。每人都有三四个老妈、丫环；此外底下人、看门的、厨子、打杂的，都是公用。初出来的时候，这十个人很要好，每月轮流做东道；轮到做东道那一天，十个一齐聚在她家。从前张军门在日，这些姨太太，上下人等都唤做几姨几姨，以便易于分别。这番留在家里的三位是：大姨、二姨、六姨。跟着父母兄弟回家去住的五位是：五姨、十姨、十三姨、十六姨、十八姨。余下十位，统共搬出来同住。

这天轮当八姨做东道，办的是番菜。此时只开了一爿番菜馆，食物并不齐全；在本地人吃着，已经是海外奇味了。当下八姨隔夜关照，点定了十份菜，说明白晚上上火时候送在家里来吃。八姨是同十二姨、十五姨、十七姨同住的，说明白这天下午四点钟先会齐了打麻雀，打过八圈庄吃饭。谁知头天戏园子里送到一张传单，说有上海新到名角某人某人路过此地，挽留客串三天，一过三天，就要到汉口去的，劝人不可错过这机会。头一个十七姨得了信就嚷起来，说："明天一定要看戏，看过戏回来吃大菜不迟。”于是十二姨、十五姨一齐凑兴,都说要看戏。八姨还不愿意,说:“凑巧我今天做主人,你们在家里也好帮着我料理料理。要看戏,明天我做东请你们,今天不放你们去。”无奈三个人执定不肯。八姨又吓唬她们道:“刁道台出了告示,不准女人看戏,前天还特地叫人来关照,不要被他拿了去。依我还是不去的好。”十二姨鼻子里哼了一声道:“不信他连这点交情都不顾了,那还成个人吗!”八姨见说她们不听,便也无可如何,只得让她们自去。

这里客人络续来到,都是八姨一个人接待。内中又有十四姨,亦说是因为看戏,随后就来。当下一算,只有宾主六人,打两场牌还少两位;便由八姨做主,把十二姨、十五姨,一家一个大丫头,叫了来替主人代打。本地戏园散戏本来是极早的,这里一帮人打牌打昏了,忘记派人去接。等到上了火一大会,只剩得一圈庄了,八姨吩咐烫酒,又叫厨房内预备起来,这才觉得她四个看戏的还没有回来。叫声“奇怪”,忙着叫人再去接时,忽听楼下一片声嚷,吱吱喳喳,听亦听不清楚。八姨连忙靠在楼窗上向下追问,只见十七姨屋里的老妈急得跺脚,说道:“不好了！三位姨太太连着跟去的人,被看街的兵一齐拉到局子里去了!”八姨一听这话,忙问:“这话可真?”楼下人说:“打杂的都回来了,怎么不真！跟去的男男女女倒有七八个,一齐都拉了去。这个打杂的幸亏同局子里有点亲,所以单把他放了出来。”楼上下一番吵闹,打牌的也就不打了。其中还有十四姨是同四姨、九姨住在一起的,至今不见她来,恐怕也被街上的兵拉去。四姨、九姨又忙着问打杂的:“可看见十四姨没有?”打杂的说:“没有看见。”大家更加疑心。八姨又问打杂的:“怎么会被街上的兵拉去的呢?”打杂的道:“散戏场的时候,刚刚出了大门,就有十来个兵上来拖了就走,一拖拖到警察局里的。老爷出来说:‘本道大人有过告示,不准女人出来看戏。你们这些人好不守妇道！等到明天一早,送到县里去办!’”八姨道:“你们没有嘴,为什么不说是这里的呢?”打杂的道:“跟去的王二爷在街上就同他们说:‘这是张军门的姨太太。’他们不理。到了局里,见了委员老爷又说,委员老爷亦不理,说:‘无论什么人,违了大人的告示,我们都要拿办的。有什么话,你们明天到城里去说罢。’王二爷还要说时,已经被他们带了下来。三位姨太太是另外一间房子,派人看守;其余的都锁着,预备明天解到城里去。”

大众听了,面面相觑,正想不出一个法子。忽然见十四姨披头散发,闯进门来,说声:"不……不……不好了!家……家……家里来了一般强……强……强盗在那……那……那里打劫哩!"大众听她这一说,都吓呆了。四姨、九姨是同她同住的,要抢一齐抢,得了这个信,更吓得魂不附体!八姨便问十四姨:"你不自去看戏的吗?几时回家的?十二姨、十五姨、十七姨被街上的巡兵拉了去,你知道不知道?你家里来了强盗,你一个人怎么逃走得脱的呢?"

此时十四姨已经坐下,定了一定神,便含着泪说道:"可不是!我正是去看戏的。他们被巡兵拉了去,我不晓得。我看完了戏,因为天冷,想换件衣服再到你这里来。想不到一脚才跨进了门,强盗就跟了进来;吓得我也没有敢进房,就一直跑到厨房柴堆里躲起来的。只听得强盗上了楼……"四姨道:"啊呀!我的事情糟了!"十四姨又接着说道:"强盗上了楼,就听得哄隆哄隆,像是开箱子,拖柜子的声音。楼上吵了半天,又到楼底下翻了半天才去的。"九姨听到这里,亦就跺着脚哭道:"我就知道,我亦是逃不脱的!"十四姨又说道:"我一直爬在柴堆里,动也不敢动!好容易等强盗走过一大会,看门的老头子进来,才拿我拉起来。家里至今只剩了看门的老头子一个,其余的用人都不晓得到哪里去了。"八姨便问:"可查过东西?抢去了多少?"十四姨道:"哪里查过!大约拣好的都没有了!真正晦气!也不晓得今年交的是什么星宿,一回一回的遭这些事!"说完又哭。四姨道:"今儿这里的三个扣在局子里不得出来;我们家里又遭了强盗;看来今天的饭是吃不成了!既然强盗已去,我们也得回家查点查点。这个明火执仗,地方官是有处分的。今天办警察,明天办警察,老爷在日,钱倒捐过不少;如今死了,警察的好处我们没有沾到,违了告示,倒会把我们的人拿了去的!现在又出了抢案,不知道他们管事不管事!"说到这里,四姨便起身拉了九姨、十四姨同走,说:"我们到底抢掉多少东西,也要回去查查看。查明白了,案总要报的,强盗总要替咱们办的。"说完自去。

此时在座的人只剩得三姨、七姨、十一姨,连着主人八姨,一共四个。八姨因为两下里出事,甚是没精打采;又愁着十二姨等三个人明天到城里出丑;又记挂着她三人今夜里受罪;想要派人去瞧瞧,都说局子门口有人把着,不得进去。三姨说:"衙门里公事我是知道的,只要有钱,就准你进去了。”八姨就拿出四十块钱,仍旧打发打杂的去。这里厨子上来请示:“番菜都已做好,客齐了,就好起菜了。”三姨说:“随便拿点什么来吃了算数,番菜过天再吃罢。”无奈番菜馆里是点定的菜,不能退还;只好叫他一齐开了出来,敷衍吃过了事。刚刚吃完,打杂的回来,又同了一个被押的管家一块儿回来。这管家名唤胡贵,也是张军门的旧人。此番跟了几位姨太太出来,大家都拿他当作自己人看待。胡贵当下说道:“今日之事,是警察局里奉了本道大人面谕拿的。无论你是什么人,违了本道的告示,一概不准用情。当时拿到之后,委员老爷就到道里请示。本道大人说道:‘若论张军门的家眷,我们极应该替他留个面子的。但是谁不晓得我同张军门是把兄弟。我若容了情,以后还能禁阻别人吗。现在是我格外留情,指示他一条路:你回去,就在今天晚上,叫她三个人每人拿出一万块洋钱充做罚款,就将她们取保出去。如今正在这里办警察,开学堂,没有款项,得此也不无小补。既保全她们的面子,人家亦不至说我徇情。如果不然,明天解到县里,公事公办,打了枷号,也好叫众人做个榜样。我本有言交代在前,她们不听好言,自投罗网,须知怪我不得。’委员老爷回来,就把三位姨太太叫了上去,叫她们早打主意。”三位姨太太求他让些,无奈委员老爷执定不肯 ,说是:“本道大人吩咐过,要少一丝一毫都不能够。”三位姨太太回说:“就是照办,一时也没有这些现的。”委员老爷道:“你们这班人好呆!没有现的,首饰、珠宝、利钱折子,都可以抵数,只要够了三万就是了。”三位姨太太还不答应。委员老爷立刻拿腔做势,把个跟去的陈妈锁了起来。陈妈说道:“我又没有犯什么罪,为什么要锁我?”委员老爷就动了气,说她顶嘴,马上拖她跪下,打她嘴巴。才打了十几下子,陈妈的两个门牙已经打下来了,淌了满地是血。三位姨太太看了害怕,免得吃他眼前亏,所以无法答应的。”

八姨因这胡贵本来是靠得住的,便也不生疑心,到他三人房里找了半天,好容易把他三位的当铺利钱折子找到;点了点数,就拣了三个一万头折子交代胡贵,叫他拿这个去抵数。胡贵去不多时,又回来说:“单是利钱折子,委员老爷不要。或是股票,或是首饰,方可作抵。”八姨一想:“股票本来是没有的;至于首饰,她三人出门看戏,都是插戴齐全了走的,每人头上手上,足有万把银子珠宝金器,已经尽够,何必再由家里往外拿呢。”于是又吩咐了胡贵。胡贵去了一回,又回来说:“委员老爷有过话:‘光是利钱折子不肯收;但是总得倍上几倍,少了不能相信。”三位姨太太说:“‘横竖是暂时抵押,将来可以拿钱赎回来的。至于首饰不便交代他们,倘或被他们把好的掉换了几样,向谁去讨回呢。’”八姨一听这话不错,就把所有的当铺折子一齐交付了他。胡贵收了折子自去。大家以为,这笔钱拿出,三位太太一定可以回来了。一切取保等事,胡贵色色在行,可以无须虑得。

三姨、七姨、十一姨因为要等她三个,一直也没有回去。谁知一等等到半夜三点钟,还不见一干人回来,满腹狐疑;再派人到警察局门口探听,只见局门紧闭,连个鬼的影子也没瞧见。去的人回来说了,大众更觉惊疑不定。只得自宽自慰说:“今天来不及了,大约明天一早一定总放出来的。”于是三姨、七姨、十一姨要回去。八姨害怕,要留她们两位来做伴。他三人也不便一齐全走,商议半天,方才议定:七姨一个回去看家;这里留下三姨,十一姨陪伴八姨。七姨去后,这里又派人去看了四姨、九姨、十四姨一趟,晓得被强盗抢去的东西很不少;已经开好失单,专等明天报官。大家听了,叹息一回,各自关门安寝。八姨直同三姨、十一姨闲谈了半夜,也没有合眼。

看看天色快亮,方才朦胧睡去。忽听得有人在楼下院里高声叫喊,说:“快请三姨、十一姨回去!今夜家里被贼挖了壁洞,东西偷去无数若干!七姨东西赛如都偷完了,七姨在家里急得要上吊。”三姨、十一姨一听这话,一骨碌爬起,坐在床沿上,却是吓得瑟瑟地抖,两只脚就像蹈在棉花里的一般,要想往床下走一走路亦不能了;又过了半天,方才有点气力。三姨叹口气,说道:“老天爷不长眼睛,为什么只管同我们几个人做对头!”八姨到此,深自后悔昨夜不该留她二人作伴;此时无话可说,只得推她俩回去,开好失单,赶紧报案。“好在不多时候,或者就可破案,也论不定”。又托她俩安慰七姨。三姨、十一姨急急地走了回去,幸喜前弄后弄是没有许多路的。

八姨此时亦因昨夜的事挂在心上,也就起来不睡了,一面仍叫打杂的去到警察局打听十三姨、十五姨、十七姨的消息。又说:“胡贵昨天已把款子缴了进去,怎么还不放出来呢?”打杂的去了一会子,急得满头是汗,跑回来说:“局子里人说:昨儿这里并没有派人拿什么钱去。现在时候为着还早,所以还没有拿人送到城里去。”八姨听了,这一急非同小可!忙道:“昨儿胡贵不是说道台大人要罚她们的钱吗?”打杂的道:“小的到局子里,就把这话托小的的亲戚上去回了二爷,二爷又回了老爷。老爷还把小的叫上去,说:‘这个话虽是有的;道台要罚她们的钱,一个人也不过罚她们几千,并没有这许多。你们不要被人家骗了去!你不来我这里,我亦要派人到你们公馆里尽问一声:如果是照罚的,我就缓点把人解城;倘若是不肯罚钱,早给我一个回信,我把人早解进城,也早卸我的干系。快去快来!’委员老爷的话如此,小的所以回来的。”八姨听了,真正急得失魂落魄,丝毫不得主意。忙问:“你碰见了胡贵没有?”打杂的道:“小的没碰见他。若是碰见了,早把他拉了来了。”

八姨正在寻思,忽听人报:“警察局来了一个师爷,一个二爷。”一问正是为讨回信来的。八姨踌躇了一回,只好自己出去回他。见面之后,那师爷便说:“敝东是奉公差遣,并不是一定同这里为难。就是道台大人要这边捐几个钱,也是充做善举的。现在敝东特地叫我过来商量一个办法。至于说是昨天晚上由尊府上管家送来几个当铺折子,我们局里却没有收到。难保是府上受人之骗,须怪我们不得。况且几个利钱折子又不是股票,就是再多些也抵不了数。现在逃走的这管家叫什么名字,请这边开出来,我们也好替你们上紧地查。至于现在每人罚她几千银子,并不为多。应该怎样,还是早点料理为是。”此时八姨一心只在胡贵身上,嘴里不住的说:“所有的折子是我亲手交给他的,如今被他拿了逃走了,叫我怎么对得住人呢!”警察局师爷道:“好在都是你们自己的当铺,派人去注了失,再补一分,不就完了吗。”一句话把八姨提醒,一想只好如此,方把心上一块石头放下,重新商量罚款之事。警察局师爷一口咬定二万银子,一切费用在内,马上就可把人保释。八姨想:“银子只要二万,虽然还在分寸上,总望少点才好。”后首说来说去,跌到二万块钱,每人六千罚款,下余二千作一切费用。八姨道:“洋钱现的是没有,看来只好拿首饰来抵。她们各人首饰,昨儿各人都带了出去,须得问她们自己,叫她们每人拿些出来暂时抵数。等到出来之后,再拿钱去赎回来,也是一样。”警察局师爷道:“没有现的,只好如此。但是她三位昨天进来的时候,头上并没有戴什么珠宝。敝东亦亲口问过,都说:‘出门的时候,首饰原本有的,后来被拿,在半路上就卸了下来,叫人拿了回来了。’所以敝东才叫我们到这里来的。”八姨听了,又是一惊,忙说:“没有这回事!昨儿我们底下人回来还说,所有的首饰,她三个都还带的好好的呢。她三人不肯拿首饰抵给你们,所以才叫他来问我要折子。一定是她们藏了起来,哄你们的。"警察局师爷道:"我看未必,难保亦是贵管家做的鬼。姑且等我们回去问了她们再讲。"说完,立刻带了二爷自去。

此时八姨心上忐忑不定,一回又恨刁大人不顾交情,一回又骂胡贵"混账"。不多一刻,局里师爷又回来说:"问过三位,所有首饰早交给胡贵拿回来了。现在她们三人身上,除了衣服之外,一无所有,所以叫咱仍旧到这里来取。她三位还说,自己首饰倘若果真都被胡贵卷了逃走,无可如何,总求你八太太替她凑一凑,今天把她们救了出来,少不得总要算还你的。"八姨一听,愣了半天,一声不响。师爷又催了两遍。想想没法,只得开了三位的拜匣,凑来凑去,约摸只有一半;一时逼在那里,说不得只得自己硬做好人,把自己值钱东西凑了十几件,拿出来交代与师爷过目。师爷还说不值二万。八姨气极了,一件件拆算给他听:"一总要值到二万四千哩。"师爷道:"你话原也不错。但是一样:你倘是一件件置办起来,照现在市价,合从前市价,只怕拿着二万四千还买不来;若是如今要拿他变钱,可是就不值钱了。至少再添这么一半来,我回去是好交代。"于是把个八姨急得没法。

正说着,齐巧昨儿番菜馆里一个细崽来收账。因八姨是他老主顾,彼此熟了,他听此说话,便代出主意,道:"这一定是师爷想好处。"一句话提醒了八姨,说道:"不错。"商量送他多少。细崽道:"这位师爷常常到我们大菜馆里来替人家了事,多多少少都要。等我来替你问他。"果然那细崽到师爷面前咕唧了一回,讲明白另送二百块钱,方才拿了首饰走的。八姨不放心,又叫了个贴身老妈一同跟了去,顺便去接他们三人回来。

果然去不多时,十二姨、十五姨、十七姨就一同回来了。相见之下,自不免各有一番说话。彼此提到胡贵,十二姨说:"我们还没有走到局子门口,在半路上,他走上来说:'姨太太带了这些珠宝进去是不便的,请姨太太悄悄地探了下来,我替你拿着。'我们一想不错,一头走,一头探东西给他。说也奇怪,跟去的一帮人,只有他没有被捉,在旁边跟着,竟像没事人一样。后来到局子里,还见他进来过一次。那时候我们心上吓亦吓死了,哪有工夫理会到这些。谁知竟不是个好人!"八姨道:"这也奇了!你们三个人在路上探首饰东西又不在少数,难道那些巡兵竟其一管不管,随你们做手脚吗?”十五姨道:“真的！说也奇怪！我们把首饰除了下来,他还说手里不好拿,又向我们要了两块手帕子包着走的。拉我们的巡兵眼望着他,竟其一响不响。说穿了,这件事实在诧异得很！难道他们竟其串通一气来做我们的?”八姨于是又把打杂的叫上来问,问他:“昨天到局子里去,在哪里碰见胡贵的?”打杂的说:“小的才走到局子门口,胡二爷已从里面出来。据他自己说,是委员老爷特地放他回来传话的,就同了小的一块回来。别的小的不知道。”大家听说,正猜不出所以然。

却好昨夜被强盗打劫的四姨、九姨、十四姨,被贼偷的三姨、七姨、十一姨,亦因为挂记这边,一齐过来问候。大家见面,一把鼻涕,一把眼泪,各人诉说各人苦处。八姨问她们:“报官没有?”三姨叹口气道:“提起报官来,更惹了一肚皮的气！警察局里的委员也来踏勘过了,失单也拿了去了。不过那委员的口音总说是家贼。我就同他说:‘现在墙上有挖好的壁洞,明明是外头来的。’那委员便说:‘是里应外合。没有家贼,断乎偷不了这许多去。墙上不挖个洞,他们怎么往外拿呢?’我又驳他:‘若说是家贼,他不好开了大门往外拿,岂不更为便当些?’委员被我顶得无话说,才拿了失单走的。但是一件:贼去之后,掉下一根雪青札腰。我们那些底下人都认得,说是这根札腰像你们这边胡贵的东西,常常见他札在腰里的,同这一模一样。我就赶紧朝他们摆手,叫他们快别响了。照这样子,警察局里还推三阻四,说我们是家贼;再有这个凭据,越发要叫他有得说了。”三姨一番话,众人还不理论,独有八姨这边四位是昨夜受过他骗的,晓得他不是好东西,便道:“这事的确是他做的也保不定。”三姨忙问所以,八姨又把昨晚的事说了,于是大家便也一口咬定是他。

接着又问四姨等强盗打劫之事。四姨道:“你们的话竟其一丝一毫也不错。依我看来,不但是自己人做弄自己,并且还是官串通了叫他们来的呢!”众人听了,更为诧异。四姨道:“我打这里回去,强盗是已经走掉的了。查查我们那些二爷,别人都不少,单单失了王福他爷儿俩。”三姨道:“王福是谁?”四姨道:“就是有两撇胡子的,南京人,常常到道里去的。从前在老公馆里的时候,每逢刁道台来了,总是他抢着装烟。刁道台着实说他好,还同他说:‘现在你们军门过世了,只要你们在这里好好当差,将来我总要提拔你们的。’后来我们出来,就派了他跟到我们那边照应。只可惜他儿子小三子不学好,时常在外头同着一般光棍来往。我昨天回去,不见了他爷儿俩,我还说:‘莫不是被强盗打死了罢?你们快去找找呢!’倒是看门老头子明白,上来同我说:‘今儿这个岔子出的蹊跷。’我问他:‘怎么蹊跷?’他说:‘小三子一向是一天到晚,一夜到天亮,从不回家的,独独昨天吃了饭就没有出门。起先他还在他爷的床上躲着的,后来等到打过四点钟,十四姨瞧戏去了,四姨、九姨到八姨那边去了,他这里忽而躺下,忽而又站起来到门外望望,好像等什么人似的。后来一转眼就不见了。等到出了事,一直就没有瞧见他爷儿俩个影子。’我听这话蹊跷,今儿早上我就叫人到门房里看看他俩的铺盖行李。看门的老头子就说:‘四姨用不着看,我早已看过了,床上只有一条破棉絮,别的东西早运了走了。’这不是自己人做弄自己吗。这班强盗一定是王福的儿子引来的了。”

众人道:“怎么你又说是官串通的呢?”四姨道:“这个是我心上恨不过,所以如此说的。昨天出了事去报官,说是迟了。今儿一早出城来踏勘,官倒来的不少,什么县里、保甲局、警察局老爷共有好几位,看了半天,一点说不出道理来,倒把我们的人叫上去盘问了半天。顶可笑是县里周官还问我们的人:‘来的这伙强盗当中,你们可有素来认得的人在内没有?’这句话问的大家都笑起来了。我此刻也不管他什么老爷不老爷,我隔板壁就说:‘强盗来了,一个个手里洋枪,我们逃性命还来不及,哪里有工夫拿他们的脸一个个去认呢。’一句话,被我说的县官亦笑了,连忙分辨,说是:‘无论有熟人没有熟人,城厢里出了抢案,我总得要办的。不过你们要晓得:这强盗当中,有了你们认得的人,你们的心上也可以明白这一回事,用不着怪我地方官了。’你们众位听听看,这位老爷的话蹊跷不蹊跷?”众人听了,也有说这话说得奇怪的,也有骂官糊涂的。

在座的人只有八姨见事顶明白,听了她话,估量了一回,便说道:“据我看来,简直昨天的事都是他们串通了做的。你们想,我们这里的胡贵,他们那里的王福,为什么都在这一天跑掉呢?被贼偷了东西,委员就说是‘家贼里应外合’;被强盗打劫了,芜湖县反问:‘这伙强盗,你们认得不认得?’我想他们心上都是明白的,不过不便说出来就是了。至于我们这里几位却是自己不好,不遵他的告示,说明白是姓刁的叫拿的。我看来看去,姓刁的顶不是东西!四姨,我且问你,你们的王福可是常常到道里去的?”四姨道:“可不是!”八姨道:“姓刁的同他说话,他回来亦告诉过你们没有?”四姨道:“才搬到这里来的时候,王福天天到道里去,回来之后,有影无形,乱吹上一泡;近来这四五天里,人虽是天天出去,问他哪里去,不说是道里,只说是看朋友。我们还笑他,怕只是刁大人跟前碰下来,再想不到会出这个岔子!这都是我们军门当初用的好人!”八姨道:“不要怪用人,这班小人本来没有什么好东西。怪只怪军门活着在世的时候交的好朋友!真好本事!真好计策!半天一夜,都被他一网打尽了!现在十个人当中,只空了我一个,不晓得他还要想什么好法子来摆布我,料想是逃不脱的!”

这面几个人正谈论着,只听得外间也有人在那里吱吱喳喳地说话。八姨便问:“是谁?”老妈回:“就是大菜馆里的,刚才来过了,如今又来。”八姨便晓得就是刚才同局里师爷讲价钱那个细崽了。为他方才帮着出力,便掀开帘子招呼他。又说:“刚才辛苦了你了!”细崽道:“说哪里话来!自己老主客,有了事应该帮忙的。不瞒太太说:这个局子开了不到一年,我们吃煞他苦了!名字叫警察局,就是保护百姓的。街口上站的兵,吃了东西不还钱也罢了,还说他是苦人出身。偌大的局子,局子里出来的老爷、师爷,摇摇摆摆,哼而哈之,走到我们大菜馆里,拣精拣肥,要了这样,又要那样,一个伺候的不好,两只眼睛一竖,就要骂人,再说说,还要拿局子的势力吓唬我们。我们伺候这些老爷、师爷,也总算赔尽小心了。他们的账,我们本来是不去收的,好在赔亦赔得有限,乐得借此结交结交他们,以后凡事有得照应些。谁知好事没有落到:一个月头里,我们伙计送菜到西头黄公馆里去,路上碰见几个青皮——有人说还是安庆道友一党呢——迎面走来,不由分说,拿我们的伙计就是一碰,菜亦翻了,家伙亦打碎了,还不算,还拉住我们伙计赔衣服,说是鲍鱼汤沾了他的衣服了。我们伙计不答应,要他赔衣服。彼此斗了两句嘴。他们一齐上前就是七八个,把伙计打了,又去报警察。等到店里得了信,找赶了去,倒说老爷叫人出来吩咐,派我们不是,打碎碗盏是自己不小心,一定要我们店里赔他们的衣服。我想大事化为小事,出两个钱算不得什么,便自认晦气,问他们毁了件什么衣服,等我看好了赔还他们。哪晓得老爷竟一口帮定他们说:‘衣服不用看。你拿五十块钱,我替你们了事;不然,先把人押起来再说。’诸位太太想想看,天底下可有这个情理没有?因此我恨伤了,想了想,好汉不吃眼前亏,当面答应他,回家打主意。当下老爷还把我们伙计留下做押头，我也随他去。我从局子里出来，一头走，一头想主意，不知不觉，碰在一个人的身上，猛可间吃了一惊。抬头一看，被我碰的那个不是别人，原来是我的娘舅。他问我：'有什么要紧事情，如此心慌意乱，连娘舅到了眼前都不认得了？'我被他这一问，怔了半天，才同他说：'街上非说话之所。'急忙回到店内，把始末根由告诉了一遍。娘舅听了，把胸脯一拍，说了声：'容易，无论他做官的如何凶恶，见了咱总要让咱三分！'诸位太太，可晓得我这娘舅他是做什么的，能够眼睛里没有官？原来他自在教的。一吃了教，另外有教士管他，地方官就管他不着。而且这教士样样事情很肯帮他忙，真正比自己亲人还要来的关切；连着生了病都是教士带了医生来替他看，一天来上好几趟。我们中国人，随你朋友如何要好，亦没有这个样子。所以凡是我们娘舅一个镇上，没有一个不吃他的教。如今且说那一天，我娘舅听说我受了这个冤枉，马上同我说，叫我说是这爿大菜馆他亦有分的。'如今店里的伙计被他们局子里抓去了，今天没有人做菜；没人做菜，生意就做不成。现在已经耽误了半天。赶紧把人放出来，耽误的买卖，就是要他赔也还有限。倘若到晚不出来，同他讲：我这爿店一共是十万银子的本钱，一年要做二十万银子的生意。他弄坏了我的招牌，问他可赔得起赔不起。'娘舅交代了我这话，要我就去说。我想不如拉了娘舅一块儿同去。幸喜我们这个娘舅也不怕多事，就领了我同去。起初我们到局里，老爷都是坐堂，叫我们跪着见的。这回我一到局子门口，他们是认得我的，便问：'五十块洋钱可带了来没有？'我说：'没有。现在我们东家来了，有什么话，请老爷问他罢。'他们进去回了老爷，跟手老爷又出来坐堂，叫我上去。我说：'这事不与小的相干，该赔多少，请老爷问小的东家罢。'老爷问：'东家是谁？叫他上来。'咱娘舅不慌不忙，走到堂上，就在案桌旁边一站。老爷骂他：'你好大胆子！这是皇上家法堂，你敢不跪！'咱娘舅说：'县大老爷的公堂才算是法堂哩，你这个局子算不得什么。就是真正皇上的法堂，咱来了亦是不跪的。'老爷被他这一说，气极了，问他：'有几个脑袋，敢不跪？'他从从容容从怀里掏出一尊铜像来，又像佛，又不像佛，头上有个四叉架子。委员老爷一见这个也明白了，晓得他是在教。登时脸上颜色和平了许多，同他说：'我这事不与你相干，用不着你来干预。'我娘舅说：'我开的店，我店里的人被你捉了来，一点钟不放就耽误我一点钟买卖，半天不放就耽误我半天的买卖。我今番来到这里，问你要人还在其次，专为叫你赔我们的买卖来的。'这句话可把委员老爷吓死了，脸上顿时失色。幸而这老爷转弯转得快，一想此事不妙，也顾不得旁边有人无人，立刻走下公案，满脸堆着笑，拿手拉着咱娘舅的袖子，说：'我们到里头谈去。'咱娘舅道：'你只赔我买卖，还我的人就完了，此外没有别的话说。'委员道：'我实在不晓得是你开的，是我糊涂，得罪了你，我在这里替你赔罪。'一面说，一面就作了一个揖。又说：'你既然老远的来了，无论如何，总赏小弟一个脸，进去喝杯茶，也是我地主之谊。'同娘舅说完了，又回头同我说道：'这件事我要怪你：你头一趟到这里，为什么不把话说明白？早知道是他老先生开的，这事岂不早完了呢。'正说着，又回头叫站堂巡兵：'快把他们的伙计放他回去，他们买卖是要紧的。'此时咱娘舅听了他这番说话，又好气，又好笑，还想不答应他。他手下的人一面已经泡了两碗盖碗茶出来，我一碗，娘舅一碗。娘舅不肯到里面去，他们就在公案旁边摆下两把椅子，让我们坐。老爷又亲自送茶。咱娘舅道：'老爷，你不要忙这些。我只问你：我们的事你怎么开发？'老爷道：'统通是我不是，你也不用说了。今儿委屈了你们的伙计，拿我的四轿送他回去；打碎的家伙统通归我赔；闯事人，我明天捉了来办给你看，就枷在你们店门口。你说好不好？'依咱娘舅的意思还不答应。是我拉了娘舅一把，说：'能照这样也就罢了，饶了他罢。'娘舅方才没有再说别的；后来却着实拿他数说一顿，说：'我们幸亏在教，你今天才有这个样子；若是平民百姓，只好压着头受你的气！'娘舅说一句，他答应一声'是'，口口声声，总怪手下人不好。然后我们两个人连伙计一齐坐了轿子出来的。诸位太太，你想，这个老爷不是我说句瞧不起他们的话，真正是犯贱的！不拿吃教吓唬他，没有五十块洋钱，他就肯同你了吗？如今非但五十块不要，并且赔还我们碗盏，闯事的人还要办给我们看。"

三姨道："后来那个闹事的到底枷出来没有？"细崽道："第二天那老爷果然自己来找我，要叫我同着他去拜我们娘舅。过天又托出人来说，说那几个光棍都逃走了，请这边原谅他们点。如果一定要办人，没法，亦只好上紧去捉，捉到了，一定要重办的。后来我想这件事我们已经占了上风，安庆道友就是哥老会一帮，他们党羽很多，倒不好缠的，不要将来吃他们的亏。因此我就同来人说：'请老爷看着办罢。'也没有说别的。后来道台刁大人听见了，把委员老爷叫了进去，大大地埋怨一顿；埋怨他这事起初办得太糊涂了，为什么不打听明白就把人押起来，几几乎闹出教案来。刁大人还说：‘不要看我是个道台，我的胆子比沙子还小。设或闹点事出来，你我有几个脑袋呢？也不光我是这样，或是上头制台，亦何尝不同我一样呢。上头尚且如此，你我更不用说了。以后总要处处留心才好。’诸位太太，请看这些样子，若要不受官的气，除了吃教竟没有第二条路。倘若不早点打算，诸位太太都是女流之辈，又有财主的名声，以后的亏还有得吃哩。”

八姨道：“你的话固然也不错。但是这件事你娘舅也忒煞荒唐了，怎么自已也没有股子好说是股东呢？倘或查出来不是，岂不连累了教里的名声？教士肯帮人的忙，有了病他还替你请医生，他的心原是好的；像你们仗着在教，招摇撞骗，也决计不是个正道理。”细崽道：“在这昏官底下，也不得不如此，不然，叫我们有什么法呢。所以一占上风，我亦就教娘舅不要同他争了，为的就是这个。”欲知众人听了心上如何，且听下回分解。

第五十一回

覆雨翻云自相矛盾　依草附木莫测机关

却说张军门的姨太太听了番菜馆细崽的说话，心上自忖，晓得刁迈彭同她们作对，将来此地万难久居，除了吃教，亦没有第二条可以抵制之法。于是等细崽去后，商量了几天，仍把那个细崽唤来，叫他找了他娘舅替他做了个介绍，一齐进了教。自从她三家被偷、被抢、被罚之后，至今也有一个多月，强盗同贼杳无下落，就是被罚的三位，金珠首饰拿了进去，等到备了现钱去赎，倒说上头不要，定要吃没她们的东西。就是被胡贵骗去的利钱折子，本典之中，竟亦不肯挂失，折子补不出，利钱亦取不到。她们一帮人急杀了，只得去求教士。幸喜这位教士人极公正，先问她们有无别情；等到问实了，便说："地方官、警察局，本是保护居民的；如今居民被盗贼所害，问他保证的何事？至于利折被骗，例可挂失；首饰作抵，理应赎回，又断无措住的道理。"于是把这事详详细细写了一封信给刁道台，请为追究。大众见教士允为出力，方才把心放下。按下不表。

且说她三家出事的那天晚上，警察局委员先到道辕禀知："有三位张府上姨太太出来看戏，已饬巡兵遵谕捉拿到局，请示办理。"刁迈彭传谕："从重示罚，以昭儆戒！"第二天委员把首饰缴了进去，刁迈彭便叫收起。委员又禀两家被劫被偷情形，以及家人胡贵骗去利折各话。刁迈彭尚未回答，恰好首县又来禀报此事。刁迈彭道："'慢藏诲盗，冶容诲淫'，不打劫她们的打劫哪一个呢。虽然城厢出了盗案是老兄们的责任；但这件事据兄弟看起来，她们两家实在是咎由自取。这两件事，老兄们能够破案，固然甚好；倘然不能破案，我本道决计不催你们。就是她们来上控，我亦要申饬的。"首县同委员于本道近来的做事本也有点风闻，听了这话，自然乐得丢在脑后了。刁迈彭还说："利钱折子又抵不了罚款，怎么会被底下人骗去？不要是倒贴了底下人罢？这个倒要查个实在。好好用久的，怎么会逃走？"首县等见本道如此说法，也无话可说，只得退下。刁迈彭便赶到张太太那里去送信讨好。又说："这一下子，可被我把她们弄倒了。”又说：“她们有几个人的当铺折子亦被底下人骗了逃走，如今她们想注失，要当铺里照样补给她们。这件事我兄弟却不答应。好好的底下人，怎么会逃走？好好的折子，怎么会失掉？这事倒要查访明白才好。”张太太本来是恨这班姨太太的，听了刁迈彭的话，甚是欢喜，立刻叫账房写信吩咐各当铺管事：“如果有人要来补利钱折子，不准补给他。叫本人来同我说。”账房答应，自去照办。

这里刁迈彭又趁空说法张太太的银子，无非又是什么织布局、肥皂厂、洋烛公司、自来水公司、造纸厂、纸烟公司，有的八分利，有的七分利，有些竟还利大于本，一年就有一个顶对的。张太太相信了他，当他是好人，自不免为其所惑，大捧地送到他手里，尽他去使用。如此者又是一个多月，张太太的现钱是早已卷光，做生意搭股份还不够。刁迈彭便说：“当铺是呆生意，不如把它抵押出去，抽出本钱来好做别的。”张太太信以为真，亦就托他经手。

此时姓张的资财已有二百多万在刁迈彭掌握之中了。一日正在衙门里独自一人盘算：“如今钱弄到手了，如何想个法子，远远地脱离此处才好。”忽见外面传一封信来，说是某处教会来的。刁迈彭一听“教会”二字，不免已吃一惊。及至拆开来一看，原来写的是绝好的华文。信上就是责备他不能保卫百姓，以致盗贼充斥，案悬不破；后来又提到“张姓妇人罚款，前以饰物作抵，原说准其赎还。何以备款往赎，委员措住不付？办事殊欠公允！今该妇某某氏等已经皈依敝教，本教会例应保护。所有某某氏等被盗被窃两案，应请严限地方官迅速破案。至某某氏既备现款，自应准其将饰物赎去，务希饬令该委员即予发还，是所至盼”各等语。刁迈彭看过之后，赛如一盆冷水从头浇下，一时想不出如何复他，一回又骂：“这些女人真正刁恶！竟敢拿教会来压制我！”想了半天，只好自己佯作不知，一齐推在首县、委员身上，说已札饬他们遵照来函办理，含含糊糊，写了回信送去。教士看了，还当是道台果不知情，下属蒙蔽上司，也是有的。于是又耽搁了半个月，仍然毫无音信，教士不免又写信来催。岂知这半个月里头，刁迈彭早已大票银子运往京城，路子都已弄好。这天教士来信，恰巧这天他接到电报，有旨赏他三品卿衔，派他做了哪一国出使大臣了。刁迈彭得了这个信，自然欢喜。“但是事难两全。如今张太太一边的银子已经全数弄到了手了。至于那些姨太太的，明的暗的亦已不在少数。人贵见机,如今她们是有人保护的了,况且我目前就要到外洋去,正同她们打交道,倘若贪心不足,把名气弄坏了,反倒不好。应该放的地方,少不得也要放手,这方是大丈夫的作用。”想罢,便把洋人文案委员请来斟酌了一封信:“除盗贼两案,仍勒限印委各员严拿惩办外;所有某某氏存抵首饰,准其即日备价赎回。”利钱折子亦答应补给。教士得到这封回信,自无话说。那被罚的十二姨、十五姨、十七姨都赶着把东西赎了出去。张家当铺早经刁迈彭言明由他经手抵出去的了,然而暗底下仍是他掌管。说不得自认晦气,另想法子敷衍。她们大众见刁迈彭如此办法,虽然那两家一时破不了案,也就不像从前追得紧了。按下不表。

单说张太太那面听说刁迈彭出使外洋,不觉心上老大吃一惊。心上盘算:“我偌大一分家私一齐托他经手,他今出门,多则六年,少则三年方能回来,所有他做出去的买卖,叫我同哪一个算呢?”马上差人一面拿帖子到道台衙门贺喜,顺便请刁大人过来商量善后事宜。刁迈彭直至把教士回信打发去后,方才过来,见面就说:“大嫂不来叫,兄弟也要过来了。天底下的事竟其想不到的!”张太太还当他说的是出外洋一事,便说:“这是朝廷倚重大人。大人有这样圣眷,将来到外洋立了功回来,怕不做尚书、侍郎,就是督、抚,也在意中。”刁迈彭听说,皱了皱眉头,说道:“不是这个。”张太太见他气色不对,忙问:“又有什么事情?”刁迈彭又故意踌躇了一回,方说道:“这事却也不好瞒你,如今大嫂被外国人告了。”张太太听说她自己被外国人告了,不觉大惊失色道:“我是中国人,他们是外国人,我同他‘井水不犯河水’,他为什么要告我呢?”刁迈彭道:“不说明白了,不但你听了糊涂,就是我听了也诧异。这件事原是你们这里的人起的。”张太太忙问:“是我们这里的什么人?”刁迈彭道:“还有谁!就是那班搬出去的姨太太。我倒是一片好心,帮着大嫂拿她们分了出去:一来省大嫂怄气,二来等她们自己过活,公中的钱也可省俭些。就是这一回她们被偷被抢,以及罚她们,也是兄弟帮着大嫂想竭力地拿她们压倒了,免得将来生事。倘若兄弟早替她们出把力,催催县里,还会到如今不破案。不晓得她们如今听了什么坏种的说话,一齐入了外国籍;中国官管他们不着,她们有了事倒可以来找我们的。大嫂,你想气人不气人!”张太太道:“她们入外国籍,倒入的是哪一个国度?可是你刁大人放钦差的那个国度不是?如果是你刁大人去的那个国度,务必拜托你大人同她们那边皇上说了,递解她们回来,不要她们这些坏人做百姓。”刁迈彭道:“她们入籍的那个国度,听说是什么‘南冰洋’、‘北冰洋’,也不晓得是‘黑水洋’、‘红水洋’,兄弟一时在气头上也记不清楚。总而言之:她们现在已经做了外国人,我们总不是她的对手了。”

张太太道:“你说的可就是她们?还是另外又有什么外国人出来告我?”刁迈彭道:“有是另外有个外国人,亦是她们串出来的。”张太太道:“就是告我,也得有件事情,到底告我哪一桩呢?”刁迈彭道:“说来话长,等我慢慢地讲。其实在这件事情,我固然替大嫂出力,我待她们也不能算错。每人分给她三万吊钱的当铺利钱,就拿按年八厘算,每年每人就有两千多吊钱的利钱,无论如何,亦尽够使的了。况且她们各人又有自己的体己。还要贪心不足,串了外国人,进了外国籍,反过来告你大嫂,似乎也觉得过分。兄弟得了这个信,一直气得没有吃饭,人家来道喜,一齐挡驾,就赶过来通知大嫂。”张太太着急问道:“到底她们告我是些什么话?”刁迈彭至此方说道:“告你吞没家财,驱逐夫妾。”张太太道:“这也奇了!我们军门留下的家财,不是我承受谁承受?至于那班东西原是分出去的,她们另住,我何曾赶她们出门?这种说话未免太煞欺人了!况且我做大婆的,就是真果的要赶掉她们,她们也只好走。我不过背个不贤的名声罢,总说不到家当上头。”刁迈彭哈哈一笑,道:“大嫂,你就是误在这上头了!现在的世界比不得从前了。从前做姨太太的,见了正太太赛如主母,自己就同买来的丫头一样。所以太太说打发就打发,人家不能说她不是。如今各色事都是外国人拿权。外国人讲平等,讲平权,是没有什么大小的。你是军门身上下来的人,她们亦是军门身上下来的人,同是一样的人,就不分什么高下。有一个钱,大家就得三一三十一平分,如此方无说话。倘若你一个人多拿了,她们少拿了,就可以说话的,就可以请出讼师来同你打官司的,总得大家扯匀才好。”

张太太道:“我是中国人,我不懂得什么外国理信。刁大人,你亦是中国官,你为什么不拿中国的例子驳她呢?”刁迈彭道:“我心上何尝不是如此想,但是我这个官没有这个权柄可以管得她们。”张太太道:“你刁大人既没有这权柄管她们,等她来的时候,你不理她就是了。她们能够拿你怎样！”刁迈彭道：“我不理，她们要到南洋①、两江制台那里去的，两江制台不理，她们还会到外务部。这两处只要一处管了账，我们总没有便宜沾的。”张太太道：“依你说怎么样？可是要我把家当拿出来分派给她们，还是拿我赶出去，请她们回来住？不然，怎么样呢？”说着，就急得哭起来了。刁迈彭道：“大嫂，你且慢着，不要发急。她们如此说，我不得不过来述给你听。少不得我总要替你想法子。就是我自己没有权柄管理外国人，也总要挽出人来替你们和息的。”说罢，亦就告辞回去。

张太太还想留住他，托他想法子。刁迈彭道：“我的心上比你大嫂还要着急。就是你不托我，我亦要替你想法子的，不然，我怎样对得住大哥呢？兄弟自从接到电报放钦差，忙得连回电都没有打。目下实在没有工夫，等兄弟回去打好主意，明天再来同大嫂商量罢。”说完自去。张太太等他去后，心上自己盘算，说：“刁某人每逢来在这里，何等谦和，替我做事，何等忠心，怎的今天变了样子？难道放了钦差，立刻架子就大起来么？如此，也不是什么靠得住的朋友了。”转念一想：“我这分家私一齐在他手里，如今要同外国人打交道，除了他没有第二个。况且他本来是这里的道台，如今又放了钦差，说出去的话，外国人无论如何总得顾他一点面子。我如今是没脚的蟹，赛如瞎子一样，除了人一步不能行，无奈，只得耐定了性，靠在他一个人身上的了。”按下张太太自己打主意不题。

且说刁迈彭回到衙门，一面又要忙交卸，一面又要预备进京陛见，一霎时又是外国人来拜，一会又要出门谢步，一回又是哪里有信来，有电报来，一回忙着回哪里信，哪里电报，真正忙得席不暇暖，人仰马翻。少不得每天总要抽出空来到张公馆坐上五分钟或是三分钟。张太太见了面，顶住问他“怎么样”？刁迈彭无非一派恫吓之词。张太太又问：“如何对付她们？”刁迈彭只是一口咬定：“一个钱不能给她们的。”起先张太太听了，又把刁大人当做忠心朋友，自己怪自己那天几乎错怪了他。岂知一连几天，刁迈彭来了几次，都是这个说法。及至问他：“照此下去，几时可了？”刁迈彭皱着眉头，说道：“若是不给钱，要她们了，可是不容易呢！”张太太说：“刁大人，你是快走的人了，不趁在你手里把事早点了结，到了后任手里，叫我去找谁呢？”刁迈彭道：“昨儿省城里已有信来，派来署事的这位

① 南洋——指南洋通商大臣。

候补道,我也同他见过面的。等我见了他,竭力托他就是了。"张太太一听,事情不妙,连忙拿话顶住刁迈彭道:"一定要在刁大人手里了结。"刁迈彭隐约其词,似乎嫌张太太一个钱不肯放松,这事总不会了。张太太却一口咬定:"要我往外拿钱可是不能。"

刁迈彭见话说不上去,只得另外打主意。当时辞了出来,回到衙门。齐巧有个保人寿的洋人,因在南京得到刁迈彭放钦差的消息,就有刁迈彭的朋友替这洋人写了封信,叫他到芜湖来兜揽生意。刁迈彭看朋友的份上,少不得自要照顾他些买卖。恰巧这日正从张公馆回来,想不出一个哄骗张太太的法子,等到见了洋人,忽然有触斯通,便道:"你这趟穹远的跑来,总得替你多拉几注买卖才好。"洋人自然欢喜。刁迈彭便说:"我有一个朋友,姓张,家里很有家私。我荐你到他家里去。但是我这个朋友只有女眷在家。你先到那里,不必同他们说什么,停刻等我到来,有我替你拉拢,自然一说成功。"洋人更为感激不尽,立刻问明方向,独自先去。刁迈彭亦跟手坐了轿子赶来。

洋人先到那里,虽有翻译,因为刁大人交代过,叫他不要说什么,他只得不响。不过门上见是洋人,问哪里来的,只回了声"道里来的"。门上人听说是道里来的,摸不着头脑,只得请他厅上坐了再讲。一面泡茶,一面进去报知女主人。张太太听了,只当是告她的那个外国人抄家当来了,吓得什么似的,连连说道:"这怎么好!这怎么好!你们快去先把刁大人请来,等他想个法子,先把洋人弄走了才好。"家人奉命,飞跑赶去,走到半路上齐巧刁大人也来了。刁迈彭轿子里看见,先说道:"我正要到你们太太这里来。现在可是外国人来了?"家人道:"正是。"刁迈彭催轿夫快走,赶到张公馆下轿,走进大厅,先向洋人拉手,说了声"你这里的事,一齐包在我兄弟身上,其实你也无须来得的"。洋人由翻译传话说道:"我是要来,我是要来。"刁迈彭未曾下轿,那个请他的家人早已赶快一步回到家里禀报太太知道,说:"刁大人听说洋人在此,已经赶了来了。"等到刁大人下轿到厅上同洋人说的话,张太太早已赶出来,在屏门背后听得清清楚楚。一听他俩所说的话,洋人说"我要来",刁大人说"你的事一齐包在我身上"这两句,再要合拍没有,竟是为着打官司来的。张太太不听则已,听了之时,登时魂飞天外,面上失色。

说时迟,那时快,刁迈彭向洋人说完了两句话,立刻起身到后头来。

一见张太太流泪满面，一句话也说不出。刁迈彭道："此处不便，我们到里头去讲。"果然张太太跟刁迈彭到得里面。张太太一把眼泪，哭着说道："别的话不必讲。自从军门去世之后，我这里一家一当，都在你刁大人手里。为今之计，弄到这个样子，你刁大人不来救我，更指望谁来救我呢！"说罢，跪在地下，不肯起来。刁迈彭一面让她起，一面故意做出唉声叹气的样子，说："这是怎么好！这是怎么好！叫我怎么对得起死的大哥！"一个人在客堂里打了几个旋身，又出来同外人嘁嘁喳喳了一回。不见洋人走，他又进来同张太太说道："如今之计，只有一个法子，少不得我要被人家说我不避嫌疑罢了。"张太太一听有法子好想，立刻问他是什么法子。刁迈彭想要说出口，又顿住了不说，道："到底不便，到底被人家说起来不好听，只得另外打主意。"张太太看他又有不肯之意，不免又把眉毛蹙起来。只见刁迈彭又在地下旋了两三遍，把牙齿咬咬紧，说道："这是没有法子的事，为朋友只得如此！我为了朋友，就是被人家说我什么，我究竟自己问心无愧。"旁人看他自言自语，坐立不定，都莫知其所以然。大家正在愣住的时候，忽然听他说道："大嫂，现在洋人不肯走，兄弟只有一个法子：等我去同洋人说，说大嫂现在剩得有限家当，其余的因为替军门还亏空，早已全数抵押出去了。他若问抵押给哪个，你只说我经手。但是口说无凭，你快叫账房立刻写好几张抵押据，随便写抵给张三、李四都可以，由你画了花押，交代给我。洋人不相信，我就拿这个给他看。我替你经手，连当铺，连钱，连银子，一共是二百六十七万，你就照这个数目写给我，可好不好？"

毕竟张太太是女流之辈，听了此话，马上就叫自己的账房上来照写。不料这账房倒是有点忠心的，近来因见刁迈彭的行为很觉不对，平时已在女主人面前絮聒过多次，无奈女主人不听他话，也叫无可如何。此时又叫他出立凭据，他便两眼瘪煞瘪煞地顶住了刁迈彭，一声不响。后来女主人又催他，账房只是不写。刁迈彭何等精明，早已猜着其中用意，忙道："贵居停这一份家当一齐都在我一人身上，我如今是就要出洋的人了，说不定十年、八年方得回来，正要找个人交卸了好走。像老兄办事这样郑重，实在可靠得很，倒不如趁今天我们做个交代罢。"刁迈彭一面说，面上却是笑嘻嘻的。张太太看了不懂，只是催账房快写，写好了就交代刁大人。那账房想了一回，叹了一口气，提起笔来，一气写完。有些话头怕自己写的不合式,只得随时请教刁大人。刁迈彭见他肯写,也就不刁难他了。等到写完,又逐句讲给张太太听过,催着张太太画过字。刁迈彭道:“你们不要疑心我要这个,不过给外国人瞧过就拿回来的。”说着,便把笔据袖了出去,又同洋人咕哝了一回,洋人同他拉拉手,带了翻译自去。

刁迈彭果然来把笔据交还了张太太,叫了声大嫂:“这个东西果然有用!把这东西给洋人看过,居然一声不响就去了。大嫂,你暂请收好了这个,等洋人要看时,我再来问你讨。”张太太道:“这又何必给我呢?刁大人收着不是一样?”刁大人道:“不可!不可!人家要疑心我吞没你的家当的。”列位看官看到此处,以为刁迈彭拿笔据交还与张太太,一定又是从前骗盖道运札子的手段来,岂知并不如此,他用的乃是“欲擒故纵”之意。盖道运的事情关系蒋抚台,出入甚重,所以不得不把札子掉换下来。张太太这里,横竖欺她是女流之辈,瓮中捉鳖,是在我手掌之中;不过想做得八面玲珑,一时破不了案,等他摆脱身子,到了外洋,张太太从哪里去找他呢。所以他当下把笔据交代之后,仍回自己的衙门,同保寿险的洋人鬼混了一阵,只说是张太太一定不肯保。洋人无可如何,只好听之。他却又耽搁了两三天,一直不到张公馆。

毕竟张太太放心不下,叫人去请,推头有公事。张太太少不得自己亲来。刁迈彭见面之后,只说:“你大嫂之事,不了自了,包你那个外国人是不来的了。就是你们那班姨太太,晓得官司打不出,也一齐瘪了念头了。这两天我倒替你很放心,很快活。你自己着急的哪一门?”张太太道:“我所急的非为别事,有你刁大人在这里一天,我自然放心。设或你刁大人动身之后,那外国人又来找起我来,却如何是好呢?”刁迈彭听了此言,故意“啊唷”一声,跌足踌躇道:“这一层我倒没有虑到!到底你大嫂心细!然而据我看起来,不要紧,横竖你给我的那张抵押据在你手里,你拿出来给他看就是了。”张太太道:“这张据应该是你拿着的,不应该在我手里。”刁迈彭道:“我拿着不妥:一来你大嫂虽不疑心到我,我也要防别人说话;二来我把这笔据带了出洋,等到洋人来了,还是没得给他看。如今这事没有别法想,只有你把那张假笔据拿出来,等我替你上个禀帖给上头,预先存个案,再结结实实地找上两个中人;就是我出洋去,有中人替我说话,有起事来,只要中人出场,洋人自然不来找你的了。”张太太的笔据是带好了来的,马上交出。又问中人是谁。刁迈彭屈指一算,后任明天好到,便约张太太三天回音。张太太自回公馆。

这里刁迈彭等到后任接了印，便向后任说："从前在此地住的有一位张军门，如今死了。他的家眷因为军门去世之后，官亏私亏共有二百多万，一齐托兄弟替他经手，把家产抵还清楚，现在分文不欠。恐怕再有人讹他，所以托兄弟替他禀明上头，并在道、县各衙存案，以免后论。兄弟适因交卸，未曾赶得及办理此事，现在只好费老兄的心了。"说罢，便把替张太太代拟的禀帖以及抵押据，还有捏造的人家还来的借据，一齐抄粘禀帖，请后任过目。后任因为他是钦差，上头圣眷优隆，将来不免或有倚靠他的地方，所以于他委的事，绝无推却，赶着签稿并送，第二天就详了出去。诸事办妥，方才到张太太那里报信。上头的批禀来不及，只好拿了道、县的批头给张太太看。又讲给张太太听道："现在你生怕我走了，没有对证。如今好了，道里、县里一齐存了案，又禀了省里三大宪，将来没有不准的。不过批禀一时还不得回来。将来禀帖批过之后，新道台少不得要来招呼你的。而且道里、县里都存了案，他俩就是活对证。他们走了，就是后任换了，有案卷存在他们衙门里，终究赖不脱的。如今这事办得万妥万当，人家只晓得是你抵押到我名下，那洋人决计不会来找你的了。就是再有话说，不要你出头，道里、县里就会替你出头的。你说好不好？"张太太又问那张笔据。刁迈彭道："附在卷里，你也不拿，我也不拿，是中人替我们守着，那是再要妥当没有。"张太太默然不语。

刁迈彭又忙着说："现在我就要走了，倒是我经手的账，总要交代了才好走。一切生意都是我手里放出去的，一时又收不回来，少不得找个靠得住的人接我的手。"说着，便喊一声："来！你们把七大人请进来。"又回头对张太太说："这是我的堂房兄弟，就是上回荐给你在上海管事情的。我去了，只有他可以接我的手。如今先叫他进来见见大嫂，以后有什么事情，大嫂就好当面交代他了。"说着，七大人进来了。穿的衣服并不像什么大人老爷，简直油头光棍一样。张太太此时迫于刁迈彭面子，只得同他见礼。

刁迈彭道："我这兄弟只能总其大纲，而且他一个人亦来不及。现在兄弟又把上次问大嫂要去的几个差官留心察看，见他们办事都还老练，我特地挑了又挑，挑出七八个真正尖子，几注大生意，每一处派他们一个去管理银钱账目。"张太太道："他们字都不认得，当得了吗？"刁迈彭道："为的是自己人，无论如何总靠得住些；就是字不认得，数目是总认得的。"因为不够,又把本宅的账房一齐派了出去。刁迈彭一面分派,一面又叫拿笔砚把他经手的生意以及现派某人管理某事,仍托本宅账房拿张八行书开了一篇细账交代了张太太。自从张太太请他经手这些银钱,某处生意,某处生意,不过嘴里说得好听,始终没见一张合同,一张股票,一个息折。大约现写的这片账,在他就算是交代的了。好在张太太是女流之辈,尽着由他哄骗。至于一班账房,一班差官,因见大家都派了事情,也就不来多嘴了。交代清楚,刁迈彭便跪下磕头辞行,照例又叮嘱了几句。张太太少不得也说几句客套话。然后刁迈彭拱了拱手,带着兄弟而去。

且说刁迈彭的兄弟就是上回所说的做丝厂的挡手的刁迈崑了。这人最是滑不过。但是刁迈彭有些事情自己不能去做,总是托了这兄弟去做。兄弟有利可图,倒也伏伏贴贴听他的使唤,做他的联手。这遭刁迈彭赚了姓张的二百几十万银子,自己实实在在有二百万上腰。下余几十万,这里五万,那里三万,生意却也搭的不少;其中就算这兄弟经手的丝厂略为大些。当初原为遮人耳目起见,不得不如此;等到后来张太太把抵押的凭据禀了上头存了案,他却无所顾忌了。但是还怕兄弟并那张太太手下一班旧人说出他的底细,特地替兄弟捐了一个道台,一面在上海管事,一面候选。其他张府账房、差官等等,凑拢不过十几个,面子上每人替他预留一个位置,其实早同挡手说明,派的都是吃粮不管事的事情,没有一个拿得权的;不过薪水总比在张府时略为丰润。这班人有钱好赚,谁肯再来多嘴。歇上三五个月,有另外荐出去的,也有因为多支薪水歇掉的。总之:不到一年,这班人一齐走光,张太太还毫无知晓。

等到张太太拿不到利钱,着急写信到上海来追讨,刁迈崑总给她一个含糊。后来张太太急了,自己赶到上海来,东打听,也是刁家产业,西打听,也是刁家股份,竟没有一个晓得是姓张的资本。于是赶到丝厂里找刁迈崑,说是进京投供去了。问问那班旧人,都说不知道。张太太又气又急,只得住了下来。虽然没人赶她,却也没人睬她。自己又是女流之辈,身旁没有一个得力的人。干急了两个月,心想只得先回芜湖,再作道理。谁知看了日子,写了船票,正待动身,倒说忽然生起病来。张太太自到上海,一直就住的全安栈,一病病了二十来天。在芜湖来的时候,本来带的钱不多,以为到了上海,无论哪一注利钱收到手,总可够用;哪知东也碰钉子,西也碰钉子,一个钱没弄到,而且还受了许多闲气。等到想要回去,原带来的钱早已用没了，还亏当了一只金镯子，才写的船票。后来病了二十几天，当的钱又用得一文不剩。上海无从设法，无奈只得叫同来的底下人写信回家取了钱来，然后离得上海。

等到一到家，刁迈崑的信也来了，说是："刚从北京回来，大嫂已经动身。兄弟不在上海，诸多简亵①。"但是通篇并无一句提到生意之事。张太太又赶了信去，问他本钱怎么样，利钱怎么样。他一封信回来，竟推得干干净净，说："上海丝厂以及各项生意原是君家故物，自从某年某月由大嫂抵与家兄执业，彼此早已割绝清楚。如不相信，现有大嫂在芜湖道、县存的案，并前署芜湖道申详三宪公文为据，尽可就近一查，岂能欺骗"各等语。信后又说："大嫂倘因一时缺乏，朋友原有通财之义，虽家兄奉使外洋，弟亦应得尽力；唯以抵出之款犹复任意纠缠，心存影射，弟虽愚昧，亦断不敢奉命"云云。张太太接到这封信，气得几乎要死！手底下还有几个旧人都怂恿她去告状。当下化了几十块钱，托人做了一张状子，又化了若干钱，才得递到芜湖道里。芜湖道检查旧卷，张某人的遗产早已抵到刁钦差名下，有他存案为凭，据实批斥不准。张太太心不服，又到省里上控。省里叫芜湖道查复。这个挡口，刁迈□早已得信，马上一个电报给他哥。他哥就从外洋一个电报给芜湖道，说明存案之事。任你是谁做了芜湖道，只有巴结活钦差，断无巴结死军门之理，因此张太太又接二连三碰了几个钉子。不但外头放的钱一个弄不回来，就是手里的余资也渐渐地销归乌有。因此一气一急，又生了一场病，就此竟呜呼哀哉了！一切成殓发丧，不用细述。

但说刁迈彭在外洋得了这个消息，心上虽是快活；然而还有一句说话道："她那所房屋极好，我很中意，现在不晓得便宜了谁了！"

做书人做到此处，不得不把姓刁的权时搁起。单说姓张的家里自从正太太去世，家里只留了三个寡妇姨太太。此时公中虽然无钱，幸亏她三人还有些体己，拿出来变变卖卖，尚堪过活。而且住着一所绝好的大房子，上头又没有了管头，因此以后的日子倒也甚为安稳。

有日家里正为张军门过世整整三足年，特地请了一班和尚在厅上拜忏，就把他夫妇二人的牌位用黄纸写了，供在居中，以便上祭。这日约摸

---

① 简亵——怠慢不恭，轻慢无礼。

午牌时分，三位姨太太正穿了素衣上来哭奠。正在哀哀恸哭之时，忽然外面跑进一个三十多岁的男人进来。这人是个瘦长条子，面孔雪白，高眉大眼，仪表甚是不俗；虽是便衣，却也是蓝宁绸袍子，天青缎马褂，脚下粉底乌靴；看上去很像个做官模样。家人们见他一直闯了进来，又想拦又不敢拦，便问："老爷是哪里来的？请旁边客厅上坐。"那人也不及回答，但见他三步并做两步，直走至供桌前跪倒，放声痛哭，哭个不了。一面哭，一面跌脚捶胸，自己口称："儿子不孝，不能来送你老人家的终，叫我怎么对得住你呢！"一面数说，一面还是哭个不了。众人听了他的声音，都为奇怪，暗想："我们军门哪里来的这个大儿子？"但是看他哭得如此伤心，又不敢疑他是假，只得急急将他劝住，问他"一向在哪里，几时来到此地"？他擦了擦眼泪，一见有三个穿素的女人，晓得便是三位老姨太太；立刻爬在地下，磕了三个头，口称"姨娘"。

行礼起来归座，不等众人开口，他先说道："我今日来到这里，我若不把话说明，你们一定要奇怪。我的母亲刘氏，原是老人家头一位姨太太。彼时老人家还在湖南带兵。有天听了朋友一句玩话，立时三刻逼我母亲出去，一刻不能相容。其时我母亲已耽了两个月的身孕，老人家并没有晓得。亏得我母家彼时手里光景还好，便把咱老娘接到长沙同住。后来等我养了下来，很写过几封信给老人家，老人家一直置之不理。后来等到我七八岁上，忽然老人家想到没儿子的苦。不知哪位晓得我母子的下落，便在老人家面前点了两句，听说老人家着实懊悔。不过此时老人家已经得缺，恐招物议，没有敢认；然而却是常常托人带信，问我们母子光景如何。后来又过了十几年，老人家已补授提督，我的母亲亦去世。其时我已有二十多岁了，好容易找到从前做狼山镇的黄军门，晓得他同老人家把兄弟，我就去找他把话说明，托他到老人家跟前替我设法。黄军门就留我住在他衙门里；后来又带我到镇江，见过老人家一面。彼时正议续娶这一位嫡母，原说是没有儿子的，所以仍旧不敢认。我回家再三托黄军门替我位置。以后每年总寄两回银子给我，每次三百两，一年六百两；娶亲的那一年，又多寄了一千两，都是黄军门转交的。又过了三四年，黄军门奉旨到四川督办军务，就把我带了过去。其时我已经保到都司衔候补守备。在四川住了五个年头，接连同土匪打了两回胜仗。总算官运还好，一保保到副将衔候补游击。这个挡口，想不到黄军门去世。幸亏接手的人很把我看得起，倒分给我四个营头，叫我统带进来。几年家里的情形，除掉老人家告病及老人家去世，我是知道的。但是相隔好几千里，又恐怕家里大娘不肯认我，所以一直连封信都不敢写。如今是有差使过来，到了汉口，碰见黄军门的大少爷，才晓得这边的事。心上惦记着这边父母同已去世，不晓得家里是个什么样子，所以特地赶过来看看。原来家里还有三位姨娘，料理家务，那是极好的了。"

这一番话，说得三位姨太太将信将疑。大姨太太年纪最大，晓得旧事，知道张军门是有这么一位姓刘的姨太太，为了不好赶出去的，后无下落，亦从未见军门提过；至于儿子，更是毫无影响了。那人见三位姨太太怔住不响，晓得她们见疑，忙从靴子里取出一打子信来，一面翻信，一面说道："我的名字叫国柱，还是那年黄军门要替我谋保举，写信给老人家，叫老人家替我题个名字，后来回信，就题了这'国柱'二字。这里还有老人家亲笔信为凭，不是我可以造得来的。而且我还有一句话要预先剖明：我现在也是四十岁的人了，功名也有了，老婆也娶了，儿子也养了；有现成的差事当着，手里还混得过；决不要疑心我是想家当来的。"一面又叫跟班的把护书拿来，取出好几件公事——据他说，全是得保举的凭据，上头都有他的名字。——翻出来给人瞧。三位姨太太瞧了，亦似懂非懂的。当时大家便问他："吃饭没有？"他说："一到这里，才落了栈，没有吃饭就赶了来的。"又说："我是自己人，不用你们张罗，我也用不着客气。至于我到此只能耽搁几天，找和尚拜两天忏；灵柩停在哪里，你们领我去磕一个头。事情完了，我就要走的。"

虽然说得如此冠冕，人家总不免疑心。他自己亦懂得，赶忙吃过饭，回到寓处，取出一张五千银子的银票来，仍回到公馆里来，托这边账房里替他到庄上去换银子。银子换到，马上交出三百银，作为拜忏上祭之用。慢慢地又同三位姨娘讲到家里的日子，晓得公中一个钱都没有，三位姨娘都是自吃自的，便说："我这回银子带的不多，回来先拿五千银子过来，以备公中之用。至于三位姨娘缺钱使用，等我写信往四川再汇过来。"人家见他用钱用得如此慷慨，终究狐疑不定。

大姨太太私下便出主意，说："他倘是真的，而且做了这么大的官，很可以叫他去出出场，到道里、县里去拜望拜望。人家儿子养在外头，等到大了再回来归宗的很多，是真是假，等他到外头碰碰去再说。如是假的，他一定不敢去见。”主意打定，趁空便同他说了。谁知他听了此言，非但不怕，而且甚喜，说道：“我是老人家的儿子，这些地方极应该去的。虽说儿子养在外头，长大之后归宗的很多，但是说出去终不免叫人疑心。我想总求这边姨娘先派个在行底下人跟了我同去，等投帖的时候，务先把话说明，人家便不疑心了。等到拜过之后，我还要重新替老人家开吊哩。”

到了第二天，果然张公馆里派了两名家丁，一名差官，过来伺候少大人拜客。道里、县里、营里统通是新换的官，自从张军门过世之后，家里又没有人同官场上来往，大众都不晓得他的底细，更乐得借此蒙混过去。只有几家土著的老乡绅，还有往年同张府上来往的几家铺户，如钱庄、票号等类，间或有两家留心到张军门并无儿子一层。等到家人把话说明，一来事不干己；二来此时张府早经衰败，久已彼此无涉：因此不犯着前来多事。等到客人拜完，家里人没有了疑心，便让他家里来住。

齐巧这位芜湖道是个老古板，因为张军门从前很有点名声，因此于这张大少爷来拜时，立刻请见，而且第三天就来回拜。见面之后，问长问短。张国柱并不隐瞒，竟说明自己是“先君弃妾所生。‘树高千丈，叶落归根’。此时先父母停柩未葬，还有三位庶母光景甚是拮据，说不得都是小侄之事”。又说：“小侄在外头带兵几年，从前先君在日，常常寄钱给小侄使用。如今先君一死，却再想不到他老人家有许多官亏私亏，以致把家产全数抵完。此事还是从前刁老伯经手，各衙门都有存案，料想老伯是晓得的。如今生养死葬一应大事，无论小侄有钱没钱，事情总是要做，尽着小侄的力量去办便了。”芜湖道道：“尊大人解组归来，听说共有好几百万。即使抵掉不少，看来身后之需，或不至过于竭蹶①。就是几位老姨太太手里，谅想还可过得；再不然，这所房子，亦值得十多万银。”国柱道：“无论先君有无遗赀，总之，这些事情，在小侄都是义不容辞的。况且病不能侍汤药，死不能视含殓，已经是不可为子，不可为人，如今再来搜括老人家的遗产，小侄还算个人吗！所以小侄一回来，先取五千金存在公中，以备各项用度。下去所缺若干，再到四川去汇。莫说公中无钱，就是有钱，小侄亦决计分文不动。至于卖房子一句话，更非忍言！”一番话竟说得芜湖道大为佩服，连连夸说：“像世兄这样天性独厚，能顾大局，真是难

---

① 竭蹶(jié jué)——形容经济困难。

得！……”又问：“世兄少年料想读的书不少？”张国柱回称：“还是在黄仲节黄军门世叔那里读过几年书，经书古文统通读过。”芜湖道道：“我猜世兄一定是有学问的，若是没有读过书，决计不懂这些大道理。”说完，又连夸奖。自此张国柱有了芜湖道认他为张军门之子，而且异常看重，自然别人更无话说了。要知后事如何，且听下回分解。

第五十二回

走捷径假子统营头　靠泰山劣绅卖矿产

话说四川来的张国柱，自从芜湖道认他为张军门的少爷，再加他自己又能不惜钱财，把一公馆的人都笼络得住，而且所办的事，所说的话，无一句不在大道理上，因此众人听了更为心服。他见大势已定，便说："老太爷、老太太灵柩停在此地，终非了局。"便与三位老姨太太商量，意思想再开一回吊，然后灵柩送回原籍。算了算，总得上万银子；一面打电报到四川去汇，一等钱到了，就办此事。三位老姨太太自然无甚说得。谁知过了两天，不见电报回来。张国柱哭丧着面孔，咳声叹气地走了进来，说："老天爷同我作对，连着这一点点孝心都不叫我尽！我这人生在世界上还能做什么事呢！"大家问他："回电怎么说？"他并不答言，只是呼哧呼哧地哭。大家急了，又顶住问他。他说："四川的防营，前月底奉到上头的公事，这个月就要裁掉。我这趟出差，本是有个人替我的。我打电报去同他商量，叫他无论在哪里暂时替我挪汇七八千金，再拿我这里的几千凑起来，看来这件事可以做得体体面面，把老人家送回家去；哪知凭空出了这么一个岔子，叫我力不从心，真正把我恨死！"大姨太太道："老爷在世，有些手底下提拔过的人，得意的很多。现在有你大少爷在此，不怕他不认；写几封信出去，同他们张罗张罗，料想不至于不理。"张国柱道："不可！不可！老人家的大事，怎么好要人家帮忙？我虽暂时卸差，究竟还算骑在马上的人，朝他们去开口，断断不可！不是怕他们疑心，我为的是'人在人情在'，如今老人家已过世三年，彼此又一直没有通过音信，他不应酬你，固不必说；就是肯应酬，一处送上二三十两，极多到一百两，于我们仍旧无济，而且还承他们这么一份情，实在有点犯不着，还是我们自己想法子好。"过了一天，张国柱又说道："虽然我那边差使已经交卸，究竟我在这里不能过于耽搁。既然钱不凑手，说不得只好'称家有无'。况且从前已经开过吊，此时也不便再去叨扰人家。马上找人看个日子，尽半个月之内就送柩起身。除掉几处至好之外，其余概不通知。"

他这半月之内，得空就往道里跑；见了芜湖道，恭顺的了不得。后来又拜在芜湖道门下，说什么："门生父亲去世的早，老一辈子的教训门生听见的不多。如今拜在门下，受老师一番陶熔，庶几将来可以稍为懂得做人的道理。"这种话灌在芜湖道的耳朵里，岂有不乐之理。晓得他四川差事已撤，目下正在为难，自己出于至诚，送他二百银子。不要他出名，竟替他写信给所属各府州、县替他张罗，居然也弄到将近二千银子，统通交代张国柱。张国柱自然感激。

看看动身的日子一天近似一天，张国柱就在庙里开了一天吊。凡是发有讣闻的，道台以下，都来吊奠，到客虽然不多，而场面却也很好。张国柱披麻戴孝，叫两个人搀着出来给客人磕头；拿着哭丧棒，嘴里干号着，居然很有个孝子模样。因此三位老姨太太以及合公馆里人瞧着，都为感叹，都说："还算我们军门的福气，有这么一个好儿子打发他回家。"内中忽然有位素同张军门要好的朋友，也是本地乡绅，是个候补员外郎，姓刘，名存恕，独他不十二分相信，背后里说过几句闲话。就有人把这话传到张国柱耳朵里去。当时张国柱也没有说什么，但在肚皮里打主意。

本来说明白开吊后就动身的，如今又一连耽搁了七八天还没有动身。芜湖道问他："为什么还不动身？"他思思缩缩，要说又不肯说。芜湖道懂得他的意思，晓得一定是钱不够，问他是否为此。他到此也只得实说。芜湖道道："如今远水救不得近火，就是我们再帮点忙，至多再凑了几百银子，也无济于事。况且你这回回去，路远山遥，又非两三天就可以到的；就是回家安葬，亦得开开吊，惊动惊动朋友：哪一注不是钱？从前我很想叫你把房子暂时押抵头二万金，以办此事，你世兄不肯。如今依我的主意，只有这么一个办法。你世兄万万不可拘泥；姑且照我的说话，回去同你们老姨太太商量商量。好在尊大人现在只剩得三位老姨太太，也不消住这大房子。就是迟两年，等你世兄有了钱，再赎亦不妨。"张国柱听了这番说话，心上很愿意；面子上却故意踌躇了半天，说道："老师教训的极是。且等门生回去同几位庶母商量商量，当再来禀复。但是门生还有一件事：老人家带了这许多年的兵，又补授实缺多年，总算替皇家出过力的人，如今去世之后，连个照例的好处都还没有办准。小侄意思：想仗老师大力，求求上头督、抚宪，能够专折替先君求个恩典，或照军营积劳病故例，从优赐恤，倘能办到一桩，存没均感！"说着，又爬在地下磕了一个头。芜湖道道："这是世兄的一点孝心,愚兄岂有不竭力之理。不说别的,就是尊大人在安徽带兵,年代亦就不少。世兄一面把房子押掉,扶柩起身。我这里一面就替你办起来,大约顶快亦得好几个月的工夫。"张国柱又重新磕头谢过。

当天芜湖道就留他吃饭,说是:"今天因为开办学堂,请了几位绅董吃晚饭,带着议事,就屈世兄作陪。"张国柱听了此言,自然不走。少停客到,不料那个疑心他的刘存恕也在其内。张国柱一见有他,立刻吩咐底下人:"回家到我屋里,床头上有个皮包,替我取来。"这里一面入席,张国柱的管家已把皮包取到,交给主人。张国柱把皮包接了过来,一手开皮包,一手往里一摸,早摸出一张纸来,嘴里说道:"今天趁诸位老伯都在这里,小侄有件东西,要请诸位过一过目。"一面说,一面把那张纸头先递到刘存恕手中。刘存恕接过来一看,原来是一个札子。再看札子上的公事,乃是钦差督办四川军务大臣叫他统带营头。公事上头,拿他的官衔都写的明明白白。众人见他拿了这个出来,都莫明其用意。众人一面传观,只听得他又说道:"先君过世之后,因为官亏,家产业已全数抵押出去,一无所有。小侄不远数千里赶回归宗,担当一切大事,自己吃了苦不算,还要赔钱。一切事情都瞒不过我们这敝老师的,老人家真能晓得小侄的苦处。因为外面很有些不相干的人,言三语四,不说小侄回来想家当,便说小侄这个官是假的,所以小侄今天特地拿出这札子来,彼此明明心迹。"说完,随手把札子收回,放在皮包之内,交代跟人先拿回去,自己仍旧在这里陪客。

当下众人看了他的札子,都无话说。只有芜湖道当他是个正经人,便指着他同众人说道:"从前他们老太爷致仕①之后,听说手里着实好过;何以一故下来,竟其一无所有?只有他一位世兄真正是前世修来的!他所做的事,很顾大局。这趟回来,非但他老太爷的好处没有沾着,而且再赔了好几千两银子,真要算难得的了!现在想要扶他老太爷灵柩回去,一个钱没有,如何可以动得身?我劝他暂时把房子押几个钱动身,他还不肯。这种好儿子,真正是世界上没有的!"众人听说,自然也跟着附和一回。

却不料在席有本衙门里一位老夫子,早看得清清楚楚,独他一言不发。等到席散,同同事讲起,说:"我办了这几十年的公事,什么没有见过?连着照会尚且有朱笔、墨笔之分,至于下到札子,从来没有见过有拿

① 致仕——官员年老辞官不做叫做致仕。

墨笔标日子的。凡是‘札’字，总有一个红点，临了一圈一钩，名字上一点一钩，还有后头日子都要用朱笔标过，方能算数；而且一翻过来，一定有内号戳记一个。他这个札子，一非朱标，二无内号。想是我阅历尚浅，今天倒要算得见所未见了。”他同事道：“这话我不相信。札子上的关防总是真的。”老夫子道：“关防固然是真的，难道就不许他预印空白么？他本是黄军门的世侄，到了四川，一直就在黄军门跟前。黄军门过世，他还在他的营里，这个挡口何事不可为？不过我们心存忠厚，不当面揭破他，也就罢了。”

再说张国柱回到家里，只说是芜湖道的意思，要上禀帖托上头替老人家请恤典。但是目前上上下下各衙门打点，以及部里的花销，至少也得四五万金。三位老姨太太齐说：“这事固然是正办，然而一时哪里有这些钱呢？”张国柱道：“这是老人家死后风光的事，无论如何，苦了我一个人，到处募化，也总要办成功。”后来转转弯弯，仍逼到“抵房子”一句话上，但是仍出自三位老姨太太嘴里，并不是他创议。他到此时，得风就转，连说：“若是只为盘送灵柩，无论如何，我总是不肯动这房子的。……如今替老人家请恤典，数目太大了，不得不在这房子上生法。”次日出门，仍旧托了道里的账房朋友替他经手，竟抵了五万银子。芜湖道听见了，反说他是正办。又说：“某人的老太爷不在了，只有三个小，又没有孩子，一所大房子，还不是空了起来；现在抵给人家，到底好先收两个钱用用。”跟手见了张国柱的面，又说：“你四川的差使听说已经交卸，将来三位老姨太太回去，少不得要你养活；你没得差使的人，如何拖累得起！我们大家要好，我总得替你想个法子。”张国柱听了这话，立刻请安，谢老师的栽培。芜湖道道：“你一面扶柩动身，我这里一面想法子。目下我就要进省，等你回来，大约亦就有了眉目了。”按下张国柱拿了银子，随同三位老姨太太伴送张军门夫妻两具灵柩，回籍安葬不表。

且说这里芜湖道果然过了两天因为别事晋省，带着替张军门请恤典，替张国柱谋差使。从芜湖到省，搭上了火轮船，马上就可以到的。下船之后，先到下属预备的公馆休息了一回。随手上院，照例先落司、道官厅。一进官厅，只见先有一个人已经坐在那里了。看样子，不像本省候补人员。彼此请教“贵姓、台浦”。芜湖道先自己说了一遍。那人忙称：“太公祖。”自称：“姓尹，号子崇，本籍庐州，以郎中在京供职，一向在京是住在敝岳徐大军机宅里的。”芜湖道明白，便晓得他是绰号琉璃蛋徐大军机的女婿了。于是又问他：“这趟出京有什么贵干?”尹子崇因为同他初见面，有些秘密事情不好出口，只淡淡地说道：“有点小事情要同中丞商量商量，也没有什么大事情。”随问芜湖道道：“太公祖所管的地方可有什么好的矿?”芜湖道看出苗头，估量他此番一定是为开矿来的，便亦随嘴敷衍了几句。

恰巧里头先传见芜湖道。芜湖道上去回完公事，就把张军门身后情形以及替他求恤典的话说了一遍。又说：“张某人原有一个弃妾所生的儿子，一直养在外头，今年也差不多四十岁了。从前跟着黄某人——黄镇——在四川防营，保至副将衔游击。这人虽是武官，甚是温文尔雅，人很漂亮，公事亦很明白。现在扶了他老人家的灵柩回籍安葬去了。但是现在四川防营已撤，张游击没有了差使，可否求求老师的恩典安置他一个地方?”原来这抚台从前做臬司时候，同张军门也换过帖的。官场上换帖虽不作准，只要有人说好话，那交情亦就登时不同泛泛了。抚台听了芜湖道的话，马上说道：“原来张某人还有个儿子，兄弟听见了很欢喜。况且是故人之子，我们应得提拔提拔他。可巧这里的营头，新近刚被钦差回京，一共做掉了三个统领。有十几营还是张某人手里招募的。如今他既然有这么一个好儿子，我这个差使暂不委人。你回去就写封信给他，叫他葬事一完，赶紧回来。至于他老人家的恤典，等他到了这里，我们再商量着办。我同他老人家是把兄弟，还有什么不帮忙的。”芜湖道道：“既蒙大师赏恩典，肯照应他，职道去就打个电报给他，叫他把葬事办完赶紧出来到差。”抚台道：“如此更好。”芜湖道退出，自去办事不提。

后来这张国柱竟因此在安徽带了十几个营头，说起来没有一个不晓得他是张军门的儿子的。他扶柩回籍的时候，早把三位老姨太太安顿在家;手里有了抵房子的五万银子，着实宽裕，自然各事做得面面俱到了。等他在安徽带了几年营头，索性托人把芜湖的房子卖掉，又卖到好几万银子入了他的私囊。倒是分出去的几位老姨太太仗着在教，出来找过他几次，弄掉了几千银子，此外却一直太平无事。不必细述。

如今且说同芜湖道在官厅子上碰见的尹子崇，等到芜湖道见了下来，抚台方才请他。他还没有来的时候，抚台就皱着眉头对巡捕说：“他只管天天往我这里跑些什么？谁不晓得他是徐大军机的女婿，一定要把他这块招牌掮出来做什么呢？而且琉璃蛋的声名也不见得怎样！”正说着，尹子崇进来了。抚台是有侍郎衔的，尹子崇是郎中，少不得按照部里司官见堂官的体制，见面打躬，然后归座。抚台虽不喜欢他，但念他是徐大军机的姑爷，少不得总须另眼看待。

尹子崇当下先开口说道：“司官昨儿晚上又接到司官岳父的信，叫司官把这边的事情赶紧料理料理清楚；料理清楚了，就叫司官回部当差。过年上半年谒陵，下半年又有万寿，叫司官不要错过了机会。”抚台道：“世兄这边除掉矿务事情，还有别的事吗？”尹子崇道：“不瞒大人说：就这善祥公司的事，司官就有点来不及了。司官创办这个公司的时候，说明白招股六十万，先收一半。虽不是司官的钱，司官却很费张罗；就是司官的岳父，也帮着写过几封信，才有这个局面。不要说矿是好的。但是三十万银子已经用完了，下余的一半股份，人家都不肯往外拿。”抚台道：“只要矿好，眼看着这公司将来一定发财的。再加以令岳大人的声望罩在那里，你世兄又是桀桀大才，调度有方，还怕不蒸蒸日上吗？下余的一半股份，只要写信催他们往外拿就是了。利钱既不少人家的，将来发财又可操券，人家还有什么不放心的。”尹子崇道：“不瞒大人说：这件事坏在司官过于要好，实事求是，所以才弄得股东里头有了闲话，银子不肯往外拿。”抚台听了诧异道：“这又奇了！倒要请教请教。”尹子崇道：“当初才开创的时候，司官就立意事事省俭，所以自从开创到如今，所有的官利一齐都没有付。原说是等到公司获利之后，补还他们，原不想少他们的。不料他们都不愿意，把后头的股本就此掯住不付。”抚台道：“呀！原来有此一层。现在你世兄的意思打算怎么样呢？开矿本是件顶好的事，不但替中国挽回利权，而且养活穷人不少，若是半途而废，岂不可惜！现在你世兄有令岳大人的面子，还是劝人家赶紧把股本交齐，或者再招集新股。况且这个矿明摆着是个发财的事情，料想人家不至于不肯来。但是兄弟有一句话说：利钱总应该发给他们。俗语说得好：‘将本求利。’有了利钱，人家自然踊跃了。”尹子崇听了抚台的这番说话，脸上忽然一红，好像有许多说话一时说不出口的；停了半天，方搭讪着说道：“大人教训原极是。但是司官的岳父有信来叫司官回京，不愿司官再经手这个事情。况且近来两个月，先招的股本用完，后头的一半人家又不肯拿出来，司官已经经手垫了好几万银子下去，所以也急于摆脱此事，能够早脱身一天好一天。”抚台道：“照阁下的意思想怎么样呢?”尹子崇道:“司官亦得回去同股东商量起来看。”

抚台见无甚说得,只得端茶送客;等到送客回来,又跺着脚朝着手下人说:“我们中国人真正孱头①,没有一件事办得好的!起初总是说得天花乱坠,向人家招股;等到股本到了手,烂嫖烂赌,利钱亦不给人家,随后事情闹糟了,他又不愿意干了。现在也不晓得他打什么主意!我没有这大工夫陪他!再来不见!”手下人答应着。不在话下。

且说尹子崇这回上院,原有句话要同抚台商量的,后来被抚台几句话顶住,使他不能开口,便也没精打采,回到善祥公司里。几个公司里的同事接着问:“那事回过中丞没有?方才那个洋人又来过了。他的意思,这件事一定要中丞预闻:总得中丞答应了他,以后他到这里开起矿来,大家可以格外联络些。”尹子崇道:“这洋人怎么这样糊涂!他不相信我,他一定要抚台答应他他才肯买,我就是不肯折这口气!你告诉他:这个公司是我姓尹的开创的,姓尹的有什么事,自有姓徐的担当!他抚台能够怎样?若说他抚台不答应,叫他同我老丈去说!我如今卖定这矿!至于洋人怕抚台掣他的肘,不肯保护他,问抚台可有几个脑袋,敢得罪外国人!”

尹子崇正在一个人说得高兴,一回那个买矿的洋人又来了,后头还跟着一个通事。尹子崇一见洋人来到,直急得屁滚尿流,连忙满脸堆着笑,站起身拉手让坐,又叫跟班的开洋酒,开荷兰水,拿点心,拿雪茄烟请他吃。当由洋人先同他带来通事咭噜了几句,通事就过来问尹子崇:“同抚台碰过头没有?”尹子崇道:“这个矿是我姓尹的手里开办的,一切事他作不了我的主。况且还有敝岳徐大军机在里头。将来你们接了手,尽着这一个省份,任凭你爱到哪里去开采,你就到哪里去开采。我们可是怕他不保护?只怕他没有这个胆子。依我说:你们尽管放心去干。有什么说话,你索性来同我讲,等我去同我们老丈讲,包你千妥万当。”通事当把这话翻译给外国人听了。外国人又咭唧了一回,通事又同尹子崇说道:“我们敝洋东的意思,说这个公司虽是你尹先生创办的,但你尹先生只算得一个商人。就是敝洋东,他也不过是个商人。虽然是一个愿卖,一个愿买;然而内地非租界可比,华商同洋商断不能私相授受。为的这开矿的事是要到内地来的:洋商尚不准在内地开设洋栈,岂有准他在内地乱开矿的道

① 孱(càn)头——怯弱者。

理。况且还有一说:就是在租界上华商把买卖倒给了洋商,或是单挂他的牌子,也得到领事公馆里去注册;如今我们敝洋东走到内地来接你的买卖,怎能够不经两边官长的手就能作准呢。你们中国人说起来总说外国人如何不讲情理,如何不守条约;这件事,敝洋东的意思,一定要两边官长都签了字,他才肯接手。"

尹子崇听他的这一番说话,心上老大不自在。通事早把他的命意统通告诉了洋人;再加他那副恼闷的情形,就是通事不翻给外国人听,外国人也早已猜着了。那洋人的心上岂不明白:这事倘或经了抚台,除非这抚台是尹子崇一流人物,才肯把这全省矿产卖给外人,任凭外人前来开挖,中国官一问不问。倘或这抚台是稍微有点人心的,念到主权不可尽失,利源不可外溢,是没有不来阻挡的。只要抚台不答应他,这事就办不成功。所以一回回要尹子崇把这事上下打通,方肯接手。至于尹子崇虽说是徐大军机的女婿,然而全省矿产即关系全省之事,抚台是一省之主,事关国体,倘若抚台执定不肯,就是军机大臣也奈何他不得。尹子崇刚刚听了抚台一番说话,晓得拿这话同他去讲,一定不成;然而面子上又不肯坍台,只好处处拉好了丈人,叫洋人不要听抚台的话,有话只同他讲,他好去同他丈人去讲。不料这洋人乃是明白事体的,执定不肯。尹子崇恐怕事情弄僵,公司的事摆脱不得还是小事,第一是把公司卖给外国人,至少也得他们二百万银子;除掉归还各股东股本外,自己很可稳赚一注钱财。因此被他搭上了手,决计不肯放松。

闲话少叙。且说当时洋人听了尹子崇的话,也晓得他此中为难,心上暗暗欢喜。一人自想:"公司虽然接办不来,弄他几文也是好的。他有个军机大臣的好亲戚,还怕没有人替他拿钱吗?"于是笑嘻嘻地就要告辞。尹子崇还是苦苦留住不放,一定要商量商量。那洋人脑筋一转,计上心来,连忙坐下听他说话。尹子崇无非还是前头一派说话,自己拍着胸脯,说道:"你们这些人为什么一点胆子都没有,一定要抚台答应才算数!他的官做得长做不长都在咱老丈手里。不是说句狂话:我们做出来的事,他敢道得一个'不'字!他要吱一吱,立刻端掉他的缺!还怕没有人来做!"

通事不响,洋人只是笑。尹子崇又催通事问洋人。通事问过洋人,回称:"只要你丈人徐大军机肯签字也是一样。"尹子崇道:"肯签字!一定包在我手里。"洋人道:"既然如此,尹先生几时进京,我们同着一块儿进京。倘若徐大军机不肯签字，非但我这趟进京的盘缠要你认，就是我这趟由上海到安徽的盘缠以及到了这里几多天的浇用①，都是要你认的。”通事说一句，尹子崇应一句。因他说的有“一同进京”一层，尹子崇道：“这层暂时倒可不必。等我先进京，把老头子运动起来，彼时再打电报给你们，然后你们再进京不迟。但是一件：事情不成，一切盘缠等等自然是我的；设或事情成功了，你们又翻悔起来，叫我去找谁呢？”洋人道：“彼此是信义通商，哪有骗人的道理。”尹子崇道：“但是口说无凭，你总得付几成定银摆在这里，方能取信。”洋人想了一会，问道：“付多少呢？如果是我翻悔，说不得定钱罚去；倘你翻悔，或是竟其办不成功，怎么一个议罚呢？”尹子崇道：“我是决计不翻悔的。”洋人道：“你虽如此说，我们章程总得议明在先，省得后论。”尹子崇道：“是极，是极。”于是踌躇了一回，先要洋人付二成；又说：“这全省的矿，总共要你二百四十万银子，也总算克己的了。二成先付四十八万。”洋人嫌多。后来说来说去，全省的矿一概卖掉，总共二百万银子，先付二成四十万。洋人只答应付半成五万。又禁不住尹子崇甜言蜜语，从五万加到先付十万，即日成交。先由尹子崇签字为凭，限五个月交割清楚；如其尹子崇运动不成，以及半途翻悔，除将原付十万退出外，还须加三倍作罚。

此时尹子崇一心只盼望成功，要洋人当天付银子；凡洋人所说的话，无不一一照办，事情一齐写在纸上，自己签字为凭。写好之后，尹子崇等不及明天，当时就把自己的花押画了上去，意思就想跟着洋人要到寓处去拿钱。洋人说：“我的钱一齐存在上海银行里。既然答应了你，早晚总得给你的。横竖事情已经说好了，我在这里也没有什么耽搁，明天就回上海。你们可以派个人一块儿跟我到上海拿银子去。”尹子崇听了，心上虽然失望；无奈暂时忍耐，把那张签的字权且收回。又回头同公司人说：“叫谁去收银子呢？”想来想去，无人可派，只得自己去走一遭。当同洋人商量，后天由他自己同往上海，定银收清之后，他亦跟手前赴北京。洋人应允，自回寓所。这里尹子崇也不知会股东，便把公司里的人一概辞掉；所有公司办的事情一概停手；又把现在租的大房子回掉，另外借人家一块地方，但求挂块招牌，存其名目而已。凡是自己来不及干的，都托了一个

---

① 浇用——花费，开销。

心腹替他去干,好让他即日起身。

正是有话便长,无话便短。两天到了上海,收到洋人的银子,把那张签的字交给洋人。洋人又领他到领事跟前议了一回。此时尹子崇只求银子到手,千依百顺,那是再要好没有。他本是个阔人,等到这笔昧心钱到手之后,越发闹起标劲来,无非在上海四马路狂嫖烂赌,竭力报效好几万。不必细表。他来的时候,正是五月中旬,如今已是六月初头。依他的意思,还要在上海过夏,到秋凉再进京,实实在在是要在上海讨小。有班谬托知己的朋友,天天在一块儿打牌吃酒,看他钱多,觑空弄他几个用用;所以不但他自己不愿走,就是这班朋友也不愿意要他走。

后来还是他自己看见报上说是他丈人徐大军机因与别位军机不和,有折子要告病。他自己自从到了上海,一直嫖昏,也没有接过信,究竟不晓得老丈告病的话是真是假。算了算,洋人限的日子还有三个多月,事情尽来得及。但是一件:老丈果真告病,那事却要不灵。心上想要打个电报到京里去问问。又一想自己从到上海,老丈跟前一直没有写过信;如今凭空打个电报去,未免叫人觉着诧异。左思右想,甚是为难。后来幸亏他同嫖的一个朋友替他出主意:叫他先打个电报进京,只问老头子身体康健与否,不说别的。他便照样打去。第二天得到舅爷的回电,上写着"父病痢"三个字。尹子崇一想,他老丈是上了岁数的人了,又是抽大烟,是禁不起痢的。到此他才慌了,只得把娶妾一事暂搁一边,自己连夜搭了轮船进京。所有的钱,五成存在上海,二成汇到家里,上海玩掉了一成,自己却带了一成多进京。

当下急急忙忙,赶到京城。总算他老丈命不该绝,吃了两帖药,痢疾居然好了。尹子崇到此把心放下。但是他老丈总共有三个女婿:那两个都是正途出身;独他是捐班,而且小时候,仗着有钱,也没有读过什么书,至今连个便条都写不来。因此徐大军机不大欢喜他。他见了丈人,一半是害怕,一半是羞愧,赛如锯了嘴的葫芦一般,不问不敢张嘴。如今为卖矿一事,已在洋人面前夸过口,说他回京之后,怎么叫丈人签字,怎样叫丈人帮忙,闹得一天星斗。谁知到京之后,只在丈人宅子里干做了两个月的姑爷,始终一句话未曾敢说。看看限期将满,洋人打了电报进京催他,他至此方才急得了不得,一个人走出走进,不得主意。如此者又过了十几天。买矿的洋人也来了,住在店里,专门等他,不成功好拿他的罚款,更把他急得像热锅上蚂蚁似的。

自古道:“情急智生。”他平时见老丈画稿都是一画了事,至于所画的是件什么公事是向来不问的。尹子崇虽然学问不深,毕竟聪明还有,看了这样,便晓得老丈是因为年纪大了,精神不济的缘故;这件事倒很可以拿他蒙一蒙。又幸亏他那些舅爷当中有两位平时老子不给他们钱用,大家知道老姊丈有钱,十两、八两、一百、八十,都来问他借,因此这尹子崇丈人跟前虽不怎样露脸,那些使他钱的舅爷却是感激他的,所以郎舅当中彼此还说得来。尹子崇也曾把这卖矿一事同他舅爷谈过,几个舅爷都一力撺掇他成功,将来多少总得沾光几文。当下大家都晓得尹子崇被洋人逼的为难,都来替他出主意。

后来还亏他一个顶小的舅爷,这年不过一十九岁,年纪虽小,心思最灵。仗着他父亲徐大军机的喜欢他,他便帮着出坏主意,言明事成之后,酬谢他若干。尹子崇自然应允。他先把外头安排停当,然后回去运动老头子。晓得老头子同前门里一个什么寺的和尚要好,空闲了常常往这寺里跑。这寺里的当家和尚,会诗会画,又会替人家拉皮条。他既同徐大军机做了一人之交,惹得那些走徐大军机门路的都来巴结这和尚。而且和尚替人家拉了皮条,反丝毫不着痕迹,因为徐大军机相信他,总说他是出家人,四大皆空,慈悲为主,凡是和尚托的人情,无论如何,总得应酬他。和尚做的这些事,虽然瞒得过老大人,却是瞒不过少大人。幸亏这和尚见了少大人甚是客气,反借着别的事情替少大人出点力,以为求容之地。这些少大人虽然明知道他的所为,因为念他平日人还恭顺,亦就不肯在老头子跟前揭穿他的底子。这番尹子崇小舅爷替他出的主意,就靠在这老和尚身上。

老和尚晓得少大人有此一番作为,便也不敢怠慢。拣了空日,备了一桌素斋,预先自己到府邀请徐大人这日赴宴。徐大军机自然立刻应允。到了那天,徐大军机朝罢无事,便坐了车子一直径去,见了和尚,谈诗谈画,风雅得很。正谈得高兴头上,尹子崇先同小舅爷赶到寺里,说是伺候老爷子来的。徐大军机并不在意。和尚见了,竭力拉拢,说道:“备了一桌素斋,本来嫌人少;如今你二位到这里,陪陪老大人,那是再好没有的了。”二人亦谦逊了一回。

老和尚丢下他二人,仍去同老头子谈天。才谈得几句,忽然听得窗子后头一阵洋琴的声音。和尚耳尖,听了先问香火道:“这是谁又在那里弄这个东西?”香火道:“就是前天来的那位外国王爷。”和尚道:“叫别的师傅陪陪他,不要怠慢了人家。我这里陪徐大人,没工夫去招呼他,就说我不在家就是了。”香火答应着出去。这个挡口,尹子崇郎舅两个也已出去。徐大军机便问:“这外国王爷是怎样的一个人?”和尚道:“人倒是很好的一个,也是在教。他的教原同我们释教差仿不多,都是一心向善的。他自从到京之后,一直就住在他们公使馆里;前头到过寺里一次,是我出去陪他的。我虽然不会他们的说话,有了通事传话,都是一样的。这人弹得一手好洋琴,还会做做外国诗。有一部什么外国人诗集,当中选刻他的诗很不少,可惜都是外国字,我们不认得。倘若懂得他们的文理,同他唱和唱和,结交一个海外诗友,倒是一桩极妙之事!”徐大军机道:“你既然说得他如此好,为什么不请他来会会呢?”和尚道:“讲起外交的礼节,他既来了,原应该我自己去接他的。况且他也是王爷之分,非同寻常可比。但是难得今天你大人有空,我们正想借此谈谈心,所以让他们去陪他也是一样的。”徐大军机道:“停刻我们还要在这里吃饭,倘若被他闯进来,反为不美。我看还是请他来会会的好。如果他没有吃饭,就让他一块儿吃素斋,我们的礼信总到的了。”和尚巴不得这一声,立刻丢下徐大军机,自己去请。

一霎时只见和尚在前头走,洋人在当中,尹子崇郎舅两个跟在后头。洋人身旁还有一个人,想必是通事了。进屋之后,徐大军机先站起来同他拉手,他亦赶着探帽子。徐大军机一见儿子、女婿都跟在后头,便说了声“你们倒同他先会过了”。和尚连忙凑热闹,说道:“亏得请他进来。他刚才见少大人、尹姑爷,把他乐得了不得,正商量着一同来见你老大人哩。”当下分宾归座。寒暄得不到三五句,和尚恐怕问出破绽来,急急到外间调排桌椅,催他们入座。从前徐大军机在寺里吃饭,都是一张方桌,同这当家和尚两个人对面坐的;如今多了四个人,六人三对面,方桌亦还坐得下;再不然,加张圆桌面子也坐得很舒服,很宽展了。那知和尚竟不其然,只见他对着香火说道:“徐大人常常来的,外国人还是头一遭哩。一时头上,素番菜来不及办,就拿这中国菜请他,似乎觉得不恭敬些。现在我一个法子:你们到西书房里把那张大菜桌子,那些椅子都搬过来,用大菜家伙吃中国菜。我们依他一样,他总不能说我什么了。”一霎时调排已定,随请入座。徐大军机走到外间一看，只见摆的是很长桌子。和尚便说："徐大人，咱们今天是中西合璧：你老大人独自一位，请坐在上面，旁是少大人、尹姑爷作陪；这边底下是主位；密司忒萨坐在右首，他同来这位刘先生坐在左手。靠着主人右首这一位，在他们外国人算是头一席，所以你老大人无须同他客气的。"当下坐定之后，和尚又叫开洋酒、荷兰水。洋人不会用筷子，又替他换了刀叉。当下说说笑笑，都是些不相干的话。徐大人找出多少话来应酬他，都是少大人、尹姑爷同着翻译替他支吾的。

等到吃过一大半，约摸徐老头儿有点倦意，不晓得洋人同翻译说了几句什么话，翻译便同少大人说："我们敝洋东极其仰慕徐大人，从前没有到中国时候，就常常见人提起徐大人的名字的。他现在跟着我们中国人，亦很认得几个中国字。"和尚急忙插口道："认得了中国字，将来就好做中国诗了。只是我们不认得洋字，不会看他的诗，实在抱愧得很。"和尚说的话大家亦没有理会。那通事刘先生又说道："敝洋东的意思，想求大人把大人的名字三个字写在一张纸上给他看。"徐大军机听了大喜，立刻叫拿笔砚。又见洋人从身上摸索了半天，拿出一大叠的厚洋纸，上头还写着洋字，花花绿绿的，看了亦不认得。通事把这一叠纸接过来送到徐大军机面前，说道："敝洋东嫌中国纸不牢，身上一搓就要破的，请大人把三个字写在这张纸上。"徐大军机此时不加思索，立刻戴上老花眼镜，提起笔来，把自己的名字三个字端端整整写了出来。通事拿回给洋人看过。洋人又咕噜了两句，通事又把那叠纸枭去几张，重新送到徐大军机面前，说道："敝洋东想求大人照样再替他写三个字。前头写的是他自己留着当古玩珍藏；这写的，他要带到外国去，把这三个字印在他的书当中。"和尚又帮着敷衍道："想是这位外国诗翁今天即席赋诗，定归把他今天碰见老大人一齐都做了进去，所以要把老大人的名字刻在他的诗稿当中，这倒是海外扬名的。"和尚一面说，徐大军机早已写完，又传到洋人手中。洋人拿起来往身上一藏，然后仍旧吃酒吃菜。和尚见事弄好，便丢个眼色给香火，催厨房赶紧出菜。

一霎席散，让少大人、尹姑爷陪了洋人到西书房里吃茶，他自己招呼徐大军机。徐大军机又坐了半天，喝了两杯茶，方才坐车先自回去。至此和尚方才踱到西书房来，正见少大人在那里指手画脚，自己称扬自己哩。要知后事如何，且听下回分解。

第五十三回

洋务能员但求形式　外交老手别具肺肠

话说老和尚把徐大军机送出大门登车之后，他便踱到西书房来。原来洋人已走，只剩得尹子崇郎舅两个。他小舅爷正在那里高谈阔论，夸说自己的好主意，神不知，鬼不觉，就把安徽全省矿产轻轻卖掉。外国人签字不过是写个名字，如今这卖矿的合同，连老头子亦都签了名字在上头，还怕他本省巡抚说什么话吗。就是洋人一面，当面瞧见老头子签字，自然更无话说了。原来这事当初是尹子崇弄得一无法想，求教到他小舅爷，小舅爷勾通了洋人的翻译，方有这篇文章。所有朝中大老的小照，那翻译都预先弄了出来给洋人看熟，所以刚才一见面，他就认得是徐大军机，并无丝毫疑意。合同例须两份，都是预先写好的。明欺徐大军机不认得洋字，所以当面请他自己写名字，因系两份，所以叫他写了又写。至于和尚一面，前回书内早已交代，无庸多叙。当时他们几个人同到了西书房，翻译便叫洋人把那两份合同取了出来，叫他自己亦签了字，交代给尹子崇一份，约明付银子日期，方才握手告别。尹子崇见大事告成，少不得把弄来的昧心钱除酬谢和尚、通事二人外，一定又须分赠各位舅爷若干，好堵住他们的嘴。

闲文少叙。且说尹子崇自从做了这一番偷天换日的大事业，等到银子到手，便把原有的股东一齐写信去招呼，说是“公司生意不好，吃本太重，再弄下去，实实有点撑不住了。不得已，方才由敝岳做主，将此矿产卖给洋人，共得价银若干”。除垫还他经手若干外，所剩无几，一齐打三折归还人家的本钱，以作了事。股东当中有几个素来仰仗徐大军机的，自然听了无甚说得，就是明晓得吃亏，亦所甘愿；有两个稍些强硬点的，听了外头的说话，自然也不肯干休。常言说得好：“若要人不知，除非己莫为。”尹子崇既做了这种事情，所有同乡京官里面，有些正派的，因为事关大局，自然都派尹子崇的不是；有些小意见的，还说他一个人得了如许钱财，别人一点光没有沾着，他要一个人安稳享用，有点气他不过，便亦撺掇了大众出来同他说话。专为此事,同乡当中特地开了一回会馆,尹子崇却吓得没敢到场。后来又听听外头风声不好,不是同乡要递公呈到都察院里去告他,就是都老爷要参他。他一想不妙,京城里有点站不住脚,便去催逼洋人,等把银子收清,立刻卷卷行李,叩别丈人,一溜烟逃到上海。恰巧他到上海,京城的事也发作了,竟有四位御史一连四个折子参他,奉旨交安徽巡抚查办。信息传到上海,有两家报馆里统通把他的事情写在报上,拿他骂了个狗血喷头。他一想,上海也存不得身,而且出门已久,亦很动归家之念,不得已,偃旗息鼓,径回本籍。他自己一人忖道:“这番赚来的钱也尽够我下半世过活的。既然人家同我不对,我亦乐得与世无争,回家享用。”

于是在家一过过了两个多月,居然无人找他。他自己又自宽自慰,说道:“我到底有‘泰山’之靠,他们就是要拿我怎样,总不能不顾老丈的面子。况且合同上还有老丈的名字,就是有起事情来,自然先找到老丈,我还退后一层,真正可以无须虑得。”一个人正在那里盘算,忽然管家传进一张名片,说是县里来拜。他听了这话,不禁心上一怔,说道:“我自从回家,一直还没有拜过客,他是怎么晓得的?”既然来了,只得请见。这里执帖的管家还没出去,门上又有人来说:“县里大老爷已经下轿,坐在厅上,专候老爷出去说话。”尹子崇听了,分外生疑。想要不出去见他,他已经坐在那里等候,不见是不成功的;转念一想道:“横竖我有好靠山,他敢拿我怎样!”于是硬硬头皮,出来相见。谁料走到大厅,尚未同知县相见,只见门外廊下以及天井里站了无数若干的差人。尹子崇这一吓非同小可!

此时知县大老爷早已望见了他了,提着嗓子,叫了一声“尹子翁,兄弟在这儿”。尹子崇只得过来同他见面。知县是个老猾吏,笑嘻嘻的,一面作揖,一面竭力寒暄道:“兄弟直到今日才晓得子翁回府,一直没有过来请安,抱歉之至!”尹子崇虽然也同他周旋,毕竟是贼人胆虚,终不免失魂落魄,张皇无措。作揖之后,理应让客人炕上上首座的,不料一个不留心,竟自己坐了上面。后来管家上来递茶给他,叫他送茶,方才觉得。脸上急得红了一阵,只得换座过来,越发不得主意了。知县见此样子,心上好笑;便亦不肯多耽时刻,说道:“兄弟现在奉到上头一件公事,所以不得不亲自过来一趟。”说罢,便在靴筒子当中抽出一角公文来。尹子崇接在手中一看,乃是南洋通商大臣的札子,心上又是一呆。及至抽出细瞧,不为别件，正为他卖矿一事，果然被四位都老爷联名参了四本，奉旨交本省巡抚查办。本省巡抚本不以他为然的，自然是不肯帮他说话。不料事为两江总督所知，以案关交涉，正是通商大臣的责任，顿时又电奏一本，说他擅卖矿产，胆大妄为，请旨拿交刑部治罪。上头准奏。电谕一到，两江总督便饬藩司遴选委员前往提人。谁知这藩司正受过徐大军机栽培的，便把他私人、候补知县毛维新保举了上去。这毛维新同尹府上也有点渊源，为的派了他去，一路可以照料尹子崇的意思。等到到了那里，知县接着。毛维新因为自己同尹子崇是熟人，所以让知县一个人去的。及至尹子崇拿制台的公事看得一大半，已有将他拿办的说话，早已吓呆在那里，两只手拿着札子放不下来。

后来知县等得长久了，便说道："派来的毛委员现在兄弟衙门里。好在子翁同他是熟人，一路上倒有照应。轿子兄弟已经替子翁预备好了，就请同过去罢。"几句话说完，直把个尹子崇急得满身大汗，两只眼睛睁得如铜铃一般，吱吱了半天，才挣得一句道："这件事乃是家岳签的字，与兄弟并不相干。有什么事，只要问家岳就是了。"知县道："这里头的委曲，兄弟并不知道。兄弟不过是奉了上头的公事，叫兄弟如此做，所以兄弟不能不来。如果子翁有什么冤枉，到了南京，见了制台尽可分辩的；再不然，还有京里。况且里头有了令岳大人的照应，谅来子翁虽然暂时受点委曲，不久就可明白的。现在时候已经不早了，毛某人明天一早就要动身的，我们一块去罢。"尹子崇气得无话可说，只得支吾道："兄弟须得到家母跟前禀告一声；还有些家事须得料理料理。准今天晚上一准过去。"知县道："太太跟前，等兄弟派人进去替你说到了就是了。至于府上的事，好在上头还有老太太，况且子翁不久就要回来的，也可以不必费心了。"

尹子崇还要说别的，知县已经仰着头，眼睛望着天，不理他；又拖着嗓子叫："来啊！"跟来的管家齐齐答应一声"者"。知县道："轿夫可伺候好了？我同尹大人此刻就回衙门去。"底下又一齐答应一声，回称："轿夫早已伺候好了。"知县立刻起身，让尹子崇前头，他自己在后头，陪着他一块儿上轿。这一走，他自己还好；早听得屏门背后他一班家眷，本已得到他不好的消息，如今看他被县里拉了出去，赛如绑赴菜市口一般，早已哭成一片了。尹子崇听着也是伤心；无奈知县毫不容情，只得硬硬心肠跟了就走。

霎时到得县里，与毛委员相见。知县仍旧让他厅上坐，无非多派几个家丁、勇役轮流拿他看守。至于茶饭一切相待，自然与毛委员一样。毕竟他是徐大军机的女婿，地方官总有三分情面；加以毛委员受了江宁藩台的嘱托，公义私情，二者兼尽：所以这尹子崇甚是自在。当天在县衙一宵，仍是自己家里派了管家前来伺候。第二天跟着一同由水路起身。在路晓行夜宿，非止一日，已到南京。毛委员上去请示，奉饬交江宁府经厅看管，另行委员押解进京。搁下不表。

且说毛维新在南京候补，一直是在洋务局当差，本要算得洋务中出色能员。当他未曾奉差之前，他自己常常对人说道："现在吃洋务饭的，有几个能够把一部各国通商条约肚皮里记得滚瓜烂熟呢？但是我们于这种时候出来做官，少不得把本省的事情温习温习，省的办起事情来一无依傍。"于是单检了道光二十二年"江宁条约"抄了一遍，总共不过四五张书，就此埋头用起功来，一念念了好几天，居然可以背诵得出。他就到处向人夸口，说他念熟这个，将来办交涉是不怕的了。后来有位在行朋友拿他考了一考，晓得他能耐不过如此，便驳他道："道光二十二年定的条约是老条约了，单念会了这个是不中用的。"他说："我们在江宁做官，正应该晓得江宁的条约。至于什么'天津条约'、'烟台条约'，且等我兄弟将来改省到那里，或是咨调过去，再去留心不迟。"那位在行朋友晓得他是误会；虽然有心要想告诉他，无奈见他拘墟①不化，说了亦未必明白，不如让他糊涂一辈子罢。因此一笑而散。

却不料这毛维新反于此大享其名，竟有两位道台在制台前很替他吹嘘说："毛令不但熟悉洋务，连着各国通商条约都背得出的，实为牧令中不可多得之员。"制台道："我办交涉也办得多了，洋务人员在我手里提拔出来的也不计其数，办起事情来，一齐都是现查书。不但他们做官的是如此，连着我们老夫子也是如此。所以我气起来，总朝着他们说：'我老头子记性差了，是不中用的了。你们年轻人很应该拿这些要紧的书念两部在肚子里。'一天念熟一页，一年便是三百六十页，化上三年功夫，哪里还有他的对手。无奈我嘴虽说破，他们总是不肯听。宁可空了打麻雀，逛窑子；等到有起事情来，仍然要现翻书起来，真正气人！今天你二位所说的

---

① 拘墟——比喻见闻狭隘。墟，指所居之处。

毛令既然肯在这上头用功,很好,就叫他明天来见我。”原来此时做江南制台的,姓文,名明,虽是在旗,却是个酷慕维新的。只是一样:可惜少年少读了几句书,胸中一点学问没有。这遭总算毛维新官运亨通,第二天上去,制台问了几句话,亏他东扯西拉,居然没有露出马脚,就此委了洋务局的差使。

这番派他到安徽去提人,禀辞的时候,他便回道:“现在安徽那边,听说风气亦很开通了。卑职此番前去,经过的地方,一齐都要留心考察考察。”制台听了,甚以为然。等到回来,把公事交代明白,上院禀见。制台问他考察的如何,他说:“现在安徽官场上很晓得维新了。”制台道:“何以见得?”他说:“听说省城里开了一爿大菜馆,三大宪都在那里请过客。”制台道:“但是吃吃大菜,也算不得开通。”毛维新面孔一板,道:“回大人的话:卑职听他们安徽官场上谈起那边中丞的意思说:凡百事情总是上行下效;将来总要做到叫这安徽全省的百姓,无论大家小户,统通都为(会)吃了大菜才好。”制台道:“吃顿大菜,你晓得要几个钱?还要什么香槟酒、啤酒去配他。还有些酒的名字,我亦说不上来。贫民小户可吃得起吗?”制台的话说到这里,齐巧有个初到省的知县,同毛维新一块进来的,只因初到省,不大懂得官场规矩,因见制台只同毛维新说话,不理他,他坐在一旁难过,便插嘴道:“卑职这回出京,路过天津、上海,很吃过几顿大菜,光吃菜不吃酒亦可以的。”他这话原是帮毛维新的。制台听了,心上老大不高兴,眼睛往上一愣,说:“我问到你再说。上海洋务局、省里洋务局,我请洋人吃饭也请过不只一次了,哪回不是好几千块钱!你晓得!”回头又对毛维新说道:“我兄弟虽亦是富贵出身,然而并非纨绔一流,所谓稼穑①之艰难,尚还略知一二。”毛维新连忙恭维道:“这正是大帅关心民瘼,才能想得如此周到。”

文制台道:“你所考察的,还有别的没有?”毛维新又回道:“那边安庆府知府饶守的儿子同着那里抚标参将的儿子,一齐都剪了辫子到外洋去游学。恰巧卑职赶到那里,正是他们剃辫子的那一天。首府饶守晓得卑职是洋务人员,所以特地下帖邀了卑职去同观盛典。这天官场绅士一共请了三百多位客。预先叫阴阳生挑选吉时。阴阳生开了一张单子,挑的

---

① 稼穑(jià sè)——泛指农业劳动。穑,收割谷物。

是未时剃辫大吉。所请的客，一齐都是午前穿了吉服去的，朝主人道过喜，先开席坐席。等到席散，已经到了吉时了。只见饶守穿着蟒袍补褂，带领着这位游学的儿子，亦穿着靴帽袍套；望空设了祖先的牌位，点了香烛，他父子二人前后拜过，禀告祖先；然后叫家人拿着红毡，领着少爷到客人面前，一一行礼，有的磕头，有的作揖。等到一齐让过了，这才由两个家人在大厅正中摆一把圈身椅，让饶守坐了；再领少爷过来，跪在他父亲面前，听他父亲教训。大帅不晓得：这饶守原本只有这一个儿子；因为上头提倡游学，所以他自告奋勇，情愿自备资斧，叫儿子出洋。所以这天抚宪同藩、臬两司以及首道，一齐委了委员前来贺喜。只可怜他这个儿子今年只有十八岁，上年腊月才做亲，至今未及半年，就送他到外洋去。莫说他小夫妇两口子拆不开，就是饶守自己想想，已经望六之人了，膝下只有一个儿子，怎么舍得他出洋呢。所以一见儿子跪下请训，老头子止不住两泪交流，要想教训两句，也说不出话了。后来众亲友齐说：'吉时已到，不可错过，世兄改装也是时候了。'只见两个管家上来，把少爷的官衣脱去，除去大帽，只穿着一身便衣；又端过一张椅子，请少爷坐了。方传剃头的上来，拿盆热水，揿住了头，洗了半天，然后举起刀子来剃。谁知这一剃，剃出笑话来了：只见剃头的拿起刀来，磨了几磨，哗擦擦两声响，从辫子后头一刀下去，早已一大片雪白的露出来了。幸亏卑职看得清切，立刻摆手，叫他不要再往下剃，赶上前去同他说：'再照你这样剃法，不成了个和尚头吗？外国人虽然是没有辫子，何尝是个和尚头呢？'当时在场的众亲朋以及他父亲听卑职这一说，都明白过来，一齐骂剃头的，说他不在行，不会剃。剃头的跪在地下，瑟瑟地抖，说：'小的自小吃的这碗饭，实在没有瞧见过剃辫子是应该怎么样剃的。小的总以为既然不要辫子，自然连着头发一块儿不要，所以才敢下手的。现在既然错了，求求大老爷的示，该怎么样，指教指教小的。'卑职此时早已走到饶守的儿子跟前，拿手撩起他的辫子来一看，幸亏剃去的是前刘海，还不打紧。便叫他们拿过一把剪刀来，由卑职亲自动手，先把他辫子拆开，分作几股，一股一股地替他剪了去，底下还替他留了约摸一寸多光景，再拿刨花水前后刷光，居然也同外国人一样了。大帅请想：他们内地真正可怜，连着出洋游学想要去掉辫子这些小事情，都没有一个在行的。幸亏卑职到那里教给他们，以后只好用剪刀剪，不好用刀子剃，这才大家明白过来，说卑职的法子不错。当天把个安庆省城都传遍。听说参将的儿子就是照着卑职的话用剪刀的。第二天卑职上院见了那边中丞,很蒙奖励,说:'到底你们江南无辫子游学的人多,这都是制宪的提倡,我们这里还差着远哩。'"文制台听了别人说他提倡学务,心上非凡高兴。当时只因谈的时候长久了,制台要紧吃饭,便道:"过天空了我们再谈罢。"说完,端茶送客。毛维新只得退出,赶着又上别的司、道衙门,一处处去卖弄他的本领。不在话下。

且说这位制台本是个有脾气的,无论见了什么人,只要官比他小一级,是他管得到的,不论你是实缺藩台,他见了面,一言不合,就拿顶子给人碰,也不管人家脸上过得去过不去。藩台尚且如此,道、府是不消说了,州、县以下更不用说了;至于在他手下当差的人甚多,巡捕、戈什,喝了去,骂了来,轻则脚踢,重则马棒,越发不必问的了。

且说有天为了一件什么公事,藩台开了一个手折拿上来给他看。他接过手折,顺手往桌上一撩,说道:"我兄弟一个人管了这三省事情,哪里还有工夫看这些东西呢! 你有什么事情,直截痛快地说两句罢。"藩台无法,只得捺定性子,按照手折上的情节约略择要陈说一遍。无如头绪太多,断非几句话所能了事,制台听到一半,又听得不耐烦了,发狠说道:"你这人真正麻烦! 兄弟虽然是三省之主,大小事情都照你这样子要我兄弟管起来,我就是三头六臂也来不及!"说着,掉过头去同别位道台说话,藩台再要分辨两句他也不听了。藩台下来,气得要告病,幸亏被朋友们劝住的。

后来不多两日,又有淮安府知府上省禀见。这位淮安府乃是翰林出身,放过一任学台,后来又考取御史,补授御史,京察一等放出来的。到任还不到一年,齐巧地方上出了两件交涉案件,特地上省见制台请示;恐怕说的不能详细,亦就写了两个节略,预备面递。等到见了面,同制台谈过两句,便将开的手折恭恭敬敬递了上去。制台一看是手折,上面写的都是黄豆大的小字,便觉心上几个不高兴;又明欺他的官不过是个四品职分,比起藩台差远了,索性把手折往地下一摔,说道:"你们晓得我年纪大,眼睛花,故意写了这小字来蒙我!"那淮安府知府受了他这个瘪子,一声也不响。等他把话说完,不慌不忙,从从容容地从地下把那个手折拾了起来;一头拾,一头嘴里说:“卑府自从殿试、朝考以及考差①、考御史,一直是恪遵功令,写的是小字;皇上取的亦就是这个小字。如今做了外官,倒不晓得大帅是同皇上相反,一个个是要看大字的,这个只好等卑府慢慢学起来。但是今时这两件事情都是刻不可缓的,所以卑府才赶到省里来面回大帅;若等卑府把大字学好了,那可来不及了。”

制台一听这话,便问:“是两件什么公事?你先说个大概。”淮安府回道:“一件为了地方上的坏人卖了块地基给洋人,开什么玻璃公司。一桩是一个包讨债的洋人到乡下去恐吓百姓,现在闹出人命来了。”制台一听,大惊失色道:“这两桩都是个关系洋人的,你为什么不早说呢?快把节略拿来我看!”淮安府只得又把手折呈上。制台把老花眼镜带上,看了一遍。淮安府又说道:“卑职因为其中头绪繁多,恐怕说不清楚,所以写好了节略来的。况且洋人在内地开设行栈,有背约章;就是包讨账,亦是不应该的,况且还有人命在里头。所以卑府特地上来请大帅的示,总得禁阻他来才好。”制台不等他说完,便把手折一放,说:“老哥,你还不晓得外国人的事情是不好弄的么?地方上百姓不拿地卖给他,请问他的公司到哪里去开呢?就是包讨账,他要的钱,并非要的是命。他自己寻死,与洋人何干呢?你老兄做知府,既然晓得地方有这些坏人,就该预先禁止他们,拿地不准卖给外国人才是。至于那个欠账的,他那张借纸怎么会到外国人手里?其中必定有个缘故。外国人顶讲情理,决不会凭空诈人的。而且欠钱还债,本是分内之事,难道不是外国人来讨,他就赖着不还不成?既然如此,也不是什么好百姓了。现在凡百事情,总是我们自己的官同百姓都不好,所以才会被人家欺负;等到事情闹糟了,然后往我身上一推,你们算没有事了。好主意!”

原来这制台的意思是:“洋人开公司,等他来开,洋人来讨账,随他来讨。总之,在我手里,决计不肯为了这些小事同他失和的。你们既做我的属员,说不得都要就我范围,断断乎不准多事。”所以他看了淮安府的手折,一直只怪地方官同百姓不好,决不肯批评洋人一个字的。淮安府见他

---

① 考差——清代翰林和进士出身的各部院官员,具有乡试主考官的资格的,必须经过一次考试,叫做考差。

如此,就是再要分辩两句,也气得开不出口了。制台把手折看完,仍旧摔还给他。淮安府拾了,禀辞出去,一肚皮没好气。

正走出来,忽见巡捕拿了一张大字的片子,远望上去,还疑心是位新科的翰林。只听那巡捕嘴里叽里咕噜地说道:“我的爷！早不来,晚不来,偏偏这时候他老人家吃着饭他来了。到底上去回的好,还是不上去回的好?”旁边一个号房道:“淮安府才见了下来,只怕还在签押房里换衣服,没有进去也论不定。你要回,赶紧上去还来得及。别的客你好叫他在外头等等,这个客是怠慢不得的!”那巡捕听了,拿了片子,飞跑地进去了。这里淮安府自回公馆不题。

且说那巡捕赶到签押房,跟班的说:“大人没有换衣服就往上房去了。”巡捕连连跺脚道:“糟了！糟了!”立刻拿了片子又赶到上房。才走到廊下,只见打杂的正端了饭菜上来。屋里正是文制台一迭连声地骂人,问为什么不开饭。巡捕一听这个声口,只得在廊檐底下站住。心上想回,因为文制台一到任,就有过吩咐的,凡是吃饭的时候,无论什么客人来拜,或是下属禀见,统通不准巡捕上来回,总要等到吃过饭,擦过脸再说;无奈这位客人既非过路官员,亦非本省属员,平时制台见了他还要让他三分,如今叫他在外面老等起来,决计不是个道理;但是违了制台的号令,倘若老头子一翻脸,又不是玩的:因此拿了名帖,只在廊下盘旋,要进又不敢进,要退又不敢退。

正在为难的时候，文制台早已瞧见了，忙问一声：“什么事?”巡捕见问，立刻趋前一步，说了声“回大帅的话：有客来拜”。话言未了，只见啪的一声响，那巡捕脸上早被大帅打了一个耳刮子。接着听制台骂道：“混账王八蛋！我当初怎么吩咐的！凡是我吃着饭，无论什么客来，不准上来回。你没有耳朵，没有听见!”说着，举起腿来又是一脚。那巡捕挨了这顿打骂，索性泼出胆子来，说道：“因为这个客是要紧的，与别的客不同。”制台道：“他要紧，我不要紧！你说他与别的客不同，随你是谁，总不能盖过我!”巡捕道：“回大帅：来的不是别人，是洋人。”那制台一听“洋人”二字，不知为何，顿时气焰矮了大半截，怔在那里半天；后首想了一想，蓦地起来，拍挞一声响，举起手来又打了巡捕一个耳刮子；接着骂道：“混账王八蛋！我当是谁，原来是洋人！洋人来了，为什么不早回，叫他在外头等了这半天?”巡捕道：“原本赶着上来回的，因见大帅吃饭，所以在廊下等了一回。”制台听完，举起腿来又是一脚，说道：“别的客不准回，洋人来，是有外国公事的，怎么好叫他在外头老等？糊涂混账！还不快请进来！”

那巡捕得了这句话，立刻三步并做二步，急忙跑了出来。走到外头，拿帽子探了下来，往桌子上一摔，道：“回又不好，不回又不好！不说人头，谁亦没有他大；只要听见‘洋人’两个字，一样吓得六神无主了！但是我们何苦来呢！掉过去，一个巴掌！翻过来，又是一个巴掌！东边一条腿，西边一条腿！老老实实不干了！”正说着，忽然里头又有人赶出来一迭连声地叫唤，说：“怎么还不请进来！……”那巡捕至此方才回醒过来，不由的仍旧拿大帽子合在头上，拿了片子，把洋人引进大厅。此时制台早已穿好衣帽，站在滴水檐前预备迎接了。

原来来拜的洋人非是别人，乃是那一国的领事。你道这领事来拜制台为的什么事？原来制台新近正法了一名亲兵小队。制台杀名兵丁，本不算得大不了的事情；况且那亲兵亦必有可杀之道，所以制台才拿他如此的严办。谁知这一杀，杀的地方不对：既不是在校场上杀的，亦不是在辕门外杀的，偏偏走到这位领事公馆旁边就拿他宰了。所以领事大不答应，前来问罪。当下见了面，领事气愤愤地把前言述了一遍，问制台为什么在他公馆旁边杀人，是个什么缘故。幸亏制台年纪虽老，阅历却很深，颇有随机应变的本领；当下想了一想，说道：“贵领事不是来问我兄弟杀的那个亲兵？他本不是个好人，他原是‘拳匪’一党。那年北京‘拳匪’闹乱子，同贵国及各国为难，他都有份的。兄弟如今拿他查实在了，所以才拿他正法的。”领事道：“他既然通‘拳匪’，拿他正法亦不冤枉。但是何必一定要杀在我的公馆旁边呢?”制台想了一想，道：“有个缘故：不如此，不足以震服人心。贵领事不晓得这‘拳匪’乃是扶清灭洋的，将来闹出点子事情来，一定先同各国人及贵国人为难，就是于贵领事亦有所不利。所以兄弟特地想出一条计来，拿这人杀在贵衙署旁边，好教他们同党瞧着或者有些怕惧。俗语说得好，叫做‘杀鸡骇猴’，拿鸡子宰了，那猴儿自然害怕。兄弟虽然只杀得一名亲兵，然而所有的‘拳匪’见了这个榜样，一定解散，将来自不敢再同贵领及贵国人为难了。”领事听他如此一番说话，不由得哈哈大笑，奖他有经济，办得好，随又闲谈了几句，告辞而去。

制台送客回来，连要了几把手巾，把脸上、身上擦了好几把；说道：“我可被他骇得我一身大汗了！”坐定之后，又把巡捕、号房统通叫上来，吩咐道：“我吃着饭，不准你们来打岔，原说的是中国人。至于外国人，无论什么时候，就是半夜里我睡了觉，亦得喊醒了我，我决计不怪你们的。你们没瞧见刚才领事进来的神气，赛如马上就要同我翻脸的；若不是我这老手三言两语拿他降服住，还不晓得闹点什么事情出来哩。还搁得住你们再替我得罪人吗！以后凡是洋人来拜，随到随请！记着！”巡捕、号房统通应了一声“是”。

制台正要进去，只见淮安府又拿着手本来禀见，说有要紧公事面回；并有刚刚接到淮安来的电报，须得当面呈看。制台想了想，肚皮里说道：“一定仍旧是那两件事。但不知这个电报来，又出了点什么岔子？”本来是懒怠见他的；不过因内中牵涉了洋人，实在委决不下，只得吩咐说“请”。

霎时淮安府进来，制台气吁吁地问道：“你老哥又来见我做什么？你说有什么电报，一定是那班不肖地方官又闹了点什么乱子，可是不是？”淮安府道：“回大帅的话：这个电报却是个喜信。”制台一听“喜信”二字，立刻气色舒展许多，忙问道：“什么喜信？”淮安府道：“卑府刚才蒙大人教训，卑府下去回到寓处，原想照着大人的吩咐，马上打个电报给清河县黄令，谁知他倒先有一个电报给卑府，说玻璃公司一事，外国人虽有此议，但是一时股份不齐，不会成功。现在那洋人接到外洋的电报，想先回本国一走，等到回来再议。”制台道：“很好！他这一去，至少一年半载。我们现在的事情，过一天是一天，但愿他一直耽误下去，不要在我手里他出难题目给我做，我就感激他了。那一桩呢？”

淮安府道：“那一桩原是洋人的不是，不合到内地来包讨账。”制台一听他说“洋人不是”，口虽不言，心下却老大不以为然，说：“你有多大能耐，就敢排揎起洋人来！”于是又听他往下讲道：“地方上百姓动了公愤，一哄而起。究竟洋人势孤，……”制台听到这里，急得把桌子一拍道：“糟了！一定是把外国人打死了！中国人死了一百个也不要紧，如今打死了外国人，这个处分谁耽得起！前年为了‘拳匪’杀了多少官，你们还不害怕吗？”淮安府道：“回大帅的话：卑府的话还未说完。”制台道：“你快说！”淮安府道：“百姓虽然起了一个哄，并没有动手，那洋人自己就软下来了。”制台皱着眉头，又把头摇了两摇，说道：“你们欺负他单身人，他怕吃眼前亏，暂时服软，回去告诉了领事，或者进京告诉了公使，将来仍旧要找咱们捣蛋的。不妥！不妥！”淮安府道：“实实在在是他自己晓得自己的错处，所以才肯服软的。”制台道：“何以见得?”淮安府道：“因为本地有两个出过洋的学生，是他俩听了不服，哄动了许多人，同洋人讲理，洋人说他不过，所以才服软的。”制台又摇头道：“更不妥！这些出洋回来的学生真不安分！于他毫不相干，就出来多事。地方官是混蛋！难道就随他们吗?”淮安府道：“他俩不过找着洋人讲理，并没有滋事。虽然哄动了许多人跟着去看，并非他二人招来的。”制台道：“你老哥真不愧为民之父母！你总帮好了百姓，把自己百姓竟看得没有一个不好的，都是他们洋人不好。我生平最恨的就是这班刁民！动不动聚众滋事，挟制官长！如今同洋人也是这样。若不趁早整顿整顿，将来有得缠不清楚哩！你且说那洋人服软之后怎么样?”淮安府道：“洋人被那两个学生一顿批驳，说他不该包讨账，于条约大有违背，如今又逼死了人命，我们一定要到贵国领事那里去告的。”制台听了，点了点头道：“驳虽驳得有理，难道洋人怕他们告吗？就是告了，外国领事岂有不帮自己人的道理。”淮安府道：“谁知就此三言两语，那洋人竟其顿口无言，反倒托他通事同那苦主讲说，欠的账也不要了，还肯拿出几百银子来抚恤死者的家属，叫他们不要告罢。”制台道：“咦！这也奇了！我只晓得中国人出钱给外国人是出惯的，哪里见过外国人出钱给中国人。这话恐怕不确罢?”淮安府道：“卑府不但接着电报是如此说，并有详信亦是刚才到的。”制台道：“奇怪！奇怪！他们肯服软认错，已经是难得了；如今还肯抚恤银子，尤其难得。真正意想不到之事！我看很应该就此同他了结。你马上打个电报回去，叫他们赶紧收篷，千万不可再同他争论别的。所谓‘得风便转’。他们既肯赔话，又肯化钱，已是莫大的面子。我办交涉也办老了，从没有办到这个样子。如今虽然被他们争回这个脸来，然而我心上倒反害起怕来。我总恐怕地方上的百姓不知进退，再有什么话说，弄恼了那洋人，那可万万使不得！俗语说得好，叫做‘得意不可再往’。这个事可得责成你老哥身上。你老哥省里也不必耽搁了，赶紧连夜回去，第一弹压住百姓，还有那什么出洋回来的学生，千万不可再生事端；二则洋人走的时候，仍得好好地护送他出境。他一时为理所屈，不能拿我们怎样，终究是记恨在心的。拿他周旋好了，或者可以解释解释。我说的乃是金玉之言，外交秘诀。老哥，你千万不要当做耳旁风！你可晓得你们在那里得意，我正在这里提心吊胆呢！”淮安府只得连连答应了几声“是”。然后端茶送客。要知后事如何，且听下回分解。

第五十四回

慎邦交纡尊礼拜堂　重民权集议保商局

却说江南官场上自从这位贤制军一番提倡，于是大家都明白他的宗旨所在，是见了洋人，无论这洋人如何强硬，他总以柔媚手段去迎合他，抱定了“衅不我开”四个字的主义，敷衍一日算一日，搪塞一朝算一朝。制台如此，道、府自不得不然；道、府如此，州、县越发可想而知了。

几个月前头，不知哪里死掉一个外国有名的教士。这教士在中国岁数也不少了，一年到头，劝人为善，却着实做些好事。偶尔地方上出了什么民教不和的案件，只要这位教士到场，任你事情如何棘手，亦无不迎刃而解的。所以各省的大吏亦都感激他。后来奏闻朝廷，不但屡次传旨嘉奖，而且还赏过他顶戴、匾额。由外洋进来传教的，总算数一数二的了。谁知皇天不佑好人，他年纪并不大，忽然得了一病，就此呜呼哀哉。他们在教的人开什么追悼会、纪念会，自有一番典礼，不用细表。单说这位制台大人从前因办交涉也受过他的好处，此时听见他的凶信，立刻先打了一个电报，足足有好几百字，去慰唁他的夫人、儿子；又特地派了自己的二少爷同着本省洋务局老总胡道台，带了吊礼，坐了轮船，前去吊唁。一直等到送过教士的夫人、儿子回国，方才回来。自有此一番举动，大众愈加晓得，不但同在世的洋人往来酬应必不可少，就是吊死送葬一切礼信也不能免的。因此便有些州、县望风承旨，借着应酬外国人以为巴结制台地步。

目下单说江宁府首府该管的一个六合县。这六合县在府北一百一十五里，离着省城较近，自然信息灵通。此时做这六合县知县的乃是湖南人氏，姓梅，名飏仁，号子赓，行二。这人小的时候，诸事颟颟顸顸，不求甚解。偶然人家同他说句话，人家说东，他一定缠西；人家说南，他一定缠北。因此大家奉他一个表号，叫他做“梅二缠夹”。幸喜他凡事虽然缠夹，只有读书做八股却还来得，居然到二十岁上挣得一名秀才，到二十七岁上又挣得一名举人。有人说：他前一科就该得意的了，只因为一首八韵诗，是“平平平仄仄”平起的，后四韵忘记了，却又闹了个“仄仄平平仄”，变成功仄起的了；因此，房官看到那里，圈不下去，就打了下来。批语上拿他三篇文章赞他天花乱坠，只可惜诗上倒了韵，不能呈荐，着实替他惋惜。等到出榜之后，梅飏仁领出落卷来一看，见是如此，不禁气愤填膺，不怪自己错了韵，反骂主司去取不公，叹自己“文章憎命”。当时有他一个同窗听了他的话，便驳他道：“子赓，你的文章并没有荐到主司跟前，也不是你文章做得不好，是你诗上弄错了韵，出了岔子，是怪不得别人的。”梅飏仁至此方才明白过来，晓得自己粗心所致。只是他命中注定有个举人，到了下一科，便是他发达的那年，自古道：“福至心灵”，三场完毕，没有出岔子，等到出榜，居然高高地中了。

梅飏仁的父亲单名一个蔚字，是个候选通判。此时正跟了一位出使英国大臣凤大人做随员在上海。没有等到听见儿子的喜信，十天前头，就跟了钦差坐了公司船起身。他父亲的为人生性爱小，欢喜占便宜。离了上海还没有三天，这日正值风平浪静，他一人饭后无事，便踱出来到处闲逛。后来走到一间房舱门里，齐巧这舱里的外国客人，因事到隔壁舱里同别的客人谈天，忘记把自己舱门带上。这梅蔚看了看舱内无人，又见那张外国床上放着一个很大的皮包。他晓得外国人每逢出门，凡是紧要的东西以及银钱等类都是放在这皮包里头的，他便动了垂涎之念；也不管自己是何职分，并是何身价，且忘记自己这趟跟着钦差出洋还是替国家增光来的，还是替国家丢脸来的，此时都不在念，一心一意只想偷他一票。以为：“我此时身在外洋，就是破了案，也没有人认得是我的。”主意打定，便蹑手蹑脚掩入房中，把个皮包提了就走。一提提到自家那间舱内，急忙将门掩上，想把皮包打开来看，谁知又是锁着的。后来好容易拿小刀子把皮包划破了，把里面的东西一齐抖出，谁知这皮包内只有一卷字纸、几本破书、两个“金四开”，此外一无所有。他看了虽然失望，因想两个“金四开”也值得好几文钱，总算意外之财，这趟买卖未曾白做，便也甚是开心。后来那个失落皮包的客人当时虽然也着实寻找；后来找不着，又因所失甚微，随亦没有追究，所以未曾破案。

船上因为他是中国钦差的随员，每逢吃饭，都叫他跟着钦差一块儿吃大菜。用的家伙，什么刀叉等类，有些都是金子打的，黄澄澄的着实可爱，而且也很值钱。他看了这个，又舍不得了，每逢吃饭，总要偷人家一两件小家伙。而且非但他一个，连他的同事——一位候选知府——也同他一个脾气。当时船上因为差的东西多了,查来查去,方才查出是中国钦差随员老爷们干的事。那船上的洋人便气极了,不准他们再到大餐间里去吃饭。钦差也晓得了,面子上很难为情,私底下叫了他二人过来,着实申饬他二人一顿。梅飏仁的父亲还不服,说道:"咱们中国的钱被他们外洋弄去的也不少了,趁此拿他点东西也乐得的。"钦差听了格外生气。到了伦敦,就想咨送他回国的,因为接到电报,晓得他的儿子中举,因此才搁了下来。后来还闹出许多笑话,下文再表。

目下单说这梅飏仁中举之后,接到他父亲从英国寄回来的家信,自然有一番欢喜说话;接着又勉励他,无非叫他潜心举业①,预备明年会试。末后说到自己,还要自己信口胡吹,说他自到外洋办理交涉,同洋人如何接洽,洋人如何相信他,钦差如何倚重他,好在没有对证,骗骗自己的儿子罢了。信上还说:"我的底子不过通判,将来保举虽然可靠,然而一保同知,再保知府,三保道员,其中甚费周章,而且耽误时日。"意思想叫儿子把家里的几亩薄田,还有几处市房,一齐盘给人家,拿出钱来,等儿子明年上京会试的时候,替他上兑捐一个分省补用知府,如此一保便成道员,似乎来的快些。梅飏仁得信之后,遵照办理。

等到事情办妥,已经过了新年,急急起身,跟了大帮举子上京会试。头二场幸喜没出岔子。到了第三场,他每策止限定三百字,不知怎么一个不留心,多拽了一张,闹了一个曳白②;他急了,便胡凑乱凑,把这条策多凑了一页。虽然没有被帖,然而每篇都是三百字,这篇闹了个"大肚皮",文理又不甚贯串,自然就吃了这大肚皮亏了。等到出榜,名落孙山,心上好不懊恼。一面急忙忙想替老人家把官捐好,便即出京。

齐巧这年山西闹荒,开办急赈。忽有人同他说起:"目下只要若干银子,捐一个大八成知县,马上就得了缺。"他听说不觉心上一动,说:"老人家的保举总在三年之后,等到开保的前头再给他报捐也不为迟;何如我此刻先拿这钱自己捐个大八成知县?倘或选得一个好缺,这两年之内,先赚上几万银子,也未可知。"主意打定,便把老子的事情搁起,先办自己的事。果然天从人愿,不到半年,便选到江南做实缺知县去了。总算他官运

① 举业——科举时为求取功名而学习的一种应试文字,这里指八股文。
② 曳白——考试时誊写不慎,在试卷中间空了白页,叫做曳白。

亨通,一选就选到江南六合县知县。到省的时候还是前任制台手里。前任制台是个老古板,见面之后,问了几句话,梅飏仁都是老老实实回答的。前任制台喜欢他,说他是书生本色,因此并不留难,马上就叫藩台挂牌,饬赴新任。到任之后,公事一切尚称顺手,过了半年,无甚差错。制台既是古板,有些性情,同洋人交涉的事件,自不免就要据理直争,不肯随便了事,因此洋人在他手中不甚得意。上宪既如此,做下属的也想以气节自见,都要批驳洋人一两件事情,以为表见之地。

这梅飏仁的为人,虽然没有什么大阅历,然而上司的意旨却也不敢不留心,既留了心,还有什么不照着办的。六合县在内地,同洋人本来没有什么交涉。一天有个教民欠了人家的钱不还,被他抓住了理,打了这教民一顿。这教民本来是个不安分的,所以教士并不来保护他。梅飏仁因此洋洋自得,便上了一个禀帖,以显他的能耐。齐巧前任制台奉旨来京,未曾来得及批他这个禀帖,已经交卸。后任就是现在这位媚外的新制台了。在接管卷内看见这个禀帖,心上老大不高兴,便说:“朝廷敦崇睦谊,视教民如赤子,不惮三令五申,叫地方官极力保护,该令岂无闻知? 乃胆敢虐待教民,又复砌词渎禀,以为见好地步,实属糊涂谬妄! 除严行申饬外,并记大过三次,以为妄启外衅者戒!”不伦不类,骂了下来。梅飏仁接着一看,赛如一盆冷水从头顶上直浇下来;心想:“前任制宪是如此,后任制宪又是如此,真正叫我们做属员的为难死了! 但为今之计,当王者贵,少不得跟着改变从前的宗旨,或者还可立脚。”

凡是初次出来做官的人,没有经过风浪,见了上司下来的札子,上面写着什么违干、未便、定予严参等字样,一定要吓的慌做一团,意思之间,赛如上司已经要拿他参处的一般。后来请教到老夫子,老夫子譬解给他听,说:“这是照例的话句,照例的公事,总是如此写的。”头一次他听了,还当是老夫子宽慰他的话,等到二次、三次弄惯了,也就胆子放大,不以为奇了。又凡是做官的人,如在运气头上,一帆风顺的时候,就是出点小岔子,说无事也就无事,倘或正在高兴头上,有人打他一下闷棍,无论大小事件,他吃了这个瘪子,心思登时不灵,手足也就登时无措了。

目下单表这梅飏仁到任已经半年,各种世面都算见过,再加制宪垂青,公事顺手,虽然他的为人平时有点颟顸,因在运气头上,倒也并不觉得。只可惜忽然换了上司,变了局面,结结实实一个钉子碰了下来。正是上文所说的，“在高兴头上，被人打了一下闷棍”，登时弄得两眼漆黑，走投无路。一回又想做好官：“索性同上司去碰上一碰，就是革职，也博个强项声名。”一回又想：“自己巴结到这个官，也很不容易，而且缺分又好，倘或同上头闹翻了，莫说参官，就是撤任，在省里闲空起来，这是何犯着呢！况且这捐官的钱原是预备替老人家过班的；如今还没有补上这个空子，已经把功名丢掉，怎么对得住老人家呢！”有此几个讲究，少不得就要委曲下来，改换自己的宗旨。照此看来，人家虽称他为“缠夹先生”，其实他并不缠夹。但是他自从受了这个瘪子，少不得气焰登时矮了半截，不但精神萎顿，举止张皇，就是说话也渐渐的语无伦次了。六合离省城最近，制台一举一动，都有耳报神前来报给他的。他见制台是如此举动，越发懊悔他自己的从前所为，只因矫枉过正，就不免闹出笑话来了。

南京城里回子顶多，因此这六合的地方也就不少。有天一个回子被一个人扭到衙门里喊冤。喊冤的人叫卢大，回子叫马二。卢大控告马二，说被马二一拳头打掉他一个门牙，淌了若干的血；同马二评理，马二不服，抡起拳头，接连又是三拳，现在腰里膀子上都受了重伤，所以扭来求大老爷伸冤。其时正值梅大老爷早堂未散，一听是斗殴小事，便吩咐把两造带到案前跪下。梅大老爷先把名字问个明白，然后又追问为什么彼此打架。卢大尚未开口，马二先抢着说。才说得一句“回大老爷的话”，梅大老爷晓得他是被告行凶打人的人，心上先有三分不愿意，他便把眼睛一愣，拿惊堂木一拍，骂了声“王八蛋！老爷还没有问到你，用你插嘴”！两边差役一见老爷动气，便一齐吆喝：“不准多嘴！”老爷至此，方才细问卢大端的。卢大道：“小的在南街上王公馆里管厨。王公馆的主人喜欢吃烧鸭子。这马二店里，油鸡、烧鸭子、咸水鸭子都有。小的整天上街买菜，总到他店里买半只烧鸭子。这天买了菜回来，又到他店里，小的就拿菜篮子往他柜台上一摆，他就同小的翻起来了。小的同他讲理，说：‘我同你也算老主顾了，就是借你的柜台摆摆篮子也不打紧，用不着这个样子。’”梅大老爷说：“是啊，他怎么样呢？”卢大道：“他把眼睛一竖，说道：‘别的事情咱同你讲朋友，这个可来不得！’”梅大老爷道：“你怎么说呢？”卢大道：“我说：‘我的篮子摆末已经摆了，收不回去的了，你待怎么我的？’青天大老爷！这马二听到这里，也不同小的再说什么，便伸过来一拳头。小的一个不防备，早把小的的门牙打下来了，现在还在这里淌血哩。小的赶着问他为什么打人，他举手又是三拳，这可把小的打坏了。”梅大老爷一听这话，便把惊堂木一拍，脸上露着一团怒气，指着马二骂道：“好个混账王八蛋！他借你柜台摆摆篮子，什么大不了的事！你胆敢行凶打人，这还了得！”说着，就伸手到签筒里去抓签，想打马二的板子。

那马二急了，便在地下碰头，说道：“我的老爷！你听明白了再动气，小的是在教啊。”梅飏仁上次原是因为打了教民，碰了制台钉子，这番一听“在教”二字，不觉心上毕拍一跳，忙从签筒里先把那只手收了回来，心上独自想道：“好险呀！几乎闹出点事情来！”一面拿袖子擦头上的汗，一面又吩咐马二快说。说话时，那梅大老爷的脸色已经平和了许多，就是问话的声音也不像先前之疾言厉色了。当下只听得马二回道：“大老爷明鉴：小的从老祖宗下来一直在教。”梅飏仁道：“原来你是世代在教。你们教里的规矩我晓得的。快起来，快起来，不要你跪着说话。”于是马二站立在公案西边，原告卢大倒反跪在下面。

只听马二又回：“小的的柜台借给他摆摆篮子，原不打紧。大老爷可晓得他篮子里是些什么？”梅飏仁道：“是些什么？”马二道：“请大老爷问卢大。”卢大接口道：“篮子里有什么，有他妈妈的肉！”梅飏仁把惊堂木一拍，道：“公堂之上，由你信口骂人，看来就不是个安分东西。给我打嘴！”左右一声吆喝，登时几个人上来，犹如鹰抓燕雀一般，揪住卢大，打了十个嘴巴。老爷又问马二。马二道：“小的是清真教门，猪肉这件东西原是忌的。卢大篮子里又是猪头，又是猪蹄子，不干不净，就往小的柜台上一摆。小的先同他好说，叫他不要摆；不料他倒恼了，开口就骂小的，说什么‘猪爹爹’、‘驴祖宗’。可把小的气极了，顺手推了他一把是有的。小的并没有敢拿拳头打他。这都是他浑告，求大老爷的明鉴。”

原来梅飏仁一时糊涂，只认做中国人吃了教便称“在教”，并不曾想到回子也称“在教”。虽是马二供了出来，他还是执迷不悟，连说：“你们教里规矩，自然是吃了教就得念经，念了经就得吃素，什么荤腥原不准进门的。这件事是卢大不是。……依我老爷的意思，卢大就先该打。”卢大一听老爷要打他，连忙分辩道：“他的教并不是人家吃的那个教，用不着吃素，他自己还宰鸡鸭哩。”梅飏仁道：“无论他哪一教，都是一样，本县皆有保护之意，断不容你们这些刁民欺负他的。”说着，又喝令：“拖下去打！”卢大急了，拼命的磕头，说：“求老爷的恩典！”梅飏仁道：“你这东西可恶,不能如此便宜你!你还是愿打呢,还是愿罚?”卢大又磕头道:“大老爷的恩典!小的一个当厨子的,哪里有许多罚呢?”梅飏仁道:“不罚不成功!现在姑念你初次,我老爷格外加恩典给你,你拿出三十块钱给马二重修柜台,就此完案。如果不罚,打八十大板,枷在马二店门口三个月。你自己想,还是走哪一条路好?”卢大又磕头道:“三十块实在罚不起。”后首求来求去,减到十二块洋钱,当天还没有。梅飏仁便吩咐拿他交保出外措资,限三天交案,随嘱咐马二到第三天当堂来领。马二打了人,倒反打了赢官司,好不兴头。可怜卢大挨了马二一顿打,老爷非但不给他伸冤,还要罚他出钱,真正晦气!

闲话休表。且说转眼之间,三天限期已到。卢大怕打,早已连借带当,凑了十二块洋钱送到衙门里来。此时老爷正坐在堂上理事,卢大把洋钱交了上去,老爷吩咐他一旁静候,等到马二到案具领,准予销案。卢大无可如何,只得息心屏气,等在外面。谁知一等等到散堂,那马二还没有来。老爷没有工夫等他,早已退堂。卢大却不敢就走。后来好容易等到上了灯,马二才来。老爷叫原差出来,问他为什么到此时才来。他说他的老师父死了,前去帮忙,所以到这会才来的。原差据情禀复。老爷便问:“可是他教里的老师父?”原差道:“正是。”

梅飏仁心上盘算道:“上回我打了那个吃教的,他们教帮中一定是恨我了,如今我何不借着这件事情同他们联络联络,不但可以解释前嫌,而且叫上头制台瞧着心上也欢喜。况且近来不多几时,那一省死掉一个教士,制台还派了自己的二少爷前去吊孝。我的官比不上他,总得自去走一趟,叫人家看着也郑重些。”想定主意,仍叫原差出来问马二,问他们的老师父在哪里死的。马二照说一遍。梅飏仁又叫原差出来留住马二,说:“老爷要去上祭,叫你领路,一块儿同去。”马二自然遵命。梅飏仁便吩咐大厨房里立刻备一桌祭席,叫人挑着,自己亦就顶冠束带,出来上轿。马二在前领路,一领领到清真寺门口,歇下轿子。老爷出轿,其时已是深夜,亦看不出上面写的是几个什么字,梅飏仁还疑心他们是个礼拜堂。连忙踱到里面,忙着叫跟来的人摆设祭筵。那马二却早已去找老师父的家小以及他们那般在教的,霎时男男女女,亦就聚了七八十个人,有些都是听说大老爷来上祭,赶着来瞧热闹的。但是聚了一屋子人,梅大老爷举目四看,并不见一个外国人。心想:“教士的家小总应该是洋婆,怎么如今来的全是些中国人呢?”

正在心上疑疑惑惑,不提防那桌祭筵才摆得一半,已被那些回子打了一个空,登时人声鼎沸起来。还有人提起一个猪头摔到梅大老爷这边来。一齐嚷着说:“不要放掉了那狗官!他不是来上祭,竟是拿我们开心来的!”原来此番梅飏仁来的孟浪,只听了“在教”二字,便拿定他是外洋传教的教士,并不晓得是回子,倒反备了猪头三牲来上祭,岂知越发触动众回子之怒,闹了个沸反盈天!梅飏仁幸亏马二保护着,从人丛里逃出来。走了几步,跟班的差役们方才慢慢地跟了上来。

梅飏仁轿子是已被众回子拆散的了,只得步行回衙。一头问马二:“你们这里传教的总不止你老师父一位,别的外国人以及你老师父的家小都到哪里去了?”马二到此方对他讲:“我们虽然在教,并没有什么外国人,大老爷不要弄错了。”梅飏仁又问左右。跟班的才回称:“这里是回子的清真寺,并不是什么外国人的礼拜堂。”梅飏仁怪他:“为什么不早说?”跟班的回道:“小的至今没有明白老爷到哪里去,只知道老爷叫马二领路,所以一齐就跟到这里来的。”梅飏仁又问马二:“你们老师父可是那个住在堂里的神父?”马二道:“我们只叫老师父,不晓得什么神父不神父。”梅飏仁至此方才明白过来,自己没有问清,拿着回子当做了外国传教的了,但是脸上又落不下去,回衙之后,立刻坐堂,把刚才传话的原差叫上来骂了一顿,又打了二百屁股,总算替大老爷光了光脸,才把这事过去。

自此以后,梅飏仁有十几天没有出门,生怕路上碰见了回子再来打他。其实众回子当时虽然闹了个沸反盈天,当中究竟也有几个懂事的,说:“他无论如何不好,总是地方官,倘一翻脸,你们总敌他不过。”因此到了第二天,大众亦就偃旗息鼓,没有闹到衙门里去。梅飏仁听听外面没有什么动静,方才一块石头落地。

又过了些时,上头有文书下来,叫地方官提倡商务。六合是个小地方,又是内地,没有什么大生意的。梅飏仁却因上回责打了教民,碰了制台钉子,一直总想做两件仰承宪意的事,以为取悦之地。无奈越想讨好,越不讨好,以致误认教民,又被回子糟蹋了一顿,心上好不烦恼。如今得了这个题目,便想借题做一篇新鲜文章。上头的公事是叫地方官时时接见商人,与商人开诚布公,联络一气。地方有事,商为辅助;商民有事,官为保护:总令商情得以上通,永免隔阂之弊。札子上的话是如此立意,原非不善。梅飏仁因想借此做番事业，便把札文反复细看，看了十来遍，忽然豁然贯通，竟悟出一个道理来。当时拿了札子，一直奔到老夫子书房里，对老夫子说道："据兄弟看来，上头的意思还是重在'地方有事，商为辅助'的一句话上。辅助什么？不过要他们捐钱而已。本来现在地方上很有些上头交办的公事，什么学堂等等，一齐都要地方官筹款，如果办不起来，还有处分。兄弟正在这里发愁，如今可巧有这件札子，我们以后的事倒有了些把握了。"老夫子接过札子，大约看过一遍，歪着头想了一会，不禁一跳就起道："飏翁！你真可谓读书得间了！你说的一点不错，上头正是这个意思！但是话虽如此说，我们办事须有个秩序。上头既叫我们保护商人，我们如今先不说捐钱的话，先借一个地方，或是公所，或是总会，以为接待商人之所。等他们一齐来了，彼此也联络了，然后再向他们开口。人有见面之情，你开出口去，他们总得答应你的。"老夫子说一句，梅飏仁应一句。等到老夫子说完了，他又一连说了两句："着！着！我兄弟就照你老夫子的话去办。前天兄弟看见制台辕门抄上写着省城里已经设了一个保商局，派了黄观察做总办，大约亦就是办理此事。我们姑且托他到省里打听打听章程是个什么样子，我们也照办一个，可好不好？"老夫子道："好好好，就是如此。"

幸喜这梅飏仁是个躁性子，有了一件事，从不肯留过夜的，当天就在本城城隍庙里借了三间房子，做了一个接待商人之所。门口挂起一面招牌，上写"奉宪设立保商局"；另外两扇虎头牌，是"商局重地，闲人免入"八个大字。一面又仿照札子上的意思，请老夫子拟了告示，晓谕一切坐贾行商，叫他们都到这里来聚会。又禀明上头，委了本县典史王朝恩王太爷做了驻局的委员。县大老爷公事忙，不能常常过来问信，商人有什么事，都找王太爷说话。这是后话不题。

且说当时忙了几天，就检定日子开局。恐怕开局的那天商人来的不甚踊跃，一面由梅飏仁先发帖子请客，凡是城厢内外，大大小小的绅衿，一概请到。又叫典史王太爷坐着轿子到各铺户一家家去拜，劝他们到这天来入会。谁知到了这天，做买卖的来的仍然不多，大家不晓得大老爷安的什么心，所以有些人不敢来。只有一向同地方官有来往的几家绅衿，还有两个同账房里有首尾的一家钱庄，一家南货店的老板来了，合凑起来不到两桌人。梅飏仁甚为扫兴。客人到齐，勉强入座，一席是梅飏仁自做主人，一桌是典史王太爷代做主人。

坐定之后，大家喝了几杯酒，坐首座的一位绅士是北门外头大夫第，知府衔、候选同知蒋大化，先开口道："老公祖，你这件事办的甚好啊。你是怎么想出来的？治弟真拜服你。"原来梅飏仁头天晚上先在老夫子跟前叨了许多教，这回听了蒋大化的话，便摇头鼓舌地说道："这件事呢，虽不是兄弟一个人主意，然而兄弟亦早存了这个心，所以发个狠，特地趁在兄弟任上，把这件事办成了，一来上头有了交代，二来兄弟以后叨教之处甚多。到了这个地方，诸位既不须拘什么形迹，就是兄弟有什么为难之事，也可以当面商量。否则，你们诸公请想，这么一个六合县，周围百把里路的地方，又要办这个，又要兴那个，巧媳妇做不出没米的饭，叫兄弟怎么来得及呢。"梅飏仁这番说话总不脱他将来借此筹款的宗旨。

此时在席第五座是改试策论新科发达的一位孝廉公，身上也捐了个内阁中书，姓冯，号彝斋。据他自说：旧学不见得怎样，新学他却极有工夫的；所以改试策论，马上就中。只可惜会试的卷子上有"目的"两个字，在他自己以为用的是新名词；房官看了还好，却不料到了大总裁吏部尚书塔公手里，看到这里，拿起笔墨竖了一个小小杠子，另外粘了一张纸条，注了十个字道："以'的'字入卷内，未免太俗。"因此就没有中得进士。等到报罢之后，冯彝斋领出落卷来一看，见是如此，气得了不得，大骂主司一场，急急收拾回家。齐巧上头派了委员下来劝捐，他就凑了千把银子捐了个内阁中书，借此可以出入公门，干预干预地方上的公事。这日请客，有他在座。他听了梅飏仁一番说话，心上老大不以为然，便想借此吐吐自己胸中的学问，于是不等别人开口，他先抢着说道："老公祖，此言误矣！治弟很读过几本翻译的外国书，故而略晓得些外国政治。照着今日此举，极应该仿照外国下议院的章程，无论大小事务，或是或否，总得议决于合邑商民，其权在下而不在上。如谓有了这个地方，专为老公祖聚敛张本，无论为公为私，总不脱专制政体，治弟不取也！"说着，又连连摇头不止。梅飏仁却也奈何他不得，彼此愣了一回。

第二座一位进士底子的主事公，姓劳，名祖意的，开言说道："治弟有个外孙，新近从东洋游学回来，他的议论竟与彝斋相像。我们这一辈子的人都是老朽无能了，'英雄出少年'，倒是彝翁同我们这外孙将来很可以做一番事业。"冯中书见他倚老卖老，竟把自己当作后辈看待，心上很不高兴。想了一想,说道:“到了这个时候,也没有什么事业可以做得。除掉腹地里几省,外国人鞭长莫及,其余的虽然没有摆在面子上瓜分,暗地里都各有了主子了。否则我们江南总还有几十年的等头;如今来了这么一位制军,只怕该五十年的,不到五年就要被他双手断送!”劳主政道:“那亦不见得送得如此容易;就是真个送掉,无论这江南地方属哪一国,哪一国的人做了皇帝,他百姓总要有的。咱们只要安分守己做咱们的百姓,还怕他们不要咱们吗?你又愁他什么呢!”梅飏仁道:“劳老先生的话实在是通论,兄弟佩服得很。莫说你们做百姓的用不着愁,就是我们做官的也无须虑得。将来外国人果然得了我们的地方,他百姓固然要,难道官就不要么?没有官,谁帮他治百姓呢?所以兄弟也决计不愁这个。他们要瓜分就让他们瓜分,与兄弟毫不相干。劳老先生以为如何?”劳主政道:“是极,是极!”两个“是极”,直把个梅飏仁赞得十分得意,冯中书却早气得把面孔都发了青。欲知后事如何,且听下回分解。

第五十五回

呈履历参戎甘屈节　递衔条州判苦求情

却说冯中书当下听了梅老公祖及劳老先生一番问答，心上想道："这个人竟其绝无一毫国家思想，只要保住他自己的功名产业，就是江南全省地方统通送与外国人，简捷与他绝不相干！但是百姓好做顺民，你这个官将来却无用处。谁不晓得中国的天下都是被这班做官的一块一块送掉的！他如今还说出这种话来，岂不可笑！"一个人肚皮里正寻思着，忽又听得梅飏仁说道："劳老先生，江南地方被外国人拿去，倒是一样不好。"劳主事忙问何事。梅飏仁道："不是别的，只有我们这一位制宪实实在在不好伺候。他一到任，我就碰他一个钉子。这几个月，兄弟总算跟定了他走的了，听说他还是不高兴我。你想，我们做下属的难不难！"劳主事尚未开口，冯中书抢着说道："这个老公祖倒可以无须虑得的。如今他是上司，你是属员，等到地方属了外国人，外国人只讲平等，没有什么'大人'、'卑职'，你的官就同他一般大，上头只有一个外国皇帝，你管不到他，他也管不到你，你还虑他做什么呢？"梅飏仁听了，似信未信，未曾开言。又是劳主事抢说道："我原说彝斋兄的宗旨同我们外孙一样。这平等的话，我的外孙子也是常常说的。"冯中书听了，格外生气。究竟因他上了几岁年纪，又是一乡之望，奈何他不得，只得忍气吞声。草草把酒席吃完，各自分散。

自此以后，这梅飏仁竟借此联络商人，捐了无数的款项，把地方上什么学堂等等一切可以得维新名誉的事情却也办了几件。他又自己爱上禀帖，长篇大套的，常常写到制台那里去。等到时候久了，上头也就回心转意，说某人还能办事。列公有所不知：凡是做官的，能够博得上司称赞这么一句，就是升官的喜信。果然不到三个月，藩台挂牌，把他升署海州直隶州。梅飏仁得信之下，好不兴头，立刻亲自进省谢委。省里回来，那个委署六合县的也就到了。梅飏仁忙着交卸，带了家眷、幕友、家丁径到海州上任。海州这个地方紧靠海边，名为要缺，其实从前并没有什么事情，直至近两年来,有些国度总想霸占我们中国的地方,不时派了兵船前来中国江海一带口岸往来巡弋。每到一处又不就走,有时候还要派人上岸,上来的人,多多少少,也不能定,不说是测量形势就说是操练兵丁。封疆大吏尚且拿他无可如何,至于地方官更不消说得了。

闲话少叙。且说梅飏仁到任之后,刚刚才有一月光景,他所管的海面上忽然来了三只外国兵船,一排儿停住了不走。第二天大船上派了十几名外国兵,一齐坐了小划子下来,后头还跟了通事,走到岸上,向铺户买了许多的食物,什么鸡鸭米麦之类。买好了,把账算清,付了钱,仍旧坐了小划子回上大船,并没有丝毫骚扰。有些铺户见是外国人来买东西,故意把价钱多说些,因而倒反沾光不少,还望他第二天再来买。

这个档口,便有人飞跑送信到州里,说是海里来了三条外国兵船,不知是做什么来的。州官梅飏仁闻报,不觉大吃一惊,马上请了师爷来商量对付的法子,又说:"这来的兵船倘或他们要同我们开仗,我们这里毫无预备,却怎么是好呢?"一面着急,一面又叫人去知会营里,倘或闹点事情出来,只好请他们先去抵挡抵挡。梅飏仁只顾忙乱,头上的汗珠子早已有黄豆大小滚了下来。师爷见了他这副发急样子,又好气,又好笑,连忙劝他道:"现在顶要紧的是先派个人到船问他到此是个什么意思,倘若是路过这里,没有什么举动,彼以礼来,我以礼往,也不必得罪他们。但是也得早早请他离开此地,以免地方上百姓见了疑惧。倘或是另有别的意思,他们船上的大炮何等厉害,断非我们营里这几个老弱残兵后可以抵挡得住的,必须快快打电报禀明上头制台,请示办理。"

梅飏仁正在束手无策的时候,听了师爷的说话甚是中听,立刻照办。但是一时又不晓得是个怎么办法:"谁有这个胆子敢到他们船上去呢?"师爷道:"两国交兵,不斩来使,我们派个人去是决计不要紧的。"梅飏仁便问:"派什么人去?"师爷想了想,说:"东家是一县之主,去了不便,而且这些船上都是外国人,本衙门里没有翻译,现在只好借重州判老爷同了学堂里英文教习去走一趟,问他个来意,便好打电报到南京去。"梅飏仁道:"是极,是极!"马上叫人把州判老爷请了过来,把这话告诉了他,请他辛苦一趟。州判老爷生恐外国人拿他宰了,一味推三阻四,先说:"晚生不懂得外国话。"梅飏仁道:"有翻译。"州判还想说别的,齐巧请的那位英文学堂教习也来了,问知来意。幸喜他读过几年外国书,人还开通,又听得这事不会白做的，将来州官总得另外尽情，马上答应说："应得效劳。"又帮着劝了州判老爷一番，方允一同前去。

州判老爷跟了教习走出来上轿，一头走，一头说道："外国人是个什么样子，我兄弟还是小时候在洋片子上瞧见过两次，到底同我们中国人一样不一样？见了他要行个什么礼？我们一上船，该用个什么手本？还是怎么说？"教习道："外国人不过长的样子是个高鼻子，抠眼睛，说的话，彼此口音不同，此外原同中国人一样的。老父台见了他只要拉拉手，也不消作揖，也不消磕头，只要拉拉手就好了。但是拉手切记用右手同他拉，千万不可拉左手，是要得罪他的。"州判老爷道："得罪了他便怎么样？可是他就同咱打仗？"教习道："那亦未见得，不过像煞不敬重似的。你想，你不敬重他，他心上会愿意吗？"州判老爷道："我往常听见人说：'外国兵船上，无论哪里都装的是炮，只要拿手指头往桌子上一揿，就轰的一声，立刻把人打死。那年李中堂放钦差出去，也不知到了哪个国度，人家炮船上请他吃饭。他一点没有预备，跑到人家船上，问那兵官说着话，一言不合，那个带兵官拿起茶碗往桌子上一摔，登时一个绍兴坛一样大的炮子弹了出来。幸喜我们老中堂坐的地方偏了，一点没有打中身上。你说险不险呢！这事一则是老中堂的福气大；二来也亏他老人家从前打"长毛"，打"捻子"，见多识广，大炮的声音，耳朵是听惯的了，见了这个样子，只微微地一笑，并没有说什么。那船上的兵官见一炮打他不中，心上反觉过意不去，反过来好好地送他上岸。第二天就办了许多金珠宝贝到老中堂跟前求和。老中堂允了他的和，准了他五口通商，所以如今才有了这些外国人。'我说的可是不是？我如今不怕别的，单怕他开炮。我是自小被炮仗吓坏了，往常听见放鞭炮总是护着耳朵的。"教习听他引经据典，说得津津有味，心上着实可笑，也不同他计较，便道："中堂大宫，所以船上开炮迎接他；我们去是不开炮的。你去见他，也用不着什么手本，拿张片子，到了船上，我替你传话就是了。"说着，一同出来，上了轿，坐了轿子一直抬到海边上。小划子早已预备好了。

州判老爷虽说有教习壮着他的胆子，走到海滩下了轿，依然战战兢兢的，赛如将要送他上法场的一样，扶上划子。船小人多，不免东摇西荡，又把他吓得"啊唷皇天"地叫，伏在一个人的身上，动也不敢动。好容易撑近大船，扶他上梯子。他抬头一看，船头上站着好几个雄赳赳、深目高鼻的外国兵,更把他吓得瑟瑟地抖,两只腿上想要一点力气都没有了,忙找了三四个人,拿他架着送到船上。他此时魂灵出窍,脸色改变,早已呆在那里,拨一拨,动一动,连着片子也没有投,手亦忘记拉了。幸亏那个教习挡在头里,一到船上,同人家拉过手,就打着英国话,问人家哪里来的,到此是个什么意思。船上人回答出来,才晓得并不是英国来的兵船。幸亏英国话是普通的,大家都还懂得两句。船上的带兵的还是个提督职分,听说中国官派人来问他踪迹,他也打着英国话说:"我们路过这里,想上去打猎玩耍两天,就要开船走的,并没有什么意思。你们不必惊慌。"教习把话问明白,亦就同人家拉了拉手,搀了州判老爷下船。

州判老爷自从上船,一直也没有同人说一句话。此时回到小划子上,定了一定神,方算是魂灵归窍,拿手把头上的汗抹了一把,说道:"出娘肚皮,今儿是头一遭,可把我吓死了!这官简直不是人做的!"教习也不理他,只瞧着他觉着好笑。他见人家不理他,又搭讪着说道:"听得说外国人如何如何,其实也有说有笑,很好说话的。"教习道:"既然如此,老父台为什么不同他攀谈攀谈呢?"州判老爷把脸一红道:"他同我言语不通,叫我说什么呢?"教习道:"不要紧,有我替你传话。"州判老爷道:"同你到这里已经劳你的神了,还好再打搅你么?我兄弟心上愈觉不安了!"说着,划子靠定了岸,他俩仍旧坐轿进城销差。见了州官,州判老爷胆子也壮了,张牙舞爪,有句没句,跟着教习说了一大泡。等到把话说完,梅飏仁方才明白此番兵船的来意,于是一块石头落地。又想道:"外国人来到这里,虽然没有什么事,也乐得电禀制台知道,显得我们同外国人也还联络,所以才会偃旗息鼓,平安无事。"主意打定,请教师爷,师爷亦帮着他说很好。连忙找出"电报新编",写好码子,叫人去打。州判老爷又求着把他亲自到船上见洋人周旋的话叙上。梅飏仁应允。州判老爷请安,谢了一声"堂翁栽培"。然后鼓舞欢欣,跟了请来做翻译的那位教习一同出去。梅飏仁亲自送了出来,只同教习说道:"以后还要仰仗。"教习道:"理应效劳。"霎时别去。

且说电报打到南京,制台一见上面叙着有三只兵船,登时大惊失色,及至看到后半,业已问过无事,脸色方才平和下来。忙传通省洋务局总办上院斟酌办法。这位制台是向来佩服外国人的,洋务局老总也就迎合着宪意,回道:"如今不问他是做什么来的,既然他们老远的从外国跑到我们中国，总之，他们是客，我们是主，这个地主之谊是要尽的。”制台道：“你但知其一，不知其二。你晓得来的是个什么人？”洋务局老总道：“梅牧电报上原说是个水师提督。”制台道：“是啊，提督是个什么职分？在我们中国是武一品大员，可以节制镇道，连你老哥都要归他节制的。现在就拿我们的官来比他，他来了，地方上文武统通应该出境接才是。现据梅牧的来电看起来，直到派了翻译上船问过方才知道，可见地方上预先就没有一点预备。这班地方官也总算糊涂极了！据兄弟的意思，赶紧回个电报给梅牧，叫他连夜预备一座公馆请他们上岸来住，住一天供应一天。梅牧是地方官，这钱说不得要他赔两文。赔的多了，我们再调剂他，等他好放心竭力去办。我们这里再放一只兵轮去，算是我特地派了去接他们到南京来盘桓几天的。如此，或者叫他们心上欢喜。你老哥以为何如？”洋务局老总自然是顺着他说：“好极！准定遵照大帅的宪谕办理。”制台立刻就同洋务局老总当面拟好一个电报，知会海州梅牧；一面传令派了一只兵轮，连夜开足机器，径向海州进发。按下慢表。

且说海州知州正在衙内同一班老夫子商量办法，忽然接到制宪回电，见是如此，便也不敢怠慢。立刻叫人到学堂里仍把那位教习请到，请他到船上传话，就说：“制台有电报请贵提督到岸上居住，已由梅知州代备宽大房屋一所。”那船上提督便道：“我们来此非有他意，上次即已言明。虽承贵总督美意，敝提督实实不愿相扰。况且我们的船再过一两天就要离开此地的，决计不要贵州梅大老爷费心。”教习见洋人不愿到岸上居住，便也由他，回来回复了梅飏仁。梅飏仁得了这个信，甚是为难：若是依了洋人，随他住在船上，深恐怕制台说他不会应酬；如果再叫翻译到船上去说，又怕洋人讨厌。想来想去，不得主意。

这个档口，齐巧省里派来的兵船到了。船上的管带是个总兵衔参将，姓萧，名长贵。到了海州，停轮之后，先上岸拜会州官。梅飏仁接见之下，萧长贵当把来意言明，又说：“兄弟奉了老帅的将令，叫兄弟到此地同了老兄一块儿去到船上禀见那位外洋来的军门。兄弟这个差使是这位老帅到任之后才委的，头尾不到两年，一些事儿不懂，都要老大哥指教。”梅飏仁道：“岂敢。”萧长贵道：“兄弟打省里下来的时候，老帅有过吩咐，说那位外国来的带兵官是位提督大人，咱们都要按照做属员的礼节去见他。你老大哥还好商量；倒是兄弟有点为难，依着规矩，他是军门大人，咱是标下，就应该跪接才是。”梅飏仁道：“现在又不要你去接他，只要你到他船上见他就是了。”萧长贵道：“兄弟此来原是老帅派了兄弟专到此地接他来的，怎么不是接！非但要跪接，而且要报名，等他喊‘起去’，我们才好站起来。这个礼节，兄弟从前在防营里当哨官，早已熟而又熟了。大约按照这个礼信做去是不会错的。”梅飏仁道：“要是这个样子，我兄弟就不能奉陪了。我们地方官接钦差，接督抚，从来没有跪过。如今咱俩同去，我站着，你跪着，算个什么样子呢！”萧长贵道：“做此官行此礼，我倒不在乎这些。”梅飏仁道：“就算你行你的礼，与我并不相干；但是外国人既不懂得中国礼信，又不会说中国话，你跪在那里，他不喊‘起去’，你还是起来不起来？”萧长贵一听这个话，不禁拿手抹着脖子，为难起来，连说：“这怎么好！……”梅飏仁道：“不瞒老兄说：这船上本来我兄弟也不敢去的；有我这儿翻译去过两趟，听说那位带兵官很好说话，所以兄弟也乐得同他结交结交，来往来往。况且又有制宪的吩咐，兄弟怎好不照办。现在也不好叫你老哥一个人为难，兄弟有个变通的法子。”萧长贵忙问：“是个什么法子？”梅飏仁道：“你既然一定要跪着接他，你还是跪在海滩上，等我同翻译先上船见了他们那边的官，我便拿你指给他看。等他看见之后，然后我再打发人下来接你上船。你说好不好？”萧长贵听说，立刻离坐请了一个安，说：“多谢指教！兄弟准定如此。”梅飏仁道：“可是一样：外国人不作兴磕头的，就是你朝他磕头，他也不还礼的。所以我们到了船上，无论他是多大的官，你也只要同他拉手就好了。”萧长贵道：“这个又似乎不妥。虽然外国礼信不作兴磕头，但是咱的官同人家的官比起来，本来用不着人家还礼。依兄弟的意思，还是一上船就磕头，磕头起来再打个千的为是。”

梅飏仁见说他不信，只得听他。马上吩咐伺候，同了翻译上船。刚上得一半，这里萧长贵早跪下了。等到梅飏仁到船上会见了那位提督，才拉完手，说过两句客气话，早听得岸滩上一阵锣声，只见萧长贵跪在地下，双手高捧履历，口拉长腔，报着自己官衔名字，一字儿不遗，在那里跪接大人。梅飏仁在船上瞧着，又气又好笑。等他报过之后，忙叫翻译知会洋官，说：“岸上有位两江总督派来的萧大人在那里跪接你呢。”洋官听说，拿着千里镜，朝岸上打了一回，才看见他们一堆人，当头一个，只有人家一半长短。洋官看了诧异，便问：“谁是你们总督派来的萧大人？”翻译指着说道:“那个在前头的便是。”洋官道:“怎么他比别人短半截呢?”翻译申明:“他是跪在那里,所以要比人家见短半截。”又说:“这是萧大人敬重你,他行的是中国顶重的礼信。”洋官至此方才明白,忙说几句客气话,无非是不敢当,叫他起来,请他上船的意思。翻译翻了出来,梅飏仁便派人招呼他上来。

一霎萧长贵上了大船。翻译便指给他说,哪位是提督,哪位是副提督,哪位是副将。萧长贵立刻爬在地下,先给提督磕了三个头,起来请了一个安。只见他从袖筒管里掏了半天,摸出一个东西来。翻译在旁边看得明白,原来是一套华洋合璧的履历,倒很拜服他想得周到。只见他倏地朝着洋提督跪了一只腿,拿履历高高举起,献了上去。洋提督不晓得他拿的是什么东西,忙问这边同来的翻译;翻译同他说明,方才亲自离坐,接了他的履历。萧长贵至此,亦把那只腿伸了起来。又同什么副提督、副将见礼,仍旧是磕头请安。虽然人家不还礼,幸亏他脸厚,并不觉得难为情,一一见完之后,方趋前一步站着,同洋提督说话。洋提督同他说话,请他坐。他说:“标下理应伺候军门大人,军门大人跟前哪有标下的坐位。”洋提督再三让他,方才斜签着脸坐了一点椅子边。洋提督说话他不懂,都是翻译代传。翻译听了洋提督的话,答应“也司”,他亦坐在一旁,高声应“是”。人家见他好笑,他也并不觉得。只听他又朝着洋提督说道:“回军门大人的话:标下奉了老帅的将令,派标下来迎接军门大人到南京去盘桓几天。我们老帅晓得军门大人到了,马上叫洋务局老总替军门大人预备下一座大公馆,裱糊房子,挂好字画,挂灯结彩,足足忙了三天三夜。总求军门大人赏标下一个脸,标下今日就伺候军门起身。”说完之后,翻译照样翻了一遍。洋提督道:“我早已说过,再过上一礼拜就要走的,另外还有事情到别处去。多承你们总督大人费心,我心领就是了。”萧长贵听洋提督不肯进省,忙又回道:“军门若是不到南京,我们老帅一定要说标下不会当差使,所以军门动了气,不肯进省。现在求军门无论怎样帮标下一个忙,给标下一个面子,等我们老帅看着欢喜,将来调剂标下一个好差使,标下是一家大大小小都要供你老人家长生禄位的。”说完,又请了一个安。于是翻译又把话翻了一遍。洋提督听完,笑了一笑,叫翻译同他说:“你们不必强留我,南京我是决计不去的。”萧长贵见他心上甚是懊闷,便道:“既然军门大人不肯赏脸,亦是没有法子的事情。标下是奉了老帅将令到此伺候军门大人的，军门大人有什么差使，尽管派下来，等标下去办。”洋提督也同他谦逊了两句。梅飏仁又当面虚邀他到岸上去住，又说：“公馆一切早已预备妥贴。”无奈那洋提督只是不肯下船。大众见无甚说得，方才一同辞别下船。梅飏仁自己回衙理事。萧长贵却不敢径回南京，天天还是拿着手本，早晚二次穿着行装到洋提督大船上请安。洋提督辞过他几次，他不肯听，也只得听其自然。

洋提督原说是七天就走的，却不料到第五天夜里，萧长贵正在自己兵船上睡觉，忽听得外面一派人声，接着又有洋枪、洋炮声音，拿他从睡梦中惊醒。直把他吓得瑟瑟地抖，在被窝里慌作一团；想要叫个人出去问信，无奈上气不接下气，挣了半天，还挣不出一句话来。正在发急时候，忽然一个水手从船头上慌慌张张地来报信道：“大人，不好了！有强盗！”萧长贵一听“强盗”二字，更吓得魂不附体，马上想穿裤子逃命。急忙之中又没有看清，拿裤脚当作裤腰，穿了半天只伸下一只腿去，那一只腿抵死伸不下去。他急了，用力一蹬，豁拉一声，裤子裂开了一大条缝。至此方才明白穿倒了，重新掉过来穿好。把长衣披在身上，来不及钮扣子，拿扎腰拦腰一捆，拖了一双鞋。手下的兵丁还当是大人出来打强盗哩，拿了手枪上前递给他。只听他悄悄地同旁边人说道：“强盗来了，没有地方好逃，我们只得到下层煤舱里躲一会去。”说完，往后就跑。幸亏走得不多几步，船头上的水手又赶来报道：“好了，好了！所有的强盗都被洋船上打死了，还捉住十几个。请大人放心，没有事了。”至此萧长贵方才把神定了一定，站住了脚，问旁边人道：“我现在可是做梦不是？”大家都听了好笑。萧长贵又怔了半天，说道：“你们说什么强盗已经捉住的话，可是真的？”一个水手道：“怎么不真，是标下亲眼见的，一共捉住有十二三个哩。”萧长贵道：“你们看清楚了没有？不要还有人躲在黑影里，我们出去被他宰了，白白的送了命，那可不是玩的！我看还是不出去问信的为是。就是出了什么盗案，都是地方官的处分，我们是客官，何苦往自己身上拉呢。你们也快快熄灯睡觉，把舱门关好，要紧！要紧！”说罢，他老人家先自脱衣上床，仍旧歇下。兵丁们亦乐得省事。于是大家安睡了一夜。

次日起来，向来萧长贵到洋提督船上禀安总是每早七点钟就去的，这天怕去的早了，路上遇着什么强盗的余党，恐防不测，特地又缓了一个钟头才去的。等到萧长贵到了洋提督大船上，海州梅飏仁亦早已来了。原来这天晚上洋提督船上捉住了强盗,次日一早就叫人到城里送信。梅大老爷一想,捉住了大盗,地方官是有保举的;所以一得信就赶着出城到船上,求着把强盗带回城里审问。幸亏那位洋提督并无一点为难的意思,立刻把十三个强盗统通交给了梅飏仁;又怕路上或有闪失,特地派了八名洋兵帮着解到城里。萧长贵一见强盗果然拿着,登时胆子壮了起来,立刻回船,也派了几名兵帮着护送,以为将来邀功地步。当下梅大老爷督率一班人把强盗解到衙门,打发过洋兵及萧长贵派来的兵,马上升堂审问。起先那些强盗还想赖着不认,后来有几个熬刑不过,只得招了。原来都是积年的大盗。其余的见他同党已招,晓得抵赖不脱,也只有一一招认。

梅飏仁心上想道:“我今天平空拿住了许多大盗,虽然是外国兵船上出力,究竟是在我地面上,禀报上去,面子总好看的。”于是心上甚是快活,立刻叫书办把强盗供状叙了文书,申报上宪。又请老夫子详详细细替他做了一个电禀,专禀制台。电禀上先叙此番外国兵船到来,他如何竭力联络,竭力保护,以致那兵船上的提督如何感激他,想报答他;又叙他:

“自从到任之后,悬赏购线捕拿巨盗,久已萑苻[①]绝迹,闾阎相安。乃于某日风闻有大股盗匪道出卑境,卑职先期商明外国兵船,请其届时帮助,当荷应允。不料某晚三更时分,据眼线报称,该盗窝藏某处。卑职立即督同通班健役前往捕拿。唯是盗党甚多,卑职深虑所带勇役众寡不敌,因即一面设法诱至海滩,一面密告外国兵船,果蒙协力兜拿,共捕获积年巨盗一十三名。经卑职带回卑署,详加鞫讯[②],俱各供认历年某案某案,肆行抢劫不讳。除将供招另文申详,恳祈宪示遵行外,所有此次外国兵船帮同缉获积年巨盗应如何答谢之处,卑职不敢擅专,理合电禀,乞谕祗遵”

云云。电报发了出去,梅飏仁赶忙又亲自到洋船上谢洋提督帮助之力。又说:“敝县已把此事电禀制台,马上就有回电,制台亦总是感激的。”意思想留洋提督多住两三天,以便稍尽地主之谊。洋提督谦逊了几句,仍旧是不肯久留。梅飏仁只得告辞回去。

---

① 萑苻(huán fú)——泽名。此处指盗贼。

② 鞫(jū)讯——审讯,查问。

且说南京制台接到海州知州梅飏仁的电禀,从头至尾看了一遍,登时脸上露出一副受宠若惊的样子,忽而红,忽而白,于红白不定之中又显出一副笑容。忙把总理洋务文案候补道史其祥史大人请到签押房里面商。这位制台是专门讲究洋务的,就是签押房也是洋款摆设,居中摆了一张大菜桌子,一面三把椅子,底下一位是主位。当下史其祥史大人进门,归座之后,制台先把海州上来的电报禀给他看过。史其祥一面看,一面点头;看完之后,便问:“老帅是个什么主见?”制台道:“我想此事,外国船上的洋兵替我们捉住了强盗,还肯交给我们地方官自己审办,这就是十二分面子。他们既给咱面子,咱们也不可以不顾人家的面子。我想现在既已审问明白,都是积年巨盗,本应该就地正法的;我们如今且不要批下去,电谕海州梅牧把这些人犯的案件以及应该得的罪名详细叙明,叫翻译翻成英文照会过去,应该如何办法。就他们不死,我们也乐得积些阴德。你道如何?”史其祥听罢,歇了一歇,说道:“这是我们内地里的事情。既是大盗审明之后,就地正法乃是我们自己的主权,他们外国人本不应该干预的。依职道的见识:还是老帅自己批饬下去,将该盗就地正法,似乎不必咨照外国兵官。至于他们出了力,应该如何答谢,或是电饬梅牧亲到船上一趟代达老帅的意思;或是办些土仪,如羊酒鸡蛋之类,犒赏兵丁,亦无不可。这是职道愚昧之见,请请老帅的示,可行不可行?”制台听罢,亦愣了一回,说道:“你的话呢,固然不错;然而人家顾了咱的面子,咱们一点不和人家客气客气,似乎心上总过不去。我看土仪呢亦得送;这几个人怎么办法,我的意思总得让让人家,等人家退回来不管,我们再自己办,那就不落褒贬了:我这是面面俱到的法子。我看还是如此办得好。”史其祥道:“这办案的事实实在在是我们自己的主权,那外国人是万万不可同他通融的。”

制台一见史其祥还是执定前见,心上很不高兴,便道:“我兄弟办交涉也办老了,这些事还有什么不懂。你们总是顽固见识,到了这个时候,还是一点不肯让人。但是据你刚才所说,究不能够面面俱到,总得斟酌一个两全的法子才好。”史其祥笑着说道:“强盗归我们自家办,就是保守我们自己的主权。再送些土仪给他们,也总算有情分到他们了。除此之外,实在没有第二条法子。”制台听了,面孔一板道:“你这人真好糊涂!我刚才怎么同你讲的?这件事非往常可比。强盗虽然应该归我们办,你不想这回的强盗是哪个拿到的。人家出了力又不想咱们的别的好处，难道连这一点面子还不给他，还成句话吗！我办交涉办老了的，如今倒留个把柄在人家手里，叫人批评两句，我可犯不着！”说完，胡子一根根跷了起来，坐着不言语。

史其祥见制台生了气，一想不妙，怕于自己差使有碍。便暗暗说道：“主权不主权，关我什么事，用得我干着急！我起了劲，白得罪了上司，于我有什么好处呢？”但是一时又想不出一个转弯的法子。踌躇了好半天，只得仰承宪意，自圆其说道：“职道的话原是一时愚昧之谈，作不得准的。既然老帅要想一个两全的法子，足见老帅于慎重邦交之内，仍寓挽回主权之心，职道钦佩得很！现在职道想得一法，是主权既不可弃，邦交又当兼顾。请请老帅的示，可行不可行？”制台道：“你快说！”史其祥道：“请老帅立刻电饬梅牧把拿到十三个人当中把为首的先行就地正法几名，伸国法即所以保主权。下余的几个，若以强盗论，原应该不分首从，一律斩决；如今且不将他定罪，就遵照老帅的刚才吩咐的话，送交外国兵官，听他处治。他要他死，这几人本有应得的死罪；他要开脱他们，我们也乐得就此积些阴功，也不负老帅好生之德。”制台听到这里，一面听，一面点头，嘴里不住的赞好；不等史其祥说完，忙抢着说道：“就是这样！就是这样！到底你史大哥有主意，所以兄弟凡事都要同你商量。现在就作准照你办，立刻拟好电报，送到电局，饬令梅牧遵照办理。”

按下省城之事不表。单表海州梅飏仁奉到制台的复电，立刻照谕施行，请了本营参将从监里把前番审定的五名盗首提到大堂，验明箕斗，登时绑赴校场，一概正法。杀人的时候，他同营里一齐穿着大红斗篷；杀人回来，照例先到城隍庙拈香；回到衙门，又照例排衙，然后退入签押房。大凡他们做官的人忌讳顶多，又怕的是鬼，说是穿了大红斗篷，鬼就不敢近身了；再到城隍庙里一转，就是有点邪魔鬼祟，亦被城隍老爷叫小鬼拿他赶掉；等到回到衙门，升坐大堂排衙的时候，衙役们拿着棍子赶出赶进一阵吆喝，无论有多少冤鬼早已吓都吓散了。历来相传都是如此说法。究竟做官的人谁被冤鬼缠过又没人见过，不过借此骗骗自己，安安自己的心罢了。

且说梅飏仁回到签押房，因为洋提督后天就要走，连夜到学堂里又把那位教习拿轿子抬了来，请他翻译这件公事，以便照会洋提督，请他的断。

那位教习起先还拿腔做势，说来不及；又说："为人办事须有一定时刻，晚生今天在学堂里已经教了几个钟头的书，到了晚上极应该休息休息。如今又要我翻译这些东西，这是最伤脑筋，晚生还是带回去，等到空的时候再翻好过来罢。"梅飏仁一听他话不对，只得挽出师爷同他讲说："洋提督后天就要走的，这件公事，无论如何，明日一早总得送过去。吾兄辛苦了，敝东自应格外尽情。千万辛苦这一遭罢！"那位教习听说"格外尽情"，无奈只得应允。当下就在梅飏仁签押房里调齐案卷翻译起来。梅飏仁跑出跑进，不时自己出来招呼，问他要茶要水，肚子饿了有点心；一回又叫管家把上海艾罗公司买的"补脑汁"开一瓶给他喝，免得他用心过度，脑筋受伤。那位教习见他如此，心上也觉过意不去，只得尽心代为翻译。无奈这件公事头绪太多，他的西学尚不能登峰造极，很有些翻不出来的地方；好在通海州除掉他都是外行，骗人还骗得过。当下足足闹了八个钟头，只勉强把制台的意思叙了一个节略，写了出来。念给梅飏仁听过。梅□仁除掉说好之外亦无他话可以说得。

当下梅飏仁立刻叫人把写好的英文信送到船上。那位教习深晓得自己本事有限，恐怕外国人看了他写的英文信不懂，非自己前去当面譬解给他听是断乎不会明白的，连忙挺身而出，说："这信等我自己送去。"梅飏仁见他如此要好，自然欢喜。谁知等到他到了船上见了洋提督，呈上书信，洋提督看过一遍，又看第二遍，看来看去，竟有大半不懂，忙问他："信上写的什么？"他只得红着脸，把这事一五一十说给洋提督听了一遍。洋提督道："幸亏你自己来；你倘若不来，我这船上懂得各国文法的人都有，单就是你的英文没人懂得。"说罢，哈哈大笑。那位教习晓得总是写的信上拼法不对，所以被洋人耻笑，羞得红过脖子。当时洋提督说道："既然贵国法律这几个人都该办死罪的，就请贵州梅大老爷照着贵国的法律办他们就是了。"那位教习又请洋提督同到法场监斩。洋提督欣然应允，随即约定时刻。那位教习先回来送信。

梅飏仁立刻照会营里摆齐队伍押解犯人同到法场。才走到那里，洋提督带了几十名洋兵也早来了。外国的兵腰把笔直，步伐整齐，身材长短都是一样；手里托着洋枪，打磨得净光雪亮，耀人的眼睛；等到到了法场上，一字儿摆开，站在那里一动不动。及看中国的兵：老的小的，长长短短，还有些痨病鬼、鸦片鬼，混杂在内；穿的衣裳虽然是号褂子，挂一块，飘一块，破破烂烂，竟同叫花子不相上下；而且走无走相，站无站相；脚底下踢哩搭拉，不是草鞋便是赤脚，有的袜子变成灰色，有的还穿一双钉靴；等到到了法场上，有说笑的，也有骂人的。痨病鬼不管人前人后随便吐痰；鸦片鬼就拿号褂子袖子擦眼泪；拿的刀叉一齐都生了锈了：比起人家的兵来真正是天悬地隔！洋提督走来同中国官见面之后，先拿照像机器替犯人拍了一张照，等到杀过之后又拍了一张，然后分道自回去。

其时梅飏仁已将宪谕饬办的羊酒鸡蛋送洋人的礼物都已办齐，就托省城派来兵轮管带萧参将上船送礼。萧长贵一听要他去送礼，又把他兴头得了不得；因为这份礼是替制台送的，是面子上的事情。立刻穿好衣帽，把礼物装了几台盒；活猪活羊各一百头，由兵役们牵着；他自己却坐了一顶小轿跟在后头，说："这两年在船上当差事舒服惯了，把骑马的本事忘掉了。"霎时到得船上。礼单是早已托翻译翻好的，兵船上的人看了都还明白。萧长贵是船上来过多次了，熟门熟路，人都有点认得。见了船上的人，无论是兵官，是兵丁，是水手，见了洋人就请安。见了洋提督，更请两个安：一个是自己请的，一个是替制台请的。他那副卑躬屈节的样子，洋船上的人是早已看惯的了，都不以为奇。当下洋提督吩咐叫把礼物全行收下，犒赏来人；又叫一员小武官陪了萧长贵大餐。这一顿饭直害得萧长贵坐立不安，神魂不安！还有些兵丁见他来熟了，都不同他客气，拉着他的辫子，打着洋话问他"可是尾巴不是"？萧长贵话虽不懂，晓得是拿他开心的话头，便涨红了脸，低着头，一声也不敢响。

一会吃完饭，又在洋提督跟前禀谢过然后告辞，一直回到州衙门。彼此会面，商量了一回明天送行的仪注。萧长贵仍说要在岸滩上跪送。又邀了本营参将摆齐队伍一块儿去跪送，本营参将亦就答应了。此时梅飏仁又把本城的文官一齐约定次日一早先到本衙门会齐，然后一同出城上手本。大家倒都应允。

慢慢的梅飏仁又讲到："这回拿住强盗虽然是外国人出力，看上头制台的意思甚是欢喜，将来保举一定是有的。"萧长贵听到这里，跑过来深深一揖，托着替他带个名字。梅飏仁为他是制台派来的，即日回省，还望他帮着自己说好话，马上答应。接着翻译又求保举。梅飏仁亦答应，又说："往来传话，这遭是你老哥顶辛苦了，应该，应该！"翻译欢喜的了不得。说话之时，前番上船探信的那位州判老爷正同别人闲话，忽然听到这边谈保举,立刻丢掉别人,赶过来朝着梅飏仁说道:"堂翁,还有晚生呢?"梅飏仁一闻此话,不觉怔了半天,才慢慢地问道:"你老哥还有什么?"州判老爷道:"不是晚生说句夸口的话:这件事要算晚生的头功。堂翁,你还有什么不知道的,他们一个人不敢上去,不是你堂翁委了晚生同了这位翻译老夫子去的吗。"梅飏仁道:"是啊,去了也不好说是头功。"州判老爷着急道:"晚生不去这一趟,那外国人怎肯同我们要好,替我们出力?晚生不求堂翁别的,只求将来开保案时候,求堂翁把晚生这段劳绩叙上,制台大人看了是决计不会批驳的。将来借此晚生得能过个班,也不枉堂翁的栽培!"说着,又请了一个安。梅飏仁只是淡淡地说:"我们再商量罢。"

州判老爷恐怕事情不妙,呆坐半天,忽然心生一计,便悄悄地拉了那位同去当翻译的教习一把。两个人一同告辞出来。州判拿他让到自己衙门里坐了,同他商量说:"这事是你第一个出力,兄弟还在第二。总而言之,没有第三个人可以盖过咱俩的。我看我们这位堂翁疑疑惑惑,是有点靠不住的。我们不如趁今天晚上洋船还没有开,咱俩同到他们船上,求他出封信给制台保举。咱俩索性丢掉他们。你说可好不好?"翻译听罢此言,想了一会,心想:"他的话确也不错,走外国人门路似乎觉得比中国人妥当些。倒难为他想出这条好法子来。"连说:"好极!……你如果要去,有什么话,我替你传去。"州判大喜,立刻开抽屉找出两条红纸;又把西席老夫子请来,托他代写两张官衔条子:一张是自己的,一张是翻译的,都把自己一相情愿的保举开了上去。写好之后,立刻飞轿赶到海滩,下轿上船。

此番州判老爷晓得外国船上的人没有歹意,放开胆子,不像前番觳觫①恐惶的样子了。船上的人问他:"来做什么?"翻译说是:"要见你们提督的。"船上人只得领他进见。此时州判老爷因有求于人,不得不自己格外谦恭;见了洋提督,磕头请安,竟与萧长贵一式无二。幸亏洋提督早已司空见惯,看他磕头,昂不为礼,直等他站起,方才用手指了一指,——是让他坐的意思。他亦明白,于是斜签着脸,朝上坐下。当由翻译叙述来意。洋提督一头听,一头笑,一面又摇摇头。州判老爷瞧着,话虽不懂,意思是明白的,晓得有点不愿意的意思。心上甚为着急,想要插嘴,又不知

① 觳觫(hú sù)——恐惧颤抖的样子。

说什么是好。——而且说出来的话,他们亦不懂得。

正在左右为难,只听得翻译又叽里咕噜地说了半天,方见洋提督笑了一笑。翻译便回过头来从州判老爷手里把两张衔条讨过来递给了洋提督。洋提督看了不懂,又问翻译:"这上头写的什么?"翻译却把州判老爷的一张翻来覆去讲给他听。州判老爷一旁瞧着,暗暗欢喜,以为这事总可望成功了。翻译说了一回,便约州判老爷一同走。州判老爷便急急地问他:"我们的事怎样？你看会成功不会成功?"翻译道:"停刻再说。"州判老爷无奈,只得去替洋提督请了一个安,算是告辞,然后同了翻译出来。一出舱门,又问翻译:"到底咱们的事怎么样?"翻译道:"等我们回去再细谈。"此时直把个州判老爷急的头上汗珠子有黄豆大小！究竟事情成否不得而知,禁不住心上毕卜毕卜跳个不住。欲知后事如何,且听下回分解。

第五十六回

制造厂假札赚优差　仕学院冒名作枪手

却说海州州判同了翻译从洋船上回到自己衙门，急于要问所递衔条，洋提督是否允准出信。当下翻译先说洋提督如何不肯，经他一再代为婉商方才应允，并且答应信上大大的替他两人说好话。州判老爷听了，非凡之喜。一宵易过，次日又跟了同寅同到海边送过洋提督开船方才回来。萧长贵亦开船回省。

过了一日，梅飏仁果然发了一个禀帖，无非又拿他办理交涉情形铺张一遍；后面叙述拿获大盗，所有出力员弁，叩求宪恩，准予奖励。等到制台接到梅飏仁的禀帖，那洋提督的信亦同日由邮政局递到，立刻译了出来。信上大致是谢制台派人接他，又送他土仪的话；下来便叙"海州文武相待甚好，这都是贵总督的调度，我心上甚是感激"。末后方叙到"海州州判某人及翻译某人，他二人托我求你保举他俩一个官职；至于何等官职，谅贵总督自有权衡，未便干预。附去名条二纸，即请台察"各等语。制台看完，暗道："这件事情，海州梅牧总算亏他的了。就是不拿住强盗，我亦想保举他，给他点好处做个榜样；如今添此一层，更有话好说了。至于州判、翻译能够巴结洋人写信给我，他二人的能耐也不小，将来办起交涉来一定是个好手。我倒要调他俩到省里来察看察看。"当日无话。

次日司、道上院见了制台。制台便把海州来禀给他们瞧过；又提到该州州判同翻译托外国官求情的话。藩司先说道："这些人走门路竟走到外国人的门路，也算会钻的了。所恐此风一开，将来必有些不肖官吏，拿了封洋人信来，或求差缺，或说人情，不特难于应付，势必至是非倒置，黑白混淆，以后吏治，更不可问。依司里的意思：海州梅牧获盗一案，亟应照章给奖；至于州判某人，巧于钻营，不顾廉耻，请请大帅的示，或是拿他撤任，或是大大地申斥一番，以后叫他们有点怕惧也好。"谁知一番话，制台听了，竟其大不为然，马上面孔一板道："现在是什么时候！朝廷正当破格用人，还好拘这个吗？照你说法，外国人来到这里，我们赶他出去，不去理他，就算你是第一个大忠臣！弄得后来，人家翻了脸，驾了铁甲船杀了进来，你挡他不住，乖乖地送银子给他，朝他求和，归根办起罪魁来，你始终脱不掉。到那时候，你自己想想，上算不上算？古语说得好：'君子防患未然。'我现在就打的是这个主意。又道是：'观人必于其微'，这两人会托外国人递条子，他的见解已经高人一着，兄弟就取他这个，将来一定是个外交好手。现在中国人才消乏，我们做大员的正应该舍短取长，预备国家将来任使，还好责备苛求吗。"藩台见制台如此一番说话，心上虽然不愿意，嘴里不好说什么，只得答应了几声"是"，退了出去。

这里制台便叫行文海州，调他二人上来。二人晓得是外国信发作之故，自然高兴得了不得，立刻装束进省，到得南京，叩见制台。制台竟异常谦虚，赏了他二人一个坐位。坐着谈了好半天，无非奖励他二人很明白道理。"现在暂时不必回去，我这里有用你们的地方"。两人听说，重新请安谢过。次日制台便把海州州判委在洋务局当差，又兼制造厂提调委员。那个翻译，因他本是海州学堂里的教习，拿他升做南京大学堂的教习，仍兼院上洋务随员。分拨既定，两人各自到差。海州州判自由藩司另外委人署理。海州梅飏仁因此一案，居然得了明保，奉旨送部引见。萧长贵回来，亦蒙制台格外垂青，调到别营做了统领，仍兼兵轮管带。都是后话不题。

且说海州州判因为奉委做了制造厂提调，便忙着赶去见总办，见会办，拜同寅，到厂接事。你道此时做这制造厂总办的是谁？说来话长：原来此时这位当总办的也是才接差使未久，这人姓傅，号博万。他父亲做过一任海关道，一任臬司，两任藩司。后首来了一位抚台，不大同他合式，他自己估量自己手里也着实有两文了，便即告病不做，退归林下。傅博万原先有个亲哥哥，可惜长到十六岁上就死了。所以老人家家当一齐都归了他。人家叫顺了嘴，都叫他为傅百万。其实他家私，老人家下来，五六十万是有的，百万也不过说说好听罢了。只因他生得又矮又胖，穿了厚底靴子，站在人前也不过二尺九寸高；又因他排行第二，因此大家又赠他一个表号，叫做傅二棒锤。傅二棒锤自小才养下来没有满月，他父亲就替他捐了一个道台，所以他的这个道台，人家又尊他为"落地道台"。但是这句话只有当时几个在场的亲友晓得，到得后来亦就没有人提及了。后来大众所晓得的只有这傅二棒锤一个绰号。

且说傅二棒锤先前靠着老人家的余荫,只在家里纳福,并不想出来做官,在家无事,终日抽大烟。幸亏他得过异人传授,说道:“凡是抽烟的人,只要饭量好,能够吃油腻,脸上便不会有烟气。”他这人吃量是本来高的,于是吩咐厨房里一天定要宰两只鸭子:是中饭吃一只,夜饭吃一只,剩下来的骨头,第二天早上煮汤下面。一年三百六十天,天天如此。所以竟把他吃得又白又胖,竟与别的吃烟人两样。他抽烟一天是三顿:早上吃过点心,中饭,晚饭,都在饭后。泡子都是跟班打好的,一口气,一抽就是三十来口,口子又大,一天便百十来口,至少也得五六钱烟。等到抽完之后,热手巾是预备好的,三四个跟班的,左一把,右一把,擦个不了,所以他的脸上竟其没有一些些烟气。擦了脸,自己拿了一把镜子,一头照,一头说道:“我该了这么大的家私,就是一天吃了一两、八钱,有谁来管我!不过像我们世受国恩的人家,将来总要出去做官的,自己先一脸的烟气,怎么好管属员呢。”有些老一辈人见他话说得冠冕,都说:“某人虽有嗜好,尚还有自爱之心。”因此大家甚是看重他,都劝他出去混混。无奈他的意思,就这样出去做官,庸庸碌碌,跟着人家到省候补,总觉不愿;总想做两件特别事情,或是出洋,或是办商务,或是那省督、抚奏调,或是那省督、抚明保,做一个出色人员,方为称意。但是在家纳福,有谁来找他?——谁知富贵逼人,坐在家里也会有机会来的。

齐巧有他老太爷提拔的一个属员,姓王,现亦保到道员,做了出使那一国的大臣参赞。这位钦差大臣姓温,名国,因是由京官翰林放出来的,平时文墨功夫虽好,无奈都是纸上谈兵,于外间的时务依然隔膜得很。而且外洋文明进步,异常迅速;他看的洋板书还是十年前编纂的,照着如今的时势是早已不合时宜的了,他却不晓得,拾了人家的唾余,还当是“入时眉样”。亦幸亏有些大老们耳朵里从没有听见这些话,现在听了他的议论,以为通达极的了,就有两位上折子保举他使才。中国朝廷向来是大臣说什么是什么,照例奉旨记名,从来不加考核的;等到出使大臣有了缺出,外部把单子开上,又只要里头有人说好话,上头亦就马上放他。等到朝旨下来,什么谢恩、请训都是照例的事。就是上头召见,问两句话,亦不过拣可对答的回上两句,余下不过磕头而已。列位看官试想:任你是谁,终年不出京城一步,一朝要叫你去到外洋,你平时看书纵虽明白,等到办起事来,两眼总漆黑的。

闲话少叙。且说这个温钦差召见下来,便到各位拿权的王大臣前请安,请示机宜,以为将来办事的方针。这些大人们当中有关切的,便荐两个出过洋、懂得事务的,或当参赞,或充随员,以为指臂之助。还有些汲引私人的,亦只顾荐人,无非为三年之后得保起见。当下只傅二棒锤父亲所提拔那位属员王观察,已有人把他荐到温钦差跟前充当参赞。幸喜钦差甚是器重他。他便想到从前受过好处的傅藩台的儿子。——亦是傅二棒锤有出山的思想,预先有过信给这王观察。——王观察才干虽有,光景不佳,既然出洋,少不得添置行头,筹寄家用;虽有照例应支银两,无奈总是不敷,所以也须张罗几文。心上早看中这傅二棒锤是个主儿,本想朝他开口,齐巧他有信来托谋差使,便将机就计,在温钦差前竭力拿他保荐,求钦差将他携带出洋。钦差应允。王观察便打电报给他,叫他到上海会齐。等到到得上海,会面之后,傅二棒锤虽然是世家子弟,毕竟是初出茅庐,阅历尚浅,一切都亏王观察指教,因此便同王观察十分亲密,王观察因之亦得遂所愿。两人遂一块儿跟着钦差出洋。王观察当的是头等参赞。因为这傅二棒锤已经是道台,小的差使不能派,别的事又委实做不来;又亏王观察替他出主意,教他送钦差一笔钱,拜钦差为老师,钦差亦就奏派他一个挂名的差使。

温钦差自当穷京官当惯的,在京的时候,典质赊欠,无一不来。家里有一个太太,两个小姐。太太常穿的都是打补丁的衣服。光景艰难,不用老妈,都是太太自己烧茶煮饭,浆洗衣服。这会子得了这种阔差使,在别人一定登时阔绰起来;谁知道这位太太德性最好,不肯忘本,虽然做了钦差夫人,依旧是一个人不用,上轮船,下轮船,倒马桶,招呼少爷、小姐,仍旧还是太太自己做。朋友们看不过,告诉了钦差,托钦差劝劝她。她说道:“我难道不晓得现在有钱,但是有的时候总要想到没的时候。如今一有了钱,我们就尽着花销,倘或将来再遇着难过的日子,我们还能过么。所以我如今决计还要同从前一样,有了攒聚下来,岂不更好。”钦差见他说得有理,也只得听她。好在也早已看惯的了,并不觉奇。

傅二棒锤既然拜了钦差为老师,自然钦差太太也上去叩见过。太太说:“你是我们老爷的门生,我也不同你客气。况且到了外洋,我们中华人在那里的少,我们都是自己人一样。你有什么事情只管进来说,就是要什么吃的、用的亦尽管上来问我要,我总拿你当我家子侄一样看待,是用不着客气的。”傅二棒锤道：“门生蒙老师、师母如此栽培，实在再好没有。”说着，又谈了些别的闲话，亦就退了出来。

这一帮出洋的人，从钦差起，至随员止，只有这傅二棒锤顶财主，是汇了几万银子带出去用的。虽然不带家眷，管家亦带了三四个。穿的衣裳，脱套换套。他说：“外国人是讲究干净的。”穿的衬衣衫裤，夏天一天要换两套，冬天亦是一天一身。换下来的，拿去重洗。外国不比中国，洗衣裳的工钱极贵，照傅二棒锤这样子，一天总得两块金洋钱工钱，一月统扯起来，也就不在少处了。

钦差幸亏有太太，他一家老少的衣衫，自从到得外洋，一直仍旧是太太自己浆洗。在外国的中国使馆是租人家一座洋房做的。外国地方小，一座洋房总是几层洋楼，窗户外头便是街上。外国人洗衣服是有一定做工的地方，并且有空院子可以晾晒。钦差太太洗的衣服，除掉屋里，只有窗户外头好晾。太太因为房里转动不开，只得拿长绳子把所洗的衣服一齐拴在绳子上，两头钉好，晾在窗户外面。这条绳子上，裤子也有，短衫也有，袜子也有，裹脚条子也有，还有四四方方的包脚布；色也有蓝的，也有白的，同使馆上面天天挂的龙旗一般的迎风招展。有些外国人在街上走过，见了不懂，说：“中国使馆今日是什么大典？龙旗之外又挂了些长旗子、方旗子，蓝的、白的，形状不一，到底是个什么讲究？”因此一传十，十传百，人人诧为奇事。便有些报馆访事的回去告诉了主笔，第二天报上上了出来。幸亏钦差不懂得英文的，虽然使馆里逐日亦有洋报送来，他也懒怠叫翻译去翻，所以这件事外头已当着新闻，他夫妇二人还是毫无闻见，依旧是我行我素。

傅二棒锤初到之时，衣服很拿出去洗过几次，便有些小耳朵进来告诉了钦差太太，说傅大人如何阔，如何有钱，一天单是洗衣服的钱就得好几块。钦差太太听了，念一声“阿弥陀佛”：“要是我有了钱，决计不肯如此用的。我们老爷、少爷的衣服统通是一个月换一回，我自己论不定两三个月才换一回；哪里有他阔，天天换新鲜。他一个月有多少薪水，全不打算打算。照这样子，只怕单是洗衣服还要去掉一半。你们去同他说：横竖一天到晚空着没有事情做，叫他把换下来的衣裳拿来，我替他洗。他一天要化两块钱的，我要他一天一块钱就够了。他也好省几文，我们也乐得赚他几文，横竖是我气力换来的。”当下果然有人把这话传给了傅二棒锤。傅二棒锤因为她是师母，如把裤子、袜子她洗，终觉有些不便，一直因循未果。后来钦差太太见他不肯拿来洗，恐怕生意被人家夺了去，只得自己请傅二棒锤进来同他说。傅二棒锤无奈，只得遵命，以后凡是有换下来的衣服，总是拿进来给钦差太太替他浆洗。头两个月没有话说，傅二棒锤因为要巴结师母，工价并不减付，仍照从前给外国人的一样。钦差太太自然欢喜。

有天有个很出名的外国人请钦差茶会，钦差自然带了参赞、翻译一块儿前去。到得那里，场子可不小，男男女女，足足容得下二三千人。多半都是那国的贵人阔人，富商巨贾，此外也是各国的公使、参赞，客官商人。凡是有名的人统通请到。傅二棒锤身穿行装，头戴大帽，翎顶辉煌的也跟在里头钻出钻进。无如他的人实在长得短，站在钦差身后，垫着脚指头想看前面的热闹，总被钦差的身子挡住，总是看不见；夹在人堆里，挤死挤不出，把她急的了不得，只是拿身子乱摆。齐巧他身子旁边站了一个外国绝色的美人。外国的礼信：凡是女人来到这茶会地方，无论你怎样阔，那女人下身虽然拖着扫地的长裙，上半身却是袒胸露肩，同打赤膊的无异。这是外国人的规矩如此，并不足为奇的。傅二棒锤站在这女人的身旁，因为要挤向前去瞧外面的热闹，只是把身子乱摆，一个脑袋，东张西望，赛如小孩摇的鼓一般。那女人觉得膀子底下有一件东西磕来碰去，翠森森的毛，又是凉冰冰的，不晓得是什么东西。凡是外国人茶会，一位女客总得另请一位男客陪他。这男客接到主人的这副帖子，一定要先发封信去问这女客肯要他接待与否：必须等女客答应了肯要他接待，到期方好前来伺候；倘若这女客不要，还得主人另请高明。闲话休叙。且说这天陪伴这位女客的也是一位极有名望的外国人，听说还是一个伯爵，是在朝中有职事的。当时那外国女客因不认得那件东西，便问陪伴他的那个伯爵，问他是什么。幸亏那位伯爵平时同中国官员往来过几次，晓得中国官员头上常常戴着这翠森森、凉冰冰的东西，名字叫做“花翎”，就同外国的“宝星”一样，有了功劳，皇上赏他准他戴他才敢戴，若是不赏他却是不能戴的。那位伯爵只知其一，不知其二，却把银子可捐戴的一层没有告诉了她。这也是那位伯爵不懂得中国内情的缘故，休要怪他。当下那外国女客明白了这个道理，便把身子退后半尺，低下头去把傅二棒锤的翎子仔细端详了一回，又拿手去摩弄了一番，然后同那伯爵说笑了几句，方始罢休。

这天傅二棒锤跟了钦差辛苦了几个时辰，大家个子高，看得清楚，倒见了许多世面。独有他长得矮，躲在人后头，足足闷了一天，一些些景致多没有瞧见。因此把他气得了不得，回到使馆，三天没有出门。

第四天，有个出名制造厂的主人请客，请的是中国北京派来考查制造的两位委员。这两位委员都是旗人，一名呼里图，一名搭拉祥，都是部曹出身。到了外洋，自然先到钦差衙门禀到，验过文书。却与傅二棒锤未曾谋面。这晚厂主人请那两位委员，却邀他作陪。傅二棒锤接到了信，便一早的赶了去，见了外国人，寒暄几句。接着那两位委员亦就来了。进门之后，先同外国人拉手，又同傅二棒锤厮见。问傅二棒锤"贵姓？台甫？贵处？贵班？贵省？几时到外洋来的？"傅二棒锤一一说了。他俩晓得是钦差大人的参赞，不觉肃然起敬。傅二棒锤仔细看他二人：一个呼里图，满脸的烟气，青枝枝的一张脸；一个搭拉祥，满脸的滑气，油幌幌的一张脸；年纪都在三十朝外，说的一口好京话，见了人满拉拢。傅二棒锤亦问他二人官阶一切。呼里图说是："内务府员外郎，现在火器营当差。"搭拉祥是"兵部主事，现蒙本部右堂桐善桐大人在王爷跟前递了条子，蒙王爷恩典派在练兵处报效。""是咱俩商量：凡是人家出过洋的回来，总是当红差使。所以咱俩亦就禀了王爷，情愿出洋游历，考查考查情形，将来回来报效。王爷听了很欢喜。临走的这一天，咱俩到王爷跟前请示。他老人家说：'好好好，你们出去考察回来，一家做一本日记，我替你们进呈，将来你俩升官发财都在这里头了。'傅二哥，你想，他老人家真细心！真想得到！咱俩蒙他老人家这样栽培，说来真真也是缘分。"傅二棒锤听了他二人这一番说话，默默若有所悟；听他说完，只得随口恭维了两句。

接着便是本厂的主人同他二人说话。两边都是通事传话。厂主人问他二位："在北京做些什么事情？想来一定忙的？"呼里图说是："吃钱粮，没有别的事情。"外国人不懂。通事又问了他，才晓得他们在旗的人，自小一养下来就有一份口粮，都是开支皇上家的。厂主人方才明白。又问搭拉祥，搭拉祥说："我单管画到。"厂主人又不知什么叫做"画到"。搭拉祥说："我们当司官的，天天上衙门，没有什么公事，又要上头堂官晓得我们是天天来的，所以有本簿子，这天谁来过，就画上个'到'字。我专当这差使。除掉自己之外，还有些朋友，自己不来，托我替他代画的。所以我天天上这一趟衙门，倒也很忙。"厂主人又问他二人："这遭出来到我们这里,可要办些什么枪炮机械不要?”搭拉祥正待接腔,呼里图抢着说道:“从前咱们火器营里用的都是鸟枪,别的枪恐怕没有比过它的。至于炮,还是那年联兵进城的时候,前门城楼上架着几尊大炮,到如今还摆着,咱瞧亦就很不小了。”当下厂主人见他说的话不类不伦,也就不谈这个,另外说了些闲话。等到吃完客散,傅二棒锤回到使馆,心想:“现在官场只要这人出过洋,无论他晓得不晓得,总当他是见过世面的人,派他好差使。我这趟出洋总算主意没有打错,将来回去总得比别人占点面子。”

一个人正在肚里思量,不提防接到家里一个电报,说是老太太生病,问他能否请假回去。他得到这个电报,心上好不自在:要想留下,究竟老太太天性之亲,一朝有病,打了电报来,要说不回去,于名分上说不下去;如果就此请假回国,这里的事半途而废,将来保举弄不到,白吃一趟辛苦,想想亦有点不合算。左思右想,不得主意。后来他这电报一个使馆里都传开了,瞒亦难瞒。钦差打发人来问他,老太太犯的是什么病,要电报去看。他一想不好,只得上去请假,说要回国省亲。又道:“倘若门生的母亲病好了,再回来报效老师。”温钦差道:“我本想留下你帮帮我的;因为是你老太太有病,我也不便留你,等你回去看看好放心。老弟几时动身?大约要多少川资?我这里来拿就是了。”傅二棒锤一想:“这个样子,不能不回去的了。眼望着一个保举不能到手。至于回国之后,要说再来,那可就烦难了。”踌躇了一回,忽然想到前日呼里图、搭拉祥二人的说话,只要到过外洋,将来回去总要当红差使的,于是略略把心放下。又想:“他们到这里游历的人都要记本日记簿子,以为将来自见地步;我出来这半年,一笔没记。而且每日除掉抽大烟,陪着老师说闲话之外,此外之事一样未曾考较,就是要记,叫我写些什么呢?回去之后,没有这本东西做凭据,谁相信你有本事呢?”

亦是他福至性灵,忽又想到一个绝妙计策,仍旧上来见老师,说:“门生想在这里报效老师,无奈门生福薄灾生,门生的母亲又生起病来,门生不得不回去。辜负老师这一番栽培,门生抱愧得很。”钦差道:“父母大事,这是没法的。你回去之后,能够你们老太太的病就此好了,你赶紧再来,也是一样;倘或真果有点什么事故,你老弟一时不得回来,好在愚兄三年任满,亦就回国,我们后会有期,将来总有碰着的日子。”傅二棒锤道:“门生蒙老师如此栽培,实在无可报答。看样子,门生的母亲未必再容门生出洋;门生的意思,亦就打算引见到省,稍谋禄养。门生这一到省,人地生疏,未必登时就有差委。门生想求老师一件事情。……”钦差不等他说完,接着问道:“可是要两封信?老弟分发哪一省?”傅二棒锤道:“门生想求老师赏两个札子。”钦差想了想,皱着眉头,说道:“我内地里没有什么事情可以委你去办。”傅二棒锤道:“不是内地,仍旧在外国。英国的商务,德国的枪炮,美国的学堂,统通求老师赏个札子,等门生去查考一遍。”钦差道:“不是你老太太有病,你急于回去,还有工夫一国一国地去考查这些事情吗?”傅二棒锤道:“门生并不真去。”钦差道:“你既不去,又要这个做什么?这更奇了!”傅二棒锤又扭捏了半天,说道:“不瞒老师说:老师大远的带了门生到这外洋来,原想三年期满,提拔门生得个保举,以便将来出去做官便宜些;谁料平空里出了这个岔子,现在保举是没有指望。这是门生自己没有运气,辜负老师栽培,亦是没法的事。门生现在求老师赏个札子,不为别的,为的是将来回国之后,说起来面子好看些。虽说门生没有一处处走到,到底老师委过门生这么一个差使,将来履历上亦写着好看些。”温钦差听了一笑,也不置可否。你道为何?原来温钦差的为人极为诚笃,说是委了差使不去,这事便不实在,所以他不甚为然,因之没有下文。当下但问他:“几时动身?川资可到账房去领。”傅二棒锤见钦差无话,只得退了下来,心上闷闷不乐。幸亏他父亲提拔的那位王观察此时正同在使馆当参赞,听得他这个消息,立刻过来探望。傅二棒锤只得又托他吹嘘,王观察一口应允。傅二棒锤又说:“只要钦差肯赏札子,情愿不领川资,自行回国。”王观察正是钦差信用之人,说的话自然比别人香些。钦差初虽不允,禁不住一再恳求,又道是:“傅某人情愿不领川资。况且给他这个札子,无关出入。”钦差因他说话动听,自然也应允了。

谁知傅二棒锤得到这个札子,却是非凡之喜,立刻收拾行李,叩谢老师,辞别众同事,急急忙忙,趁了公司船回国。在公司船上,足足走了两个多月方才回到上海。在上海栈房里耽搁一天,随即径回原籍。老太太的病乃是多年的老病,时重时轻,如今见儿子从外洋回来,心上一欢喜,病势自然松减了许多,请了大夫吃了几帖药,居然一天好似一天。傅二棒锤于是把心放下。这趟出洋虽然花了许多冤枉钱,又白辛苦了半年多,保举丝毫无望;然而被他弄到了这个札子,心上却是高兴。路过上海时,请教了一位懂时务的朋友,买了几部什么“英轺日记”、“出使星轺笔记”等类,空了便留心观看。凡是哪一国轮船打得好，哪一国学堂办得好，哪一国工艺振兴得好，哪一国枪炮制造得好，虽不能全记，大致记得一、半成。到了台面上同人家谈天，说的总是这些话。大众齐说："某人到过一趟外洋，居然增长了这多见识。"傅二棒锤听了，心上欢喜。仍旧逐日温习，一直等到老太太可以起床，看看决无妨碍的了，他便起身进京引见。

到得京里，会见几位大老们，问他一向做什么。他便说："新从外洋回来，奉出使大臣某钦差的札子，委赴各国考察一切。事完正待销差，忽接到老母病电，一面电禀销差，一面请假回国。现因亲老，不敢出洋，所以才来京引见的。"大老们听了他这番说话，又问他外国的事情，他便把什么"英轺日记"、"出使笔记"所看熟的几句话演说了出来，听上去倒也是原原本本，有条不紊。大老们听了，都赞他留心时事。又问他外国景致，这是更无查对之事，除自己知道的之外，又随口编造了许多。那些大老爷有几位轮船都没有坐过，听了他话还有什么不相信的。傅二棒锤见人家相信他的话，越发得意的了不得。

引见之后，遂即到省，指的省份是江苏。先到南京禀见制台，传了上去。制台是已经晓得他的履历的了。一来他父亲做过实缺藩司，从前曾在那里同过事，自然有点交情；二来又晓得他从外洋回来，南京候补虽多，能够懂得外交的却也很少，某人既到过外洋，情形一定是明白的：因此已经存了个另眼看待的心。等到见面，傅二棒锤又把温钦差派他到某国某国查考什么事情一一陈说一遍。说完，又从靴筒里把温钦差给他的札子双手递给制台过目。制台略为看了一看，便问他所有的地方可曾自己一一亲自到过。傅二棒锤索性张大其词，说得天花乱坠，不但身到其处，并且一一都考较过，谁家的机器，谁家的章程，滔滔汩汩①，说个不了。好在是没有对证的，制台当时已不免被他所瞒。等他下去，第二天同司、道说："如今我们南京正苦懂得事的少，如今傅某人从外洋回来，倒是见过世面的，有些交办的新政很可以同他商量。他阅历既多，总比我们见得到。"司、道都答应着。

又过了几天，傅二棒锤禀辞，要往苏州，说是禀见抚台去。制台还同他说："这里有许多事要同你商量，快去快来。"傅二棒锤自然高兴。等到

---

① 滔滔汩汩（mì mì）——滔滔不绝。

到了苏州,又把他操演熟的一套工夫使了出来。可巧抚台是个守旧人,有点糊里糊涂的;而且一向是谨小慎微,属员给他一个禀帖,他要从第一行人家的官衔、名字,“谨禀大人阁下敬禀者”读起,一直读到“某年月日”为止,才具只得如此,还能做得什么事情。所以听了他的说话,倒也随随便便,并不在意。傅二棒锤见苏州局面既小,抚台又是如此,只得仍旧回到南京。

此时制台正想振作有为。都说他的人是个好的,只可惜了一件,是犯了“不学无术”四个字的毛病。倘或身旁有个好人时时提醒了他,他却也会做好官的。无奈幕府里属员当中,办洋务的只仗着翻译。要说翻译,外国话、外国文理是好的;至于要讲到国际上的事情,他没有读过中国书,总不免有点偏见,帮着外国。所以这位制台靠了这班人办理外交,只有愈办愈坏,主权慢慢削完,地方慢慢送掉,他自己还不曾晓得。此外管军政的,管财政的,管学务的,纵然也有一二个明白的在内,无奈好的不敌坏的多,不是借此当作升官的捷径,便是认做发财的根源。一省如此,省省如此,国事焉得而不坏呢!

闲话休叙,且说傅二棒锤回到南京,制台又谬采虚声,拿他当作了一员能员,先委了他几个好差使。随后他又上条陈,说省城里这样办得不好,那样办得不对,照外国章程,应该怎样怎样。制台相信了他的话,齐巧制造枪炮厂的总办出差,就委他做了总办;又拨给许多款项,叫他随时整顿。不久又兼了一个银元局的会办,一个警察局会办。这几个差使都是他说大话、发空议论骗了来的。考其究竟,还亏温钦差给了他那个考查各国的札子;他虽然一处没有去,借了这札子的力量,居然制台相信他,做了这厂的总办。那海州州判调省之后,制台拿他拨在厂里当差。其时正当这傅二棒锤初委总办,接手未久。亦是他俩官运亨通:傅二棒锤自从接差之后,诸事顺手,从未出过一点岔子,所以制台愈加相信。当了两年红差使,跟手就委署一任海关道。交卸到省,仍旧当他的红差使。那位州判老爷因为宪眷优隆,亦就捐升同知,做了“摇头大老爷①”,说是遇有机会就可以过班知府。后来能否如愿,书中不及详叙。

且说彼时捐例大开,各省候补人员十分拥挤,其中鱼龙混杂,良莠不

---

① 摇头大老爷——为通判的俗称。

齐。做上司的人既漫无区别，专拣些有来往、有交情，或者有大帽子写信的人，照应照应，量委差缺。有些苦的，候补了十来年永远见不到上司面的人还有。因此京里有位都老爷便上了一个折子，请旨饬令各省督、抚，整顿吏治，甄别贤愚，好的留省当差，坏的咨回原籍，或是责令学习。折子上去，上头自然没有不准，立刻由军机处寄字各省督、抚照办。各省当中，有些已有"课吏馆"①的，奉到这个上谕，譬如本来敷衍的，至此也要整顿起来。还有些督、抚晓得捐班当中通的人少，也不忍过于苛求。凡是捐班人员初到省，道、府大员总得给他个面子，不肯过于顶真；同、通以下以及佐杂就用不着客气了。

这些人到省，并不要他做什么策论，也不要扃门②考试，同、通、知县只要他当面点"京报"。北京出的"京报"，上面所载的不过是"宫门抄"同本日的几道谕旨以及几个折奏，并没有什么深文奥义，是顶容易明白的。这时候做督、抚的人随手翻一条，或是谕旨，或是折片，只要不点"骑马句"就算是完卷。算算是并不烦难，无奈有些候补老爷仍旧还是点不断。传说那一省有一个候补同知到省，抚台叫他点"京报"，点的是那一省的巡抚上的折子。这位巡抚是姓觉罗，他当下拿笔在手，"某省巡抚"一点，"奴才"一点，"觉罗"一点。点到这里，抚台说："罢了！罢了！不消再往下点了！"当下那位同知还不晓得自己点错，等到众人一齐点过，退了下去，还要指望上司照应他，派他差使。哪知道过了两天，挂出牌来，是叫他回籍学习。他到此急了，一时摸不着头脑。请教旁人，旁人说："莫非你点'京报'点错了罢？"他还不服。人家问他点的哪一段，他便背给人家听。又道："旗人的名字一直是两个字的，'奴才'底下'觉罗'两字一定是这位抚台的名字，我点的并不错。"人家见他不肯认错，也就鼻子里冷笑一声，不告诉他，等他糊涂一辈子。但是上司挂牌叫他回去学习是无从挽回得来的，只得收拾行李，离开此省，另作打算。此外因点破句子闹笑话的尚不知其数，但看督抚挑剔不挑剔，凭各人的运气去碰罢了。

至于一班佐杂，学问自然又差了一层，索性"京报"也不要他点了，只

---

① 课吏馆——清末各省设立的为初到省的候补官员学习的地方。成绩优良的给予奖金。学习期满后，甄别任用。

② 扃(jiōng)门——关门。

叫他各人把各人的履历当面写上三四行。督、抚来不及,就叫首府代为面试。只要能够写得出,已算交代过排场;倘若字迹稍些清楚点就是超等。至于写不成字的往往十居六七,要奏参革职亦参不了许多,要咨回原籍亦咨不了许多。做上司的到了此时亦只好宽宏大量,积点阴骘,给他们留个饭碗罢了。

闲话少叙。目下单说湖南一省,新近换了两任巡抚,着实文明,很办了些维新事业。属下各员望风承旨,极应该都开通的了,——哪知开者自开,闭者自闭。当时正接着这考试属员的上谕,抚台本是个肯做事的人,当下便传两司商量办法。藩台说:"同、通、州、县,本有月课。现在考较他们,也不过同月课一个样子。"臬台说:"其实只要月课顶真些考,考得好的,拔委差缺;那不好的,自然也要巴结上进。"抚台道:"这个我岂不知;但是现在军机里郑重其事地写出信来,总得另外考试一场,分别一个去取。我的意思不光是专考捐班人员,就是科甲出身的也应一体与试。"齐巧藩台是个甲班,便道:"科甲出身人员总求大帅给他一个面子,可否免其考试?"抚台道:"这个不可。科甲人员文理虽通,但是他们从前中举人,中进士,都是仗着八股、试帖①骗得来的,于国计民生毫无关系。这番考试乃是试以政事,公事明白的方可做官;倘若公事不明白,虽是科甲出身,也只好请他回家处馆。这样人倘若将来拿了印把子,怕不误尽苍生吗!"藩台听了无话。

当下抚台便叫藩台传谕他们:自从候补道、府起至佐杂为止,分作三天,一体考试。如有规避,从重参处。倘有疾病,随后补考。这个风声一出,人人害怕,个个惊惶。不但一班候补道台怨声载道,自以为已经做了监司大员,如今还要他同了一班小老爷分班考试,心上气得了不得;至于一班科甲人员尤其不平,心想:"我们乃是正途出身,又不是银子买来的,还要考什么!"但是抚台既有这个号令,又不敢违拗,只得一个个去打听几时才考,考些什么,打听着了,以便也预先揣摩起来。

---

① 试帖——是科举诗体的一种。以古人诗句为题,上面加上"赋得"两字,通常五言八韵。

其中有位候补知府乃是一位太史公截取①出来的。到省后亦委过两趟好点的差使，无奈总是办理不善，闹了乱子，撤了回来，因此也就空在省里。他虽然改官外省，却还是积习未除。他点翰林的那年，已经四十开外，五十多岁上截取出来。目下已经六十三岁，然而精神还健，目力还好。每日清晨起来，定要临摹“灵飞经”，写白折子两开方吃早点，下午太阳还未落山的时候，又要翻出诗韵来做一首五言八韵诗。他说：“吟诗一事，最能陶冶性灵。”然而人家见他做诗却是甚苦，或是炼字，或是炼句，往往一首诗做到二三更天还不得完。诗不做完就不睡觉。偶然得到了一句自己得意的句子，马上把太太、少爷一齐叫了来，讲给他们听。有时太太睡了觉，还一定要叫醒了他，或爬在床沿上高声朗诵，念给太太听。他自从当童生起，一直顶到如今，所有做的试帖诗稿，经他自己删汰过五次，到如今还有二尺来高，六十几本，自以为在清朝当中也算得一位诗家了。后来朝廷废去八股、试帖，改试策论，他听了大不为然。此时已经改外候补，因为得了这个信息，气得三天没有上衙门。同寅当中有两个关切的，还当他有病在家，都走来瞧他，问他为什么不出门。他叹口气，对人说道：“现在是杂学庞兴，正学将废！眼见得世界上读书的种子就要绝灭了！”自此以后，白折子写的格外勤，试帖诗做的格外多。人家问他何苦如此，他说他是为正学绵一线之留延，所以不得不如此。大家都说他痰迷心窍，也就不再劝他。

又过了些时，听见抚台有考试属员的话，又说连正途出身的道、府亦要一体考试。他听了更气得什么似的，说：“我们自从乡、会、复试，朝、殿、散馆以及考差，除掉皇上，亦没有第二个人来考过。咱如今不该做了他的属员，倒被他搬弄起来，这个官还好做吗！”说着，马上要写禀帖给抚台告病，说：“不干了！我不能来受他的气！”谁知他老人家正在闹着告病，倒说一连接到亲友两封来信：一封是他一个至好朋友，还是那年由京里截取出来，问他挪用过八百金，一直未曾归还。如今那个朋友光景很难，所以写了信来问他讨。又一封乃是他的亲家，现任户部侍郎，从前定过他的小姐做儿媳，如今儿子已经长大，拟于秋间为之完姻，以了“向平

---

① 截取——对于具有一定资格的官员，由吏部根据他的科分、名次、食俸年限，核定他的截止的期限，予以选用，叫做截取。

之愿”。这位侍郎公亲家乃是他一向仰仗的。想想自己女儿也不小了，留在家里无用，早晚总要出阁的。还账要钱，嫁女儿亦是要钱，眼面前就有这两宗出款，倘若不做官，更从何处张罗？因此空发了半日牢骚。

过了一夜，第二天便出门拜见首府。因首府是他同年，彼此知己，好打听中丞这番考试属员是个什么宗旨，所考的是些什么东西。首府同他说：“听说也不过策论、告示、批判之类。”他说：“若说策论呢，对策不过翻书的工夫，乡、会三场以及殿试，我辈尚优为之；至于作论，越发不是难事，不过做一篇散体文章，况且朝考亦要作论：这些都是做过的。至于拟告示，拟批，拟判，我兄弟虽是一行作吏，但自问并不同于俗吏所为，一向于这公事上头却也不甚留心，不甚了了。骤然拿个禀帖叫我批，说桩案子叫我判，叫我写些什么呢？”首府乃是一个老滑，听了说道：“这些事情，只要准情酌理，大致不错，也就交代过去，没有什么烦难的。”他道：“总要还他格式才好。这些格式我肚子里一向没有，怎么好呢？”首府道：“就像我兄弟出来做官，何曾懂得什么格式，也不过书办拟了上来，老夫子改好之后，再送我过目，瞧着有不对的，斟酌换两个字罢了。老同年如其单要讲究格式，其实只要一书办足矣。”那位截取知府听了，喜得了不得，连忙说道：“现在我兄弟就少怎么一个人指点指点。如此就拜托同年，可否就在贵衙门里书办当中检老成练达的赏荐一位，以便兄弟朝夕领教？也免得时刻来烦老同年。”首府被他缠不过，晓得他有痰气的，如果不答应，一定还要缠之不休，只得应允。

等到他拜客回公馆，那府里的书办也就来了。见了面磕头称“大人”，自己称“书办”。问他哪一房，回说是“刑房”。这位太守公竟其异常客气，因为他姓王，就称之为王先生。又请王先生坐，王先生执定不肯。他说：“请教的事情多，坐了好商量。”原来这位太守公从前做八股的时候单练就一种工夫，是自己抄写类书，把什么“四书人物串珠”、“四书典林”、“文料触机”等类，一概自己分门别类，抄写起来。等到用的时候，自然是有触斯通，取之不竭。如今抚台要考官，他想考试都是一样，夹带总要预备的。他的意思很想仿照款式照编一部，就题个名字，叫做“官学分类大成”。将来刻了出来，不但便己，并可便人。通天下十八省，大大小小候补官员总有好几万人。既然上头要考官，这种类书，每人总得买一部。一十八省一齐销通，就有好几万部的销场，不唯得名，而又获利。看来此事大可做得。因此便把这意告诉了王先生。王先生听了,愣了一愣,说道:“案卷有几千几百宗,一时哪里查得齐！况且书办管的单是刑科,还有吏、户、礼、兵、工五科的事情,再加现在的洋务、商务,一共有八九门,书办一个人怎么管得来呢。若是大人考较各种格式,依书办的愚见:外面书铺里有一种书,叫做什么‘宦乡要则’,买部来看看,大约亦有个六七成。”那位截取太守公听了甚喜;听了一遍不懂,又问了一遍,把名字问明白了,立刻写了个条子,叫管家去买。不到半点钟工夫,居然买了回来。翻开一看,只见各种款式都有些。他老人家翻来复去看了一回,说道:“原来这书竟同我们做时文的所读的‘制艺声调谱’一样,只要把它读熟,将来出去做官,自然无往不利了。”王先生道:“这些都是个呆的,至于其中的巧妙,在乎各人学问、阅历,书上亦载不尽许多。”截取太守公道:“这个你可办得来?”王先生道:“办虽办得来,不过几句照例的话,随便写了上去,仍旧要师爷改了才好用。”截取太守公道:“我现在只要有你的本事,我就不愁了。”两个人谈了半天,就要留王先生吃饭。王先生不肯,起身告辞。特地叫他把地名写下,以便叫人来请。

等到王先生去后,这一位太守公足足盘算一夜,想来想去,自己本事总觉有限,不可冒昧出去应考。忽然悟到:“凡是考试都可以请枪手,冒名顶替进场。等到明天,我何不把王先生找了来,就叫他充做我的跟班,一块儿混了进去,等到题目下来,可以同他商量,岂不省事。”主意打定,次日一早便派人把王先生找来,同他密商此事,答应送他若干银子,如得高等,得有差缺,另外补情。王先生听了,若笑不笑地踌躇了一回,说道:“大人既要书办去做这个,为什么昨天不说?书办今天早上已答应了别人了。”截取太守公一听大惊,心想:“人家倒比我还来得快！可见这事早已通行,在我今日并不算作创举。”想罢,便问:“请你作枪的是谁?”书办道:“是一位同知老爷,并不同大人一班;至于这位老爷的名字,书办也不便说。横竖到了那天,如其府、厅同一天考,只要书办帮完了那边,自然赶到大人这边来效力;倘若不在一天,那话更好说了。”这位太守公听了,默默无言,只得另打主意。

原来这两天所有的道员已经竭力运动,弄了什么京信,抚台答应顾全他们的面子,免其考试。府厅以下均不能免。当下已定了府、厅为一天,州、县人多分作三天,统通到课吏馆听候面试。至于佐杂各员则归首道代劳。

闲话少叙。且说到了考试府、厅的那一天,抚台因系奉旨的事,不得不格外慎重。天甫黎明,宪驾已临课吏馆。司、道大宪通同堂参与考。各官一齐翎顶辉煌,靴声橐橐,却个个手挎考篮,同应试的举子一样。当下逐一点名给卷。点完之后,司、道退出,照例封门。抚台特留下两员候补道作为场中巡绰官。当下发出题目牌。众人挤上去看时,只见上面一共写着两个题目:一篇史论,一道策。史论题目是大家晓得的,总出在"御批通鉴辑览"一部书上。策题问的是"膏捐"。这膏捐一事,有些抽大烟的老爷们或者还明白一二,至于那些不抽烟的以及平时连"申报"都不看的,还不晓得是什么事呢。一时人头簇簇,言三语四,聚了多少人商量:也有商量出道理的,也有商量不出道理的。

正在聚讼纷纷之际,忽听得一片声喧,说是拿住了枪手。只见许多穿袍子,戴帽子的老爷,扭住一个又胖又大的一个黑汉,说:"他进来冒名顶替做枪手,如今要拿他去回抚台。"后来那两个监场的道台彼此商量了一回,齐说:"这事情闹到大帅跟前,恐怕弄僵,不好收场。"便挺身出来打圆场,劝诸位放手:"把枪手交给我们二人,我们替你们禀明中丞,查明白他那本卷子是替什么人枪的。查明白了,一面撤去这本卷子,再把本人严参;一面把枪手另外一间屋子看管起来,等到开门的时候发交长沙县严办。诸位不要耽误自己的工夫。这件事统通交给我二人便了。"一众大人老爷们见这两位道台说话在理,果然把枪手交出,众人各自散去。那两位道台这才进去面禀抚台。

抚台于此举甚是顶真,一听这话,忙说:"冒名顶替,照考试定章办起来自要斩立决的。今天考试虽非乡、会可比,然究系奉旨之事,既然拿到了枪手,兄弟今天定要惩一儆百,让众人当面看看,好叫他们有个怕惧。"说着,立刻叫巡捕官传令开门,传三大营,首府、县伺候,说抚台大人今天要请大令杀人。众官不知就里,一齐奔到课吏馆。谁知等了半天,既不见抚台出来,亦没有别的吩咐。后来一打听,不料拿到的那个枪手,查出那本卷子,不是别人,正是抚台二少爷的妻舅。他因为要仰仗太亲翁的提拔,所以特地捐了一个知府,寄托宇下。正逢着抚台考官,这位大人乃是个一窍不通的,只得请了枪手,代为枪替。又有二少爷的内线,替他求求太亲翁,料想超等总有分的。哪知被人拿住了破绽。抚台一时未及查问明白，闹得一天星斗，一时不好收篷。众人来了半天，巡捕上来请示，抚台只吩咐枪手发交首府；调三大营来是恐怕再有人传递，特地叫他们来巡缉的；要杀人的话也就不提了。

欲知后事如何，且听下回分解。

第五十七回

惯逢迎片言矜秘奥　办交涉两面露殷勤

话说湖南抚台本想借着这回课吏振作一番，谁知闹来闹去仍旧闹到自己亲戚头上，做声不得，只落得一个虎头蛇尾。后来又怕别人说话，便叫人传话给首府，叫他斟酌着办罢。首府会意，回去叫人先把那个枪手教导了一番话，先由发审委员问过两堂，然后自己亲提审问。首府大人假装声势，要打要夹，说他是个枪手。只顾言东语西，不肯承认。在堂的人都说他是个疯子。首府又问："这人有无家属？"就有他一个老婆，一个儿子，赶到堂上跪下，说："他一向有痰气病的。这天本来穿了衣帽到亲戚家拜寿，有小工王三跟去。王三回来说：'刚刚走到课吏馆，因彼处人多路挤，一转眼就不见了。'王三寻了半天不见，只得回家报知。后来家中妻子连日在外查访，杳无消息。今天刚刚走到府衙，听得里面审问重犯，又听说是课吏馆捉到的枪手，因此赶进来一看，谁知果然是他。但他实系有病；虽然捐有顶戴，并未出来做官，亦并不会做文章。叩求青天大人开恩，放他回去。"首府听了不理；歇了一回，才说道："就不是枪手，是个疯子也要监禁的。"那人的妻子还是只在下叩头。

首府又叫人去传问请枪手的那位候补知府。那位候补知府说是有病不能亲来，拿白折子写了说帖，派管家当堂呈递。首府一面看说帖，管家一面在底下回道："家主这天原预备来考的；实因这天半夜里得了重病，头晕眼花，不能起床。"首府道："既有病，就该请假。"管家道："回大人的话：抚台大人点名的时候，正是家主病重的时候。小的几个人连着公馆里上上下下，请医生的请医生，撮药的撮药，哪里忙得过来。好容易等到第二天下午，家主稍为清爽些，想到了此事，已经来不及了。"说着，又从身边把一卷药方呈上，说道："这张是某先生几时几日开的，那张是某先生几时几日开的。"又说："家主现在还躺在床上不能起来，大人很可以派人看的。"又道："这些医生都可以去问的。"首府点点头，吩咐众人一齐退去，疯子暂时看管，听候禀过抚台大人再行发落。

后来首府禀明了抚台，回来就照这样通详上去。把枪手当作疯子，定了一个监禁罪名。“候补知府某人，派首县前往验过，委系有病，取具医生甘结为凭。唯该守既系有病，亟应先期请假；迨至查出未到，始行遣下续报。虽讯无资雇枪手等弊，究不能辞玩忽之咎。应如何惩儆之处，出自宪裁”各等语。抚台得了这个禀帖，还怕有人说话，并不就批。第二天传发出一道手谕贴在府厅官厅上，说：

“本部院凡事秉公办理，从不假手旁人。此番钦奉谕旨考试属员，原为拔取真材，共求治理。在尔各员应如何恪恭将事，争自濯磨①，以副朝廷孜孜求治之盛意。乃候补知府某人，临期不到，已难免疏忽之愆；复经当场拿获疯子某某，其时众议沸腾，佥称枪手。是以特发首府，严行审讯。旋经该府讯明某守是日有病，某某确有疯疾，取具医生甘结，并该疯子家属供词，禀请核办前来。本部院办事顶真，犹难凭信，为此谕尔各守、丞、倅知悉：凡是日与考各员，苟有真知灼见，确能指出枪替实据者，务各密告首府，汇禀本部院，亲自提讯。一经证实，立即按律严惩。饬吏治而拔真材，在此一举，本部院有厚望焉！特谕。”

这个手谕贴了出来，就有些妒忌那位知府的，又有些当场拿人的，各人有各人的主意，有的是泄愤，有的想露脸，竟有两个人写了禀帖去交给首府代递。次日衙期，一齐到了官厅。头一个上来拿禀帖交给了首府。首府大略一看，一面让坐，一面拿那人浑身打量一番，慢慢地讲道：“事情呢，本来不错，就是兄弟也晓得并不冤枉。但是一样：谁不晓得他是抚台少爷的亲戚，我们何苦同他做这个冤家呢。况且就是拿他参掉，剩下来的差使未必就派到你我，而且我们的名字他老人家倒永远记在心上。据我兄弟看来，诸君很可不必同他多此一个痕迹。果然诸君一定要兄弟代递，兄弟原不能不递；但是朋友有忠告之义，愚见所及，安敢秘而不宣。诸君姑且斟酌斟酌再递何如？”大家听了首府的话，想想不错。有些禀帖还没有出手的一齐缩了回来。就是已把禀帖交给首府的，到此也觉后悔，朝着首府打恭作揖，连称“领教”，也把那禀帖收了回来。首府又细加探听，内中有几个心上顶不服的，把他们的名字一齐开了单子送给抚台。

---

① 濯(zhuó)磨——洗涤磨炼。比喻加强修养，以期有为。

抚台见手谕贴出了两天，没有说话，便按照着首府的详文办理，略谓：

“某守临期因病不到，虽非有心规避，究属玩视，着记大过三次。疯子暂行监禁，俟其病痊，方准交其家属领回。”

一面缮牌晓谕；一面已把前天所考的府、厅一班分别等第，榜示辕门。凡是首府开进来的单子，想要攻讦①他儿子妻舅的几个名字一齐考在一等之内，三名之后。这班人得了高第，无不颂称中丞拔取之公。次日一齐上院叩谢。其实弄到后来，前三名仍是抚台的私人。第一名，委了一个缺出去；二三名都派了一个差使；三名之后，毫无动静，空欢喜了一阵，始终未得一点好处。至于那位记过的虽然一面记过，一面仍有三四个差使委了下来。众人看了他虽不免作不平之鸣，毕竟奈何他不得。

只因这一番作为，抚台深感首府斡旋之功，拿他器重的了不得。未久就保荐他人材，将他送部引见。引见之后，过班道台，仍归本省补用，并交军机处存记。领凭到省，禀见抚台，第二天就委了全省学务处、洋务局、营务处三个阔差使，又兼院上总文案。

且说这位观察公，姓单，号舟泉，为人极其漂亮，又是正途出身。俗语说得好：“一法通，百法通。”他八股做得精通，自然办起事来亦就面面俱到了。他自从接了这四个差使之后，一天到晚真正是日无暇晷②，没有一天不上院。抚台极其相信他固不必说；他更有一种本事，是一天到晚同抚台在一处，凡是抚台说的话他总答应着，从来不作兴说一句“不是”的。

有天抚台为了一件什么交涉事件牵涉法国人在内，抚台写错了，写了英国人了。抚台自己谦虚，拿着这件公事同他商量，问他可是如此办法。他明明晓得抚台把法国的“法”字错写做英国的“英”字，他却并不点穿，只随着嘴说：“极是。”抚台心上想：“某字同某人商量过，他说不错一定是不错的了。”便发到洋务文案上照办。几个洋务文案奉到了这件公事，一看是抚台自己写的，自然是分头赶办。等到仔细校对起来，法国人的事牵到英国人身上，明明是抚台一时写错；然而抚台写的字不敢提笔改，只得捧了公事上来请教老总。单道台道：“这个我何曾不晓得是中丞写错。但是在上宪跟前，我们做属员的如何可以显揭他的短处。兄弟亦正为此

① 攻讦（jié）——揭发别人的隐私或攻击别人的短处。

② 晷（guǐ）——日影。引申为时光。

事踌躇。”

此时单道台一面说，一面四下一看，只见文案提调、候补知府旗人崇志，绰号崇二马糊的，还没有散，便把手一招，道：“崇二哥，快过来！这事须得同你商量。”崇二马糊忙问何事。单道台如此这般的说了一遍，又道：“现在别无办法，只有托你二哥明天拿这件公事另外写一份，夹在别的公事当中送上过，请他老人家的示，看他怎么批。料想闹错过一回，断乎不会回回都闹错的。”崇二马糊虽然马糊，此时忽然明白过来，忙说道：“回大人的话：这件公事，大帅今天才发下来，明天又送上去，不怕他老人家动气？又该说咱们不当心了。”单道台发急道：“我们文案上碰个钉子算什么！差使当的越红，钉子碰的越多。总比你当面回他说大人写错了字的好。况且他一省之主，肯落这个把柄在我们手里吗？还是照我办的好。”崇二马糊拗他不过，只得依他。等到了第二天送公事上去，果然又把这件公事夹在里面。抚台一面翻看，一面说话。后来又翻到这件，忽然说道：“这个我昨天已经批好交代单道台的了。”崇二马糊不响。抚台又说一遍。崇二马糊回称：“这是单道说的，还得请请大帅的示。”抚台心上想：“难道昨儿批的那张条子，他失落掉不成？”于是又重批一条。谁知那个法国人的“法”字依旧写成英国的“英”字。一误再误，他自己实实在在未曾晓得。等到下来，崇二马糊把公事送给单道台过目。单道台看到这件，只是皱眉头，也不便说什么。为的旁边的人太多，他做属员的人，如何可以指斥上宪之过；倘或被旁边人传到抚台耳朵里去，如何使得！看过之后放在一边。

等了半天，打听得抚台一个人在签押房里，他便袖了这件公事，一个人走到抚台跟前，一掀门帘，正见抚台坐在那里写信。他进来的脚步轻，抚台没有听见。他见抚台有事，便也不敢惊动，袖了公事，站在当地，一站站了一点钟。抚台因为要茶喝，喊了一声“来”，猛然把头抬起，才看见了单道台。问他几时来的，有什么事情。单道台至此方才卑躬屈节地口称：“职道才进来，因见大帅有公事，所以不敢惊动。”抚台一面封信，一面让他坐。等信封完，然后慢慢地提到公事。倒是抚台先说：“昨天一件什么事，不是我兄弟已经同老哥商量好了，批了出去，叫他们照办吗？他们今天又上来问我。你看他们这些人可糊涂不糊涂！”单道台道：“非但他们糊涂，职道学问疏浅，实在亦糊涂得很。就是昨天那件公事，大帅一定晓得这外国人的来历,一定是英国人,不是法国人。职道猜这件公事,他们底下总没有弄清,一定是把英国人写做法国人了。大人明鉴万里,所以替他们改正过来的。"抚台听了,愣了一愣,说:"那件公事你带来没有?"单道台回称:"已带来。"就在袖筒管里把那件公事取了出来,双手奉上,却又板着面孔,说道:"法国人在中国的不及英国人多,所以职道很疑心这桩事一定是英国人,大帅改得一点不错。"抚台亦不答腔,接过公事,从头至尾瞧了一遍,忽然笑道:"这是我弄错了,他们并没有错。"单道台故作惊惶之色道:"倒是他们不错?这个职道倒有点不相信了。"立刻接过公事,又仔细端详看一遍,一面点头,一面咂嘴弄舌的,自言自语了一回,又说道:"果真是法国人。不是大帅改过来,职道一辈子也缠它不清。职道下去立刻就吩咐他们照着大帅批的去办。"抚台道:"这事已耽误了一天了,赶快催他们去办罢。"

单道台诺诺连声,告退下去。回到文案上,朝着崇二马糊一班人说道:"你们不要瞧着做官容易,伺候上司要有伺候上司的本领!照着你们刚才的样子,就是公事送上去十回,不但改不掉,还要碰下来!"崇二马糊道:"依着卑府是要在那写错字的旁边贴个红签子送上去,等他老人家自己明白。"单道台道:"这个尤其不可!只有殿试、朝考,阅卷大臣看见卷子上有了什么毛病,方才贴上个签子以做记号。我是过来人,还有什么不晓得。如今我们做他下属,倒反加他签子,赛如当面骂他不是,断断使不得!'中庸'上有两句话我还记得,叫做:'在下位,不获乎上,民不可得而治矣'。什么叫'获上'?就说会巴结,会讨好,不叫上司生气。如果不是这个样子,包你一辈子不会得缺,不能得缺哪里来得黎民管呢?这便是'民不可得而治矣'的注解。"单道台正说得高兴,崇二马糊是有点马马糊糊,也不管什么大人、卑府,一定要请教:"刚才大人上去是同大帅怎么讲的?怎么大帅肯自己认错改正过来?求求大人指示,等卑府将来也好学点本事。"单道台闭着眼睛,说道:"这些事可以意会,不可言传,要说一时亦说不了许多。'神而明之,存乎其人',诸公随时留心,慢慢地学罢了。"

又过了些时,首县禀报上来:有一个游历的外国人,因为上街买东西,有些小孩子拉住他的衣服笑他。那个洋人恼了,就把手里的棍子打那孩子;那孩子躲避不及,一下子打到太阳穴上,——是个致命伤的所在,那孩子就躺在地下,过了一会就没有气了。那个孩子的父母自然不肯干休,一齐上来，要扭住外国人。外国人急了，举起棍子一阵乱打，旁边看的人很有几个受伤的。街坊上众人起了公愤，一齐奋勇上前，捉住了外国人，夺去他手里的棍子，拿绳子将他手脚一齐捆了起来，穿根扁担，把他扛到首县喊冤。首县一听，人命关天，这一惊非同小可！等到仔细一问，才晓得凶手是外国人。因想："外国人不是我知县大老爷可以管得的。"立刻吩咐一干人下去候信。当时尸也不验，立刻亲自上院请示。

抚台见了面，问知端的，晓得是交涉重案，事情是不容易办的，马上传单道台商量办法。单道台问："打死人的凶手既是外国人，到底哪一国的？查明白了，可以照会他该管领事，商量办法。"首县见问，呆了半天，方挣扎着说道："横竖外国人就是了。卑职来的匆促，却忘记问得。"抚台又问："打杀的是个什么人？"首县说："是个小孩子。"抚台道："我亦晓得是个小孩子！到底他家里是个做什么的？"首县道："这个卑职忘记问他们，等卑职下去问过了他们再上来禀复大帅。"抚台骂他糊涂，叫马上去查明白了再来。首县无奈，只得退去。回到衙门，把签稿二爷叫上来哼儿哈儿骂了一顿，骂他糊涂："不把那小孩子的家计同凶手是哪一国的人查明白了回我，如今抚台问了下来，叫我无言可对！真正糊涂！赶紧去查！"签稿们下来，照样把地保骂了一顿。地保又出去追问苦主，方才晓得是豆腐店的儿子，是个小户人家，没有什么大手面的。后来又问到外国人，大家都不懂他说话。首县急了，晓得本城绅士龙侍郎新近亦沾染了维新习气，请了外国回来的洋学生在家里教儿子读洋书，打算请了他来，充当翻译。马上叫人拿片子去请。等了半天，去人空身回来，说是："龙大人那里洋师爷半个月前头就进京去考洋翰林去了。"首县正在为难，齐巧院上派人下来，说："把外国凶手先送到洋务局里安置。等到问明之后，照会他本国领事，再商办法。"首县闻言，如释重负，赶忙前去验尸，提问苦主、邻右，叠成文书，申详上宪。

闲话少叙。原来这事全是单道台一个人的主意。他同抚台说："我们长沙并没有什么领事。这个外国人是为游历来的，如今打死了人，倘若不办他，地方上百姓一定不答应。若说是拿他来抵罪，我们又没有这样的治外法权，可以拿着本国的法律治别国的人。想来想去，这凶手放在县里总不妥当。倘或在班房里叫他受点委曲，将来被他本国领事说起话来，总是我们不好。不如把他软禁在职道局子里，不过多花几个钱供应他。等到他本国领事回文来,看是如何说法,再商量着办。请请大帅的示,看是怎样?”抚台连说:“很好。……”所以单道台下来,立刻就派人到首县里去提人的。当下人已提到,局子里有的是翻译,立刻问他是哪一国的人,什么名字。幸亏邻省湖北汉口就有他该管领事,可以就近照会。马上又回明抚台,详详细细由抚台打了一个电报给湖广总督,托他先把情节告诉他本国领事,再彼此商量办法。

这位单道台办事一向是面面俱到,不肯落一点褒贬的。他说:“这事是人命关天,况且凶手又是外国人,湖南省的阔人又多,如果一个办的不得法,他们说起话来,或是聚众同外国人为难起来,到这时节,拿外国人办也不好,不办也不好。不如先把官场上为难情形告诉他们,请他们出来替官场帮忙。如此一来,他们一定认做官场也同他们一气,绅士、百姓一边就好办了。但是一件:外国领事一定不是好缠的。外国人打死了人,虽然不要抵命,然而其势也不能轻轻放他回去。但是如今我们说定这外国人一个什么罪名,领事亦决计不答应。此时却要用着他们绅士、百姓了:等他们大众动了公愤,出头同领事硬争,领事见动了众,自然害怕。再由我们出去压服百姓,叫百姓不要闹。百姓晓得我们官场上是帮着他们的,自然风波容易平定。那时节凶手的罪名也容易定了,百姓自然也没得说了,外国领事还要感激我们。内而外部,外而督、抚,见你有如此才干,谁不器重,真是无上妙策!”主意打定,立刻就想坐了轿子去拜几个有权势的乡绅,探探他们口气,好借他们做个帮手。

正待上轿,已有人前来报称:“众绅士因为此事,说洋务局不该不把外国凶手交给县里审问,如今倒反拿他留在局中,十分优待;因此众人心上不服,一齐发了传单,约定明日午后两点钟在某处会议此事。又听说一共发了几千张传单,通城都已发遍,将来来的人一定不少;还恐怕愚民无知,因此闹出事来。”

单道台听了,马上三步并做两步,上了轿,又吩咐轿夫快走。什么叶阁学①、龙祭酒②、王侍郎,几个有名望的,他都去拜过。只有龙祭酒门上回感冒未见,其余都见着的。见了面,头一个王侍郎先埋怨官场上太软

---

① 阁学——内阁学士的省称。
② 祭酒——国子监的主官。

弱,不应该拿凶手如此优待,如今大众不服,生怕明天闹出事情出来,彼此不便。好个单道台,听了王侍郎这番说话,连说:"这件事职道很替死者呼冤!……一定要禀明上宪,照会领事,归我们自家重办,好替百姓出这口气!"王侍郎道:"既然晓得百姓死的冤枉,极该应把凶手发到县里,叫他先吃点苦头,也好平平百姓的气。"单道台凑近一步道:"大人明鉴:我们做官的人只好按照约章办理。无论他是哪一国的人,都得交还他本国领事自办。面子上哪能说句违约的话呢。但是职道却有一个愚见:这个凶手如今无故打死了我们中国人,倘若就此轻轻放他过去,不但百姓不服,就是抚宪同职道,亦觉于心不忍。所以职道很盼大人约会大众帮着出力,等到领事来到此地,同他竭力地争上一争。倘若争得过来,一来伸了百姓的冤,二来也是我们的面子。就是京里晓得了,这是迫于公愤的事,也不能说什么话。"王侍郎道:"官不帮忙,只叫我们底下出头,这是还有用吗?"单道台发急道:"职道何尝不出力!要说不出力也不赶着来同大人商量了。"一席话竟把王侍郎……一班绅士拿单道台当作了好官,说他真能卫护百姓。登时传遍了一个湖南省城,竟没有一个不说他好的。

单道台又恐怕底下聚了多少人,真要闹点事情出来,倒反棘手。过了一天,因为王侍郎是省城众绅衿的领袖,于是又来同王侍郎商议。见面之后,先说:"接到领事电报,一定要我们把凶手护送到汉口,归他们自己去办。是职道同抚宪说明,一定不答应他。现在抚台又追了一封电报去,就说百姓已经动了公愤,叫他赶紧到这里,彼此商量办法,以保两国睦谊。如今电报已打了去,还没有回电来,不晓得那边怎么样。卑职深怕大人这边等得心焦,所以特地过来送个信。总望大人传谕众绅民,叫他们稍安毋躁,将来这事官场上一定替他们做主,决不叫死者含冤。所虑官场力量有时而穷,不得不借众力以为挟制地步;究竟到了内地,他们势孤,总可以强他就我:所以动众一事,大人明鉴,只可有其名而无其实。倘或聚众人多了,外国人有个一长两短,岂不是于国际上又添了一重交涉么?"此时王侍郎本系丁忧在家,刚刚服满,颇有出山之意。一听这话,深以为然;但是于自己乡亲面上不能不做一副激烈的样子,说两句激烈的话,以顾自己面子,其实也并不是愿意多事的人。当下听了单道台的话,连称"是极"。等到单道台去后,他那些乡亲前来候信,王侍郎只劝他们不可聚众,不可多事,将来领事到来,抚台一定要替死者伸冤。他是一乡之望,说出来的话,众人自然没有不听的,果然一连平定了三天。

等到第四天,领事也就到了。领事只因奉到了驻京本国公使的电报,叫他亲赴长沙,会审此案,所以坐了小轮船来的。地方官接着,自不得不按照条约以礼相待,预备公馆,请吃大菜。一切烦文不用细述。等到讲到了命案,单道台先同来的领事说:“我们中国湖南地方,百姓顶蛮;而且从前打‘长毛’全亏湖南人,都是些有本事的。他们为了这件事情,百姓动了公愤,一定也要把凶手打死,以为死者伸冤。兄弟听见这个信,急的了不得,马上禀了抚台,调了好几营的兵,昼夜保护,才得无事;不然,那凶手还能活到如今等贵领事来吗!”领事道:“这个条约上有的,本应该归我们自己惩办;倘若凶手被百姓打死了,我只问你们贵抚台要人。”单道台道:“这个自然。不特此也;百姓听见贵领事要到此地,早已商量明白,打算一齐哄到领事公馆里,要求贵领事拿凶手当众杀给他们看。百姓既不动蛮,不能说百姓不是。他们动了公愤,就是地方官亦无可如何。不知贵领事到了这个时候是个怎么办法?”领事听了他这番话,一想:“现在我们势孤,倘真百姓闹起事来,也须防他一二。”但是面子上又不肯示人以弱;呆了一呆,说道:“贵道台如此说法,兄弟马上先打个电报给我们的驻京公使,叫他电回本国政府,赶快派几条兵轮上来。倘若百姓真要动蛮,那时敝国却也不能退让。”单道台一听领事如此说法,亦就正言厉色地说道:“贵领事且不要如此说法。敝国同贵国的交谊,固然要顾;然而百姓起了公愤,就是敝国政府亦不能禁压他们,何况兄弟。以前是贵领事未到,百姓几次三番想要闹事,都是兄弟出去劝谕他们。又告诉他们听:‘将来领事到来,自能秉公办理,尔等千万不可多事。’又告诉他们,贵领事今天初到这里。他们已聚了若干的人,想来问信,又是兄弟拿他们解散。若非兄弟出力,早已闹出事来,贵领事哪里还能平平安安在这里谈天。就是打电报去调兵船,只怕远水亦救不得近火。如今各事且都丢开不讲,但说这个凶手,论他犯的罪名是‘故杀’,照敝国律例是要抵拟的。但不知贵领事此番前来,作何办理?”领事道:“是‘故杀’不是‘故杀’,总得兄弟问过犯人一次,方能作准。就是‘故杀’,敝国亦无拟抵的罪名,大约不过监禁几个月罢了。”单道台道:“办的轻了,恐怕百姓不服。”领事道:“贵国的人口很多;贵国的新学家做起文章来或是演说起来,开口‘四万万同胞’,闭口‘四万万同胞’;打死一个小孩子值得什么,还怕少了百姓吗?”单道台一听领事说的话，明明奚落中国。有心还要驳他几句；回心一想："彼此翻了脸，以后事情倒反难办。我横竖打定主意，两面做个好人。只要他见情于我，我又何苦同他做此空头冤家呢。"想罢，便微微一笑，暂别过领事，又回到王侍郎家里，把他见了领事，如何辨驳，如何要求，添了无数枝叶。不晓得的人听了都当真正是个好官，真能够回护百姓。后来大众问他："到底办这外国人一个什么罪名？"单道台道："这个还要磋磨起来看。"

单道台此时也深晓得领事与绅士两面的事不容合在一处的。但是面子上见了领事不能不装出一副害怕的样子，说百姓如何刁难，如何挟制；"如果不是我在里头弹压住他们，早晚他们一定闹点事情出来。"只要说得领事害怕，自然可望移船就岸。见了绅士，又做出一副慷慨激烈的样子，说道："我们中国是弱到极点的了！兄弟实在气愤不过！如今我们还没有同他为难，听说他要把诸公名字开了清单，寄给他们本国驻京公使，说是这桩命案全是诸公鼓动百姓与他为难，拿个聚众罪名轻轻加在诸公身上。将来设有一长两短，百姓人多，他查不仔细，诸公是不得免的！"几个绅士一听这话，起先是靠了大众公愤，故而敢与领事抵抗；如今听说要拿他们当作出头的人，早已一大半都打了退堂鼓了。反有许多不懂事的人，私底下去求单道台，求他想个法子，不要把名字叫领事知道方好。因此几个周转，领事同绅士都拿单道台当做好人。

当下拿凶手问过两堂，定了一个监禁五年的罪名。据领事说：照他本国律例，打死一个人，从来没有监禁到五个年头的，这是格外加重。抚台及单道台都没有话说。单道台还极力恭维领事，说他能顾大局，并不袒护自己百姓，好叫领事听了喜欢。及至他见了绅士，依旧是义形于色地说道："虽然凶手定了监禁五年的罪名，照我心上，似乎觉得办的太轻，总要同他磋磨，还要加重，方足以平诸公之气！"这番话，他自己亦明晓得已定之案，决计加重不来；不过姑妄言之，好叫百姓说他一个"好"字。至于绅士到了此时，一个个都想保全自己功名，倒反掉转头来劝自己的同乡说："这位领事能够把凶手办到这步地位，已经是十二分了。况且有单某人在内，但凡可以替我们帮忙，替百姓出气的地方，也没有不竭力的。尔等千万不可多事！"百姓见绅士如此说法，大家谁肯多事。一天大事，瓦解冰消，竟弄成一个虎头蛇尾！

只有单道台却做了一个面面俱圆：抚台见面夸奖他，说他能办事；领事心上也感激他弹压百姓，没有闹出事来，见了抚台亦很替他说好话；至于绅衿一面，一直当他是回护百姓的，更不消说得了。自从出事之后，顶到如今，人人见他东奔西波，着实辛苦。官厅子上，有些同寅见了面，都恭维他“能者多劳”。单道台得意洋洋地答道：“忙虽忙，然而并不觉得其苦。所谓‘成竹在胸’，凡事有了把握，依着条理办去，总没有办不好的。”人家问他有什么诀窍。他笑着说道：“此是不传之秘，诸公领悟不来，说了也属无益。”人家见他不肯说，也就不肯往下追问了。

又过了些时，领事因事情已完，辞行回去。地方官照例送行，不用细述。谁知这回事，当时领事只认定百姓果然要闹事，幸亏单道台一人之力，得以压服下来。当时在湖南虽隐忍不言，过后想想，心总不甘，于是全归咎于湖南绅衿；又说抚台不能镇压百姓，由着百姓聚众，人太软弱，不胜巡抚之任。至于几个为首的绅衿，开了单子，禀明驻京公使，请公使向总理各国事务衙门诘责，定要办这几个人的罪名。又要把湖南巡抚换人。因此外国公使便向总理衙门又多出一番交涉来。

要知后事如何，且听下回分解。

第五十八回

大中丞受制顾问官　洋翰林见拒老前辈

且说驻京外国公使接到领事的禀帖,一想这事一定要争的,便先送了一个照会到总理衙门,叫这些总理各国事务大人们照办。列位看官是知道的:中国的大臣,都是熬资格出来的。等到顶子红了,官升足了,胡子也白了,耳朵也聋了,火性也消灭了。还要起五更上朝;等到退朝下来,一天已过了半天,他的精神更磨的一点没有了。所以人人只存着一个省事的心:能够少一桩事,他就可以多休息一回。倘在他精神萎顿之后,就是要他多说一句话也是难的。而且人人又都存了一个心:事情弄好弄坏,都与我毫不相干,只求不在我手里弄坏的,我就可以告无罪了。

人人都存着这个念头。所以接到公使的照会,司员看了看,晓得是一件交涉重案,压不来的,马上拿了文书呈堂。无奈张大人看了摇摇头;王大人看了不则声;李大人看了不赞一辞;赵大人看了仍旧交还司员。司员请示:"怎么回复他?"诸位大人说:"请王爷的示。"第二天会见了王爷,谈到此事。王爷问:"诸位是什么意思?还是答应他,还是不答应他?怎么回复他才好?"诸位大人你看看我,我看看你,一句话也没有。王爷等了半天,见各位大人没有一句说话,又问下来道:"到底诸公有些什么高见?说出来我们大家亦可以商量商量。"张、王、李、赵四位大人被王爷这一逼,不能不说话了。张大人先开口道:"还是王爷有什么高见,一定不会差的。"王大人更报着自己的名字,说道:"某人识见有限。还是王爷历练的多,王爷吩咐该怎么办,就怎么办罢。"李大人道:"他二位说的话一些不错。"赵大人资格最浅,就是肚皮里有主意,也不敢多说话的,只随着大众说,应了一声"是"。王爷见谈了半天仍谈不出一毫道理来,于是摸出表来一看。张大人说本衙门有事,王大人说还要拜客,李、赵二位大人亦都要应酬;一齐说了声"明天再议"。送过王爷,各人登车而去。

过了两天,公使馆里没有来讨回信,王爷同他四位亦就没有再提此事。等到第三天,公使因为他们没有回复,又照会过来问信。他们还是不得主意。王爷同他们议了半天,无非“是是是”,“者者者”,闹了些过节儿,一点正经主意都没有。这天又是空过去,亦没有照复公使。等到第五天,公使生了气,说:“给你们照会,你们不理!”于是写了一封信来,订期明日三点钟亲自前来拜会,以便面商一切。诸位王爷、大人们,只得答应他,回他:“明天恭候。”同外国人打交道是不可误时候的。说是三点钟来见,两点半钟各位王爷、大人都已到齐,一齐穿了补褂朝珠,在一间西式会客堂上等候。刚刚三点,公使到了。从王爷起,一个个同他拉手致敬,分宾坐下,照例奉过西式茶点。王爷先搭讪着同他攀谈道:“我们多天不见了。”公使还没有答腔,张大人忙接了一句道:“这一别可有一个多月了。”王大人道:“还是上个月会的。”李大人道:“多时不见,我们记挂贵公使的很。”赵大人道:“我们总得常常叙叙才好。”公使是懂得中国话的,他们五位都说客气话,少不得也谦逊了一句。王爷又道:“今天天气好啊。”张大人道:“没有下雨。”王大人道:“难得贵公使过来,天缘总算凑巧得的。”李大人道:“幸亏是好天。下起雨来,这京城地面可是有些不方便。”赵大人道:“我晓得贵公使馆里很有些精于天文的人,不是好天,贵公使亦不出来。”

公使又问道:“前天有两件照会过来,贵亲王、贵大臣想都已见过的了,为什么没有回复?”王爷道:“就是湖南的事吗?”张大人亦说了一声:“湖南的事?”公使问:“怎么办法?”王爷咳嗽了一声,四位大人亦都咳嗽了一声。公使又问:“怎么样?”王爷道:“等我们查查看。”四位大人亦都说:“须得查明白了,再回复贵公使。”公使问:“几天方能查清?”王爷道:“行文到湖南,再等他声复到京,总得两个月。”四位大人齐说:“总得两个月。”公使道:“敝国早替贵国查明白了:实在巡抚过于软弱;一班绅衿架弄着百姓,几乎闹出‘拳匪’那年的事来。我们彼此要好,所以特地关照一声。贵亲王、贵大臣似可无须再去查得,就请照办罢。”王爷又咳嗽了一声,各位大人亦都咳嗽了一声;但是也有吐痰的,也有不吐痰的。呆了半天,公使又追着问信。王爷说:“我们须得商量起来看。”四位大人齐说:“总得商量起来看。”公使听了,微微一笑。幸亏这位公使性气和平,也是晓得中国官场的习气是捱一天算一天,等到实在捱不过去,也只好随着他办;所以当时听了这班王爷、大人们的说话,也不过于迫胁他们。但道:“要等行文去查,那是等候不及。现在电报又不是不通,诸公马上打个电报去,两三天里头，还怕没有回电吗?”一句话把他们提醒了，一齐都说：“准其打电报去问明白了，就给贵公使回音罢。”公使临走又说了一句：“三日之后，来听回音。”

等到送过公使,王爷说道:“这件事情,还是依他,还是不依他?倘若不依他,总得想个法子对付他才好。”四位大人当中,要算张大人资格最老,经手办的事亦顶多;忙出来拦住道:“王爷不晓得:我们同外国人打交道也不只一次了,从来没有驳过他的事情。那是万万拗不得的,只有顺着他办。”说完,又回头对王、李、赵三位大人道:“我们办交涉事办老了,这一点点诀窍还不懂得。”王爷被他驳得无话可说,歇了半天,搭讪着说道:“这件事情,你们到底查明白了没有?”张大人道:“用不着。等到他们外国人来,他们说怎么办就怎么办,还要王爷操这个心吗。”其实公使来闹了半天,为了什么事,他们亦只晓得一个大略,是湖南出了一件人命交涉案件,公使不答应,说巡抚软弱,挟制政府里换人;究竟案中的详情,他们还是糊里糊涂一个个吃了“补心丹”,一齐把心补住,决不肯为了此事再操心的。当下又谈了一回,无非是商量把现在这位湖南巡抚调任别处,拣一个有机变的调做湖南巡抚。又是张大人出主意道:“我们调去的人,怕他们外国人不愿意;何如等他后天来讨回信时,探探他的口气?他说哪个好,就派哪一个去;省得将来同他们不对,又来同我们捣蛋。”王爷点头称“是”。大众亦就别去。

且说总理各国事务王大臣听了外国公使的说话,心上虽不甘愿迁就他,却也不敢违拗他。等到第三天公使又来讨回信的时候,见了面拿他恭维了一泡。先时一个个手里都捏着一把汗。后来提到正事,王爷头一答应他:“准定把湖南巡抚换人。但是放哪一个去,一时还斟酌不出这么一个对劲的。最好是同贵国人说得来的,以后办起交涉来,彼此有个商量,不至于再像这回事,弄得不讨好。”公使道:“是啊,现署山东巡抚的赖养仁赖抚台这人就很好。前任黄抚台很同我们敝国人作对。自从姓赖的接了手,我们的铁路已经放长了好几百里;还肯把潍县城外一块地方借给我们做操场。贵亲王、贵大臣是晓得的:敝国在贵省地方造了铁路,不见得中国人不坐;载货搭客,原是彼此有益的事情。就是借地做操场,后来亦总要还的。不晓得前任黄某人为什么商量不通。赖抚台是开通极了,所以我们各国都欢喜他。以后贵政府都要用这种人,国家才会兴旺。现在据我们意思：贵亲王、贵大臣就奏明贵国皇上，竟把赖某人补授湖南巡抚，再拣一个同赖某人一样的人做山东巡抚。如此方见我们两国邦交更加亲热。诸公以为如何？”王爷听了，望望四位大人；四位大人，亦望望王爷：彼此不则一声。还是王爷熬不过，就近同张大人说：“既然他们说赖某人好，我们就给他一个对调罢？”张大人摇摇头道：“使不得！使不得！赖某人一准升湖南巡抚。山东一席还要斟酌。这个是他们不欢喜的，调了过去亦不讨好。还是陕西窦某人，从前做津海道的时候，很应酬他们外国人。凡是才进口的新鲜果子，以及时鲜吃物等类，他除掉送我们几个人之外，各国公使馆里他都要送一份去。你说他想得周到不周到！如果把这种人调到山东去，他们一定喜欢的。”王爷道：“既然如此，我们就答应他就是了。”张大人道：“倒也不在乎一定先要说给他们。只要不驳他的话，他就晓得我们已经许他的了。王爷不晓得：老办交涉的，本有这‘默许’的一个诀窍；凡事我们等他做，不则声，他们就晓得我们已经允许了他了。”王爷点头称“是”。他二人谈了半天，公使等得不耐烦，又问：“怎么样？”他们几个人只是守着默许的秘诀，无论如何也不做声。公使急得发跳。还是王爷熬不住，同他说了声“回来就有明文”。公使听了这句也就明白，不再往下追问了。又说了几句别的闲话，分手辞去。次日果然一连下了两条上谕：湖南、山东两省巡抚，一齐换人。先前的那位湖南巡抚，亦并没有拿他调补陕西，落空下来。这也是张大人的调度，说他是得罪过外国人的人，一时不好叫他有事情；总得冷冷场，等人家平平气，方好位置他。闲话休题。

且说新任山东巡抚窦抚台，名唤窦世豪，原是佐贰出身。生平最讲究的是应酬。做佐杂的时候，有一次跟着一位候补知县一同到外州县出差。候补知县坐的是轿子；他不肯化钱，在路上或是叫部小车子，或是跟着轿子一路地跑。有些不知道的，还当是跟的差官、底下人之类，并没人晓得他是太爷。亦是他运气凑合：这年正在省里候补，空闲着没有事，齐巧本省巡抚有位老太爷最爱着象棋，就有人把他保荐进去；同老太爷一连下了十盘，就一连和了十盘。据窦世豪私下对人家说：“若照老太爷手段，赢他一百盘都容易；但是恐怕老太爷面子上过不去，所以同他和了十盘。”此时老太爷也明晓得窦世豪是个好手；但是自己生性好胜，不赢他一盘总不肯歇手。幸亏窦世豪乖觉，摸着老太爷脾气，故意让他几步，等老太爷赢了一盘,光了光面子。果然老太爷大喜,连说:“我今天虽然赢了窦某人棋子;然而他的手段是好的。……只有他还可以同我交交手,若是别人休想。”窦世豪听老太爷奖励他,甚喜。此时老太爷离不了他,先叫儿子委了他几个挂名差使,拿干薪水;后来碰着机会,开保举,又把他保举过班;连进京引见的盘费,都是老太爷叫儿子替他想的法子,无非是委派一个解饷等差,无庸细述。等到引见出来,走了老太爷门路,署过两趟好缺,又着实弄到几文。又一齐孝敬了上司。于是升过府班,过道班,保送海关道,放津海关道,一齐都是应酬来的。津海关做了两年,只因有人谋他的这个缺,上头也晓得他发了财了,就拿他升臬司,接着升藩司,如今升山东巡抚。他自从佐贰起家,一直做到封疆大吏,前后不到十年工夫。

他办交涉的手段,还是做候补道的时候就练好的。等到做了津海关道,自然交涉等事情更多了。他练就的一套功夫是什么?就是上文张大军机所说的“默许”的一个秘诀:凡是洋人来讲一件事情,如果是遵条约的,固然无甚说得;倘若不遵条约的,面子上一样同人家争争,到后来洋人生气,或者拿出强项手段来办事,他亦听那洋人去干,决不过问。后来洋人摸着了他的脾气,凡百事情总要同他言语一声,他允也罢,不允也罢,洋人自己去干他自己的。他有时碰了上头的钉子,下来问那洋人。洋人道:“你早已默许我过了。你不许我做,我能做吗?如今事已做成了,你再要我反悔,可是不能。——倘若一定要反悔也可以,你赔我若干钱,我就歇手。你为什么不早点拦住我?如今我已经化了本钱,忽然拦住我;我不做,耽误我的买卖,坏我的名气,还得赔我若干钱,方能过去。否则不能同你干休!”他听了外国人的说话,仍旧无言可答。后来外国人又来问他讨银子,要赔款。倘或彼此说开了,也就不要了;有些说不开的,外国人问他要赔款,他还当真的给他。如此者三四次。上头见他赔银子是真的,以后的事晓得他为难,只要外国人没有话说,也不来责备他了。

且说他如今升了巡抚,自然是过了几年,阅历愈深。又加以外国人在他手里究竟占过便宜,不肯忘记了他,一听他来,个个欢喜。到任之后,这一个来找,那一个来找。凡是来找他的外国人,他没有一个不请见,又没有一个不回拜。一天到晚,只有同外国人来往还来不及,哪有工夫还能顾及地方上公事呢。因此便有人上条陈说:“大帅万金之体,为国自爱,倘照这样忙法子,就是天天喝参汤,精神也来不及;总得找个人能够替代替代才好。”窦世豪道：“外国人事情，他们一样不懂，谁能替我？除非现在有这么一个人懂得外国人的脾气，有什么事情他替我代办了，不要我操心，还要外国人不生气；如此，我才放心得下。你们可有这么一个人？”大家保举不出人，也就不往下说了。后来这个风声传到外国人的耳朵里，便借此因头硬来荐人；又引证海外哪一个国从前没有兴旺的时候，亦是借用别国有本事的人做客卿，然后他的国度就此兴旺了；这也不过借他做个向导的意思。窦世豪听了这个说话，心想：“这个法子倒不错。用外国人去对付外国人，外国人同外国人有些事情，总容易商量得通，不消我费心。而且以后永无难办的交涉。我倒可以借此卸去这副重担，省得外国人时刻来找我；也免后里头嫌我办得不好。横竖有人当了风去，好歹不与我相干。”存了这个主意，马上答应，就托外国人介绍，请了一位向导官。据他们外国人说：“此人在他们学堂里学的是政治、法律，都得过高等文凭的。”窦世豪道：“我这一番的公事，十府、二直隶州、一百单八州、县，所有的公事都要我一个人过目，我哪儿来的及。有了这个帮手，我也可以歇歇了。”过了两天，介绍的人先把合同底子送过来请窦世豪过目，满纸洋文，写得花花绿绿的。窦世豪不认得，发到洋务局叫翻译去翻译好。又由洋务总办斟酌添了两条，余外无甚改动。每月是六百两薪水，先订一年合同。窦世豪看了无话，就叫照办。那洋人本是住在中国的，自然一请就到。等合同签字之后，窦抚台便约他到衙门里同住，以便遇事可以就近相商。那洋人本无家眷，原是无可无不可的，搬了进来。因为他姓喀，抚台称他喀先生；合衙门都称他喀师爷；官场来往，还称他为喀老爷、喀大人；有些不晓得他的姓，都尊之为“洋大人”。

闲话休叙。单说他才接事的头一天，窦世豪为了长清县禀到一件命案，师爷拟的批不算数，一定要叫翻译去同喀先生说过，请喀先生拟批。谁知讲了半天，一个案由还没有明白。大家都说：“喀先生学的是外国刑名，中国的刑名他没有讲究过，就是拟了出来，到部里亦要驳的。还是请我们自己老夫子拟罢。”窦世豪无奈，只得拿回来交给自己老夫子去办。又过了几天，上头有廷寄下来，叫他练兵，办警察，开学堂。他得了这个题目，便道：“这几件都是新政事宜，可要请教这位大政治家了。”即忙把喀先生请了来，同他逐一细讲，要他代拟章程。喀先生道：“这几件在我们敝国都是专门的学问。即以练兵而论：陆军有陆军学堂，水师有水师学堂。就以学堂而论：也有初级，有高级。我不是那学堂里出身，不好乱说。"窦世豪至此方才有点反悔之意，皱了皱眉头，说道："人命案件请教你，你说中国刑名你不懂。今儿这些事情，原是上头照着你们法子办的，怎么你亦不懂？这样不懂，那样不懂，到底你晓得些什么呢？"喀先生道："你们中国的法律本是腐败不堪的。现今虽然说改，亦还没有改好。要我拿了你们的法律去办事，我可不能。我要用我们敝国的法律，大帅你又怕部里要驳。今儿你大帅所说的几件事，在我敝国都是专门学问。如果你大帅一准办这几桩事，要我荐人，我都有人。至于问我晓得些什么，将来倘如有了同敝国交涉的事情，不消你大帅费心，我都可以办得好好的。"窦世豪听了无话。所有新政仍旧委了本省司、道分头赶办，也不再去请教喀先生了。喀先生也乐得拿薪水，吃饭睡觉，清闲无事。不知不觉，已过了半年下来。

一天他有一位外国同乡，带了家小，初次到中华来，先到山东游历。因为叫人挑行李，价钱没有说明白，挑夫欺他也有的，便把那个外国人的行李吃住不放。约摸有二里多路，定要他五百大钱一担。那个外国人恨伤了，晓得喀先生在抚台衙门里，便来找他，将情由细说一遍；又说挑夫一共三个。喀先生心上想："在此住了半年，一无事办，自己亦惭愧得很；如今借此题目，倒可做篇文章了。"便去找窦世豪，气愤愤地说：挑夫吃住他同乡的行李，直与抢夺无异。"贵国这条律例我是知道的。应请大帅将挑夫三名一概按例枭示①，方合正办。"窦世豪起初听了，还以为挑夫果然可恶；如其抢夺洋人行李，一定要重办的。立刻传了首县来，告诉他这事，叫他办人。首县去不多时，回来禀称："人已拿到，并且问过一堂。此事原系挑夫同洋人讲明五百大钱。因此洋人不肯付钱。挑夫一定吃住了讨，说：'五百一担本是讲明白的，少一个钱可不能。'洋人气急了，就拿棍子打人。现在有个挑夫头都打破了，卑职验得属实。因此三个挑夫起了哄，说钱亦不要了，仍把东西挑回去，等洋人另外找人去挑，他们总算没有做这笔买卖。后来还是房东出来打圆场，每担给他三百大钱，行李亦早已交代过了。据卑职看，这件事情早已完结的了；那个洋人又来叫大帅操心，亦未免太多事了。"首县一番话说得甚为圆转，窦抚台一听不错，说：

---

① 枭示——旧时谓斩头而悬挂在杆上示众。

“挑夫乱要钱,诚属可恶;你既打了他,又没有照着原讲的价钱给他,如今反说挑夫动抢,一定要我拿他们正法,这也太过分了!”便请了喀先生来,把情节同他讲明,叫他回复那洋人,不要管这闲事。谁知喀先生不听则已,听了之时,竟其拍桌子,捶板凳,朝着窦抚台大闹起来,说:“我自从接事以来,不按照你们中国的法律办事,嫌我不好;如今按照你们中国的法律办事,亦是不好!明明是瞧我不起,所以不听我的话!既然不听我的话,还要我做什么呢!”当下那洋人又着实责备窦抚台,说他违背合同:“既然请了我来,一点事权也不给我,被别国人看着,还当是我怎样无能。这明明是坏我的名誉,以后还有谁请我呢!现在你把一年的薪水一齐找出来给我还不算,还要赔我名誉银子若干。如果不赔我,同你到北京公使那里讲理去。”说完,就要拖了窦抚台出去。窦抚台问他:“哪里去?”他说:“北京去。”窦抚台说:“就是要北京去,我自有职守的人,不奉旨是不能擅离的。你要去,你一个人先去罢。这是你自己要去,不是我辞你的,不能问我要薪水。”那洋人一听窦抚台如此的回绝他,越发想要蛮做。幸亏其时首县还没走,立刻过来打圆场;一面同洋人说:“有话总好商量,我们回来再说。他是一省之主,你把他闹翻了,你在这里是孤立无助的,吃了眼前亏,不要后悔!”洋人听了这两句话,一想不错,方才闭了嘴不响。首县又过来求大帅息怒:“大帅是朝廷柱石,他算什么东西!倘或大帅气坏了,那还了得!”窦抚台亦只好收篷,就吩咐把此事交给洋务局去办。首县答应下去,禀明洋务局老总,就同着洋务局老总找到洋人,说来说去,言明认赔一年薪水,以后各事概不要他过问。洋人只要银子到手,自然无甚说得。窦抚台自从上了这么一个当,自己也深自懊悔,倚靠洋人的心也就淡了许多了。后首有人传说出来:这事一来是窦世豪自己懊悔,深晓得上了外国人的当;一来是他亲家沈中堂从京里写信出来通知他,信上说:“现在京里很有人说亲家的闲话,说亲家请了一位洋人做老夫子,大权旁落,自己一点事不问。这事很失国体,劝亲家赶快把那位洋人辞掉,免得旁人说话。至戚相关,所以预行关照。”窦世豪得了这封信,所以毅然决然,借点原由同洋人反对,彼此分手,以免旁人议论,以保自己功名。

话休絮烦。且说他这位亲家沈中堂,现官礼部尚书、协办大学士,又兼掌院大学士。虽然不在军机处有什么权柄,然而屡掌文衡,门生可是不少。他的为人本来是极守旧的,无奈后来朝廷锐意维新,他虽不敢公然抵抗，然而言谈之间，总不免有点牢骚。有天有两位督、抚，又有几个御史，连上几个折奏，请减科举中额，专重学堂。老头子见了，心上老大不高兴，嘴里说道："不要说别人，就是他们几位，从前哪一个不是由科举出身！如今已得意了，倒会出主意，断送别人的出路，真正岂有此理！"后来打听着上折子的几位御史，内中有一个姓金的，一个姓王的，都是那年会试他做总裁取的门生，因此越发气得了不得！无奈朝廷已经准了他们的折奏，面子上不好说什么，只吩咐门上人："以后王某人同金某人来见，一概挡驾。璧还他们的门生帖子，不要收。"门上人答应着。后来王、金二人来了，果然被门上人挡住了。两人只得托人疏通。无奈他老人家倔性发作，决意不收。两人无可如何，只好罢休。又过了些时，又有那省督、抚奏请朝廷优待出洋游学毕业回来的学生。他老人家得了这个信，越发胡子根根跷起，说："这些学生，今儿闹学堂，明儿闹学堂，一齐都是无法无天的，怎么好叫朝廷重用他们！这种人做了官还了得！"当下正要把他那些得意门生，凡是与自己宗旨相同的，挑选几十位，约会在一处，请他们吃饭，商量挽回的法子。单子还没有发出，又传到一个消息，说要把天下庵观寺院，一齐改作学堂。他老人家一听这话，更气得两手冰冷，连连说道："如今越闹越好了！……再闹下去，不晓得还闹出些什么花样来！我亦没有这种气力同他们去争，只有祷告菩萨给他们点活报应就是了。"这一夜，直把他气得不曾合眼，第二天就请病假在家里静养。

他是掌院，又是尚书，自然有些门生属吏，川流不息地前来瞧他。大众一齐晓得老师犯的病是医药不能治的，便有一个门生告奋勇，说："门生拼着官不要，拼着性命不要，学那从前吴都老爹的'尸谏'，明天一定要上折子争回来。倘若上头不批准，门生真果死给众人看，总替老师出这一口气！"沈中堂一看这告奋勇的人不是别人，正是侍读学士旗人绅灵，号叫绅筱庵的便是。还是三科前那年殿试，他做阅卷大臣，把绅筱庵这本卷子取在前十本内；第二科留馆；旗人升官容易，所以如今已做到侍读学士了。沈中堂看清是他，忙把大拇指头一伸，说："你老弟倘能把这桩事扳回来，菩萨马上保佑你升官，将来一定做到愚兄的地位！"绅筱庵当时亦就义形于色地辞别老师，言明："回家拟好折子。请老师明天候信便了。"沈中堂闻言之下，喜虽喜，然而面上还露着一副哀戚之容，说："筱庵老弟果真要尸谏，虽是件不朽之事，但是他一家妻儿老小靠托谁呢！我老头子这么一把年纪，官况又不好，还能照顾他吗！”于是呆了一回。等到众人要去，一定要亲自送他们到门外上车。众门生执定不肯，说：“老师于门生向来是不送的。倘若老师要送，一定是拿我们摈诸门外了。”于是走到檐下，大众站定不肯走。沈中堂道：“我不是送众位，我是送筱庵老弟的。筱庵果然要学吴侍御之所为，我们今日就要一别千古了，我怎好不送他一送呢！”众人见他如此说法，只得随他送诸门外。

如今不说绅学士回去拟折，且言沈中堂送客进来，也不回上房，一直到自己常常念经的一间屋子里，就在观音面前，抖抖擞擞的，点了一炷香，又爬下碰了三个头。等到碰头末了一个，爬在地下，有好半天没有站起。口中念念有词，也不晓得祷告的是些什么。后首起来之后，又上气不接下气地念了半遍“金刚经”，实在念不动了，只好次日再补。自此便在家养病，三天假满，又续三天。老头子一心指望绅学士折子上去，定有一道上谕。即使批斥不准或是留中，绅筱庵既说明尸谏，“他的为人平时虽放荡不羁，然而看他前天那副忠义样子，决计不是说着玩玩的。但是折子上去准与不准，以及筱庵死与不死，总应该有个确信，何以一连几天，杳无消息？真令人猜不出是个什么缘故。眼见得六天假期满了，筱庵那里还是无动静。自己又不是怎样病得厉害，请假请得太多了，反怕有人说话。”无奈只得销假请安。

众门生属吏见他老人家病痊销假，又一齐赶了来禀候。沈中堂见了众位，又独独不见绅学士。前天的话是大家一齐听见的，沈中堂便问众人：“这两天见着筱庵没有？我等了他五天，折子仍旧没有上去。难道前天说的话是随口说说的吗？如果说了话不当话，我也不敢认他为门生了！”其时众人当中，有个同绅筱庵同做日讲起居注官①一位“翰读学”②，姓刘名信明。他听了沈中堂的说话，忙替绅筱庵辩道：“筱庵那天从老师这儿回去，听说竟为这件事气伤了，在家里发肝气。请了许多中国医生医不好，后来还是吃了洋医生两粒丸药吃好的。第二天睡了一天，第三天才起来的。正想办这件事，凑巧那两天天热，不知怎样又忽然发起痧来。马上找了个剃头的挑了十几针，幸亏挑的还快，总算保住性命。现在是门生

---

① 日讲起居注官——翰林中担任记述皇帝言行起居职务的官员。

② 翰读学——翰林院侍读学士的省称。

大家叫他在家里养病,不要出来,受了暑气不是玩的。大约明天总到老师这里来请安。”沈中堂道:“原来说来说去,他的性命还是要紧的。他连外国大夫的药都肯吃,他还肯为了这件事死吗。我如今也断了这个念头,决计不再望他死了。”言罢,恨恨不已。过了两天,绅筱庵晓得老师怪他,但是不好意思见老师的面。后来好容易找了许多人疏通好了,方才来见。沈中堂总同他淡淡的,不像从前的亲热了。

原来绅筱庵绅学士,自从那天从沈中堂宅子里回去,原想一鼓作气,留个千载不朽的好名儿。一路上在车子里盘算这个折子应得如何着笔,方能动听。及至到家,才跨下车来,忽见自己的管家迎着请了一个安,说:“替老爷叩喜。”绅筱庵忙问:“何事?”管家道:“广东学政出缺,外头都拟定是老爷。小军机王老爷刚才来过,因见老爷不在家,叫奴才转禀老爷。今天王爷还提到老爷的名字,看来这事情倒有十分可靠。”绅筱庵原想明天学吴可读尸谏的;及至听了管家这番说话,不觉功名心一动,顿时就把那件事忘记了。他这一夜赛如热锅上蚂蚁似的,在一间屋里踱来踱去,一直没有住脚,又想写信去问小军机王老爷。家人回称:“时候已经不早了,怕王老爷已经睡了觉。”又要写信去问别位朋友,一时又无可问之人。恐怕人家本来不晓得,现在送个信给他,反被他钻了去,此事不可不防。因此足足盘算了一夜。第二天一早,正想出门探觅消息,上谕已经下来,早放了别人。绅筱庵望了一个空,一团闷气,无可发泄,方想到昨儿在老师沈中堂跟前说的话,现在正好借此题目,发泄发泄。正提起笔来做折子,忽然太太叫老妈来请,说是小少爷头晕发烧,也不知犯了什么症候。绅筱庵兄弟三房,只此一个儿子,年方十一岁。读书很聪明:虽不能过目成诵,然而十一岁的人,居然五经已读完三经,现在正读左传;文章已做到“起讲”,先生许他明年就好完篇了的。因此绅筱庵夫妇竟拿他当做宝贝一般看待。一旦有了病,不但绅筱庵神魂不定,一个太太早靠在少爷身边,一手拍着,一面泪珠子早已接连不断地挂在脸上了。绅筱庵回到上房,一看这个样子,一条英气勃勃的心肠,早为儿女私情所牵制。少不得延医服药,竭力替儿子医治,以安太太的心。这一闹又闹了两天。等到儿子病好,恰值沈中堂假期已满。他此时学吴可读尸谏的心,早已消归东洋大海。只是老师面前无以交代,少不得编造谣言,托人缓颊,把此事搪塞过去。明知老师冷淡他,事到其间,也只好听其自然了。过了些时,他这段故事，外头都传开了。都说："老头子发痰气，逼着门生寻死。幸亏绅某人有主意，没有上了他的当。"

有天他老人家在家里坐着，直隶总督来拜。见面之后，卖弄他这两年派出去的学生，学成回来，很有些好学问的："今儿召见，已蒙上头应许，准其择尤保送，由礼部请示日期，在保和殿考试一次，分别等第，赏他们进士、翰林，以示鼓励。将来这阅卷一事，少不得总要老先生费心的。这样门生多收两个在门下，将来能够替国家办点事，大家都有面子。"沈中堂听他说完，忙忙摇手道："别的都可以，只是保和殿考试一事，兄弟还要力争。他们这些人都够到殿试，以后要把我们摆到哪儿去呢。就以我们这个翰林院衙门而论：几千年下来，一直干干净净的；如今跑进来这些不伦不类的人，不被他们闹糟了吗！"说罢，闷闷不乐。直隶总督此来，原想预先托个人情的；后见话不投机，只好搭讪着出去。哪知这位直隶总督，上头圣眷很红，说什么是什么，向来没有驳回他的。回去之后，果然保送了许多学生，请上头考试录用。军机上先得了信。就有位军机大臣，晓得沈中堂有迂倔脾气的，便拿他开心说："直隶总督某人送些学生进来，都被我们咨回去了。晓得中堂不欢喜这班人，所以特地告诉你一声，也叫你欢喜欢喜。"沈中堂听了，果然心上很快活，连连说道："这才是正办！……就是上头准了他这个，如其派我阅卷，我宁可辞官不做，这个差使决计不当的。"那位军机大臣道："中堂所见极是！"彼此别去。谁知到了第二天就有上谕，着于某日在保和殿考试出洋毕业学生。沈中堂看了，还当是军机没有这个权力阻挡这件事，也只有付之一叹，没有别的说话。又过了两天，考试过了。第二天派他做阅卷大臣。他此时告假已来不及；要说不去，这违旨的罪名又当不起。只得垂头丧气，跟了进去。幸亏试卷不多，而且派阅卷大臣也不只他一位，他自己乐得不管事，让别人去做主。不过大概翻了一翻，拣一本没有违碍字眼的摆在第一，呈进上去。等到引见下来，果然朝廷破格用人：顶高等的都赏了翰林；其次用主事、知县，京官、外官都有。

那些用主事、知县的不用去说他了，但说那几个赏翰林的，照例要衙门拜老师，认前辈，这些礼节，一点不能少的。沈中堂当的是掌院学士，正管得着他们，少不得前来叩见。那几位翰林虽然打外洋回来，不晓得中华规矩；然而做此官，行此礼，到了此时，说不得也要从众了。于是打听了规矩，封了贽见、门包，拿着手本，前来私宅谒见。不提防这位老中堂早就预备此一着，两天头里便齐集了甲班出身的那些门生，同他们说道："从前要进我们这个翰林院，何等烦难！乡试三场，会试三场；取中之后，还要复试，又是殿试、朝考、留馆。诸君都是过来人，哪一层门槛可以越得过！如今这些人一点苦没有吃着，只作得两篇策论，就要来当翰林，以后无论什么人也可以当翰林了！然而上头有恩典给他们，我们怎好叫上头不给他们。就是上头派愚兄阅卷，愚兄亦怎好不去。不过收到这种门生，愚兄心上总觉不是。现在请了诸位来，彼此商量一个抵制的法子，就同他们上海抵制'美约'①一样，总要弄得他们不敢进这个衙门才好。诸位老弟高儿，以为何如？"于是一齐称"是"。沈中堂又问他们抵制的法子。有人说："应该上个折子，不准他们考差。凡是本衙门差使，都不准派。"又有人说："这个翰林只能算做'顶带荣身'，不能按资升转。"沈中堂听了，不置可否。内中有一位阁学公，姓甄号守球，年纪已有七十三岁了；独他见解独高，忙插嘴道："老师所说的是抵制之法，抵制得他们自己不敢来才好。现在有个法子：他既然赏了翰林，一定要来拜老师，认前辈。老师不能不认他；他送贽见，亦乐得收他的。我们这些老前辈无求于他，等他来的时候，我们约齐了一概不见。我们不要认得他。就是在别处碰见了，他称我们前辈、老前辈，我们只拱手说'不敢当'，也不要理他。如此等他碰过几回钉子，怕见我们的面，以后叫他们把这翰林一道视为畏途，自然没有人再来了。但是要抵制，我们总要齐心才好。"众人听罢，一齐称"妙"。沈中堂点头称"是"，连说："守球老弟所论极是！……愚兄乐得认他做门生，但是贽见亦要照寻常加倍。我们中国的规矩：凡是沾到一个'洋'字总要加钱。不要说别的，我们大孩子新从上海来，他说上海戏园子规矩，洋人看戏加倍。他几个虽不是洋人，然而总是外洋回来的，我问他多要并不为过。"众门生又一齐称"是"。于是当天议定，等他几人来见老前辈时，一概不许接待，以为抵制之策。众人一齐认可，方才别去。

欲知后事如何，且听下回分解。

---

① 上海抵制美约——清代光绪初年，美国因经济恐慌，于是用种种惨酷不人道的方法来抑制在美的华工，并胁迫当时清政府和它订约，以为法律上的根据。光绪末年条约期满，美方要求续订，但在美的中国人反对这个条约，国内上海等地也起而响应，并发起抵制美货，是当时规模较大的反帝运动。

第五十九回

附来裙带能谄能骄　掌到银钱作威作福

话说甄守球甄阁学在沈中堂宅内议定抵制之法:凡是新赏翰林的几个学生来拜,一概不见,不要他们认前辈、老前辈。商议既定,果然大众齐心,直弄得他们那几个人,到一处碰一处,没有一处见到。后来这几个人晓得在京里有点不合时宜,也就各自走了道路,出京另外谋干去了。京里的这班人听得他们已走,彼此见面,一齐夸说:"甄老前辈出的好计策!"甄阁学亦甚是得意。

一天甄阁学在自己宅子里备了三席酒,请众位同年、同门吃酒赏菊花。沈中堂得了信,说是:"饮酒赏菊是顶雅致的事情,怎么守球不请我老头子?"就有人把话传给了甄阁学。连忙亲自过来赔话,说道:"不是不请老师,实在因为房子小,客多,怕亵渎了老师,所以不敢来请。"沈中堂道:"我很欢喜。到了那天我要来。你亦不必多化钱,我亦吃不了什么,不过大家凑凑罢了。"甄阁学自然高兴。到了那天,因为老头子要来,虽说不化钱,早已特特为为又添了一桌菜,拣老师爱吃的点了几样。这天约明白的两点钟会齐。不到一点钟,老头子顶高兴,早已跑了来了。一问所请的客都是自己的门生,尤其高兴。等到客齐,老头子先创议,要人家做菊花诗。老头子说:"什么五古、七古,七律、七绝,我都有点忘记了。只有五律,只要拿试帖减四韵,我虽然多年不做,工夫荒了,还勉强凑得成功。"众人见老头子高兴,少不得一齐献丑。当时各自搜索枯肠。约摸一个钟头,还是沈中堂头一个做好。众人抢着看时,果然是一首五律。然后众人络续告成,数了数一共二十七首。有三位说要回去补做了送来。汇齐之后,甄阁学一齐请沈中堂过目。其中只有两个做七绝的,一个做七律的,九个做五律的,十五个做五绝。你道为何?只因五绝比五律更好做,连中间的对仗都可以减去,所以大家舍难就易,走了这一路。当时沈中堂看了甚喜,说:"明天请守球老弟画一张格子,分送诸位。另外各自再誊一张,中缝脚下,各人写各人的名字;签条上就写'翰苑分书菊花诗'。送到琉璃厂,等他们刻了板印出来卖,凡是写大卷子的人,谁不要买一部。”众人听了,不胜佩服。

酒席吃到一半,甄阁学忽然起身向内,停了一回,拿了两张字出来,送到沈中堂跟前,说是:“门生的两个儿子做的。不晓得将来还有点出息没有?”沈中堂道:“好啊！拿来我看。”原来都是和的菊花诗;前面写着“恭求太老夫子中堂训正”,下面注着“小门生甄学忠、甄学孝谨呈”字样。沈中堂未看诗先看名字,说道:“好名字！一个人能够记得‘忠孝’两个字,还有什么说的呢。”于是又看诗,连赞:“好口气！……两位世兄将来一定都是要发达的！都是我的小门生,将来亦‘于汤有光’的事。我很想见见他俩。”甄阁学巴不得这一声,即刻进去,招呼儿子扎扮了出来。沈中堂一看,大的约摸有四十外了,戴的是蓝顶花翎;小的亦有二十多岁,还是金顶子;一齐都穿着袍套。见了太老师爬下磕头,太老师只回了半揖;磕头起来又让坐。老头子因见甄学忠是四品服色,晓得他一定有了官了,便问:“在哪一部当差?”甄阁学抢着回道:“本来有个小京官①在身上,如今改了直隶州出去。”沈中堂道:“怎么不下场?”甄阁学道:“已经下过十场,年纪也不小了,正途不及,只好叫他到外头去历练历练。”沈中堂道:“可惜可惜！有如此才华,不等着中举人,中进士,飞黄腾达上去,却捐了个官到外头去混,真正可惜！”一面说,一面又拿他俩的诗,颠来倒去,看了两三遍,拍案道:“‘言为心声’,这句话是一点不差的:大世兄的诗好虽好,然而还总带着牢骚,这便是屡试不第的样子;幸亏还豪放,将来外任还可望得意,至二世兄富丽堂皇,不用说,将来一定是玉堂②人物了！”接着又问甄学忠:“几时出去做官?分发哪一省?”甄学忠回称:“这个月里就办引见,指分山东。”沈中堂道:“好地方！山东抚台也是我门生,我替你写封信去。”甄阁学本有此心,但是不便出口,今见老师先说了出来,自然感激涕零。立刻又叫儿子磕头,谢了太老师栽培。当时沈中堂甚是高兴,吃酒论文,直至上火始散。次日甄阁学又叫儿子去叩见太老师。等到引见领凭下来,又去辞行。沈中堂见面之后,果然郑重其事地拿出一封亲笔信来,叫他带去给山东巡抚。按下慢表。

---

① 小京官——官名,七品小京官的简称。

② 玉堂——翰林院的别称。

目前单说甄阁学的儿子甄学忠拿了沈太老师的信，携带家眷前去到省。他父亲因为他独自一个出去做官，心上不放心，便把自己的内兄请了来，请他跟着同到山东，诸事好有照应。——他父亲的内兄，便是他的舅太爷了。这位舅太爷姓于，前年死了老伴，无依无靠，便到京找他老妹丈，吃碗闲饭。甄阁学是做京官一直省俭惯的人，凭空多了一个人吃饭，心上老大不自在。几次三番要把他荐出去，无奈人家嫌他年纪太大了，都不敢请教。这遭托他同到山东照应儿子，却是一举两得。于舅太爷年纪虽大，精神尚健；于世路上一切事情亦还在行。甄学忠有这位老母舅照料，自然诸事一概靠托，乐得自己不问。于舅太爷却勤勤恳恳，事必躬亲，于这位外甥的事格外当心。那些跟来的管家，都是在京里苦够的了，好容易跟着主人到外省做官，大家总望赚两个。谁知碰见了这位舅太爷，以后的好处且慢说，但就目前路上而论，什么雇车子，开发店家，有心赚两个零用钱亦做不到。因此大家没有一个欢喜这位于舅太爷的，而且都在少主人面前说他的坏话。

在路晓行夜宿，非止一日，早已走到山东济南府城。禀到，禀见，缴凭，投信，一切繁文，不必细表。抚台接到沈中堂的私函，托他照应甄学忠，自然是另眼看待。到省不到一个月，抚台避嫌疑，不肯委他差使。齐巧那时候办河工，抚台反替他托了上游的总办张道台。算是张道台上禀帖，向抚台说这甄牧如何老练，如何才干，“目下正值需才之际，可否禀恳宪恩，饬令该牧来工差遣，以资臂助”各等语。抚台看了，彼此心心相印，断无驳回之理。甄学忠奉到了公事，连忙上院叩谢。抚台当着大众很拿他交代一番；又说：“你到省未久，本还轮不到委什么差使。这是张道台有禀帖在此，禀请你去帮忙，好生干！”甄学忠连应了几声“是”，下来大家都说他一定同张观察有什么渊源。还有人来问他，甄学忠回称：“素昧生平。”大家都不相信，还说他有意瞒人。甄学忠自己亦摸不着头脑，人家都说他闲话，无可置辨。后来到得工上，叩见了张观察，张观察同他很客气。第二天就委了他买料差使。上来叩谢。张观察晓得买料事繁，当面荐了两个人，一个萧心闲，一个潘士斐，说：“他二人于办料一切，都是老手。”甄学忠又怕荐的人没有自己人当心，于是又写信到公馆，请他娘舅于舅太爷赶了来。于舅太爷一听外甥有了事，自然也是欢喜的，便道：

"这买料的事上关国帑①,下关民命,中间还关系委员的考成。若是没个人去监察监察他们,这些人我是知道的,什么私弊都会做出来。"因此接信之后,便赶着赶到工上。有他一个清眼鬼,自然那些什么萧心闲、潘士斐,以及一班家人们,都不敢作什么弊了。然而大家一齐拿他恨入骨髓。不在话下。

且说甄学忠到省不及一月,居然得了这个美差,便有他的堂房舅子姓黄绰号黄二麻子的,前来找他。他太太是湖北人。这黄二麻子是他大舅子。齐巧这年正在山东潍县当征收,看了辕门抄写得妹丈得了河工差使,他便想赶到省里来。一来望望妹妹,二来想插手弄点事情做做,总比他当征收师爷的好。主意打定,便在东家跟前请了两个半月的假,上省找他妹丈。他这个馆地原是情面账,东家并不拿他十二分当人,他要告假,乐得等他告假。叫账房多送了一个月的束脩给他做盘川,又托账房师爷替他照官价雇了一辆车,派了一个差役送他进省,连个二爷都没有带。到了省城,黄二麻子是省钱惯的,不肯住客店;又因为同甄学忠的太太有几十年不见了,虽是堂房兄妹,怕他一时记不得,似乎未便冒昧,况且妹丈又是从未见过面的人;因此便借了一个朋友家里暂住歇脚。他是午饭前到的,吃了饭就换了衣服,要去拜望妹妹、妹丈。他也不该什么好衣服,一件复染的茧缎袍子,一件天青缎旧马褂,便算是客服了。又嫌不恭敬,特地又戴了一顶大帽子,穿了一双前头有两只眼的靴。摇摇摆摆,算做行装,也还充得过。打扮停当,忽然想起:"初次拜妹丈,应该用个什么帖子?"他朋友说:"用个'姻愚弟'罢了。"黄二麻子摇摇头说道:"我这趟来是望他提拔提拔我的,同他兄弟相称,似乎自己过于拿大。而且依我意思,用帖子亦不妥当,还是写个单名的手本。你说好不好?"那朋友道:"令亲是什么官?"黄二麻子道:"舍妹丈是户部主政,改捐直隶州知州。我们这位太亲翁是现任内阁学士,——除掉内阁大学士之外,京城的官就要算他顶大。舍妹丈便是他的大少爷。"那朋友道:"他老子官大,儿子总不能世袭到自己身上;就算可以世袭,也没见过郎舅至亲可以用得手本的。"黄二麻子道:"这是官场的规矩,你没有做过官是不晓得的。我这趟来找他在工上弄事情做的。事情成功了,他做老总,我们在他手下办事,赛如就同他的

---

① 国帑(tǎng)——国家的公款。

属员一样,怎么今天来了不上个手本?不但见舍妹丈要用手本;就是去见舍妹,也是要用手本,先上去禀安,方是道理。”那朋友见他执迷不悟,也只好随他,便说道:“你说的不错。时候不早了,你快去罢。”

黄二麻子赶忙出门,一路问人,好容易问到妹夫的公馆。自己投帖。门上人拿他看了两眼,回称:“老爷到工上去了,不在家,挡你老爷的驾罢。”黄二麻子又说:“既然老爷不在家,费心上房太太跟前替我回一声,就说我黄某人禀安、禀见。”门上人听他说要见太太,又拿他看了两眼,问他:“同敝上可是亲戚?”他到此方才说明:“你们的太太就是我的舍妹。”门上人连忙改口称呼说:“原来是一位舅老爷。”又问:“同我们太太可是胞兄妹?”黄二麻子道:“同高祖还在五服之内,是亲的,不算远。”门上人一听不是亲舅老爷,那脸上的神色又差了。但念他总是太太娘家的人,得罪不得,便道:“你老爷坐一回,等家人上去回过再来请。”黄二麻子连称:“劳驾得很!……”一霎时门上人进去回过太太,让他厅上相见。太太家常打扮出来。见了面,太太正想举袖子万福,黄二麻子早跪下了。磕头起来,又请了一个安,口称:“连年在外省处馆,姑太太到了,没有赶得上来伺候。”太太道:“不敢!”于是满面春风的,问长问短。黄二麻子异常恭敬,竟其口口声声“姑老爷”、“姑太太”,什么“妹夫”、“妹妹”等字眼,一个也不提了。随后提到托在工上谋事情的话,太太道:“至亲原应该照应的;无奈这些事情都是你妹夫做主,不是熟手插不下手去,我亦不好要他怎么样。你既然很远的来,住在哪里?”黄二麻子道:“暂时借一个朋友家里歇歇脚,还没有一定的住处。”太太道:“既然如此,你且把行李搬了来住两天。你妹夫不时到省里来,等他见了你,我们再来想法子。”黄二麻子听了前半截的话,心上老大着急,及听到后半,留他在公馆里住,便满心欢喜,又着实说了几句感激姑太太栽培的话,然后退了下来。一众家人晓得太太留他在公馆里住,看太太面上,少不得都来趋奉他,一个个“舅老爷”长,“舅老爷”短,叫得震天价响。黄二麻子此时同他们却异常客气,连称:“我如今也是来靠人的,一切正望你们老爷提拔,诸位从旁吹嘘。我们还不是一样吗?快别提到‘舅老爷’三个字!……”大家见他随和,倒也欢喜他。

过了几天,甄学忠工上有事,自己没有回来,差了于舅太爷到省城里来办一件什么事。黄二麻子早打听明白了。等到于舅太爷下车进来之后,他忙赶着拿了“姻愚侄”的帖子上去叩见。见了面,口称“老姻伯”,自称“小侄”。说到他自己的事情,又要恳老姻伯替他吹嘘。于舅太爷是至诚人,看他规矩,便也认他是个好人。过了一天,事情办完,于舅太爷要回工上去。甄学忠的太太又来拜托他在外甥面前替他哥子帮忙,于舅太爷只得答应着。等到老人家转过了身,一班家人都指指点点地骂他。黄二麻子听在肚里,心想:“他的人缘如此不好,倒是一个绝好的机会。”没有事便到上房找妹子谈天;面子上说是请姑太太的安,其实是常常亲热惯了,他有他的主意。凑巧这位太太最爱谈天说闲话,如今有了这个本家哥哥凑趣,而且又无须避得嫌疑。因此这黄二麻子在妹子跟前很有脸,家人小子们求舅老爷说句把话亦很灵。如此者约有半个月光景。有天甄学忠因公回省,到得家里,听了于舅太爷的先入之言,心上早有了个底了。等到见了面,头一样他能够低头服小,就合了脾胃。答应同他一块儿到工上去。

黄二麻子既到得工上,一看姑老爷的气派可不小:虽说是个买料委员,只因他手下用的人多,凡是工上用的东西,无论一土一木,都要他派人去采办;用的人多,自然趋奉的人就多;名为委员,实则同总办一样。此时是于舅太爷拿总,专管银钱。就是总办荐的萧心闲、潘士斐,亦都在总局里派了有底有面的执事。黄二麻子初到,一个个都去拜望。提到妹夫还不敢称妹夫,仍旧称“我们姑老爷”;后来见大家背后叫“老总”,他亦改口称“老总”。过了两天,老总派他稽查工料,他也不晓得稽查些什么。他平时见了老总及于舅太爷不敢多说话,却同萧心闲、潘士斐两人甚是投机。他俩念他是东家的舅爷,总比别人亲一层。而且他在工上住了两天,定要借事进省一趟,说是记挂姑太太,进省看姑太太去。人家见他走得如此勤,便疑心他纵然不是亲兄妹,亦总是嫡堂兄妹了。有些话不便当面向东家谈的,便借他做个内线,只要他在他姑太太跟前提一声,将来东家总晓得的。几回事情一来,他晓得人家有仰仗他的地方,顿时水涨船高,架子亦就慢慢的大了起来。朝着萧、潘一般人信口乱吹,数说:姑太太今天留他吃什么点心,又为他添什么菜;又指着身上一件光板无毛的皮袍子说:“这件面子,也是姑太太送的。”众人看了看皮袍子面子,乃是一件旧宁绸复染的,已经旧的不要旧了。潘士斐爱说玩话,便笑着说道:“你们姑太太也太小气了,既然送你皮袍子面子,为什么不送你一件新的,却送你旧的?”黄二麻子把脸一红,想了一想,说道:“我们姑太太本来要送我一件新的;是我不要,只问她要这件旧的。”众人说:“有新的送你,你反不要,要旧的,这是什么缘故?”黄二麻子道:“我们天天在工上当差使,跑了来,跑了去,风又大,灰土又多,新的上身,不到三天就弄坏了,岂不可惜!我所以只问她要件旧的,可以随便拖拖。这个意思难道你们还不晓得?”

过了一天,姑太太差了管家来替老爷送东西吃食,顺便带给于舅太爷、黄二麻子一家一块咸肉、一盘包子。于舅太爷向来是自己一个人吃饭的,所以大家不晓得。黄二麻子却如得了皇恩御赐一般,直把他喜得了不得,逢人便告。又说:“我们姑太太怎么想得这样周到!晓得我们在工上吃苦,所以老远的带吃食来。从前我有两个舍妹:大舍妹小气的了不得,所以只嫁了一个教书的,不久就过去了;这是二舍妹,她自小手笔就阔,气派也不同,所以就会做太太。这是一点不错的。”

到了第二天中午,特地把姑太太给他的咸肉蒸了一小块,拿小刀子溜薄的切得一片一片的,摆在一个三寸碟子里头。等到开饭的时候,他拿了出来。一桌子五个人吃饭,他每人敬了一片,说:“这就是我们姑太太的肉,请诸位尝尝。”敬了一片,第二片他可不敬了,只见他一筷子一片,只管夹着往嘴里送;一头吃,还要一头赞。等到吃完,剩了三片,还叫伺候开饭的二爷替他留好了,预备第二顿再吃。偏偏碰见这个二爷的嘴馋,伸手拈了一片往嘴里一送;又自言自语道:“只听他说好,到底是个什么滋味,等我也尝他一片。”果然滋味好,于是又偷吃了一片。越吃越好吃;又自己说道:“一不做,二不休,一片也是吃,三片也是吃,索性吃完了它。舅老爷不问便罢;倘若问起来,就说是个猫偷吃了的,他总不能怪我。”主意打定。等到晚上开饭的时候,伺候开饭的二爷,只指望他忘却那三片咸肉,不提起才好。谁知黄二麻子于这三片咸肉竟是刻骨铭心,也决计忘不掉。一坐下来,还没有动筷子,就问:“我的咸肉呢?”偷嘴的二爷忙嚷着叫厨房里添碗肉。黄二麻子道:“不是要厨房里添肉,是中饭吃的我们姑太太肉,还剩下三片,我叫你替我留好的。”偷嘴的二爷晓得躲不过,瞎张罗了半天,才回了一声:“没有了。”黄二麻子眼睛一瞪,把筷子往桌子上一拍,说道:“哪里去了?”偷嘴的二爷说道:“想是被野猫衔了去了。”急得黄二麻子跺脚骂“王八蛋”,说道:“是我们姑太太给我的肉,我一顿舍不得吃完,所以留在第二顿吃。叫你留好,你不当心,如今被猫衔了去了。

我不管，我只是问你要！你没，你赔我的；你要不赔，你自己去同你们太太说去。”黄二麻子只管骂，不动筷子。等到别人吃完饭，他还是坐着不动，一定要偷嘴的二爷赔他的。那偷嘴的二爷先撅着嘴不做声，尽着他骂。后来挨不过，走到门外，嘴里叽里咕噜地说道：“少了三片咸肉，不过是猪肉，又不真果是他们姑太太身上的肉，何犯着闹到这步田地！”偏偏这句话又被黄二麻子听见了，赶着出去打他的嘴巴，问他吃的谁的饭。一定上去回老爷，撵掉他还不算，还要打他的板子。别的爷们晓得事情闹大了，都怪那个偷嘴的二爷不是，不该嘴里拿太太乱讲：“舅太爷是太太的哥哥，你乱讲被他听见了，怎么叫他不生气呢。他果然同老爷说了，你还想吃饭吗？”那个偷嘴的二爷到此方才悔悟过来，由众人架弄着，领他到黄二麻子跟前磕头，求舅老爷息怒，不要告诉太太晓得。黄二麻子起先还拿腔做势，一定不答应；禁不住众管家一齐打千哀求，方才答应下。那个偷嘴的二爷又磕头谢过舅老爷恩典，方才完事。如此一来，黄二麻子把情分一齐卖在众人身上，众人自然见他的情。他自己一想：“上头除掉姑老爷，就是于舅太爷一位，余外的人都越不过我的头去。”自此以后，他的架子顿时大了起来。一班家人小子，看了老爷、太太的份上，少不得都要巴结他。还有些人晓得他在主人面前说得动话，指望他说句把好，也不得不来趋奉。

偏偏事有凑巧，于舅太爷病了十天。甄学忠一向有什么事情，都是于舅太爷承当了去。如今他老人家病了，样样都得自己烦心，不上三天，早把他闹烦了。到这档口，黄二麻子晓得是机会到了，便格外在姑老爷跟前献殷勤；甚至家人小厮当的差使，不该他做的，他亦抢在前头。甄学忠觉得他这人可靠，渐渐地拿些事情交代他办。他办完了事情，一天定要十几趟到于舅太爷屋里看于舅太爷的病，伺候于舅太爷，什么汤啊水啊，亦都是他料理。因此于舅太爷亦很见他的情，面子上很赞他好。却不料他老人家的病一日重似一日。甄学忠还算待娘舅好，凡是左近有名的医生都已请遍，无奈总不见效。他老人家自己也晓得是时候了，便把外甥请到床前，黄二麻子亦跟了进去。只见他从被窝里伸出手来，拉着外甥的手，说道：“老贤甥！我自从你令堂去世，承你老人家看得起我；如今又到你手里，并不拿我娘舅当作外人，一切事情都还相信我。我如今是不中用的了！现在正是你要紧时候，我不能帮你的忙，这也是无可奈何之事。但是我死之后,银钱大事,你可收回自己去管。一句话须要记好,‘人心叵测’,虽是至亲,也都是靠不住的。”于舅太爷说到这里,已经喘吁吁上气接不到下气,头上汗珠子同黄豆大小,直滚下来。甄学忠此时念到他平日相待情形,不期而然的从天性中流出几点眼泪。忙请娘舅呷一口参汤;劝娘舅暂时养神,不要说话。约摸停了一会,于舅太爷得了参汤补助之力,渐渐地精神回转,于是又挣扎着说道:“不但银钱大事要自己管,就是买土买料,也总要时时刻刻当心。我活一天,这些事我都替你抢在头里,不要你操心,就是惹人家骂我恨我,我亦不怕。横竖我有了这把年纪,也不想什么好处。除了我,却没有第二个肯做这个冤家的。黄某人,人是很能干的……”说到这里,于舅太爷气又接不上来,喘做一团。甄学忠扶他睡下,叫他歇一回。谁知他话说多了,精神早已散了,一个气不接,早见他眼睛一翻,早已不中用了。甄学忠少不得哭了一场。赶紧派人替他办后事,忙着入殓出殡,把他灵柩权寄在庙里,随后再扶回原籍。都是后话不题。

且说当他病重时,同他外甥说的几句话,黄二麻子跟在屋里听得清清楚楚。先听他说,“人心叵测,虽是至亲亦靠不住”,不由心上毕拍一跳;暗暗骂他:“老杀才!你病了,我如此的伺候你,巴结你,如今倒要绝我的饭碗!幸亏没有叫出名来还好。”等到第二回说,“黄某人人是很能干的,……”照于舅太爷的意思,谅来一定还有不满意于他的说话。又幸亏底下的话没有说出,他就一命呜呼了。碰巧他这位老贤甥听话也只听一半,竟是断章取义,听了老母舅临终的说话,以为是老母舅保举他堂舅爷接他的手,所以才会夸奖他能干。他得了这句说话,等到于舅太爷一断了气,还没有下棺材,他已把大权交给黄二麻子。黄二麻子却出其不意受了妹夫的托付,这一喜真非同小可!当天就接手。接手之手,一心想查于舅太爷的账目有什么弊端,掀了出来也好报报前仇;谁知查了半天,竟其一毫也查不出。只有一间空房里,常常堆着千把吊钱。他便到妹夫跟前献殷勤道:“这许多钱堆在家里,岂不搁利钱。何不存在钱铺里,一来可生几个利钱,二则也免自己担心?舅太爷到底有了岁数的人了,无论你如何精明,总有想不到的地方。”只见他妹夫道:“你倒不要说他。工上用的全是现钱,不多预备点存在家里,一时头上要起来,哪里去弄呢?”黄二麻子碰了这个软钉子,自己觉着没趣,搭讪着又说了几句别的闲话,妹夫也没有理会他。他便回到自己房里生气,咕嘟着嘴,一个人自言自语道:“谁稀罕吃他的饭！这也算得什么！”

正在气间，齐巧管厨的上来付伙食钱。管厨的晓得他是主人的舅老爷，今儿又是初接事，不敢不巴结他。一进门，先请一个安，说了声：“请舅老爷的安。”黄二麻子爱理不理的，问他什么事。管厨的故意做出一副笑容，从袖子里取出一本伙食账来，送到桌子上，却又笑嘻嘻地说道：“又要舅老爷费心了。”黄二麻了是在现任州、县衙门当过师爷的，自己虽然没有经过手，规矩是知道的，晓得大厨房里，账房师爷有个九五扣。黄二麻子便拿起算盘，踢踢搭搭一算：五天应付九十六吊；照九五扣，应除四吊八百文，实付九十一吊二百文。照数发了出来。管厨的接到手里一算，不敢说不对，只笑嘻嘻地说道：“舅老爷这是怎么算的？小的不懂。”黄二麻子当是管厨的有心当面奚落他，便把算盘一推，跟手拿桌子一拍，骂道：“好混账！你瞧不起我，见我今天初接手，欺负我外行，要来蒙我！通天底下衙门局子，都是一样。我做账房虽是今天头一天，你当管厨的难道亦是今天头一回吗？你如果嫌少，你不要拿，替我把钱放在这里！”管厨的碰了这个钉子，晓得一时说不明白，只好拿了钱，搭讪着出去。黄二麻子还骂道：“底贱货！你不凶过他的头，他就凶过你的头，真正不是些好东西！”

到了第二天，管厨的特地送了黄二麻子一只火腿；又做了两碗菜，一碗红烧肘子，一碗是清炖鸭子；说是：“小的孝敬师老爷的，总得求舅老爷赏个脸收下。”起先黄二麻子还只板着个脸，一定不要这些东西；禁不住管厨的一再恳求，方才有点活动。管厨的下去，当夜便找了值账房的二爷，请他吃了几杯酒，托他同舅老爷说：“这个九五扣，照例原是应该有的；只为舅太爷要替老爷省钱，叫我们办‘清公事’，什么伙食钱，酒席价，格外往少里打算，也不要什么扣头。如今舅老爷来了，这个钱我们下头亦情愿报效的。但是有一句俗语，叫做‘羊毛出在羊身上’，无非还是拿着老爷的钱贴补他舅老爷罢了，舅老爷是何等精明的人，难道要我们卖老婆孩子不成？少不得还要拜求舅老爷在老爷面前，就说现在工上米粮柴火以及吃的菜，无一不贵。若照着前头数目，实在有点赔不起。总得求他老人家看破些，自下个月起，每人伙食加上十个钱。如此一来，我也不至赔本，舅老爷也有了。至于老爷一天多花几百钱，少处去，大处来，只要那笔材料里头多开销上头几文，还怕这笔没抵挡吗。”那值账房的二爷吃喝了他的酒菜,少不得要帮他的忙,当时诺诺连声。等到晚上,走到黄二麻子身旁,一五一十,说了一遍。只见黄二麻子皱了半天眉头,说道:“既然如此,何不早说!老爷跟前,我已经说他做不下去,保举了别人,换别人做了。如今叫我到老爷跟前怎么再替他说回来呢?”值账房的二爷听了此言,亦为一惊,口称:“这事总要求舅老爷恩典!”停了半晌,黄二麻子又说道:“这么样罢:老爷跟前,我还说得回来,只说接手的那个人家里有事,一时不能上工,仍叫前头一个做起来。以后我们再留心,另雇别人罢。但是要接手的那个人,我已经答应他了,明天就要来上工。这个只好你们底下去同他商量。他肯让自然极好;倘若不肯,也只好由他,我不能做出尔反尔的事。”值账房的出来同管厨的说了。管厨的倒也明白,说:“也不过想两个钱。等我认晦气送他二十吊钱,叫他明天不要来。但是由我们底下劝他,一定不肯依的。这事情还得求舅老爷帮我一个忙,这钱就请舅老爷给他,方才妥当。”值账房的又上去回了。黄二麻子不说别的,但说二十吊钱太少,恐怕说不下去。后来又添了十吊,黄二麻子答应了,方才无事。自从管厨的有了这回事,大家都晓得舅老爷是要钱的,凡是来想他妹夫好处的,没一个不送钱给他。等到妹夫差使交卸下来,他的腰包里亦就满了。

要知后事如何,且听下回分解。

第六十回

苦辣甜酸遍尝滋味　嬉笑怒骂皆为文章

话说黄二麻子在他妹夫的工上很赚了几个钱。等到事情完了，他看来看去，统天底下的买卖，只有做官利钱顶好，所以拿定主意，一定也要做官。但是赚来的钱虽不算少，然而捐个正印官还不够，又恐怕人家说闲话。为此踌躇了几天，才捐了一个县丞，指分山东，并捐免验看，径自到省。一面到省；一面又托过妹夫，将来大案里头替他填个名字，一保就好过班。妹夫见他有志向上，而且人情是势利的，见他如此，也就乐得成人之美。

闲话休叙。且说黄二麻子到省之后，勤勤恳恳，上衙门站班。他拿定主意，只上两个衙门，一个是藩台，一个是首府。每天只赶这两处，赶了出又赶进，别处也来不及再去了。又过了些时，有天黄二麻子走到藩台衙门里一问，号房说："大人今儿请假，不上院了。"又问："为什么事请假？"回称："同太太、姨太太打饥荒，姨太太哭了两天不吃饭，所以他老人家亦不上院了。"又问："为什么事同姨太太打饥荒？"号房道："这个事我本不晓得，原是里头二爷出来说的，被我听见了。我今告诉你，你到外头却不可乱说呢。"黄二麻子道："这个自然。"号房道："原来我们这位大人一共是一位正太太，三位姨太太。不是前两天有过上谕，如要捐官的，尽两月里头上兑；两月之后，就不能捐了？因此我们大人就给太太养的大少爷捐了一个道台。大姨太太养的是二少爷，今年虽然才七岁，有他娘吵在头里，定要同太太一样也捐一个道台。二姨太太看着眼热，自己没有儿子，幸亏已有五个月的身孕，便要大人替他没有养出来的儿子，亦捐一个官放在那里。我们大人说：'将来养了下来，得知是男是女？倘若是个女怎么样？'二姨太太不依，说道：'固然保不定是个男孩子，然而亦拿不稳一定是个女孩子。姑且捐好一个预备着，就是头胎养了女儿，还有二胎哩。'大人说她不过，也替她捐了；不过比道台差了一级，只捐得一个知府。二姨太太才闹完，三姨太太又不答应了。三姨太太更不比二姨太太，并且连着身孕也没有,也要替儿子捐官。大人说:‘你连着喜都没有,急得哪一门?’三姨太太说:‘我现在虽没有喜,焉知道我下月不受胎呢。’因此也闹着一定要捐一个知府。听说昨儿亦说好了。大人被这几位姨太太闹了几天几夜,没有好生睡,实在有点撑不住了,所以请的假。”

黄二麻子至此方才明白。于是又赶到首府衙门。到了首府,执帖的说:“大人上院还没有回来。”黄二麻子只得在官厅子上老等。一等等到下午三点钟,才见首府大人回来,急忙赶出去站班。只见首府面孔气得碧青,下属站班,他理也不理,下了轿一直跑了进去,大非往日情形可比。黄二麻子心中不解。等到人家散过,他独不走,跑到执帖门房里探听消息。执帖的说:“太爷你请少坐,等我进去打听明白了,再出来告诉你。”于是上去伺候了半天,好容易探得明白,出来同黄二麻子说道:“你晓得我们大人为了什么事气的这个样子?”黄二麻子急于要问。执帖道:“照这样看去,这个官竟是不容易做的!只因今天上院,齐巧抚台大人这两天发痔疮,屁股里疼得熬不住,自从臬台大人起,上去回话,说不了三句就碰了下来。听见说我们大人还被他喷了一口唾沫,因此气得了不得。现在正在上房生气,口口声声要请师爷替他打禀帖告病哩。”黄二麻子道:“这个却是不应该的。他自己屁股有病,怎么好给人家脸上下不去?——平心而论:这也是他们做道、府大员的,才够得上给他吐唾沫,像我们这样小官,想他吐唾沫还想不到哩。”一面说完,也就起身告辞回去。

到第二天,仍旧先上藩台衙门,号房说:“大人还不见客。”黄二麻子道:“现在各位姨太太可没有什么饥荒打了?”号房道:“听说我们大人,只有大太太、大姨太太两位少爷的官,实实在在,银子已经拿了出去。二姨太太同三姨太太,她俩一个才有喜,一个还没有喜,为此大人还赖着不肯替她们捐。嘴里虽然答应,没有部照给她们。她们放心不下,所以她俩这两天跟着老爷闹,大约将来亦总要替他捐的:这是私事。还有公事:向来有些局子里的小委员,凡是我们大人管得到的,如果要换什么人,一齐都归我们大人做主。抚台跟前,不过等到上院的时候,顺便回一声就是了。如今这位抚台大人却不然,每个局里都委了一位道台做坐办。面子上说藩司公事忙,照顾不了这许多,所以添委一位道台办公事。名为坐办,其实权柄同总办一样,一切事情都归他做主;他要委就委,他要撤就撤,全凭他一个人的主意。我们大人除掉照例画行之外,反不能问信。弄得他老人家心上有点酸挤挤的不高兴，所以今天仍旧不出门。”黄二麻子听完这番话，一个人肚皮里寻思道：“他做到一省藩台，除掉抚台，谁还有比他大的？谁不来巴结他？照现在的情形说起来，辛苦了半辈子，弄了几个钱，不过是替儿孙作马牛。外头的同寅还来排挤他。一群小老婆似的，赛如就是抚台一个是男人，大家都要讨他喜欢；稍些失点宠，就要酸挤挤的。说穿了，这个官真不是人做的！”一面说，一面呆坐了一回。号房说：“黄太爷，你也可以回去歇歇了。他老人今天不出门，你在这里岂不是白耽搁了时候？”一句话提醒了黄二麻子，连忙站起来说道：“不错，你老哥说的极是。臬台衙门我有好两个月不去了。他那里例差也不少，永远不去照面，就是他有差使，也不会送到我的门上来。”说着自去。

才进臬台辕门，只见首府轿子、执事，横七竖八，乱纷纷地摆在大门外头。黄二麻子心上明白，晓得首府在这里。心上暗暗欢喜，以为这一趟来的不冤枉，又上了臬台衙门，又替首府大人站了出班，真正一举两得。心上正在欢喜。等到进来一看，统省的官到得不少，一齐坐在官厅子上等见。停了一刻，各位实缺候补道大人亦都来了，都是按照见抚台的仪制，在外头下轿。黄二麻子心上说：“司、道平行，一向顶门拜会的，怎么今儿换了样子？”于是找着熟人问信，才晓得抚台奉旨进京陛见；因为他一向同臬台合式，同藩台不合式，所以保奏了臬台护院。正碰着臬台又是旗人，上头圣眷极红，顿时批准。批折没有回来，自然电报先到了。恰好这日是辕期，臬台上院，抚台拿电报给他看过。各还各的规矩：臬台自然谢抚台的栽培；抚台又朝着他恭喜，当时就叫升炮送他出去。等到臬台回到自己的衙门，首府、县跟屁股赶了来叩喜；接连一班实缺道、候补道，亦都按照属员规矩，前来禀安、禀贺。此时臬台少不得仍同他们客气。常言道：“做此官，行此礼。”无论那臬台如何谦恭，他们决计不敢越分的。闲话休叙。当下黄二麻子听了他朋友一番说话，便道：“怎么我刚才在藩台衙门来，他们那里一点没有消息？”他的朋友道：“抚台刚刚得电报，齐巧臬台上院禀见，抚台告诉了他。臬台下来，抚台只见了一起客，说是痔疮还没有好，不能多坐，所以别的客一概不见。自从得电报到如今，不过一个钟头，自然藩台衙门里不会得信。”黄二麻子道：“怎么电报局亦不送个信去？”他的朋友道：“你这人好呆！人家护院，他不得护院，可是送个信给他，好叫他生气不是？”黄二麻子道：“抚台亦总该知照他的。”朋友道：

“不过是接到的电报，部文还没有来，就是晚点知照他也不打紧。况且他俩平素又不合式；如果合式，也不会拿他那个缺，越过藩台给臬台护了。”黄二麻子到此，方才恍然。停了一会，各位道台大人见完了新护院，一齐出来。新护院拉住叫“请轿”，他们一定不肯。又开中门拉他们，还只是不敢走，仍旧走的旁边。各位道台出去之后，又见一班知府，一班州、县，约摸有两点钟才完。藩台那里，也不晓得是什么人送的信，后来听说当时简直气得个半死！气了一回，亦无法想。一直等到饭后，想了想，这是朝廷的旨意，总不能违背的。好在仍在请假期内，自己用不着去，只派了人拿了手本到臬台衙门，替新护院禀安、禀贺；又声明有病请假，自己不能亲自过来的缘故。然而过了两天，假期满了，少不得仍旧自己去上衙门。他自己戴的是头品顶戴红顶子，臬台还是亮蓝顶子；如今反过来去俯就他，怎么能够不气呢。

按下慢表。且说甄学忠靠了老人家的面子，在山东河工上得了个异常劳绩，居然过班知府。第二年又在抢险案内，又得了一个保举，又居然做了道台。等到经手的事情完了，请咨进京引见。父子相见，自有一番欢乐。老太爷便提到小儿子读书不成，应过两回秋闱不中，意思亦想替他捐个官，等他出去历练历练。甄学忠仰体父意，晓得自己没有中举，只以捐纳出身，虽然做到道台，尚非老人所愿。如今再叫兄弟做外官，未免绝了中会的指望，老人家越发伤心。于是极力劝老人家：只替兄弟捐个主事，到部未曾补缺，一样可以乡试。倘若能够中个举人，或是联捷上去，莫说点翰林，就是呈请本班，也就沾光不少。甄阁学听了，颇以为然，果然替小儿子捐了一个主事，签分刑部当差。又过了两年，大儿子在山东居然署理济东泰武临道。此时甄阁学春秋已高，精神也渐渐的有点支持不住，便写信给大儿子说，想要告病。此时儿子已经到任，接到了老太爷的信，马上写信给老人家，劝老人家告病，或是请几个月的病假，到山东衙门里盘桓些时。甄阁学回信应允。甄学忠得到了信，便商量着派人上京去迎接。想来想去，无人可派，只得把他的堂舅爷黄二麻子请了来，请他进京去走一遭。此时黄二麻子在省城里，靠了妹夫的虚火，也弄到两三个局子差事在身上。听了妹夫的吩咐，又是本省上司，少不得马上答应。甄学忠又替他各处去请假，——凡是各局子的总、会办都是同寅——言明不扣薪水。在各位总、会办，横竖开支的不是自己的钱，乐得做好人；而且又顾全了首道的情面；于是一一允许。黄二麻子愈加感激。第二天收拾了一天，稍些买点送人礼物。第三天就带了盘川及家人、练勇，一路上京而来。

在路晓行夜宿，不止一日，已到了京城。找到了甄阁学的住宅，先落门房，把甄学忠的家信，连着自己的手本，托门上人递了进去。甄阁学看了信，晓得派来的是儿子的堂舅爷，彼此是亲戚，便马上叫"请见"。黄二麻子见了甄阁学，行礼之后，甄阁学让他坐，他一定不敢上坐；并且口口声声的"老大人"，自己报着名字。甄阁学道："我们是至亲，你不要闹这些官派。"黄二麻子哪里肯听，甄阁学也只好随他。黄二麻子请示："老大人几时动身？"甄阁学道："我请病假，上头已经批准，本来一无顾恋，马上可以动得身的。无奈我有一个胞兄，病在保定，几次叫我侄儿写信前来，据说病得很凶，深怕老兄弟不得见面，信上再三劝我，务必到他那里看他一趟。现在我好在一无事体，看手足份上，少不得要亲自去走一遭。再者：我那些侄儿还没有一个出仕，等我去同他商量商量，也要替他们弄出两个去才好。"黄二麻子便问："这位大老大人，一向是在保定候补呢，还是作幕？"甄阁学道："也非候补，也非作幕。只因我们家嫂，祖、父两代在保定做官，就在保定买了房子，赛同落了户的一样。家兄娶的头一位家嫂，没有生育就死了。这一位是续弦，姓徐。徐家这位太亲母只此一个女儿，钟爱的了不得，就把家兄招赘在家里做亲的。那年家兄已有四十八岁，家嫂亦四十朝外了。家兄一辈子顶羡慕的是做官。自从十六岁下场乡试，一直顶到四十八岁，三十年里头，连正带恩①，少说下过十七八场，不要说是举人、副榜，连着出房、堂备，也没有过，总算是蹭蹬②极了！到了这个年纪，家兄亦就意懒心灰，把这正途一条念头打断，意思想从异途上走。到这时候，如说捐官，家嫂娘家有的是钱，单他一个爱婿，就是捐个道台也很容易。偏偏碰着我们这位太亲母，——就是家兄的丈母了——他的意思却不以为然。他说：'梁灏八十二岁中状元。只要你有志气，将来总有一朝发迹的日子。我这里又不少穿，又不少吃，老婆孩子又不要你养活，你急的哪一门，要出去做官？我劝你还是用功，不要去打那些瞎念头。你左右不过五十岁的人，比起梁灏还差着三十多岁哩！'家兄听了他丈母的教

---

① 连正带恩——指正科考试和皇家恩赐的考试。

② 蹭蹬(cèng dèng)——遭遇挫折。

训,无奈只得再下场。如今又是七八科下来了;再过一两科不中,大约离着邀恩①也不远了。偏偏事不凑巧,他又生起病来。至于我那些侄儿呢:肚子里的才情,比起我那两个孩子来却差得多。我的两个孩子,我岂不盼他们由正途出身,于我的面上格外有点光彩;无奈他们的笔路不对,考一辈子也不会发达的。幸亏我老头子见机得早,随他们走了异途,如今到底还有个官做。若照家兄的样子,自己已经蹭蹬了一辈子,还经得起儿子再学他的样!所以我急于要去替他安排安排才好。"甄阁学说完了这番话,黄二麻子都已领悟,无言而退。一时在京那些同年至好,晓得甄阁学要出京,今天你送礼,明天我饯行;甄阁学怕应酬,一概辞谢。赶把行李收拾停当,雇好了车,提早三天就起身,前往保定进发。他第二个儿子甄学孝同着家眷仍留京城,当他的主事。按下慢表。

单说甄阁学同了黄二麻子两个,晓行夜宿,不止一日,已到保定大老大人的公馆,一直到他门口下车。原来大老大人的丈母一年前头也不在了,另外有过继儿子过来当家。大老大人因为住在丈人家不便,好在有的是妻财,立刻拿出来,另外典一所大房子,同着太太、少爷搬出来另住。当时黄二麻子招呼着甄阁学下了车,甄阁学先进去了。黄二麻子且不进去,先在门外督率家人、练勇卸行李。自己又一面留心,在门楼底下两面墙上看了一回,只见满墙贴着二寸来宽的红纸封条。只见报条上的官衔:自从拔贡、举人起,某科进士、某科翰林;京官大学士、军机大臣起,以及御史、中书为止;外官从督、抚起,以至佐杂太爷止;还有武职,提、镇至千、把、外委,通通都有;又有什么钦差大臣、学政、主考,一切阔差使;至于各省局所督、会办,不计其数。黄二麻子一头看,一头想心思:"他老人家生平没有做过什么官,就是令弟二先生也不过做到阁学,他上代头又没有什么阔人,哪里来的这许多官衔?至于外省的那些官衔同那武职的,越发不对了。就说是亲戚的,也只应该拣官大的写上几个,光光门面;什么佐杂,千、把,写了徒然叫人家看着寒碜。不晓得他一齐写在这里,是个什么意思?"黄二麻子正在门楼底下一个人纳闷,不知不觉,行李已发完了,于是跟了大众一块儿进去。听见这里的管家说起:"二老爷进来的时候,我们

① 邀恩——清时对参加乡试若干场以上还没有录取,或者参加乡试的次数虽不太多,但年纪已过八十的,就赏给举人名义,叫做邀恩。

老爷正发晕过去,至今还没有醒。"黄二麻子虽是亲戚,不便直闯人家的上房,只好一个人坐在厅上静候。等了一会,忽听得里面哭声大震。黄二麻子道声"不好!一定是大老大人断了气了"!想进去望望,究竟人地生疏,不敢造次。心上又想:"幸亏还好,他老兄弟俩还见得一面。但这一霎的工夫,不晓得他老兄弟可能说句话没有?"正想着,里面哭声也就住了。黄二麻子不免怀疑。按下慢表。

如今且说甄阁学,自从下车走到里面,便有他胞侄儿迎了出来,抢着替二叔请安。刚进上房,又见他那位续弦嫂子也站在那里了。甄阁学是古板人,见了长嫂一定要磕头的。磕完了头,嫂子忙叫一班侄儿来替他磕头。等到见完了礼,甄阁学急于要问:"大哥怎么样了?"他嫂子见问,早已含着一包眼泪,拿袖子擦了又擦,歇了半天,才回得:"不大好!请里间坐。"甄阁学也急于要看哥哥的病,不等嫂子让,早已掀开门帘进去了。进得房来,只见他哥哥朝外睡在床上;拿块手巾包着头,脸上一点血丝也没有,的确是久病的样子。甄阁学要进来的时候,他哥哥迷迷糊糊,似睡不睡,并不觉得有人进来。等到兄弟叫了他一声,似乎拿他一惊,睁开眼睛一看,当时还没有看清。后来他儿子赶到床前,又高声同他说:"是二叔来了。"这才心上明白。登时一惊一喜,竭力地从被窝里挣着出一只手来,拿兄弟的衣裳一把拉住。看他情形,不晓得要有许多话说。谁知拉兄弟衣裳的时候,用力过猛,又闪了气,一阵昏晕,一松手,早又不知人事。儿子急得喊爸爸,喊了几声,亦不见醒。甄阁学一时手足情切,止不住淌下泪来。谁知他嫂子、侄儿以为这个样子,人是决计不中用的了;又用力喊了两声,不见回来;便当他已死,一齐痛哭起来。后来还是常伺候病人的一个老妈,在病人胸前摸了一把,说:"老爷胸口还有热气,决计不碍。"劝大家别哭,大家方才停止。

悲声停了一刻,忽听见病人在床上大声呼喊起来。众人一齐吃了一惊,赶紧枭开帐子一看,只见病人已经挣扎着爬起来了。众人又怕他闪了气力,然而要想按他,又按他不下,只得扶他坐起。只听他嘴里还自言自语:"这可真正吓死我了!"一连又说了两遍,说话的声音很有气力,迥非平时可比。再看他脸色,也有了血色了。甄阁学看了诧异,忙问:"大哥怎么样?"只见他回道:"我刚才似乎做梦,梦见走到一座深山里面。这山上豺、狼、虎、豹,样样都有,见了人,恨不得一口就吞下去的样子。我幸亏躲在那树林子里，没有被这班恶兽看见，得以无事。……”毕竟他是有病之人，说到这里，便觉上气不接下气；众人赶忙送上半碗参汤，等他呷了几口接接力。又说道：“我在林子里，那些东西瞧不见我，我却瞧见他们，看的碧波爽清的。原来这山上并不光是豺、狼、虎、豹，连着猫、狗、老鼠、猴子、黄鼠狼，统通都有；至于猪、羊、牛，更不计其数了。老鼠会钻，满山里打洞：钻得进的地方，他要钻；倘若碰见石头，钻不进的地方，他也是乱钻。狗是见了人就咬；然而又怕老虎吃他，见了老虎就摆头摇尾巴的样子，又实在可怜。最坏不过的是猫，跳上跳下：见了虎、豹，他就跳在树上；虎、豹走远了，他又下来了。猴子是见样学样。黄鼠狼是顾前不顾后的，后头追得紧，他就一连放上几个臭屁跑了。此外还有狐狸，装做怪俊的女人，在山上走来走去，叫人看了，真正爱死人。猪、羊顶是无用之物。牛虽来得大，也不过摆样子看罢了。我在树林子里看了半天，我心上想：‘我如今同这一班畜生在一块，终究不是个事。’又想跳出树林子去。无奈遍山遍地，都是这班畜生的世界，又实在跳不出去。想来想去，只好定了心，闭着眼睛，另外生主意。正在这个档口，不提防大吼一声，顿时天崩地裂一般。这时候我早已吓昏了，并不晓得我这个人是生是死。恍恍惚惚的，一睁眼忽然又换了一个世界，不但先前那一班畜生一个不见，并且连我刚才所受的惊吓也忘记了。”

病人说到这里，又停了一刻，接了一接力；家人们又送上半碗汤，呷了两口。这才接下去说道：“我梦里所到的地方，竟是一片康庄大道，马来车往，络绎不绝，竟同上海大马路一个样子。我此时顺着脚向东走去，不知不觉，走到一个所在，乃是一所极高大的洋房，很高的台阶。一头走，一头数台阶，足足有一十八级。我上了台阶，亦似乎觉得有点腿酸，就在东面廊下一张外国椅子上，和身倒下。刚才有点矇眬睡去，忽然觉得身后有人推我一把，嘴里大声喊道：‘这是什么地方！你是哪里来的野人，敢在这里乱睡！你不看里面那些戴顶子、穿靴子的老爷们，他们一齐静悄悄地坐在那里？只有你这个不懂规矩的在这里撒野，还不给我滚开！’我被他骂得动气，便说：‘他们做他的老爷，我睡我的觉，我不碍着他们。他们不能管我，你怎能管我？你道我不懂规矩，难道他们那班戴顶子、穿靴子的人，就不作兴有不规矩的事吗？’那个人被我顶撞了两句，登时恼羞成怒，抡起拳头来就要打我。我也不肯失这口气，就与他对打起来。洋房里的人听见我同那人打架,立刻出来吆喝说:‘这里办正经事,你们闹的什么!’那人见有人吆喝,马上站住,我也只好住手。里头的人便问我是哪里来的。我怎么回答他,一时间恍恍惚惚也记不清了。又忽然记得我问那人:‘你们在这里做什么?’那人道:‘我们在这里校对一部书。’我问他是什么书,那人说是:‘上帝可怜中国贫弱到这步田地,一心要想救救中国。然而中国四万万多人,一时哪能够统通救得。因此便想到一个提纲挈领的法子,说:中国一向是专制政体,普天下的百姓都是怕官的,只要官怎么,百姓就怎么,所谓上行下效。为此拿定了主意,想把这些做官的先陶熔到一个程度,好等他们出去,整躬率物①,出身加民。又想:中国的官,大大小小,何止几千百个;至于他们的坏处,很像是一个先生教出来的。因此就悟出一个新法子来:摹仿学堂里先生教学生的法子,编几本教科书教导他们。并且仿照世界各国普通的教法:从初等小学堂,一层一层的上去,由是而高等小学堂、中学堂、高等学堂。等到到了高等卒业之后,然后再放他们出去做官,自然都是好官。二十年之后,天下还愁不太平吗。’我听了未及回答,只见那人的背后走过一个人来,拿他拍了一下,说声:‘伙计,快去校对你的书罢!校完了好一块儿出去吃饭。’那人听罢此言,马上就跑了进去。不多一刻,里面忽然大喊起来。但听得一片人声说:‘火!火!火!’随后又看见许多人,抱了些烧残不全的书出来,这里顷刻间火已冒穿屋顶了。一霎时救火的洋龙一齐赶到,救了半天,把火救灭。再到屋里一看,并不见有什么失火的痕迹;就是才刚洋龙里面放出来的水,地下亦没有一点。我心上正在稀奇,又听见那班人回来,围在一张公案上面,查点烧残的书籍。查了半天,道是:他们校对的那部书,只剩得上半部。原来这部教科书,前半部是专门指摘他们做官的坏处,好叫他们读了知过必改;后半部方是教导他们做官的法子。如今把这后半部烧了,只剩得前半部。光有这前半部,不像本教科书,倒像个‘封神榜’、‘西游记’,妖魔鬼怪,一齐都有。他们那班人因此便在那里商议说:‘总得把他补起来才好!’内中有一个人道:‘我是一时记不清这些事情,就是要补,也非一二年之事。依我说:还是把这半部印出来,虽不能引之为善,却可以戒其为非。况且从前古人以半部‘论语’治天下,就是半部亦何妨。倘

① 整躬率物——以身作则,做出榜样。

若要续,等到空闲的时候再续。诸公以为何如?'众人踌躇了半天,也没有别的法子可想,只得依了他的说话,彼此一哄而散。他们都散了,我的梦也醒了;说也奇怪,一场大病,亦赛如没有了。"

当下甄阁学见他哥子病势已减,不觉心中安慰了许多。以后他哥子活到若干年纪。他自己即时前往山东,到他儿子任上做老太爷去。写了出来,不过都是些老套头,不必提他了。——是为"官场现形记",前半部终。